DE L'ESPRIT DES LOIS

I

Du même auteur
dans la même collection

LETTRES PERSANES
CONSIDÉRATIONS SUR LES CAUSES DE LA GRANDEUR DES ROMAINS ET DE LEUR DÉCADENCE

MONTESQUIEU

DE L'ESPRIT DES LOIS

I

Chronologie, introduction, bibliographie
par
Victor GOLDSCHMIDT
Professeur à l'Université de Picardie

GF
FLAMMARION

CHRONOLOGIE

1689 : Naissance de Charles-Louis de Secondat, le 18 janvier, au château de La Brède.

1696 : Mort de la mère de Montesquieu.

1700-1705 : Etudes chez les Oratoriens, au collège de Juilly.

1705-1708 : Etudes de droit à Bordeaux.

1709-1713 : Premier séjour à Paris.

1713 : Mort du père de Montesquieu.

1714 : Reçu conseiller au Parlement de Bordeaux.

1715 : Mariage avec Jeanne de Lartigue, calviniste, fille d'un ancien lieutenant-colonel. Trois enfants naîtront de cette union : Jean-Baptiste (1716), Marie-Catherine (1717) et Denise (1727), son « petit secrétaire ».

1716 : Hérite de son oncle paternel, Jean-Baptiste de Secondat, la charge de président à mortier au Parlement, et la baronnie de Montesquieu. — Elu à l'Académie de Bordeaux.

1717-1721 : Mémoires et discours académiques : *Sur les causes de l'écho* (1718), *Sur l'usage des glandes rénales* (1718), *Sur la fleur de la vigne* (1718), *Projet d'une histoire physique de la terre ancienne et moderne* (1719), *Sur la cause de la pesanteur des corps* (1720), *Sur le flux et le reflux de la mer* (1720).

1721 : *Lettres persanes.*

1721-1728 : Voyages à Paris, où il fréquente la Cour et les salons. Publication du *Temple de Cnide* (1724) et lecture, au Club de l'Entresol, du *Dialogue de Sylla et d'Eucrate* (publié en 1745). Il écrit les *Considérations* *sur les richesses de l'Espagne* (vers 1724), et présente à l'Académie de Bordeaux les premiers chapitres d'un *Traité général des devoirs* (1725).

1726 : Il résilie sa charge de président au Parlement de Bordeaux.

1728 : Elu à l'Académie française.

1728-1731 : Voyages en Autriche, en Hongrie, en Italie, en Suisse, en Hollande, à Londres enfin, où il est élu membre de la *Royal Society*, assiste aux séances du Parlement et se fait initier à la Franc-Maçonnerie.

1731-1734 : Retour en Guyenne et travail intense : *Lysimaque* (1731, publié en 1754), *Mémoires sur les mines* (1731-1732), *Réflexions sur la monarchie universelle en Europe* (imprimé, mais non publié, en 1734), *Réflexions sur la sobriété des habitants de Rome comparée à l'intempérance des anciens Romains* (1732).

1734 : *Considérations sur les causes de la grandeur des Romains et de leur décadence.*

1734-1748 : Séjours alternés à La Brède et à Paris. *Essai sur les causes qui peuvent affecter les esprits et les caractères* (date incertaine), *Histoire de Louis XI* (perdue), *Histoire de France* (1738, dont il subsiste des fragments), *Arsace et Isménie* (conte oriental, non publié).

1746 : Elu à l'Académie de Berlin.

1748 : *De l'Esprit des lois.*

1750 : *Défense de l'Esprit des lois.*

1751 : Mise à l'*Index* de l'*Esprit des lois.*

1753 : *Essai sur le goût* (publié, en 1757, dans le tome VII de l'*Encyclopédie*).

1754 : Censure définitive par la Sorbonne, de 19 propositions extraites de l'édition de 1750 de l'*Esprit des lois* (non publiée).

1755 : Mort de Montesquieu à Paris, le 10 février.

INTRODUCTION

L'Esprit des lois est l'œuvre d'une vie. Sa rédaction s'étend sur une vingtaine d'années, et son objet englobe et prolonge les ouvrages précédents. Quelle qu'en soit la perfection, les *Lettres persanes* (1721) et les *Considérations* (1734) paraissent, après coup, comme des premières versions de cette somme. D'autres écrits, moins achevés, ont concouru à préparer le traité : l'*Essai sur les causes qui peuvent affecter les esprits et les caractères* (entre 1731 et 1741) [1], les *Considérations sur les richesses de l'Espagne* (1724) [2], les *Mémoires sur les mines* (1731) [3], le projet du *Traité des devoirs* (dont des fragments ont été communiqués, en 1725, à l'Académie de Bordeaux) [4], auquel se rattache l'*Essai touchant les lois naturelles et la distinction du juste et de l'injuste* [5]. Il faut y joindre l'immense documentation dont rendent compte (incomplètement) les notes du traité et surtout les *Pensées* et le *Spicilège*, le cahier des *Geographica* (1734-1738, 1742-1743) [6] et les *Voyages* (1728-1729) [7].

On s'est interrogé sur la date exacte (ou approximativement exacte) à laquelle l'auteur aurait conçu le projet de l'ouvrage. Soulevée pour résoudre une contradiction apparente (entre le XIe livre et les livres II-X) par une évolution hypothétique, la question, même sur le plan de la chronologie historique, ne présente pas un intérêt

1. MONTESQUIEU, *Œuvres complètes (O.C.)*, éd. A. Masson, Nagel éd., 1950-1955, t. III, p. 397.
2. *O.C.*, t. III, p. 137.
3. *O.C.*, t. III, p. 435.
4. *O.C.*, t. III, p. 157.
5. *O.C.*, t. III, p. 175.
6. *O.C.*, t. II, p. LXXVII et 923.
7. *O.C.*, t. II, p. XCI et 967.

majeur, à supposer qu'elle offre un sens intelligible, et la « solution » qu'elle est censée étayer « suppose l'historien plus intelligent que l'auteur et capable de voir immédiatement la contradiction qui aurait échappé au génie » (R. Aron). Au niveau, en tout cas, de la création (scientifique et artistique), il est de beaucoup plus sûr de s'en tenir aux propres paroles de l'auteur : « Je puis dire que j'y ai travaillé toute ma vie; au sortir du collège on me mit dans les mains des livres de droit; j'en cherchai l'esprit, je travaillai, je ne faisais rien qui vaille. Il y a vingt ans que je découvris mes principes [1]... »

Ces indications situent la véritable genèse du livre au-delà même des fonctions exercées au Parlement de Bordeaux (1714-1726). En remontant aux années de sa formation, elles rappellent la profession de l'auteur — que la critique, et cela dès le début, a parfois tendance à négliger [2]. Elles invitent, enfin, à rattacher le propos de l'ouvrage aux « livres de droit » qui en furent la cause, au moins occasionnelle.

I

L'ESPRIT DES LOIS AVANT MONTESQUIEU

1. Le terme d'*esprit des lois* n'est pas, à la lettre, une invention de Montesquieu. Il est lié au problème traditionnel de l'*interprétation*, où « il faut considérer le but et l'esprit de la loi », et « entrer dans l'esprit de la loi et dans l'intention du législateur [3]; c'est encore « ce qu'on appelle la *raison de la loi* et que quelques-uns confondent mal à propos avec l'*intention* de la loi; au lieu que c'est un des moyens ou des indices qui servent à découvrir cette intention [4] ». « Lorsque les expressions des lois sont défectueuses, il faut y suppléer pour en remplir le sens selon leur esprit [5] ». Cette dernière citation montre que le

1. *Lettre à Solar* du 7 mars 1749, *O.C.*, t. III, p. 1200.

2. « Quoique l'*Esprit des lois* soit un ouvrage de pure politique et de pure jurisprudence... » (*Défense de l'Esprit des lois*, Ire Partie, I déb.); « ... l'auteur est jurisconsulte » (*ibid.*, IIIe Partie déb.).

3. PUFENDORF, *Le Droit de la nature et des gens* (1672), trad. J. Barbeyrac, nouv. éd., Londres, 1740, t. II, p. 540 et 541.

4. GROTIUS, *Le Droit de la guerre et de la paix* (1625), trad. J. Barbeyrac, Amsterdam, 1724, t. I, p. 566 *i.f.* sq.

5. J. DOMAT, *Les Lois civiles* (1689), nouv. éd., Paris, 1723, *Traité des lois*, chap. XII, IX, p. XXIV.

terme est courant aussi dans le livre de Domat où parfois cependant, il prend un sens plus précis et plus proche déjà des vues de Montesquieu : il désigne alors, non pas seulement le motif de telle loi particulière, mais l'intention de l'ensemble du système juridique : « C'est l'équité naturelle, qui étant l'esprit universel de la justice, fait toutes les règles, et donne à chacune son usage propre. D'où il faut conclure que c'est la connaissance de cette équité, et la vue générale de cet esprit des lois, qui est le premier fondement de l'usage et de l'interprétation particulière de toutes les règles [1] ». Comme le « censeur » janséniste devait opposer le livre de Domat à celui de Montesquieu [2], et que cet ouvrage célèbre faisait partie assurément des « livres de droit » mis entre les mains de l'étudiant, il ne sera pas inutile d'en indiquer ici, très schématiquement, l'objet.

Les premiers principes des lois, qui ont été inconnus des païens, résultent de la Révélation, et ils fondent, avec la société, la législation [3]. Celle-ci comprend essentiellement (en laissant ici de côté le droit des gens) le droit civil et le droit public. « Quoique les matières du droit public, regardant l'ordre général d'un Etat, paraissent devoir précéder celles qui ne se rapportent qu'à ce qui se passe entre les particuliers », plusieurs considérations recommandent cependant de commencer par le droit privé. D'abord, « l'étude du droit privé est en un sens d'une nécessité plus générale et plus étendue que celle du droit public [4] »; ensuite et surtout, une raison de méthode impose ce parti.

Parmi les règles de droit, en effet, il faut distinguer les « lois immuables », qui sont « naturelles et tellement justes toujours et partout, qu'aucune autorité ne peut ni les changer ni les abolir »; et les « lois arbitraires » qui sont « celles qu'une autorité légitime peut établir, changer et abolir, selon le besoin [5] ». Et « il y a cette différence entre le droit public et le droit privé, qu'au lieu que dans le droit privé, il y a peu de lois arbitraires, il y en a une infinité dans le droit public [6] ». Or les règles immuables du droit privé se trouvent pour l'essentiel dans le droit

1. Domat, *Les Lois civiles*, Livre prél., I, ii, p. 5.
2. *Défense de l'Esprit des lois*, II, quatrième objection.
3. Domat, *Traité des lois*, chap. i et ii.
4. Domat, *Le Droit public*, Avertissement.
5. Domat, *Traité des lois*, chap. xi, i, p. xv.
6. Domat, *Le Droit public*, Préface (p. 10).

romain, c'est-à-dire dans le *Digeste* et le *Code* de Justinien, bien que sans ordre et sans liaison systématique [1]. Dans les *Lois civiles*, l'auteur se propose donc d'en donner un exposé selon leur « ordre naturel ». En matière de droit public, il y a bien aussi « une infinité de règles du droit naturel », mais qui « ne se trouvent recueillies ni dans le droit romain ni ailleurs ». Il faut donc les tirer, soit de l'*Ecriture*, soit « même de quelques Ordonnances [2] ». On peut les trouver encore (en retranchant, ici comme en droit privé, les lois arbitraires) dans les « règles qui sont de l'équité naturelle » mises en œuvre déjà dans le droit privé dont l'étude, pour cette raison encore, doit précéder celle du droit public [3].

2. Formulons cette distinction autrement. Il y a des règles naturelles, celles que « la raison enseigne », et qui nous sont intelligibles, soit immédiatement, soit rattachées aux principes dont elles dérivent. Réglant « les matières plus communes et plus importantes », elles « sont en bien plus grand nombre » que les lois arbitraires, et elles « sont proprement l'objet de l'entendement [4] ». Les lois arbitraires, en revanche, « se remarquent et s'apprennent par la simple lecture et par la mémoire et [...] c'est par l'étude qu'il faut les apprendre [5] ». Si les « règles qui sont de l'équité naturelle » « peuvent faire la matière d'une science en ce qu'elles sont un objet de l'entendement », « les règles arbitraires du droit public », contenues dans les Ordonnances, « ne sont l'objet que de la mémoire, et ne demandent l'usage du raisonnement que lorsqu'il s'y trouve des difficultés [6] ».

L'antique doctrine (sophistique, aristotélicienne, stoïcienne) du droit naturel est ici renouvelée sur trois points. Elle est soumise, conformément à une tradition médiévale, thomiste surtout, à la Révélation. — Le concept formel de droit naturel se remplit d'un contenu concret, grâce au droit romain (appliqué, comme on sait, dans une partie du Royaume, à Clermont par exemple, et applicable ailleurs, à défaut de coutumes : dans une lettre à sa

1. Domat, *Les Lois civiles*, Préface; *Traité des lois*, chap. xi, xix, p. xvii.
2. Domat, *Le Droit public*, Préface (p. 11 déb.).
3. Domat, *Le Droit public*, Avertissement.
4. Domat, *Traité des lois*, chap. xi, xxviii, p. xix.
5. Domat, *Traité des lois*, chap. xii, xxi, p. xxv.
6. Domat, *Le Droit public*, Avertissement.

fille Denise, Montesquieu soulèvera ce point de droit [1]); Pufendorf déjà s'était inspiré du droit romain [2]. — Enfin, l'opposition : droit naturel — droit positif est entièrement rajeunie, et portée au niveau de la philosophie contemporaine, à l'aide du cartésianisme, lui-même commenté et diffusé par Port-Royal [3]. N'est objet de science que ce que l'*entendement* peut connaître. Tout ce qui relève de la *mémoire* est abandonné à la vaine érudition où s'était complu la Renaissance, et la discipline qui s'y attache, c'est-à-dire l'histoire, est excommuniée et retranchée du nombre des sciences. Or le droit privé est entièrement intelligible, et la grandeur de Domat est de disposer les règles éparses dans la compilation de Justinien, de manière à en faire voir l' « ordre des raisons » : on doit rappeler, à cet égard, le titre que lui décernera Boileau de « restaurateur de la Raison dans la Jurisprudence [4] ». Il en va tout autrement en matière de droit public. Ici, le droit romain, bien qu'il ait clairement formulé la distinction entre ces deux branches du droit, ne fournissait guère de matériaux : aussi bien les règles générales dégagées dans le *Traité des lois* tiennent-elles peu de place dans le *Droit public* de Domat, duquel, d'autre part, sont exclues, en principe tout au moins, les « règles arbitraires ». De fait, le droit public moderne est une création de l'Ecole du droit naturel [5], où l'on ne saurait ranger Domat; elle s'accomplit au cours du XVIIIe siècle, et Montesquieu en sera un des principaux artisans.

II

L'OBJET DU LIVRE

« Je n'ai point séparé les lois politiques des civiles : car, comme je ne traite point des lois, mais de l'esprit des lois, et que cet esprit consiste dans les divers rapports

1. MONTESQUIEU, *Lettre à sa fille Denise,* du 18 décembre 1750, *O.C.*, t. III, p. 1347.
2. PUFENDORF, *Le Droit de la nature et des gens,* III, IV-V.
3. *Logique de Port-Royal,* IVe Partie, chap. XIII-XV.
4. BOILEAU, *Lettre à Brossette,* du 15 juin 1704, *Œuvres complètes,* éd. de la Pléiade, p. 689.
5. R. DAVID, *Les Grands Systèmes de droit contemporains* [2], Dalloz, 1966, p. 45 et 62.

que les lois peuvent avoir avec diverses choses, j'ai dû moins suivre l'ordre naturel des lois, que celui de ces rapports et de ces choses » (I, iii).

3. Le droit civil n'est plus séparé du droit public. En quoi il perd, si l'on peut dire, deux fois son autonomie. Non seulement il cesse d'être la science juridique par excellence, mais il est subordonné au droit public : sa seule fonction est de *maintenir* la constitution (I, iii); à la limite, comme dans un gouvernement despotique, il peut même être absent tout à fait (VI, i). On retrouve ainsi l'enseignement d'Aristote : « Il est évident que les lois doivent être établies en conformité avec la constitution [1] ». Aussi est-ce par l'étude des constitutions que commence l'*Esprit des lois* (Ire et IIe Partie), car c'est là que se trouvent exposés les « principes » dont la découverte commande tout l'ouvrage [2]. Il ne saurait donc être question de demander au droit privé des règles immuables qui régiraient, et ce droit même et le droit public, comme Domat l'avait tenté dans son *Traité des lois*.

Par là, le droit romain est dépouillé de sa dignité de *raison écrite*, formule traditionnelle, et reprise, dans toute la force des deux termes, par Domat [3]. Il est significatif que déjà dans les *Considérations* de 1734, le chapitre consacré à Justinien ne mentionne même pas sa codification, et l'*Esprit des lois* blâme la pratique des rescrits comme « une mauvaise sorte de législation » (XXIX, xvii). Sans doute l'auteur conserve-t-il toute son admiration pour la « grandeur des Romains » : « Je me trouve fort dans mes maximes, lorsque j'ai pour moi les Romains » (VI, xv). Mais le *Digeste*, le *Code*, les *Novelles* sont envisagés d'après le rôle qu'ils tiennent dans l'histoire du droit français, concurremment avec les Coutumes (XXVIII, xlii) : ils ne sauraient fournir des éléments à une science *a priori*.

Que Montesquieu ait pleinement conscience de la nouveauté de son interprétation du droit romain, on le voit par le livre XXVII dont la place, dans la composition de l'ouvrage, a pu embarrasser les commentateurs. On sait que ce livre, intitulé *De l'origine et des révolutions des lois des Romains sur les successions*, formait initialement un simple chapitre du livre XXIX, où il devait illustrer

1. ARISTOTE, *Politique*, III, 11, 1282 b 10-11; IV, 1, 1289 a 13-15.
2. *De l'Esprit des lois*, Préface *i.f.* et la *Lettre à Solar*, citée plus haut.
3. DOMAT, *Le droit public*, Avertissement.

la méthode de l'auteur [1]. Or Domat, dans l'*Avertissement sur la seconde partie des Lois civiles*, pour se justifier d'avoir consacré toute cette seconde partie de son livre au système des successions, avait allégué les « difficultés infinies » de cette matière, les « questions qui ont divisé les interprètes » et la nécessité, surtout, d'« opposer en divers endroits les principes de notre usage et de l'équité aux subtilités du droit romain que nous rejetons ». Le livre XXVII se propose précisément d'expliquer ces *subtilités* apparentes par l'évolution historique du droit successoral romain, et, pour cela, remonte jusqu'à la loi des XII Tables, pour y chercher « ce que je ne sache pas que l'on y ait vu jusqu'ici ». On comprend donc très bien que l'auteur ait détaché ce chapitre du XXIXe livre, pour en faire un livre indépendant — tout comme Domat l'avait fait.

S'il est privé de son privilège de *ratio scripta*, le droit romain est-il, pour autant, disjoint de la raison ? Tant s'en faut, mais c'est là un avantage qu'il doit partager avec d'autres droits, et la raison qui préside à tous perd son ambition universelle : « La loi, en général, est la raison humaine, en tant qu'elle gouverne tous les peuples de la terre; et les lois politiques et civiles de chaque nation ne doivent être que des cas particuliers où s'applique cette raison humaine » (I, iii).

Le chapitre d'où cette phrase est extraite introduit directement à l'ensemble de l'ouvrage, et il est intitulé : *Des lois positives*. Autrement dit, les lois dont il s'agit de découvrir l'esprit sont celles précisément que Domat avait renvoyées de la science, pour les abandonner, comme « arbitraires », à la seule mémoire. Il en résulte, par rapport aux conceptions antérieures du droit, un renversement de perspective et un élargissement prodigieux du sujet.

4. « Les lois arbitraires se remarquent et s'apprennent par la simple lecture et par la mémoire », avait dit Domat. Mais la mémoire, d'après la division baconienne de la science humaine, reprise et aménagée par l'*Encyclopédie*, n'est pas seulement le réservoir où se déposent passivement et se conservent les « lectures » : c'est l'une des trois facultés de l'entendement d'où dérive la science de l'histoire et, plus particulièrement, de l'*histoire civile*. L'histo-

1. J. Brethe de la Gressaye, éd. de l'*Esprit des lois*, t. I, p. cxix sq.

riographie est alors l'objet d'une réhabilitation et d'un renouveau, où l'on peut distinguer, schématiquement, deux courants : l'histoire érudite et l'histoire philosophique. Cette antithèse, à vrai dire, n'a pas grand sens, appliquée à l'œuvre de Montesquieu où elle est entièrement surmontée. Elle l'était déjà dans les *Considérations sur les causes de la grandeur des Romains et de leur décadence*, ouvrage dont d'Alembert a dit qu'il aurait pu s'intituler *Histoire romaine, à l'usage des hommes d'Etat et des philosophes* [1]. Mais même dans les livres les plus techniquement historiques de la VIe Partie de l'*Esprit des lois*, l'information n'est jamais une fin en soi, ni séparée de l'idée. Il faut dire surtout que Montesquieu fonde ce qu'on appellera plus tard l'*histoire du droit*, et cela, non pas à titre de discipline curieuse et adventice, mais comme l'unique approche proprement juridique des lois et comme l'indispensable instrument de leur interprétation; c'est cela que signifie cette règle : « Il faut éclairer l'histoire par les lois, et les lois par l'histoire » (XXXI, ii).

Si le droit romain déjà doit s'envisager dans son évolution historique, à plus forte raison en est-il ainsi du droit coutumier français (XXVIII). Or des lois positives ne se trouvent pas seulement en France et chez les Romains : il y a eu la Grèce, Carthage, Byzance, les Barbares, il y a eu le Moyen Age féodal. Voilà que le champ de l'histoire s'étend. Il s'agrandit encore, au point de rendre à l'*histoire* son sens premier d'*enquête*, sans import chronologique, si l'on considère dans les temps modernes, les Provinces-Unies, les Etats italiens, l'Espagne, le Danemark, l'Angleterre. Mais la découverte du Nouveau Monde, la découverte surtout de la Chine (avec les « Disputes sur les cérémonies chinoises ») avaient brisé le cadre étroit de l'histoire universelle où s'enfermait encore le *Discours* de Bossuet. L'enquête s'étendra donc à l'Amérique, la Chine, le Japon, les Indes Orientales, l'Afrique, sans oublier la Turquie et la Perse [2].

On reste confondu devant l'ampleur d'une telle tâche, et l'on comprend que l'auteur ait pu parler de l' « immen-

1. D'ALEMBERT, *Eloge de Monsieur le Président de Montesquieu* (vol. V de l'*Encyclopédie*, 1755), in *Œuvres complètes* de Montesquieu, éd. citée, t. I, p. xv.

2. Pour une mise au point détaillée des sources et des références, on pourra consulter P. VERNIÈRE, *Montesquieu et l'Esprit des lois ou la raison impure*, C.D.U. et SEDES réunis, 1977, p. 40-48.

sité » de l'ouvrage et de son sujet [1], confier à des amis sa lassitude [2], et sentir « tous les jours les mains paternelles tomber [3] ». Plutôt que de lui chercher chicane, du haut de notre érudition collective, sur tel point de détail, on devrait se souvenir combien cette recherche des lois positives, étendue aux dimensions du globe, est alors nouvelle. Pufendorf avait jugé que si « l'on écarte tout ce qui est de droit naturel, le droit civil se trouvera, pour le fond, réduit à des bornes assez étroites [4] », et Domat avait fait écho : « Ces règles arbitraires sont en petit nombre dans les lois civiles [5]. » Ici encore, Montesquieu apparaît comme le créateur d'une science inédite, celle qu'on appellera plus tard *droit comparé*, mais ici encore il ne s'agit pas d'une discipline autonome et subsidiaire, mais d'un instrument d'interprétation des lois, et « il a cru ses recherches utiles, parce que le bon sens consiste beaucoup à connaître les nuances des choses [6] ».

5. Une telle accumulation de matériaux apparemment disparates, où la raison, d'universelle qu'elle était au siècle de Descartes, semble se faire collectionneuse, risquait pourtant, même pratiquée sur une échelle plus modeste, d'être exploitée en faveur d'un scepticisme juridique. Cette tradition remonte aux Sophistes (et même à Hérodote), Carnéade en est un des représentants les plus éminents, et Pascal venait de la renouveler avec éclat dans la Ve Section des *Pensées*. Avant lui, Montaigne avait associé à cette espèce d'*historia stultitiae* que constituent les lois proprement dites (« Elles sont souvent faites par des sots, plus souvent par des gens qui, en haine de l'équalité, ont faute d'équité, mais toujours par des hommes, auteurs vains et irrésolus [7]), les mœurs (« Il n'est chose en quoi le monde soit si divers qu'en coutumes et lois. Telle

1. *Lettre à Mgr Cerati* du 16 juin 1745 (*O.C.*, t. III, p. 1062); *Défense de l'Esprit des lois*, Sec. Partie, Idée générale : « On peut dire que le sujet en est immense. »

2. Par exemple, *Lettre au Président Barbot* du 2 février 1742 (*O.C.*, t. III, p. 1015) et *Lettre à Mgr Cerati* du 28 mars 1748 (*O.C.*, t. III, p. 1116).

3. *De l'Esprit des lois*, Préface.

4. PUFENDORF, *Le Droit de la nature et des gens*, éd. citée, VIII, i, § I, t. III, p. 259.

5. DOMAT, *Les Lois civiles*, Préface.

6. *Défense de l'Esprit des lois*, Sec. Partie, Idée générale : c'est un des textes où le programme d'un « droit comparé » est le plus clairement formulé.

7. MONTAIGNE, *Essais*, III, xiii (éd. P. Villey et V.-L. Saulnier, P.U.F., 1965, p. 1072).

chose est ici abominable qui apporte recommandation ailleurs [1] »). Il est vrai que le même Montaigne avait remis en l'honneur une autre tradition [2] (complémentaire, en dépit des apparences, plutôt que contraire à la précédente) qui consistait à la fois à idéaliser un peuple barbare (ou réputé tel) et, par là, à promouvoir une critique de l'ordre des choses national (ou européen) [3]. On sait que les *Lettres persanes* se laissent, sans trop d'arbitraire, replacer dans ce courant qui pourrait bien constituer comme une tentation permanente de l'Occident, puisqu'il ne s'achève pas, comme on affecte parfois de le croire, avec le « mythe » du « bon sauvage » de Rousseau : fluctuant dans son contenu, le mythe n'en poursuit pas moins sa carrière, et a même renforcé son potentiel de mystique voire de masochisme.

Dans l'*Esprit des lois*, on pourrait saisir des traces de ces deux traditions, mais des traces seulement. (L'admiration pour les Romains ne débouche jamais sur l'utopie ou la diatribe, et la confrontation des lois discordantes ne verse pas dans la satire.) La plus considérable, mais qu'à vrai dire personne ne songerait à attribuer à l'influence de Montaigne, serait dans l'élargissement de l'enquête qui englobe les *mœurs*, mais bien d'autres domaines encore : « Plusieurs choses gouvernent les hommes : le climat, la religion, les lois, les maximes du gouvernement, les exemples des choses passées, les mœurs, les manières; d'où il se forme un esprit général qui en résulte » (XIX, iv). Dans cette phrase célèbre où le terme qui donne son titre à l'ouvrage est étendu aux nations, on doit seulement souligner que c'est la législation qui demeure au centre des préoccupations de l'auteur : toute la seconde partie de ce livre, et la plus développée (à partir du chapitre XIV), l'atteste assez. Ainsi, en ce qui concerne le climat et la « nature du terrain » on a pu chercher, jusque dans l'Antiquité (Hippocrate, Aristote, Galien) et à l'époque même de Montesquieu, des prédécesseurs et des « influences [4] ». Recherches très utiles, mais qui cessent d'être pertinentes quand elles perdent de vue l'objet du traité : même

1. MONTAIGNE, II, xii, p. 580.
2. Tradition que l'on peut faire remonter à la *Cyropédie* de Xénophon, puis à la *Germanie* de Tacite.
3. MONTAIGNE, *Des Cannibales* (I, xxxi).
4. Voir surtout le beau livre de J. DEDIEU, *Montesquieu et la tradition politique anglaise en France* (1909), réimpr. Slatkine, Genève, 1971, p. 209 sqq.

chez Bodin[1], « dont il ne convient pas d'ailleurs, comme l'a dit avec raison L. Febvre, d'exagérer sur lui une influence certaine[2] », il ne s'agit jamais, très précisément, comme dans la IIIe partie de l'*Esprit*, « Des *lois* dans le rapport qu'elles ont avec la nature du climat. »

6. On touche ici à l'originalité la plus certaine de l'ouvrage. Le scepticisme juridique et le rationalisme du droit naturel s'accordaient pour disqualifier le droit positif comme « volontaire » (Grotius) ou comme « arbitraire » : « Il roule sur des choses indifférentes en elles-mêmes, ou qui ne sont pas fondées sur la constitution de notre nature, et qui par conséquent peuvent être différemment réglées selon les temps, les lieux et les autres circonstances; le tout ainsi que le juge à-propos le Supérieur, dont la volonté est l'unique fondement de cette sorte de droit, qui à cause de cela est appelé *Arbitraire*[3]. » A quoi Montesquieu répond : « J'ai d'abord examiné les hommes, et j'ai cru que, dans cette infinie diversité de lois et de mœurs, ils n'étaient pas uniquement conduits par leurs fantaisies » *(Préf.)*. Ce dernier mot inclut le sens de « volonté », ne serait-ce que passagère, et indique déjà que même le décret du législateur ne suffit pas à rendre compte des lois, si l'on n'y joint l'étude du climat, du commerce, de la religion; même le changement des lois serait mal expliqué par un « avantage même qui n'est quelquefois que pour un temps[4] » : à son tour, il est déterminé par des *lois* dont, seule, l'histoire est capable de découvrir l'*esprit*.

Pour la première fois, les lois sont ici envisagées dans leur devenir historique, et replacées dans leur environnement climatique, géographique, économique, moral et religieux. On comprend qu'ici encore, une discipline inédite ait pu revendiquer l'auteur comme un précurseur, sinon comme son fondateur : la sociologie. Pour leur part, les contemporains ont pu rapprocher l'entreprise de celle de Newton[5]. Et de fait, les comparaisons et les méta-

1. J. Bodin, *La Méthode de l'histoire*, trad. P. Mesnard, « Les Belles-Lettres », 1941, chap. v; *Les Six Livres de la République*, livre V, chap. i (1577), Paris, 1583, p. 461 sqq.

2. L. Febvre, *La Terre et l'évolution humaine*, « La Renaissance du Livre », 1922, p. 108.

3. J. Barbeyrac in Grotius, *Le Droit de la guerre et de la paix*, éd. citée, p. 74, § XIII, n. 1.

4. Pufendorf, *Le Droit de la nature et des gens*, éd. citée, I, vi, § XVIII, p. 137.

5. Ch. Bonnet : « Newton a découvert les lois du monde matériel : vous avez découvert, Monsieur, les lois du monde intellectuel ».

phores tirées de la physique sont fréquentes dans le livre [1], et pourraient même faire l'objet d'une étude monographique qui se placerait sous le patronage du premier chapitre du traité, où les lois sont posées « dans la signification la plus étendue ».

Ces deux lectures sont plausibles. Cependant, en l'éclairant à la lumière de deux sciences, dont l'une était encore à naître et dont l'autre était tombée, dans la conscience commune de l'époque, au niveau d'une mode et même d'une idéologie, elles risquent de méconnaître l'originalité de l'œuvre et l'intention de l'auteur. « Chez les Grecs et chez les Romains, l'admiration pour les connaissances politiques et morales fut portée jusqu'à une espèce de culte. Aujourd'hui, nous n'avons d'estime que pour les sciences physiques, nous en sommes uniquement occupés, et le bien et le mal politiques sont, parmi nous, un sentiment, plutôt qu'un objet de connaissances. Ainsi, n'étant point né dans le siècle qu'il me fallait, j'ai pris le parti [...] de me mettre dans l'esprit que, dans sept ou huit cents ans d'ici, il viendra quelque peuple à qui mes idées seront très utiles [2]. » Ce texte qui n'est pas un témoignage isolé [3] situe l'objet du livre dans la grande tradition antique; il ratifie tacitement le programme établi, à l'aube de la pensée politique moderne, par Hobbes [4], et l'un du moins de ses correspondants a immédiatement compris la véritable préoccupation de l'auteur [5]. Quelles que soient l'ambition et la perfection

(*Lettre à Montesquieu* du 14 novembre 1753); (MONTESQUIEU, *O.C.*, t. III, p. 1478).

1. Relevons au hasard : II, iv (« Comme la mer... »); III, v (« comme, dans les plus belles machines... »; III, vii (« ... il en est comme du système de l'univers... »); III, x (« ... une boule jetée contre une autre... »); V, i (« C'est ainsi que, dans les mouvements physiques... »); IX, iv (« Il est reçu en géométrie...)»; X, ix (« Il en est comme de notre planète... »); XVII, viii (« la mécanique a bien ses frottements... »); XXIX, iii (« c'est ainsi que la fermentation d'une liqueur... »), etc.

2. MONTESQUIEU, *Pensées*, 1940 (198), *O.C.*, t. II, p. 580.

3. MONTESQUIEU, *Pensées*, 1871 (199, p. 557), où ce même développement est suivi par : « Les Anciens chérissaient les sciences; ils protégeaient les arts. Mais l'estime qu'ils eurent pour ceux qui inventèrent quelque chose en matière de gouvernement, ils la portèrent jusqu'à une espèce de culte. »

4. Après un éloge de la géométrie, qui est à l'origine de la physique moderne : « Si, en matière de morale, les philosophes s'étaient acquittés de leur tâche avec autant de bonheur, je ne vois pas ce que l'ingéniosité humaine pourrait apporter en outre à la félicité dans cette vie » (*De Cive*, epist. dedic., p. 137, Molesworth).

5. *Lettre de Mgr Cerati* du 18 février 1749 : « ... un ouvrage qui vous égale aux nomothètes les plus célèbres de l'antiquité [...]. Vous

scientifiques de l'œuvre, on y chercherait en vain quelque « neutralité axiologique », et l'élargissement déjà tout « moderne » de l'enquête laisse intacte sa visée politique.

III

Ses « principes »

A la fin de la *Préface*, Montesquieu écrit : « Quand j'ai découvert mes principes, tout ce que je cherchais est venu à moi. » Bien que le sens de cette phrase soit disputé, on ne peut guère douter que l'auteur n'ait ici en vue ce qu'il précisera dans le chapitre introductif : « les rapports que les lois ont avec la nature et avec le principe de chaque gouvernement : et, comme ce principe a sur les lois une suprême influence, je m'attacherai à le bien connaître; et, si je puis une fois l'établir, on en verra couler les lois comme de leur source ». C'est ensuite seulement qu'on passera « aux autres rapports, qui semblent être plus particuliers » (I, iii). On peut penser que ce programme englobe les deux premières parties de l'ouvrage.

7. En quoi, précisément, consiste la découverte des « principes » ? — On a vu que la subordination du droit privé au droit public peut être retracée jusqu'à Aristote (et même Platon). C'est à l'Antiquité aussi que remonte la tradition selon laquelle les gouvernements sont (ou doivent être) soumis à des lois, et c'est la loi qui règle toute la vie politique. Cette tradition est conservée et renouvelée par la théorie moderne de l'Etat constitutionnel, dans l'élaboration de laquelle Montesquieu a pris une part décisive, et qui se répandra au cours du XIXe siècle — en attendant que de nouvelles formations étatiques fassent voir, au siècle suivant, que la politique se définit par le pouvoir (et la prise du pouvoir), et que la loi, dans la lutte politique, est un simple instrument, toujours à la disposition des autorités, et non pas une autorité elle-même. Enfin, la classification des gouvernements s'enracine elle aussi dans la réflexion politique

découvrez un certain ordre dans le chaos des caprices humains, et vous inspirez des vues salutaires pour redresser, autant qu'il est possible, les folies et les passions, qui dominent sur notre globe » (in MONTESQUIEU, *O.C.*, t. III, p. 1184).

grecque, et a été illustrée, après Hérodote, par Platon, Aristote et Polybe (dont, à son tour, s'était inspiré Machiavel).

C'est bien pourtant dans la théorie des gouvernements qu'il faut chercher la découverte des « principes ». Déjà Émile Durkheim, en 1892, avait parfaitement vu que « Montesquieu ne s'est pas borné à reprendre avec quelque infidélité la classification d'Aristote, mais qu'il a édifié une œuvre nouvelle [1] ». — Ce n'est plus le nombre (« distinction toute quantitative, dira Hegel, seulement superficielle et qui ne touche pas au concept de la chose ») qui fournit le critère de distinction, puisque le gouvernement républicain englobe la démocratie et l'aristocratie. En revanche, l'idée de légalité (dont l'absence avait simplement servi, chez Aristote, à discriminer les « déviations » des gouvernements corrects) devient déterminante, puisqu'elle met la différence entre la monarchie et le despotisme. Cette division dans son ensemble est présentée comme un *fait* (II, i), mais elle est éclairée par le *principe* de chaque gouvernement (la vertu dans le républicain, l'honneur dans le monarchique, la crainte dans le despotique); elle est appuyée sur la géographie et l'histoire (la république se trouve dans les cités grecques et latines de l'Antiquité, ainsi que dans les villes italiennes du Moyen Age; la monarchie chez les grandes nations de l'Europe moderne; le despotisme en Orient : Turquie, Perse, Japon); elle tient compte, enfin, de la taille des Etats (la république suppose de petites villes, le despotisme règne chez les peuples qui occupent d'immenses étendues, la monarchie se rencontre dans des territoires de dimensions modérées).

8. Si cette classification est donnée comme un fait, cela signifie à la fois qu'elle est le résultat d'une observation concrète, et qu'elle constitue une donnée ultime dont le jurisconsulte, en tout cas, n'a pas à rechercher les causes. C'est pourquoi « les lois qui suivent directement » de la nature de chaque gouvernement « sont les premières lois fondamentales » (II, i). Cette expression, selon l'usage qui s'établit au XVIe siècle, désigne les lois résultant d'un pacte conclu entre le peuple et le prince dont elles limitent la souveraineté. Montesquieu qui, pour sa part, n'admet la fiction ni d'un pacte social ni d'un pacte de

1. E. Durkheim, *Montesquieu et Rousseau précurseurs de la sociologie*, M. Rivière, 1966, p. 73.

gouvernement, prend ici cette expression dans un sens tout nouveau (qui anticipe déjà l'idée kelsénienne de la « norme fondamentale ») : elle sert à qualifier la « constitution » qu'il faut admettre pour tout gouvernement, même despotique [1], et qui commande les autres lois qui en découlent ou qui y sont conformes.

La *nature* des gouvernements, avec toutes ses implications, fournit donc véritablement les « principes » explicatifs de toutes les lois dont il sera question dans la suite de l'ouvrage, et permet d'en ordonner et maîtriser l'immense diversité. Aussi ce schème tripartite est-il constamment présent dans l'étude des « autres rapports qui semblent être plus particuliers » (I, iii), c'est-à-dire à partir du Livre XIV. Mais son exposition même, dans les deux premières parties, ne se borne pas au droit constitutionnel ou, comme dit Montesquieu, « politique » : elle éclaire déjà ce droit par des lois civiles et aussi renvoie, explicitement ou non, aux recherches à venir qui se trouvent ainsi, par avance, intégrées dans le droit politique[2].

On peut joindre ici une remarque plus générale. Il n'est que de parcourir l'*Index* pour s'apercevoir que la plupart des sujets sont traités plusieurs fois, et dans des contextes très différents. Il faudrait en tenir compte pour l'appréciation (et la compréhension) de la structure du traité. Pour l'instant, il suffit de faire remarquer que la complexité des choses ne permet pas une démarche déductive et linéaire : le génie de l'auteur est, précisément, de faire apparaître, déjà dans l'analyse des principes, les

1. Ceci n'est pas contredit par II, iv, où l'expression est entendue dans un sens plus traditionnel, et sera confirmé par VIII, x et XXVI, ii.

2. Ainsi une note du livre III, v renvoie à V, ii, et en VI, v on annonce le livre XI (xviii). — L'aristocratie « imparfaite » aboutit à l'esclavage civil (II, iii) dont il sera traité au livre XV; le système de Law, examiné en XXII, x, est condamné dès le début (II, iv); la religion fera l'objet de la Ve partie, mais son influence dans un régime despotique est indiquée d'emblée (II, iv, *i.f.*); le régime despotique encore est caractérisé par une phrase (VIII, x : « Il ne se maintient donc que quand des circonstances tirées du climat, de la religion, de la situation ou du génie du peuple, le forcent à suivre quelque ordre ») dont la portée universelle ne sera dévoilée qu'au livre XIX, iv déb.; le *principe* de chaque gouvernement s'enracine dans les « passions humaines » (III, i) : c'est « le caractère de l'esprit et les passions du cœur » qui introduisent l'étude des climats (XIV, i); le problème du commerce est signalé dès les premiers livres (IV, vii; V, vi); le thème de la seconde partie est clairement indiqué dès le VIe livre (i : « la propriété et la vie des citoyens »; ii : « la liberté et la sûreté des citoyens »; iii : « ... quand il s'agit de ses biens, de son honneur, ou de sa vie »), etc.

conséquences multiples qui en dérivent mais qui, en retour, éclairent et justifient les principes.

La classification des gouvernements, en dépit, ou plutôt à cause du contenu concret dont elle s'enrichit tout au long du traité conserve une portée générale : elle établit ce que Max Weber appellerait des *types idéaux;* d'Alembert déjà l'avait vu [1], et l'auteur même l'indique (III, xi). On dirait encore qu'en tant que principes, ces trois structures essentielles précèdent, dans l'ordre de la connaissance, les gouvernements existants, de même que (si l'on nous permet cette analogie, inexacte dans un autre sens), dans l'ordre de la législation, les « rapports d'équité » sont « antérieurs à la loi positive qui les établit » (I, i). Et de même que la loi positive n'est pas toujours équitable, de même il y a des gouvernements qui ne répondent qu'imparfaitement à l'un des trois types.

Ce qui revient à dire que ces principes, avec tout l'appui et la confirmation que leur apportent les données climatiques, géographiques et économiques, ne déterminent pas un déterminisme rigoureux, et ce qui met du jeu dans la machine, c'est la contingence humaine, c'est-à-dire son intelligence, qui est bornée et jointe à l'ignorance et à l'erreur, sans compter que l'homme est « sujet à mille passions » : rien n'interdit, bien entendu, de remplacer tous ces prédicats par le terme plus flatteur de liberté (Pufendorf l'avait déjà fait) : on doit se borner à constater que Montesquieu, dans le texte allégué (I, i) ne prononce même pas le mot. Il dit simplement qu'il est de la nature des êtres intelligents « qu'ils agissent par eux-mêmes. Ils ne suivent donc pas constamment leurs lois primitives; et celles mêmes qu'ils se donnent, ils ne les suivent pas toujours ».

IV

« Les lois, dans la signification la plus étendue »

« Les lois, dans la signification la plus étendue, sont les rapports nécessaires qui dérivent de la nature des

1. « Ce n'est pas à dire qu'il n'y ait dans l'univers que ces trois espèces d'Etats; ce n'est pas à dire même qu'il y ait des Etats qui appartiennent uniquement et rigoureusement à quelqu'une de ces formes [...]. Mais la division précédente n'en est pas moins exacte et moins juste » (*Analyse de l'Esprit des lois*, in Montesquieu, *O.C.*, t. I, p. xxxvi).

choses; et, dans ce sens, tous les êtres ont leurs lois; la divinité a ses lois, le monde matériel a ses lois, les intelligences supérieures à l'homme ont leurs lois, les bêtes ont leurs lois, l'homme a ses lois. »

9. On peut établir une hiérarchie entre les êtres, selon qu'ils ont ou non des lois immuables et qu'ils les suivent plus ou moins régulièrement. On constate alors que l'homme se situe au plus bas de l'échelle : le monde matériel suit constamment ses lois constantes, les plantes suivent mieux les leurs que les bêtes, et les bêtes les suivent mieux que les hommes. D'où : « Il s'en faut bien que le monde intelligent soit aussi bien gouverné que le monde physique. Car, quoique celui-là ait aussi des lois qui, par leur nature, sont invariables, il ne les suit pas constamment comme le monde physique suit les siennes. »

Que l'homme soit placé ici dans un contexte cosmique, cela s'accorde avec les conceptions de l'époque : avec le principe leibnizien de continuité et avec l'idée de la « chaîne des êtres [1] » qui prend alors valeur de catégorie (on la trouve chez les naturalistes, en particulier chez Buffon). Dans l'idée, d'autre part, des lois générales, on peut voir une influence de Malebranche (peut-être, aussi, de S. Clarke[2]).

Pour expliquer ce qui, dans ce texte, a paru à la fois paradoxal et choquant (« il s'en faut que le monde intelligent soit aussi bien gouverné que le monde physique »), on se reportera plutôt à Aristote (à titre de commentaire, bien sûr, peu importe si ce peut être aussi comme « source[3] »). Pour Aristote, le monde supralunaire est régi par des lois immuables et rationnelles (l'allusion aux « intelligences supérieures à l'homme » n'est pas sans évoquer les moteurs immobiles d'Aristote; dans les *Lettres persanes*, LXXXIII, Montesquieu avait parlé de l' « ange »), alors que le monde situé au-dessous de la lune est abandonné en partie à la contingence, si bien que, ni l'éthique ni la politique ne sont susceptibles d'un traitement scientifique rigoureux. La liberté humaine, dans cette perspective, comparée à la régularité intelligente avec laquelle les corps astraux suivent leurs révolu-

1. Cf. Arthur O. LOVEJOY, *The Great Chain of Being*, Harvard University Press, 1948.
2. Voir R. DERATHÉ, éd. de *L'Esprit des lois*, t. I, p. 416, n. 7 (et p. 414, n. 3).
3. Cf. P. MARTINO, in *Rev. d'hist. de la phil. et d'hist. de la civilisation*, 1946, p. 235-243.

tions, « serait donc un signe de la misère de l'homme, de l'obligation où il est, au lieu de *suivre* sa route, d'avoir à la *choisir* [1] ». Il va sans dire que le mot de *misère* serait, en l'occurrence, excessif, et l'on sait assez, d'autre part, le prix que Montesquieu attachait à la liberté (« politique », comme il est bon de le rappeler, c'est-à-dire « le droit de faire tout ce que les lois permettent », XI, iii) pour nous dispenser ici de quelques faciles couplets sur la dignité humaine. Il reste que les lois régissant la vie humaine présentent une effectivité bien inférieure à celle des lois de la nature, et c'est pourquoi « il s'en faut bien que le monde intelligent soit aussi bien gouverné que le monde physique ».

De cela même, sans doute, il n'y a pas lieu de s'étonner, quand on sait que c'est le propre de la loi, divine, naturelle ou positive, que de pouvoir être transgressée. Mais justement, on pourrait se montrer « surpris » de voir traitées de pair les « lois de causalité des sciences positives » et les « lois de but des disciplines normatives » et rappeler à l'auteur que « nécessité et obligation ne sont pas du même ordre [2] ». — Le reproche de cette confusion, périodiquement renouvelé jusqu'à nos jours, a été adressé à l'auteur dès la publication de son ouvrage, avec la qualification infamante et, alors, périlleuse de « spinozisme [3] ». On pourrait ajouter un argument à cette accusation. L'esprit des lois « consiste dans les divers rapports que les lois peuvent avoir avec diverses choses » (I, iii); or, au début du livre, les lois ont été définies comme « les rapports nécessaires qui dérivent de la nature des choses » : ce sont donc bien, si l'on peut dire, les « lois des lois » qu'il s'agit d'étudier. N'y a-t-il pas là cette même confusion entre les « lois-causales » et les « lois-commandements » : « les lois-commandements seraient l'objet de l'étude, et les rapports de causalité l'explication des lois-commandements [4] ».

Sur le premier point, il paraît aisé de compléter la *Défense de l'Esprit des lois*. La distinction entre « néces-

1. L. Robin, *Aristote*, P.U.F., 1944, p. 168.
2. J. Brethe de la Gressaye, La philosophie du droit de Montesquieu, in *Archives de philosophie du droit*, 7, 1962, p. 203.
3. *Défense de l'Esprit des lois*, Première Partie, I et première objection.
4. R. Aron, qui se borne d'ailleurs à constater que « Montesquieu emploie le terme de loi dans ces deux sens », et qu' « il risque de s'introduire des malentendus et des difficultés » (*Les Etapes de la pensée sociologique*, Gallimard (1967), 1976, p. 54).

sité physique » et « nécessité morale » (c'est-à-dire, précisément, l' « obligation ») est courante chez les auteurs de l'Ecole du droit naturel. Elle avait été élaborée, au surplus, avec précision et insistance, par J. Barbeyrac, et à l'occasion, justement, de la critique du spinozisme [1]. Or nous savons que Montesquieu avait étudié ces ouvrages. Ce serait d'une très mauvaise exégèse, que de lui prêter une confusion soigneusement évitée et dénoncée par les savants de son temps. Tout au plus pourrait-on lui compter une « équivoque », puisque le mot de *loi* lui sert à la fois à désigner la loi physique et la règle juridique.

10. Recevable en un sens, cette tentative de « défense » ressemblerait fort, à la regarder de près, au pavé de l'ours. En acceptant l' « équivoque », elle chargerait l'auteur d'une inadvertance, alors que c'est intentionnellement et à bon escient que le terme commun de loi est étendu aux deux domaines de la nature et de la législation humaine. Au début de son traité, Montesquieu cite Pindare : « La loi est la reine de tous, mortels et immortels. » Rappelé aussitôt à l'ordre par son censeur [2], il avait pourtant renoncé à une citation encore plus claire, choisie, puis rejetée en raison de son stoïcisme implicite : « La loi est la raison du grand Jupiter [3]. » Le contexte cosmique du traité est donc clairement assumé, et dans l'emploi du mot *loi*, il n'y a — aux yeux de l'auteur — ni confusion, ni équivoque, ni double emploi : la loi, « dans la signification la plus étendue » présente, par-delà sa diversité d'applications, un sens et une fonction uniques : elle gouverne l'univers avec tout ce qu'il contient. — Si l'on admet que, chez un auteur aussi économe de citations poétiques, il y a là plus qu'une métaphore, on doit essayer de lever les deux difficultés où se heurte la critique, moins pour prendre la défense de l'auteur, que pour tenter de comprendre son intention.

Pour ce qui concerne, tout d'abord, les lois physiques et les lois positives : elles ont une fonction commune, qui est de *conserver*. Les lois selon lesquelles Dieu a créé l'univers « sont celles selon lesquelles il conserve » (I, i); les hommes vivent « dans une société qui doit être maintenue »; le droit des gens inclut une certaine régle-

1. Cf. V. Goldschmidt, *Anthropologie et politique...*, Vrin, 1974, p. 196 sqq.
2. *Défense de l'Esprit des lois*, I, i, seconde objection.
3. *Pensées*, 1874 (185), *O.C.*, t. II, p. 558.

mentation de la guerre : or la guerre, au-delà de ses fins immédiates qui sont la victoire et la conquête, a pour objet « la conservation » (I, iii). D'autre part, les lois physiques témoignent de l'intelligence divine : « Il agit selon ces règles, parce qu'ils les connaît » (I, i); de même, « la loi, en général, est la raison humaine, en tant qu'elle gouverne tous les peuples de la terre, et les lois politiques et civiles de chaque nation ne doivent être que les cas particuliers où s'applique cette raison humaine ». Ces « cas particuliers » se diversifient selon les données, physiques et morales, énumérées à la fin du iiie chapitre du premier Livre, dont l'ensemble forme « l'esprit des lois » : or « les lois, dans la signification la plus étendue, sont les rapports nécessaires qui dérivent de la nature des choses ». Ce n'est donc pas là, comme le prétend une certaine tradition, du droit « volontaire » ou « arbitraire », et l'on comprend que, dans ce livre préliminaire, Montesquieu insiste sur le fondement objectif des lois, plutôt que sur leur caractère de « normes ». Par leur fonction de conservation, leur qualité rationnelle et leur rapport à la nature des choses, les lois positives s'apparentent aux lois physiques, plus qu'aux « fantaisies » d'un despote (dans la polémique contre Hobbes, il y a surtout le refus de tout « volontarisme » juridique). — Il n'y a donc pas là une « équivoque » à dénoncer, mais une doctrine à comprendre.

II. Apparentées aux lois physiques, les lois positives ne sont cependant pas, comme celles-ci, inflexibles. Et cela, non pas seulement pour la raison évidente qu'elles pourront être transgressées, mais parce qu'elles-mêmes peuvent transgresser les lois de la nature; en d'autres termes : parce que, à leur égard, même les lois de la nature ne sont pas inflexibles.

a) La « nature des choses », c'est-à-dire de l'homme et de son environnement, tant physique qu'humain, comprend deux séries de lois : 1° Les « rapports d'équité antérieurs à la loi positive qui les établit » (au lieu d'élaborer, comme ses prédécesseurs, un système de droit naturel, Montesquieu se borne à des exemples que l'on peut, avec R. Aron, réduire « à deux notions, celles d'égalité humaine et de réciprocité[1] »); 2° les « lois de la nature » qui « dérivent uniquement de la constitution de notre être » (et que l'auteur, à l'aide de la psychologie

1. R. Aron, *Les Etapes...*, p. 57.

animale, ramène à quatre : la paix, le désir de se nourrir, l'attrait des sexes, le « désir de vivre en société »). — Sans reprendre le commentaire, donné ailleurs, de ces deux séries, il suffit de noter ici que Montesquieu se rattache encore à ce qu'on appelle, d'une manière il est vrai un peu sommaire, l' « Ecole du droit naturel ». On ne saurait expliquer le Ier Livre, ni par une stratégie de « prudence » (fort maladroite, alors, puisque l'article des *Nouvelles Ecclésiastiques* attaquera, et de son point de vue avec raison [1], la référence à la « nature des choses »), ni comme une clause de style et un « hommage » rendu « du bout des lèvres » à la « doctrine du droit naturel [2] ». Le droit naturel n'est pas une survivance accessoire [3], reléguée au Ier Livre : il intervient tout au long du traité; et il est entièrement renouvelé par la fonction critique qu'il assume à l'égard des lois positives, desquelles au contraire la tradition l'avait tout à fait isolé.

Or les « rapports d'équité antérieurs à la loi positive qui les établit » subsistent même à l'égard de la loi positive qui les viole. Le droit des gens (IX, X) doit être fondé « sur les vrais principes » : il ne l'est guère chez les Iroquois « qui mangent leurs prisonniers » (I, iii); la critique de l'esclavage (XV, vii) est faite à partir de l'idée d'égalité naturelle (I, iii déb.); certaines lois sont blâmées parce qu'elles contredisent la « défense naturelle », la « pudeur naturelle » et qu'elles sont « contre la nature » (XXVI, iii); le gouvernement despotique a pour principe la *crainte :* on n'a pas assez remarqué que la crainte est un des sentiments que les hommes éprouvent dans l'état de nature (I, ii), si bien qu'un tel gouvernement s'élève à peine au-dessus de cet état; l'histoire même, si souvent invoquée

1. « On ne peut pas comprendre une œuvre comme l'*Esprit des lois* de Montesquieu, si l'on méconnaît qu'il a été dirigé contre la doctrine thomiste du droit naturel. Montesquieu a essayé de redonner à l'art politique une portée que le thomisme avait considérablement restreinte. [...] On peut affirmer à coup sûr que, lorsqu'il explicite sa pensée en sa qualité de spécialiste de la chose politique, il est plus proche en esprit des classiques que de saint Thomas » (L. STRAUSS, *Droit naturel et histoire*, trad. fr., Plon, 1954, p. 179.

2. W. FRIEDMANN, *Théorie générale du droit*, 4e éd., L.G.D.J., 1965, p. 81.

3. Pas plus qu'il n'en est une de nos jours : « Si le droit est un jugement de valeur, des divergences sont possibles entre le droit existant dans un pays donné et le droit théorique, quel que soit le nom qu'on lui donne : droit scientifique, droit objectif, droit juste, droit idéal » (L. LE FUR, in *Préface* à G. Gurvitch, *L'Idée du droit social*, Recueil Sirey, 1932, p. VIII).

pour expliquer et pour justifier une loi, est destituée de toute autorité, quand elle se met en contradiction avec la « défense naturelle » (X, iii). — Même les lois de la nature qui « dérivent uniquement de la constitution de notre être » peuvent être transgressées par la loi positive, comme on le voit dans l'établissement du monachisme (XIV, vii, XXIII, viii), dans certaines lois sur le célibat (XXIII, xxi, XXV, iv), ou sur le suicide (XXIX, ix et xvi; cf. XIV, xii). L'étude des « lois dans le rapport qu'elles ont avec le nombre des habitants » est introduite par cette phrase : « Les femelles des animaux ont à peu près une fécondité constante [les bêtes « ne suivent pourtant pas invariablement leurs lois naturelles », avait dit le livre préliminaire, chap. i]. Mais, dans l'espèce humaine, la manière de penser, le caractère, les passions [...] troublent la propagation de mille manières » (XXIII, i). On voit ici le rapport entre la loi naturelle et les mœurs — en attendant la loi positive, et pourquoi « il s'en faut bien que le monde intelligent soit aussi bien gouverné que le monde physique ».

b) Et c'est encore parce que le monde intelligent est moins bien gouverné que le monde physique, qu'il paraît malaisé de distinguer, quant à leur effectivité, des « lois-commandements », les « lois-causales », lesquelles participent davantage des lois positives qu'elles régissent, que des lois physiques dont, parfois, elles procèdent. Son censeur janséniste a reproché à Montesquieu d'enseigner un fatalisme, qu'il assimile successivement au spinozisme, au système du poème de Pope et au stoïcisme. Cette critique est souvent transformée en compliment, à partir d'Auguste Comte, qui trouve dans l'ouvrage « la tendance prépondérante [...] à concevoir désormais les phénomènes politiques comme aussi nécessairement assujettis à d'invariables lois naturelles que tous les autres phénomènes quelconques [1] ». Le réquisitoire et l'éloge ne sont pas sans apparence, mais ils témoignent (et le prêtent à l'auteur) d'un esprit de système contraire à l'esprit de l'époque et aux déclarations de l'écrivain [2], pour entraîner celui-ci dans une direction où il n'a jamais songé à aller.

1. A. Comte, *Cours de philosophie positive*, Schleicher éd., t. IV, 1908, p. 127.
2. Il suffit de rappeler le *Traité des systèmes* de Condillac (1749), et cette phrase de Montesquieu : « Les observations sont l'histoire de la physique, et les systèmes en sont la fable » (*Pensées*, 163 (681), *O.C.*, t. II, p. 51).

Comme les lois positives peuvent être enfreintes, les « lois causales » peuvent être tournées (ou, au contraire, renforcées) par la législation, parce que, précisément, elles ne formulent pas, comme le dit très bien R. Aron, « une relation de nécessité causale, mais une relation d'influence [1] ». Aussi ne sont-elles jamais énoncées en soi, mais seulement par rapport à la législation qui les affronte (et, parfois, leur cède). Le schème simple (et simpliste) de la causalité y est si peu applicable que l'auteur peut écrire, dans le livre sur la nature du climat (qui a fait le plus pour accréditer le conte d'un Montesquieu déterministe) : « Je ferai voir, au livre XIX, que les nations paresseuses [c'est-à-dire méridionales] sont ordinairement orgueilleuses. On pourrait tourner l'effet contre la cause, et détruire la paresse par l'orgueil » (XIV, ix).

L'idée directrice n'est pas celle de causalité, mais celle, bien plus subtile, de *convenance*[2], et le terme employé, comme l'apprend un regard jeté sur la Table des matières, est celui de rapport ou de relation : dans le chapitre-programme, ce rapport s'exprime sous forme d'impératif (ou d'optatif) : « Il faut que les lois se rapportent à la

1. R. Aron, *Les Etapes...*, p. 48.

2. L'idée de *convenance* pourrait faire l'objet d'une étude, qui s'attacherait d'abord à ses différentes expressions verbales. Elle se formule par les termes de *rapport* et de *relation*, comme on l'indique dans le texte, ou encore par *convenir*, *convenable*, par exemple en I, iii (« c'est un très grand hasard si [les lois] d'une nation peuvent convenir à une autre »); II, iv (« Autant que le pouvoir du clergé est dangereux dans une république, autant est-il convenable dans une monarchie, surtout dans celles qui vont au despotisme »); VI, viii (« Dans les lois de Platon, ceux qui négligent d'avertir les magistrats, ou de leur donner du secours, doivent être punis. Cela ne conviendrait point aujourd'hui »); XIV, iii (« Plus on est aisément et fortement frappé, plus il importe de l'être d'une manière convenable, de ne recevoir pas des préjugés, et d'être conduit par la raison »); XIV, x (« Dans les pays froids [...]. On y peut donc user de liqueurs spiritueuses, sans que le sang se coagule. On y est plein d'humeurs; les liqueurs fortes, qui donnent du mouvement au sang, y peuvent être convenables »); XIV, xiii (« Dans une nation à qui une maladie du climat affecte tellement l'âme [...], on voit bien que le gouvernement qui conviendrait le mieux à des gens à qui tout serait insupportable, serait celui où ils ne pourraient pas se prendre à un seul de ce qui causerait leurs chagrins ». — « Que si la même nation avait encore reçu du climat un certain caractère d'impatience [...], on voit bien que le gouvernement dont nous venons de parler serait encore le plus convenable »); XIX, vi (« Les lois qui gêneraient l'humeur sociable parmi nous ne seraient point convenables »); XXVIII, xiii (« Ces lois ne pouvaient convenir qu'à un peuple qui avait de la simplicité et une certaine candeur naturelle »). Négativement, il ne faut pas faire « des lois qui choquent l'esprit général » (XIX, xi).

nature et au principe du gouvernement... »; « elles doivent être relatives au *physique* du pays... » (I, iii). Il n'est pas question d'une action mécanique et nécessaire de causes étrangères (physiques) sur les lois (qui relèvent du « monde intelligent »), mais des lois (des œuvres de l'intelligence), en réplique à ces « causes ».

L'idée de convenance pourrait s'autoriser de deux principes, d'ailleurs traditionnels : la « belle parole » de Solon (« On demanda à Solon si les lois qu'il avait données aux Athéniens étaient les meilleures : " Je leur ai donné, répondit-il, les meilleures de celles qu'ils pouvaient souffrir " », XIX, xxi), et cet adage du droit romain, adopté par Hobbes, puis par tous les écrivains de l'Ecole du droit naturel : « Le salut du peuple est la suprême loi » (XXVI, xxiii). Aussi bien l'originalité de l'auteur ne se situe pas, ici, au niveau des principes. Elle consiste, après avoir mis au jour, par ses recherches, appuyées sur la science contemporaine, les « choses sans nombre » auxquelles « les lois ont des rapports sans nombre », à montrer concrètement comment le législateur peut *adapter* les lois à ce conditionnement complexe, à la fois, en en tenant compte et en en tirant parti.

Si ce conditionnement agissait à la manière d'une « *fatalité aveugle* » (I, i) et inexorable, le traité n'aurait plus d'objet. D'où l'on voit la fausse ingéniosité des interprétations qui s'obstinent à expliquer le Ier Livre par le souci de l'auteur de créer une « illusion de conformisme ».

S'il est permis, ici encore, de tirer un commentaire de la philosophie antique, on pourrait dire que le législateur de l'*Esprit des lois*, en face de ces conditions multiples, agit comme le Démiurge du *Timée*, confronté aux « œuvres de la Nécessité ».

« Si les lois des nations pouvaient avoir comme celles de la nature une inflexibilité que jamais aucune force humaine ne pût vaincre... » : tel sera le vœu de Rousseau. Montesquieu, en reliant les lois des nations à celles de la nature, fait voir que, *dans ce rapport*, même les lois de la nature n'ont pas une inflexibilité que ne puisse vaincre le génie du législateur. Aussi s'est-il réclamé de la science politique classique, non de la physique moderne [1].

1. Cf. plus haut, § 6, *i.f.* (p. 22).

V

STRUCTURE DU LIVRE

12. Les « causes », ou plutôt « les divers rapports que les lois peuvent avoir avec diverses choses » sont énumérés au début (I, iii), exhaustivement mais pêle-mêle, sans suite et sans égard, apparemment, pour le plan effectivement adopté dans l'ouvrage : des interprètes ont pu dénoncer dans cette liste « l'insolence de l'ordre bouleversé[1] »; d'autres ont tenté, avec des fortunes diverses, de redresser et d'amender le plan du livre. Comme Montesquieu possédait les éléments de la rhétorique, on doit penser que le « désordre », sinon du plan, du moins dans l'énumération des matières, est conscient et voulu : il indique que le seul terme de référence constant, ce sont les *lois*. Il n'y avait donc pas lieu d'octroyer aux « diverses choses » (qui ne sont prises en considération que « dans les divers rapports que les lois peuvent avoir » avec elles) un ordre « objectif », ontologique en quelque sorte et faussement systématique : un tel ordre eût proprement décentré la recherche, en dissolvant la loi dans le cadre du « monde physique », alors qu'elle est faite pour aménager ce monde à l'échelle humaine. La « révolution copernicienne » pourrait faire comprendre pourquoi, dans cette diversité de rapports, c'est toujours la loi, seul terme constant, qui demeure au centre.

Pas plus qu'un système des causes, l'ouvrage n'entreprend d'exposer un système des lois. « Je n'ai point pris la plume pour enseigner les lois, mais la manière de les enseigner. Aussi n'ai-je point traité des lois, mais de l'esprit des lois[2] ». D'où cette phrase qui, au-delà du livre XXIX, vaut pour l'ensemble de l'ouvrage : « On ne doit point regarder ceci comme un traité de jurisprudence; c'est plutôt une espèce de méthode pour étudier la jurisprudence : ce n'est point le corps des lois que je recherche, mais leur âme[3]. »

Il serait donc vain de chercher dans l'ouvrage un ordre par matières. Quant au « désordre », que les lecteurs

1. P. VERNIÈRE, *Montesquieu et l'Esprit des lois...*, p. 52.
2. *Pensées*, 1794 (398), *O.C.*, t. II, p. 533.
3. *Chapitres et fragments de l'Esprit des lois*, 25, *O.C.*, t. III, p. 625 *i.f.* sq.

contemporains déjà et, après eux, tant d'érudits modernes y ont trouvé, ce qu'on peut en dire de plus pertinent a été formulé par d'Alembert : « Le désordre n'est qu'apparent, quand l'auteur, mettant à leur véritable place les idées dont il fait usage, laisse à suppléer aux lecteurs les idées intermédiaires. » Et si c'est encore d'Alembert qui a pu donner, et de beaucoup, la meilleure *Analyse de l'Esprit des Lois* [1], c'est aussi parce que lui-même avait travaillé sur un problème analogue : la division des connaissances humaines. « Cette comparaison d'ailleurs est d'autant plus juste, qu'il en est du plan qu'on peut se faire dans l'examen philosophique des lois, comme de l'ordre qu'on peut observer dans un arbre encyclopédique des sciences : il y restera toujours de l'arbitraire; et tout ce qu'on peut exiger de l'auteur, c'est qu'il suive, sans détour et sans écart, le système qu'il s'est une fois formé [2]. »

Ce que d'Alembert appelle « de l'arbitraire » pourrait être illustré par des inédits, destinés d'abord à l'ouvrage, puis écartés, et dont plusieurs indiquent, par leur titre même, qu'ils auraient pu être développés de manière à constituer un livre entier [3]. Et par « système », il faut entendre ici « la carte générale des vérités que nous connaissons [4] ». — Le tracé de cette « carte » pourrait aller à l'infini, et c'est même là un des résultats de l'enquête : « On a vu, dans tout cet ouvrage, que les lois ont des rapports sans nombre à des choses sans nombre. Etudier la jurisprudence, c'est chercher ces rapports [5]. » Ces rapports se modifient dans le temps, mais il ne saurait s'agir de donner une histoire complète du droit (« cette matière n'aurait point de bornes si je n'y en mettais [6] »); on n'en proposera donc qu'un exemple, mais qui sera proprement exemplaire : « Ce que j'en dirai sera une espèce de méthode pour ceux qui voudront étudier la jurisprudence [7]. »

1. In Montesquieu, *O.C.*, t. I, p. xxxiv.
2. D'Alembert, *Eloge de M. de Montesquieu, loc. cit.*, p. xvii sq.
3. *Chapitres et fragments...*, par exemple p. 595 *(Des lois dans le rapport avec la santé)*, p. 606 *(Des principes des lois dans le rapport que la colonie a avec la métropole)*, p. 609 *(Des lois qui concernent l'enfance et l'âge de raison)*.
4. D'Alembert, *Essai sur les éléments de philosophie* (1759), Paris, 1805, p. 45.
5. *Chapitre et fragments...*, p. 630 *i.f.* sq.
6. *Pensées*, 1794 (398), *O.C.*, t. II, p. 533 déb.
7. *Chapitres et fragments...*, *O.C.*, t. III, p. 631.

L'esprit des lois d'une nation est un « esprit général » qui résulte de beaucoup de composantes (XIX, iv), et c'est encore, comme il est dit ailleurs, une « manière de penser totale [1] ». Or là non plus, il ne s'agit pas d'inventorier et de décrire successivement chacune de ces totalités (comme devait le faire, dans ses *Leçons sur la philosophie de l'histoire*, Hegel, se réclamant expressément de Montesquieu) : « Cette matière est d'une grande étendue. Dans cette foule d'idées qui se présentent à mon esprit, je serai plus attentif à l'ordre des choses qu'aux choses mêmes » (XIX, i).

A partir de tous ces textes, où l'idée de méthode est opposée à celle de *matière* ou *traité*, la comparaison s'impose avec l'*analyse* que Descartes avait mise en œuvre dans ses *Méditations*. On explique ainsi que la démarche puisse rencontrer les mêmes matières à des endroits différents de son parcours, et que, pour tâcher de comprendre la composition du livre, il faille écarter tout « ordre par matières ». Mais la méthode de Montesquieu semble avoir ceci de propre qu'étant aux prises avec une (ou : des) totalités (s), et ne pouvant cependant pas tout dire en même temps [2], elle conjugue parfois plusieurs schèmes directeurs, recourt à des renvois anticipés [3], ou encore pratique cette omission des « idées intermédiaires » que signale d'Alembert. On se bornera ici à quelques points.

13. Disant qu'il examinera « d'abord les rapports que les lois ont avec la nature et le principe de chaque gouvernement » et qu'il passera « ensuite aux autres rapports qui semblent être plus particuliers », l'auteur distingue les deux premières parties des trois suivantes. Il indique aussi qu'ayant « dû moins suivre l'ordre naturel des lois, que celui de ces rapports et de ces choses » (I, iii), cet ordre s'impose surtout dans la Première (et la Deuxième) Partie, puisque le principe de chaque gouvernement est comme la « source » des lois. A mesure que les rapports « semblent être plus particuliers », l'ordre naturel est beaucoup moins saisissable, puisque aucun des rapports désignés par les titres de climat, de commerce et de religion n'est, comme tel, principe et source des lois; la

1. *Pensées*, 1794 (398), p. 532 *i.f.*

2. Cf. Rousseau : « Toutes mes idées se tiennent, mais je ne saurais les exposer toutes à la fois » (*Du contrat social*, II, v).

3. Cf. plus haut, § 8 (p. 25, n. 2).

séquence même de ces titres ne présente pas la même nécessité que celle qui lie la Deuxième Partie à la Première. Aussi bien l'« ordre bouleversé » que l'on a voulu trouver dans la présentation des matières, dans ce même chapitre, n'affecte-t-il pas le sujet de la Première Partie lequel, tout au contraire, y est nettement détaché et placé en tête de la liste. (Il est vrai que le sujet de la Deuxième est enfoui dans l'énumération suivante; peu importe ici pour quelle raison.) On notera enfin que, dès la Première Partie, l'ordre naturel des rapports se substitue à celui des lois, c'est-à-dire, des matières : on ne s'étonnera donc pas, avec certains commentateurs, d'y trouver les lois de l'éducation (livre IV), les lois civiles et criminelles (VI) ou les lois somptuaires (VII) : d'après leur « matière », en effet, ces lois, apparemment, ne concernent pas la nature et le principe des gouvernements, mais bien, selon l'ordre naturel des rapports, puisqu'elles dérivent, à chaque fois, « comme de leur source », de la constitution et, en retour, permettent d'en éclairer et illustrer l'esprit.

Reste la Sixième Partie, qui ne saurait être comprise dans les « autres rapports qui semblent être plus particuliers », et où l'on a voulu voir un simple appendice, motivé par le désir de l'auteur d'exposer sa théorie de la monarchie française. Mais ce motif, en tout état de cause, ne rendrait compte que des deux derniers livres et, au surplus, les inédits nous ont conservé ces « idées intermédiaires » dont parle d'Alembert, et qui insistent, à la fois, sur l'exemplarité méthodologique du XXVIIe (et du XXVIIIe) livre [1] et sur l'exigence scientifique de « finir cet ouvrage » par une étude du développement historique des lois [2]. Il est assez clair que cette partie historique correspond, dans l'architecture de l'œuvre, à la Première, la plus systématique, qu'elle équilibre et complète. De plus, on pouvait croire (à tort) qu'au cours de l'ouvrage, l'histoire (et la géographie) n'était qu'un immense réservoir immobile où l'enquête puisait, toutes époques confondues, ses exemples et ses leçons. Mais déjà l'étude économique avait consacré tout un livre à montrer par quelles « révolutions » le commerce des anciens a abouti à l'économie moderne (XXI). La recherche sur les lois féodales est introduite ainsi : « Je croirais

1. *Pensées, loc. cit.*, p. 532 *i.f.* sq.
2. *Chapitres et fragments, loc. cit.*, p. 631.

qu'il y aurait une imperfection dans mon ouvrage, si je passais sous silence un événement arrivé une fois dans le monde, et qui n'arrivera peut-être jamais » (XXX, i) : c'est cet « événement » qui est à l'origine de la monarchie actuelle. — Autrement dit : la Sixième Partie, tout ensemble, établit l'histoire dans son rôle de partenaire du système juridique, et ramène l'apparente intemporalité du traité à un présent, historiquement et géographiquement déterminé.

La Deuxième Partie, bien que cela ne soit pas dit expressément (on vérifie ici, une fois de plus, ce que d'Alembert avait dit de l'omission des « idées intermédiaires »), se rattache étroitement à celle qui précède, en continuant à montrer comment, une fois connu le principe de chaque gouvernement, « on en verra couler les lois comme de leur source ». Ces lois, à consulter le chapitre-programme, sont celles qui se rapportent « au degré de liberté que la constitution peut souffrir » (I, iii). Ce thème est appelé, préparé et annoncé déjà par le livre sur la législation (VI), où étaient spécifiés aussi ses divers aspects[1], dont la propriété (traitée au livre XIII sur les impôts) et la sûreté, par où s'explique la présence des deux premiers livres, consacrés à la « force défensive » (IX) et à la « force offensive » (X), s'il est vrai que la sûreté des citoyens ne se sépare pas de la sécurité des Etats.

De fait, la place de ces deux livres ne se comprend pas seulement par leur « matière » : elle est dictée par plusieurs exigences de structure qu'on peut analyser ainsi. Le droit constitutionnel s'achève traditionnellement par un examen « Des changements et de la destruction des Etats[2] » : c'est ainsi que le VIIIe Livre avait traité *De la corruption des principes des trois gouvernements*. Or d'après une tradition établie au moins depuis Polybe, on considère qu' « il y a deux manières pour une constitution, quelle qu'elle soit, de se corrompre, soit du fait d'une cause extérieure, soit par un processus naturel interne[3] ». Les livres IX et X complètent donc le livre VIII, par l'examen de la « cause extérieure » de la

1. *De l'Esprit des lois*, VI, i-iii, où l'on trouve plusieurs énumérations qui joignent à la liberté, la sûreté, la propriété, la vie, l'honneur, etc. (cf. plus haut, § 8, p. 25, n. 2 *i. f.*).
2. Par exemple Pufendorf, *Le Droit de la nature et des gens*, livre VIII, chap. xii.
3. Polybe, VI, viii, 57.

corruption des gouvernements. D'autre part, la tradition avait inclus dans le droit constitutionnel, le « droit de guerre » et les « conventions » entre les Etats [1]. L'originalité de Montesquieu consiste, ici, à détacher le Droit des Gens du droit constitutionnel proprement dit, à la fois pour montrer les rapports qu'il peut y avoir entre les gouvernements, jusqu'alors considérés isolément, et pour donner un cadre plus vaste, celui de la sécurité extérieure, à la sûreté des citoyens. — On voit assez, sur cet exemple, comment l'auteur conjugue plusieurs schèmes traditionnels, pour les plier à une structure unique et neuve, exigée par son propos.

14. Les « autres rapports qui semblent être plus particuliers » concernent les lois « dans le rapport qu'elles ont avec la nature du climat » (Troisième Partie), « avec le commerce considéré dans sa nature et ses distinctions » (Quatrième Partie) et « avec la religion établie dans chaque pays » (Cinquième Partie). On se gardera de voir dans cette séquence une gradation selon les causes physiques et les causes morales (ce qui sous-entendrait encore un « ordre par matières »). Il est vrai que cette distinction, parfaitement courante à l'époque (chez Buffon, par exemple), divise l'*Essai sur les causes qui peuvent affecter les esprits et les caractères* [2] : mais précisément, la seconde partie de cet *Essai*, consacrée aux « causes morales » (qui incluent les religions) rapporte constamment celles-ci aux « causes physiques », et ce sont ces rapports qui font le véritable objet de l'*Essai* (de même qu'aucun commentateur d'Aristote ne songerait à séparer la cause finale de la cause matérielle). Cela dit, et comme il ne s'agit pas, ici, de l'*Essai*, les concepts de physique et de moral ne contribuent en rien à l'intelligence de ces trois Parties, à moins de changer tout à fait de sens, puisqu'il s'agit de lois et de législation.

Dans sa réponse à la Sorbonne, où il est obligé de s'en tenir au vocabulaire consacré, Montesquieu met sur le même plan « l'influence des causes morales, des politiques et des civiles [3] ». De fait, le législateur se sert indifféremment des causes physiques et des causes morales, pour parvenir à ses fins : ce sont ces *fins* qui, seules, pourraient être appelées morales; tout ce qui a rapport au climat, au

1. PUFENDORF, *Le Droit de la nature et des gens*, livre VIII, chap. VI-IX.
2. MONTESQUIEU, *O.C.*, t. III, p. 397 sqq.
3. *Chapitres et fragments*, *O.C.*, t. III, p. 651.

commerce, à la religion, tombe au rang de causes matérielles, comme dirait Aristote, causes que l'art politique, tantôt utilise et tantôt tâche de neutraliser. Il suffira ici de quelques exemples.

La phrase souvent citée : « L'empire du climat est le premier de tous les empires », prise isolément, est encore mieux comprise dans la censure qu'en avaient prononcée le Nouvelliste Ecclésiastique et la Sorbonne [1], que dans des exégèses modernes qui voudraient y voir comme l'épigraphe du livre XIV. Rétablie dans son contexte, la phrase signifie le contraire de ce qu'on lui fait dire : en conclusion des réformes de Pierre le Grand, elle montre que le tsar avait trouvé un allié imprévu dans l'empire du climat, alors qu'avant son intervention, les mœurs des Moscovites étaient « étrangères au climat » et, donc, parvenaient très bien à contrarier cet « empire » (XIX, xiv). — Quant à la religion, elle doit, comme les lois civiles, « tendre principalement à rendre les hommes bons citoyens » (XXIV, xiv). De fait, il arrive que « les lois civiles corrigent quelquefois les fausses religions » ou qu'à l'inverse, « les lois de la religion corrigent les inconvénients de la constitution politique » (XXIV, xv, xvi) : « La religion de Guèbres [2] rendit autrefois le royaume de Perse florissant; elle corrigea les mauvais effets du despotisme : la religion mahométane détruit aujourd'hui ce même empire »... (XXIV, xi). — La religion doit avoir égard au climat « dans l'institution des fêtes » (XXIV, xxiii); « il faut éviter les lois pénales en fait de religion », parce qu'elles « n'ont jamais eu d'effet que comme destruction » (XXV, xii); pour savoir si l'Etat souffrira l'établissement d'une nouvelle religion, il faut consulter « le principe fondamental des lois politiques en fait de religion » (XXV, x).

L'étude des climats se rattache à celle des principes des gouvernements : l'idée de *passion* fournissant le moyen terme [3]. L'anthropologie qui est introduite ainsi n'a

1. *Chapitres et fragments*, *O.C.*, t. III, p. 650 sq.

2. Litt. les « infidèles », appellation injurieuse donnée par la majorité musulmane aux Mazdéens, restés fidèles à l'antique religion de Zoroastre (voir C. HUART, *La Perse antique et la civilisation iranienne*, « Evolution de l'Humanité », Paris, 1925, p. 237).

3. *De l'esprit des lois*, XIV, i : « S'il est vrai que le caractère des esprits et les passions du cœur soient extrêmement différents dans les divers climats... » (III, i : Nature et principe du gouvernement : « L'une est sa structure particulière, et l'autre les passions humaines qui le font mouvoir »).

rien, dans son projet même, que de classique, et pourrait même invoquer des textes de Descartes [1]. Si le rapport des lois avec les climats est étudié dans l'institution de l'esclavage (sous ses trois formes : civil, domestique, politique), c'est parce que cette institution illustre le mieux l'influence du climat (et non pas pour obéir à on ne sait quel ordre des matières), et c'est encore (bien que, ici non plus cela ne soit pas dit expressément) par contraste avec la Deuxième Partie qui avait pour objet la liberté.

En réalité, cette Troisième Partie apporte un complément indispensable à l'ensemble des deux précédentes. Elle montre, si l'on peut dire, l'enracinement des constitutions, dans le « terrain » et le climat sans doute, mais aussi bien dans un sol aux éléments plus riches : « Plusieurs choses gouvernent les hommes : le climat, la religion, les lois, les maximes du gouvernement, les exemples des choses passées, les mœurs, les manières; d'où il se forme un esprit général qui en résulte » (XIX, iv). C'est pourquoi l'exégèse « physique » envelopperait un contresens sur le XIXe livre et, par là, sur l'ensemble de cette Partie : si l'auteur a placé ce livre en conclusion, c'est précisément pour prévenir ce type d'exégèse (et non pas, comme certains l'ont pensé, parce qu'il était bien obligé de le loger quelque part) : l'objet de la Troisième Partie est de montrer comment les régimes politiques s'incarnent et s'individualisent selon l' « esprit général » des nations, où le climat n'entre que comme une composante.

Comme la Troisième, la Cinquième Partie s'achève par un livre d'une portée plus générale, destiné à *situer* le sujet traité. Il l'est d'ailleurs dès le départ : « Je n'examinerai donc les diverses religions du monde, que par rapport au bien que l'on en tire dans l'état civil »; de ce fait, « il pourrait y avoir des choses qui ne seraient entièrement vraies que dans une façon de penser humaine, n'ayant point été considérées dans le rapport avec des vérités plus sublimes » (XXIV, i). Il reste, et c'est cela l'honneur du législateur et lui prescrit sa tâche

1. « Car même l'esprit dépend si fort du tempérament, et de la disposition des organes du corps que, s'il est possible de trouver quelque moyen qui rende communément les hommes plus sages et plus habiles qu'ils n'ont été jusques ici, je crois que c'est dans la médecine qu'on doit le chercher » (*Discours de la méthode*, VI, A.T., VI, p. 62, 15).

la plus noble, qu' « une façon de penser humaine » peut être sublime à son tour. De même, en effet, que « la loi, en général, est la raison humaine, en tant qu'elle gouverne tous les peuples de la terre; et les lois politiques et civiles de chaque nation ne doivent être que les cas particuliers où s'applique cette raison humaine » (I, iii), — de même, parce qu'il y a « différents ordres de lois », « la sublimité de la raison humaine consiste à savoir bien auquel de ces ordres se rapportent principalement les choses sur lesquelles on doit statuer, et à ne point mettre de confusion dans les principes qui doivent gouverner les hommes » (XXVI, i). Le livre XXVI assume dès lors une double fonction : à l'intérieur de la Cinquième Partie qu'il conclut, et en référence au livre Ier qui introduit tout l'ouvrage. Il replace les lois relatives à la religion dans le système général de la législation, et les en distingue : « On ne doit point statuer par les lois divines ce qui doit l'être par les lois humaines, ni régler par les lois humaines ce qui doit l'être par les lois divines. » On voit bien que le schème simple du physique et du moral n'éclaire en rien ces rapports : il est besoin pour cela d'un « grand principe », qui « lui-même est soumis à d'autres, qu'il faut chercher » (XXVI, ii). — D'autre part, en précisant les « diverses sortes de lois qui gouvernent les hommes » (XXVI, i), le livre rejoint la division des lois établie au Ier livre, la complète (ce qu'il n'y a pas à montrer ici dans le détail) et définit les compétences respectives des différentes branches du droit. C'est ce livre aussi qui fait le mieux comprendre ce que signifie (ou : doit signifier) le rattachement des lois positives au droit naturel. — Ce retour au Ier livre contribue à éclairer l'architecture de l'œuvre, dont l'organisation d'ensemble reflète, non dans sa progression seulement, mais tout autant par ces mouvements circulaires et ces correspondances subtiles, la totalité complexe de l'ordre juridique, que l'analyse doit restituer et révéler, mais qu'elle ne saurait, ni déduire ni construire.

VI

Sa modernité

15. La Quatrième Partie forme, à bien des égards, le centre de l'ouvrage. Elle est précédée de l'*Invocation aux*

Muses, malencontreusement supprimée dans la première édition, et l'atmosphère poétique (soutenue, quelques livres plus loin, par l'hymne lucrétien à Vénus [1]), si peu convenable, en apparence, au sujet traité, peut aider à en faire comprendre la véritable nature.

Les rapports entre les nations n'avaient été envisagés jusqu'à présent que selon le Droit des Gens, c'est-à-dire, au juste, dans l'état de guerre (défensive et offensive). Or, « l'effet naturel du commerce est de porter à la paix » et « l'esprit de commerce unit les nations » (XX, ii). Cela, sans doute, est une vérité générale. Mais il se trouve que les relations commerciales entre les nations modernes ont pris une ampleur jusqu'alors inconnue [2]. Aussi tout un livre est consacré aux « Lois dans le rapport qu'elles ont avec le commerce, considéré dans les révolutions qu'il a eues dans le monde » (XXI). L'idée de modernité, qui affleurait déjà dans les livres précédents, est mise ici en pleine lumière. L'histoire, par là, si elle continue à être interrogée jusque chez les Carthaginois, rejoint l'actualité du présent. D'où, faisant écho à la *Constitution d'Angleterre* du livre XI, cet éloge : « C'est le peuple du monde qui a le mieux su se prévaloir à la fois de ces trois grandes choses : la religion, le commerce et la liberté » (XX, vii). Max Weber renvoie à cette phrase, où il trouve une confirmation de sa thèse d' « une parenté entre certaines expressions du vieil esprit protestant et de la civilisation capitaliste moderne [3] ». De fait, c'est surtout dans les démocraties anciennes que Montesquieu avait fait ressortir la solidarité entre l' « esprit de commerce » et les vertus [4]. Parlant des temps modernes, il pose le problème différemment : « On peut dire que les lois du commerce perfectionnent les mœurs, par la même raison que ces mêmes lois perdent les mœurs. Le commerce

1. L. Strauss a souligné avec raison que deux livres seulement de *L'Esprit des lois* sont « préfacés de poèmes » : il y voit « une dernière résurgence de la poésie, sous-jacente à la prose moderne » (*What is Political Philosophy ?*, Greenwood Press, Westport, Connect., (1959, 1977, p. 50).

2. « L'Europe est parvenue à un si haut degré de puissance, que l'histoire n'a rien à comparer là-dessus » (XXI, xxi).

3. M. Weber, *L'Ethique protestante et l'esprit du capitalisme*, trad. J. Chavy, Plon, 1964, p. 43.

4. « L'esprit de commerce entraîne avec soi celui de frugalité, d'économie, de modération, de travail, de sagesse, de tranquillité, d'ordre et de règle. Ainsi, tandis que cet esprit subsiste, les richesses qu'il produit n'ont aucun mauvais effet » (V, vi).

corrompt les mœurs pures : c'était le sujet des plaintes de Platon : il polit et adoucit les mœurs barbares, comme nous le voyons tous les jours » (XX, i). Texte remarquable, qui met en balance, sans apparemment choisir, l'idéal antique et l'esprit moderne, contraste qui traverse tout l'ouvrage et, peut-être, partage l'âme de l'auteur, entre la *vertu romaine* et la *modération* qui se manifeste, bien qu'à travers des institutions différentes, dans les deux grandes monarchies contemporaines. Or les réalités économiques s'imposent dans les deux pays, et s' « il est contre l'esprit du commerce, que la noblesse le fasse dans la monarchie », la pratique en France « est très sage : les négociants n'y sont pas nobles, mais ils peuvent le devenir » (XX, xxi, xxii) [1].

Il faut rappeler ici certaines lectures, concordantes au moins en ceci qu'elles attribuent à l'auteur une position à la fois moderne et « réactionnaire », position éclairée, à chaque fois, à la lumière de l'histoire politique à venir. On a pu parler ainsi du « libéralisme aristocratique [2] »; de Montesquieu « opposant de droite < qui > a servi dans la suite du siècle tous les opposants de gauche, avant de donner des armes dans l'avenir de l'histoire à tous les réactionnaires [3] »; ou encore, tout en rejetant comme aberrante la qualification de « féodal », de « celui qui, de toute évidence, fut d'abord l'un des plus intelligents

1. Rappelons ici la controverse suscitée par l'ouvrage de l'abbé G. F. Coyer, *De la noblesse commerçante* (Londres, 1756); voir en particulier H. Lévy-Bruhl, *La Noblesse de France et le commerce à la fin de l'Ancien Régime*, in *Revue d'Histoire moderne et contemporaine*, 1933, p. 209-235; cf. aussi B. Groethuysen, *Origines de l'esprit bourgeois en France*, Gallimard, 1927, deuxième partie. — Il n'est pas sans intérêt de signaler que cette nouvelle éthique du commerçant, opposée à l'idéal traditionnel de la noblesse (ou conciliée avec lui) a trouvé un écho, en 1756 même, dans un pays qui, avant la Révolution française, ne s'était pourtant guère intéressé au problème des différents ordres sociaux : l'Allemagne, comme on le voit dans l'Appendice ajouté par J. G. Hamann à sa traduction de Plumard de Dangeul, *Remarques sur les avantages et les désavantages de la France et de la Grande-Bretagne par rapport au commerce et aux autres sources de la puissance des Etats* (voir Ph. Merlan, *Parva Hamanniana (I), J. G. Hamann as a Spokesman of the Middle Class*, in *Journal of the History of Ideas*, vol. IX, n° 3, 1948, p. 380-384).

2. J.-J. Chevalier, Montesquieu ou le libéralisme aristocratique, in *Revue Internationale de Philosophie*, 1955, fasc. 3-4, p. 330-345. Voir aussi, du même auteur, *Les Grandes Œuvres politiques*, A. Colin, 1957, p. 100 sqq.

3. L. Althusser, *Montesquieu, la politique et l'histoire*, P.U.F., 1959, p. 115.

théoriciens du capitalisme mercantile [1] ». — Il serait sans intérêt de critiquer ces interprétations qui, sur le plan où elles se situent de l'histoire des idées, peuvent prétendre, chacune, à cette part de vérité qui est propre à ce genre d'histoire. On essaiera plutôt, à partir de l'œuvre même, de les assortir de quelques réserves, et de s'interroger sur les limites d'une telle histoire.

Quant au mercantilisme, d'abord : il est certain que Montesquieu est parfois considéré comme un « mercantiliste de transition [2] », mais il semble bien que ses conceptions économiques (et financières) soient assez originales [3] pour qu'on ne le range pas parmi les colbertistes (pas plus, bien entendu, que parmi les Physiocrates), et l'on peut même penser que c'est le caractère inclassable de ses idées qui le fait exclure, la plupart du temps, des *Histoires* classiques des doctrines économiques [4]. Pour ce qui est du capitalisme, ensuite : Montesquieu a parfaitement conscience de ses inconvénients et dangers. « Chez un peuple où la monnaie est établie, on est sujet aux injustices qui viennent de la ruse » (et non seulement de la violence) : même de « bonnes lois civiles » n'y apportent pas un remède suffisant (XVIII, xvi). Les « compagnies de négociants, qui s'associent pour un certain commerce » constituent un danger pour les pouvoirs publics, parce que « la nature de ces compagnies est de donner aux richesses particulières la force des richesses publiques » (XX, x); c'est d'ailleurs pour cela que les lois doivent défendre le commerce aux nobles : « des marchands si accrédités feraient toutes sortes de monopoles » (V, viii). S'agissant des *Richesses de l'Espagne* [5], « c'est une mauvaise espèce de richesse qu'un tribut d'accident et qui ne dépend pas de l'industrie de la nation [...]. Si quelques provinces dans la Castille lui donnaient une somme pareille à celle de la douane de Cadix, sa puissance serait bien plus grande

1. ETIEMBLE, *Montesquieu*, in *Histoire des littératures*, 3, Encyclopédie de la Pléiade, 1958, p. 706.
2. J.-F. FAURE-SOULET, *Economie politique et progrès au « Siècle des Lumières »*, Gauthier-Villars, 1964, p. 58.
3. Voir J. BRETHE DE LA GRESSAYE, édition de l'*Esprit des lois*, t. III, p. 42.
4. Pour une étude monographique, voir, en dernier lieu, A. COTTA, Le développement économique dans la pensée de Montesquieu, in *Revue d'histoire économique et sociale*, 1957, 4; on trouvera un bon exposé d'ensemble dans S. GOYARD-FABRE, *La Philosophie du droit de Montesquieu*, Klincksieck, 1973, p. 266-286.
5. MONTESQUIEU, *O.C.*, t. III, p. 137 sqq.

[...] : au lieu d'un grand trésor, on aurait un grand peuple » (XXI, xxii).

Peut-être Montesquieu s'est-il abusé sur les vertus pacificatrices du commerce; mais quitte à se référer à l'histoire future, l'argument pourrait se retourner, car il ne devait pas se vérifier que l'impérialisme fût l'apanage du capitalisme. Au reste, même dans les situations toutes nouvelles dont la prévision n'est pas raisonnablement exigible de l'auteur, il n'est pas sûr que soit réfutée sa thèse, fondée sur les « besoins mutuels », que « l'effet du commerce est de porter à la paix ». — On se demanderait plutôt, à lire certaines descriptions (p. ex. XXI, v déb.), si Montesquieu n'a pas, sinon prévu, en tout cas compris le dynamisme interne qui, souvent, commande l'évolution des faits économiques.

16. Il est certain, d'autre part, que les deux derniers livres interviennent dans un débat qui est alors à l'ordre du jour sur les rôles politiques respectifs des nobles et des roturiers [1], et que la théorie constitutionnelle de l'auteur est favorable à la noblesse et au maintien de ses privilèges (Helvétius déjà avait parlé de « l'alliage des vérités et des préjugés [2] »). A partir de là, il est certainement légitime d'essayer de définir la place de l'*Esprit des lois* dans le mouvement des idées prérévolutionnaires et, au-delà, dans nos propres controverses idéologiques. Mais il est non moins permis de suivre la démarche inverse, et de restituer à l'œuvre ce dont l'histoire, nécessairement, l'appauvrit. Ainsi, les longues et pénibles recherches sur les lois féodales (il ne convient pas, à cet égard, de séparer le Livre XXVIII des deux derniers) sont tout autre chose qu'une prise de position dans une querelle d'actualité : la thèse de Boulainvilliers, tenant de

1. Voir E. Carcassonne, *Montesquieu et le problème de la constitution française au XVIIIe siècle*, Paris, 1927. — On trouvera un résumé du débat dans l'édition de l'*Esprit des lois* de J. Brethe de la Gressaye, t. IV, p. 359-362, dans l'ouvrage de L. Althusser, p. 104-107 et dans les *Etapes de la pensée sociologique* de R. Aron, p. 73; cf. aussi la thèse de J. Dedieu, *Montesquieu et la tradition politique anglaise en France*, chap. IV. Inutile d'ajouter que la science actuelle ne pose plus la question dans les termes définis par Boulainvilliers (Marc Bloch, *La Société féodale*, Albin Michel (1939), 1968, p. 213).

2. Helvétius, *Lettre à Saurin*, in Montesquieu, *O.C.*, t. III, p. 1539. En tant que document contemporain, cette lettre (ainsi que celle que le même auteur a adressée à Montesquieu (*ibid.*, p. 1102 sqq) garde toute sa valeur, sans qu'il y ait lieu, ici, de soulever la question de l'authenticité.

la noblesse, n'est pas plus épargnée que celle de l'abbé Dubos, et le livre dernier contient une critique très claire du régime féodal. Dans l'ensemble de cette Sixième Partie, on a pu trouver « le titre de gloire de la pensée historique [1] ». Il y a autre chose encore — au-delà de toute dispute doctrinale, et en négligeant même le génie historique de l'auteur. — Aujourd'hui où l'avenir nous renvoie au passé pour y découvrir son sens, au point que l'antique technique de la divination semble relayée de nos jours par ce qu'on a proposé ailleurs d'appeler *histoire rationnelle*, on devrait être sensible à un des premiers efforts pour éclairer la situation politique présente à la lumière d'une histoire qui n'est pas, comme chez les protagonistes du débat, construite *ad hoc*. — Quant à ce débat même : si son appréciation doctrinale est déjà malaisée, l'évaluation de son influence sur l'histoire à venir risque de l'être encore davantage, parce qu'on peut insister, à volonté, sur le caractère « féodal » et archaïque de la position de Montesquieu, ou, au contraire, sur ses traits « libéraux » et modernes, de même qu'à l'inverse, la théorie de l'abbé Dubos et des « romanistes » peut à la fois se qualifier de « bourgeoise » et, par là, de progressiste, ou se disqualifier comme absolutiste : « objectivement », la Révolution ne réfutera pas plus l'une qu'elle ne devait confirmer l'autre.

Pour ce qui est des théories des pouvoirs intermédiaires et de la séparation des pouvoirs (étant entendu qu'il les distingue clairement, il n'en est pas moins vrai que « Montesquieu a ouvertement souhaité pour sa patrie un minimum de distribution des pouvoirs et de " sûreté " contre les tendances despotiques qu'il y croyait discerner [2] », sans compter que les deux systèmes ont été « trouvé < s > dans les bois [3] »), ce serait une exégèse un peu courte que d'y voir seulement la défense des prérogatives nobiliaires. S'il est vrai que, par cette constitution mixte [4], Montesquieu « se rallie à l'idée d'une société iné-

1. F. MEINECKE, *La Genèse de l'historisme*, 4e éd., Munich, 1965, p. 175.
2. J.-J. CHEVALIER, in *Rev. intern. de Phil.*, *loc. cit.*, p. 342.
3. *De l'Esprit des lois*, XI, vi *i.f.* Le meilleur commentaire de cette expression se trouve dans les *Pensées*, 1645 (1963), p. 481.
4. Le rapprochement est fait par l'auteur même : *Pensées*, 1744 (238), p. 519 sq. Sur les sources antiques, au-delà même de Polybe, on lira le beau travail d'Armand DELATTE, *La Constitution des Etats-Unis et les Pythagoriciens*, « Les Belles-Lettres », 1948.

galitaire, hiérarchique, divisée en classes[1] », il est non moins évident que ses préférences vont au système anglais, où le peuple, représenté par ses députés, partage le pouvoir législatif avec la noblesse. S'il est vrai encore que le principe de la séparation des pouvoirs (R. Carré de Malberg, dont les analyses gardent toute leur valeur, y a insisté avec raison) « a été créé en vue des monarchies[2] », ce serait une lecture anachronique, que de reprocher à l'auteur de n'avoir pas prévu l'État populaire. D'autant que, ici pas plus qu'ailleurs, le tribunal de l'histoire n'est capable de rendre un jugement univoque : si ce principe a pu influencer la Constitution des Etats-Unis, c'est, pour citer encore Carré de Malberg, parce que les Américains « ont calqué la condition de leur président populaire sur celle d'un monarque doué de pouvoir personnel[3] »; en France même, la Déclaration des droits de l'homme et du citoyen, insérée dans la Constitution de 1791, fait coexister le principe de la séparation des pouvoirs (art. 16) avec celui de la souveraineté de la Nation (art. 3); même l'indépendance[4] du pouvoir judiciaire (dont la portée, à l'intérieur de la théorie de Montesquieu, a pu être contestée) est à l'origine de ce qu'au XIXe siècle, on a appelé l'Ecole de l'Exégèse, et concourt à la visée essentielle de l'auteur : de constituer un *Etat de droit*. — Il n'importe pas ici de savoir si la description de la constitution anglaise est historiquement exacte (Montesquieu s'est expressément défendu d'une telle prétention[5]) : c'est plutôt, comme les « trois espèces de gouvernements », un *type idéal*, et l'on devrait prêter plus d'attention au fait que la théorie des

1. C. EISENMANN, L' « *Esprit des lois* » *et la séparation des pouvoirs*, in *Mélanges R. Carré de Malberg* (1933), E. Duchemin, 1977, p. 191, n. 2. Voir, du même auteur, *La Pensée constitutionnelle de Montesquieu, Bicentenaire de l'* « *Esprit des lois* », Sirey, 1952, p. 133 sqq.

2. R. CARRÉ DE MALBERG, *Contribution à la Théorie générale de l'Etat*, t. II, Sirey, 1922, p. 142, n. 23.

3. *Id.*, *Ibid.*

4. Qui, en fait, se ramène pour Montesquieu à la soumission du juge à la loi (VI, iii), si bien que le pouvoir judiciaire peut être défini comme « la puissance exécutrice des choses qui dépendent du droit civil » (c'est-à-dire, privé et pénal; XI, vi déb.). Sur les nombreux problèmes, d'ordre doctrinal et aussi dans l'évolution ultérieure du droit, qu'a soulevés cette formule, on consultera R. CARRÉ DE MALBERG, *Contribution à la théorie générale de l'Etat*, t. I, Sirey, 1920, p. 720 sqq., et L. DUGUIT, *Traité de droit constitutionnel*, 3e éd., t. II, de Boccard, 1928, p. 660 sqq.

5. « Ce n'est pas à moi à examiner si les Anglais jouissent actuellement de cette liberté, ou non. Il me suffit de dire qu'elle est établie par leurs lois, et je ne cherche pas davantage » (XI, vi, *i.f.*).

pouvoirs est énoncée d'abord comme une vérité valable pour « chaque Etat » (XI, vi déb.), avant que l'application en soit faite au régime anglais. Les origines lockiennes de cette théorie n'importent guère davantage : c'est par la forme que lui a donnée Montesquieu que cette théorie a agi (et continue d'agir [1]) sur l'histoire, et tout d'abord en Angleterre même, où le juriste Blackstone s'en inspire pour commenter les lois anglaises (1765); comme le dit très bien J.-J. Chevalier : « Par sa richesse et sa complexité la pensée du grand écrivain prêtait d'ailleurs à cette diversité d'interprétations [2]. » Ce qu'il faut souligner surtout, c'est que cette théorie est déjà esquissée dans l'étude des constitutions, au sujet du « gouvernement modéré » (V, xiv *i.f.*).

Or la *modération* n'est pas seulement l' « âme » des gouvernements aristocratiques et monarchiques : c'est l'idée directrice de tout le traité : « Je le dis, et il me semble que je n'ai fait cet ouvrage que pour le prouver : l'esprit de modération doit être celui du législateur; le bien politique, comme le bien moral, se trouve toujours entre deux limites » (XXIX, i). La célèbre phrase : « Pour qu'on ne puisse abuser du pouvoir, il faut que, par la disposition des choses, le pouvoir arrête le pouvoir » ne sert pas seulement, comme on a parfois tendance à le croire, à introduire l'examen de la Constitution d'Angleterre (aussi est-elle énoncée dès le chapitre iv) : c'est, à la fois, un instrument de discrimination du réel, et un critère applicable à tout gouvernement, quel qu'il soit [3] : l'idée en est établie dès le début de l'ouvrage [4] (à un

1. Sur le rôle de cette théorie dans l'évolution ultérieure, voir M. DUVERGER, *Institutions politiques et droit constitutionnel* [8], P.U.F., 1965, p. 163-180, en part. p. 168 (« Il est intéressant de noter que la théorie de la séparation des pouvoirs a partiellement changé aujourd'hui de signification politique... »)

2. J.-J. CHEVALIER, *loc. cit.*, p. 343.

3. « Ce qui en fait encore l'originalité, c'est qu'elle [la théorie de la séparation des pouvoirs] est énoncée en la forme d'un principe général, principe que Montesquieu formule comme l'une des conditions fondamentales de la bonne organisation des pouvoirs dans tout Etat sagement ordonné » (R. CARRÉ DE MALBERG, *Contribution à la Théorie générale...*, *op. cit.*, t. II, p. 3 *i.f.* sq.).

4. II, iii (Dans les monarchies, « le principe du gouvernement arrête le monarque; mais, dans une république où un citoyen se fait donner un pouvoir exorbitant, l'abus de ce pouvoir est plus grand, parce que les lois, qui ne l'ont point prévu, n'ont rien fait pour l'arrêter »); II, iv (« Où en seraient l'Espagne et le Portugal depuis la perte de leurs lois, sans ce pouvoir [du clergé] qui arrête seule la puissance arbitraire ? »); cf. V, xiv, déjà cité.

moment, donc, où, selon une thèse érudite, contestable mais toujours vivace, l'auteur ne connaissait pas encore le système anglais), et c'est un critère qui permet même de trouver quelque variété dans la morne homogénéité du gouvernement despotique [1].

Il est vrai encore que c'est l'idée de liberté, telle qu'elle est exposée au XIe, mais aussi au XIIe livres, qui constitue proprement la part de modernité de celui que Madame de Tencin appelait son « petit Romain », que cette idée implique bien celle de l'« indépendance juridique réciproque du Parlement et du Gouvernement », distincte de l'idée rousseauiste de la souveraineté du peuple [2] et liée, à son tour, à la conception d'une société différenciée, inégalitaire par conséquent et, en ce sens, une société de classes. Mais il faut reconnaître aussi que l'histoire a largement ratifié cette conception de la liberté (et que, si le « libéralisme » a pu tomber en discrédit, les « droits de l'homme » qu'on est en train de redécouvrir rejoignent assez exactement ce que Montesquieu avait appelé *sûreté*), qu'elle ne nous a guère fait connaître l'existence de sociétés (civilisées) non différenciées, et que, si l'on n'est pas dupe, volontairement ou non, des nécessaires limites historiques où cette conception s'est formulée, celle-ci conserve une actualité, non pas (seulement) idéologique, mais proprement scientifique : « Quelle que soit la structure de la société, à une époque, il y a toujours possibilité de penser à la façon de Montesquieu, c'est-à-dire d'analyser la forme propre d'hétérogénéité d'une certaine société et de chercher, par l'équilibre des puissances, la garantie de la modération et de la liberté [3]. » A maintenir même cette conception dans son cadre historique, on doit remarquer que les corps intermédiaires auxquels l'auteur attachait le plus de poids, sont les parlements, qui ont le dépôt des *lois fondamentales*. Faut-il rappeler enfin que Rousseau, parlant de la démocratie, dira : « Un gouvernement si parfait ne convient pas à des hommes » ?

17. Le même Rousseau, en face des réalités économiques contemporaines, avait décidément pris le parti

1. III, x (« Il y a pourtant une chose que l'on peut quelquefois opposer à la volonté du prince : c'est la religion »); cf. VIII, x, XXIV, ii, XXVI, ii, 2°.
2. Ch. EISENMANN, *loc. cit.*, p. 189, 190, n. 1.
3. R. ARON, *Les Etapes de la pensée sociologique*, p. 63.

des anciens : « Les systèmes des finances sont modernes. Je n'en vois rien sortir de bon ni de grand. Les gouvernements anciens ne connaissaient pas même ce mot de *finance*, et ce qu'il faisaient avec des hommes est prodigieux. » A partir de là, l'histoire, politique et des idées, se plaîra à des chassés-croisés. L'esprit des Romains triomphera en France à la fin du siècle, mais l'*Esprit des lois* s'impose dans l'Angleterre de Blackstone, agit sur les Constituants français et sur les pères fondateurs d'Amérique, il conquiert l'Europe du XIXe siècle, et cela autant que par sa doctrine constitutionnelle, par ses idées « réformistes » de tolérance, de critique de la législation pénale, par ses projets de réforme sociale enfin (Maxime Leroy a pu y reconnaître l'annonce d'un « socialisme d'Etat »). Plus on se rapproche du présent, plus l'histoire des idées se confond avec l'histoire idéologique, et plus le tracé des rapports et des influences devient arbitraire. J. Ellul a constaté, en 1962, que la théorie rousseauiste de la souveraineté du peuple est devenue un « préjugé collectif », non seulement dans l'Occident, mais dans tous les pays communistes et jusque dans l'Islam, « qui pourtant en était bien éloigné » : « C'est en fonction de cette croyance mystique dans la souveraineté du peuple que tous les dictateurs cherchent à démontrer qu'ils sont l'expression de cette souveraineté [1]. » On peut se demander, ajoute-t-il, « si Rousseau avait bien voulu cela [2] ». On se demanderait de même, et sans doute avec plus de fondement, si Montesquieu aurait reconnu ses idées dans les démocraties occidentales, présidentielles et / ou parlementaires, et si ce qu'on appelle si bien la « classe politique » ne fonctionne pas comme une aristocratie élective. — Il n'est pas facile de faire la part des choses, c'est-à-dire de distinguer ce que les auteurs ont « voulu » dans leur œuvre, de ce qu'ils ont effectué dans l'histoire; de savoir ce qui, dans leur action future, relève de la causalité (et de l'intention) et ce qui appartient au mythe; de démêler enfin l'influence assignable d'avec le modèle sollicité, en bien ou en mal, par l'idéologie interprétante. On a fait allusion, dans ce qui précède, aux constructions de l'*histoire rationnelle*, et à cette espèce de divination à

1. Cf. déjà Tocqueville : « La volonté nationale est un des mots dont les intrigants de tous les temps et les despotes de tous les âges ont le plus largement abusé » (*De la démocratie en Amérique*, livre I, Ire Partie, chap. IV).
2. J. ELLUL, *Propagandes*, A. Colin, 1962, p. 146 sq.

rebours par où les doctrines du jour, désemparées devant l'avenir, se tournent vers le passé pour y trouver des précurseurs et des alliés, mais aussi pour y rechercher, dans des procès intentés à titre posthume, des coupables et des responsables (on a été ainsi jusqu'à dresser des réquisitoires contre Platon).

Nous ne nous amuserons pas ici à ce jeu. La seule critique que, dans cet ordre d'idées, on soit fondé à adresser à Montesquieu, c'est de n'avoir pas élaboré, au-delà de ce qu'on peut trouver au Livre VIII, une théorie de la révolution ou, comme on dirait aujourd'hui, une *staséologie ;* on n'en trouverait pas davantage, il est vrai, chez Rousseau, lequel, s'il a pu prévoir la Révolution, ne l'a pas plus souhaitée que Montesquieu. (Cette critique d'ailleurs, formulée aujourd'hui, risque déjà de glisser insensiblement dans l'anachronique, s'il est vrai, comme semblent l'avoir montré des travaux qu'il est plus facile d'ignorer que de réfuter, qu' « Il y a eu ainsi une période historique des révolutions. Maintenant l'ère des révolutions est close [1] ».) Cela tient d'abord à l'objet même du traité : les lois ; à cet égard, la critique, avec une théologie d'un nouveau genre, ressemblerait au reproche du janséniste de n'avoir pas parlé du péché originel, et l'auteur, ici encore, pourrait répondre : « C'est le conte de ce curé de village, à qui des astronomes montraient la lune dans un télescope, et qui n'y voyait que son clocher. » Mais cela tient aussi à ce que les problèmes politiques, pour Montesquieu, relèvent de la législation, alors qu'ils semblent aujourd'hui à beaucoup faire l'objet essentiellement d'une lutte pour le pouvoir. Il est vrai qu'une fois parvenu à la prise du pouvoir, il reste à l'organiser, ce qui ne peut guère se faire que par des lois, à moins d'installer ce gouvernement du troisième type, que la science de Montesquieu avait assez bien décrit.

VII

Sa permanence

Les premiers sociologues, tout en revendiquant le patronage de Montesquieu, ont regretté, assez unanime-

1. J. Ellul, *De la Révolution aux révoltes*, Calmann-Lévy, 1972, p. 373.

ment, qu'il ait ignoré l'idée de progrès. Il n'est pas sûr que la sociologie actuelle et, en particulier, la macrosociologie, ait encore besoin de cette idée (on constatera plutôt qu'il se trouve déjà, dans l'*Esprit des lois*, une méthode des structures [1], dont il serait intéressant d'étudier l'intervention dans les parties proprement historiques du livre). Dans un autre sens, la critique n'en est pas moins très opportune.

18. Montesquieu a dit que son œuvre était une « desdendance engendrée sans mère », et il est raisonnable de penser que les innombrables « recherches des sources », et qui se poursuivent [2], ne sont pas qualifiées pour infirmer ce jugement. On sait, d'autre part, que cet « enfant sans mère » a lui-même engendré une riche postérité dans le domaine des sciences (juridiques, historiques et sociologiques) et dans celui des idées politiques. Mais le schème de la causalité, dans l'histoire des doctrines, est d'un emploi malaisé, même quand il s'agit de la transmission de « vérités évidentes [3] ». En construisant une histoire progressive où l'œuvre est, tour à tour, effet et cause, il dissout l'œuvre même dans un devenir continu, et essaie d'en déchiffrer le sens, soit en amont soit en aval, c'est-à-dire, à chaque fois, à l'aide de ce qui est proprement hors d'œuvre. Or si l'*Esprit des lois* vit de sa propre vie, c'est parce qu'il est soustrait désormais à ce que Hegel appellerait la temporalité empirique ou, plus simplement, parce qu'on n'a pas encore fini de le lire.

Ni, les juristes, de discuter sur le sens de la théorie des pouvoirs. Et comme ce n'est pas, de leur part du moins, affaire d'érudition, on admettra que ce sens n'a pas encore livré toutes les implications dont il est chargé; Duguit a parlé d' « une de ces formules sibyllines fréquentes dans l'*Esprit des lois* » : ce n'était pas si mal vu. — On peut juger dépassée, nous l'avons dit, la conception qui noue un lien essentiel entre *lois* et *politique*, et remplacer ce rapport par l'affrontement : réformisme et révolution. Quand il décrira : « Comment, vers le milieu du XVIIIe siècle, les hommes de lettres devinrent les principaux hommes politiques du pays, et des effets qui

1. Voir R. BOUDON, *A quoi sert la notion de « structure » ?*, Gallimard, 1968.
2. Par exemple, Mark H. WADDICOR, *Montesquieu and the Philosophy of Natural Law*, M. Nijhoff, La Haye, 1970.
3. Voir Morton WHITE, *The Philosophy of the American Revolution*, New York, Oxford University Press, 1978.

en résultèrent », il est clair que Tocqueville ne songe, à aucun instant, à Montesquieu. Et de fait, il n'y a rien, dans l'*Esprit des lois*, qui soit propre à encourager ce qui devait s'imposer, non pas d'ailleurs, précisément, dans sa propre époque, mais au XXe siècle : la pensée utopique [1]. Au moins peut-on se demander si « les rapports nécessaires qui dérivent de la nature des choses » et dont l'œuvre avait fait apparaître la complexité, ne présentent pas, aujourd'hui, une complexité accrue et contraignante dont, non le législateur seulement, mais le projet révolutionnaire même est obligé de tenir compte, sous peine de dévier vers la violence abstraite et bientôt rappelée à l'ordre par les faits dont, après Montesquieu, on devait convenir qu'ils étaient « têtus ».

La leçon probablement la plus intempestive et la moins tolérable aux lecteurs contemporains que nous sommes est sans doute dans la manière dont les *faits*, politiques, économiques et sociaux, sont ici étudiés plutôt qu'utilisés, et que l'histoire, dans ce livre, soit bien une enquête, et non une mythologie. L'instrument de cette enquête est la méthode comparative, dans le temps et dans l'espace (« Chaque nation trouvera ici les raisons de ses maximes »), qui écarte la tentation de mettre le passé en perspective, à partir de notre « historicité ». Cette méthode, à son tour, requiert un état d'esprit, tout aussi inactuel, que l'on ne craindra pas de caractériser (puisqu'il arrive à l'auteur de se référer à la philosophie stoïcienne) par les termes d'humanisme et de sérénité : il oblige à regarder les choses « sans haine ni esprit de parti », et exclut, en matière d'histoire, toute procédure inquisitoriale. Ce qui n'exige pas l'absence des passions — seulement qu'elles soient maîtrisées.

Une autre leçon, inactuelle encore mais peut-être moins importune, se dégagerait à la lumière des sciences, juridiques et sociologiques, que l'œuvre contient comme à l'état de préformation et qu'elle maintient dans la tâche commune de comprendre et de guider la législation, alors que, parvenues à leur pleine indépendance, elles risquent aujourd'hui, soit de s'ignorer mutuellement, soit de se faire la guerre, ou encore de tenter, l'une, d'annexer et d'absorber les autres : cette tendance était particulièrement celle de la sociologie juridique, quand elle critiquait Mon-

1. Cf. V. GOLDSCHMIDT, *Platonisme et pensée contemporaine*, Aubier, 1970, p. 139 sqq.

tesquieu pour avoir séparé « entièrement le droit et les mœurs [1] », autrement dit, pour avoir conservé au droit son essence même. — On ne restaurera pas l'unité des sciences issues de l'*Esprit des lois*, mais aucune d'entre elles n'a intérêt à oublier son origine.

On a souvent constaté la présence, dans l'œuvre, de maximes, ce qui permettrait de classer l'auteur dans la tradition des « moralistes ». Pour donner un sens à cette constatation, il faudrait appliquer à la lecture de tels textes, un effort de redressement analogue à celui qu'Albert Camus a accompli pour Chamfort, quand il disait que ses « maximes » relevaient en réalité de ce genre littéraire qu'est le roman. On montrerait, de même, que Montesquieu n'écrit pas des maximes, mais de l'histoire, mais une histoire qui n'entre dans aucun des genres traditionnels, puisque ses protagonistes sont les Lois.

On rejoindrait ainsi ce qu'on a essayé de faire voir dès le début : l'*Esprit des lois* est l'œuvre d'un jurisconsulte. Dans l'histoire des sciences, il arrive assez périodiquement que l'une d'elles se détache du peloton, pour se proclamer science, ou *mathesis* universelle (la sociologie de Comte ne fera pas exception). A la fin de l'antiquité, les rédacteurs des *Institutes* de Justinien, détournant de son objet la définition stoïcienne de la philosophie, ont revendiqué cette dignité pour la jurisprudence, qui est « la connaissance des choses divines et humaines, la science du juste et de l'injuste ». Telle est bien aussi, dans l'*Esprit des lois*, l'ambition de la science du droit (étant entendu, pour ne pas réveiller le censeur, que les choses divines n'y sont traitées « que dans une façon de penser humaine »), qui ne se sépare pas, pour l'auteur, de la science politique, à laquelle Aristote avait reconnu une fonction architectonique.

Aujourd'hui, on ne voit guère de discipline (en négligeant les présomptions, dérisoires, de certaines sciences humaines, comme la linguistique) habilitée à revendiquer ce titre de science directive ; il ne paraît pas que la technologie, en ses branches diverses, y soit appelée (ni même y prétende : il lui suffit d'agir sur les faits). Il y a donc là une place vide. Rien ne dit qu'elle ne puisse de nouveau être occupée par une réflexion sur le droit joint à la politique, ne serait-ce que parce que le droit inclut lui-

1. G. Gurvitch, *Eléments de sociologie juridique*, Aubier, 1940, p. 46.

même une technique capable d'agir sur les techniques et, au-delà de leur rationalité interne, de leur fixer une fin. La redécouverte de l'idée de la « nature des choses », la conviction de plus en plus répandue que la justice (les « rapports d'équité antérieurs à la loi positive qui les établit ») ne saurait être l'objet que d'une approche concrète et technique, et non passionnelle et globale, enfin l'intérêt certain que manifestent beaucoup de nos étudiants et de jeunes chercheurs pour des questions de droit (et même pour la philosophie du droit, pourtant si peu enseignée en France) pourraient se comprendre, sinon comme des signes annonciateurs, du moins comme indices d'une absence ressentie, et de l'attente d'une nouvelle lecture de l'*Esprit des lois*.

Parlant des omissions, dans l'œuvre, des « idées intermédiaires », d'Alembert disait : « Et c'est ainsi que Monsieur de Montesquieu a cru pouvoir et devoir en user dans un livre destiné à des hommes qui pensent, et dont le génie doit suppléer à des omissions volontaires et raisonnées. » Mais l'auteur avait déjà prévu, avec sa permanence, les prolongements imprévisibles de son livre : « Il ne faut pas toujours tellement épuiser un sujet, qu'on ne laisse rien à faire au lecteur. Il ne s'agit pas de faire lire, mais de faire penser » (XI, xx).

Victor GOLDSCHMIDT.

BIBLIOGRAPHIE

I. Textes

Œuvres complètes, éd. R. Caillois, Bibliothèque de la Pléiade, 1949-1951, 2 vol.
Œuvres complètes, publiées sous la direction de M. André Masson, Nagel, 1950-1955, 3 vol. Cette édition comprend la *Correspondance* et tous les inédits alors connus ; c'est à elle que renvoient nos références.
Œuvres de Montesquieu, texte établi par D. Oster, coll. L'Intégrale, Seuil, 1964.

Editions critiques de l'*Esprit des lois* avec commentaire :
J. Brethe de la Gressaye, Les Belles Lettres, 1950-1961, 4 vol.
R. Derathé, Garnier, 1973, 2 vol.

Extraits présentés et annotés :
C. Jullian, *Extraits de l'Esprit des lois et des œuvres div.*, Hachette, 1920.
J. Ehrard, *Politique de Montesquieu*, coll. U, A. Colin, 1965.
J. Ehrard, *De l'Esprit des lois*, « Les Classiques du peuple », Editions sociales, 1969.

II. Ouvrages généraux

L. Brunschvicg, *Le Progrès de la conscience dans la philosophie occidentale*, (1927), P.U.F., 1953.
J. Carbonnier, *Sociologie juridique*, coll. « Thémis », P.U.F., 1978.
E. Cassirer, *La Philosophie des Lumières* (1932), Fayard, 1966.
P. Chaunu, *La Civilisation de l'Europe des Lumières*, Arthaud, 1971.

J.-J. CHEVALIER, *Les Grandes Œuvres politiques, de Machiavel à nos jours*, A. Colin, (1949), 1957.
J. ELLUL, *Histoire des Institutions de l'époque franque à la Révolution*, coll. « Thémis », P.U.F., 1962.
J. GODECHOT, *Le Siècle des Lumières*, in *Histoire universelle*, 3, Encyclopédie de la Pléiade, 1958.
M. LEROY, *Histoire des idées sociales en France*, t. I, *De Montesquieu à Robespierre*, Gallimard, 1946.
R. MOUSNIER et E. LABROUSSE, *Le XVIII*e *Siècle*, P. U. F., 1963.
J. TOUCHARD..., *Histoire des Idées politiques*, coll. « Thémis », P.U.F., 1959.

III. ÉTUDES

E. DURKHEIM, thèse latine (1892) in *Montesquieu et Rousseau précurseurs de la sociologie*, M. Rivière, 1966.
J. DEDIEU, *Montesquieu et la tradition politique anglaise en France* (1909), Slatkine, Genève, 1971.
R. CARRÉ de MALBERG, *Contribution à la Théorie générale de l'Etat*, t. II, Recueil Sirey, 1922, p. 1-142.
E. CARCASSONNE, *Montesquieu et le problème de la constitution française au XVIII*e *siècle*, Presses Universitaires (s. d.), 1927.
Ch. EISENMANN, « ' L' Esprit des lois ' et la séparation des pouvoirs », in *Mélanges R. Carré de Malberg*, 1933 (réimpr. E. Duchemin, 1977).
J. DEDIEU, *Montesquieu*, Hatier (1943), 1966 (mis à jour par J. Ehrard).
B. GROETHUYSEN, *Philosophie de la Révolution française, précédé de Montesquieu*, Gallimard, 1956.
A. COTTA, « Le développement économique dans la pensée de Montesquieu », *Revue d'histoire économique et sociale*, 1957, nº 4.
ETIEMBLE, « Montesquieu », in *Histoire des Littératures*, 3, Encyclopédie de la Pléiade, 1958, p. 696-710.
L. ALTHUSSER, *Montesquieu, La politique et l'histoire*, P.U.F., 1959.
R. SHACKLETON, *Montesquieu, A Critical Biography*, Oxford University Press, 1961.
R. ARON, *Dix-huit leçons sur la société industrielle*, Gallimard, 1962, p. 53-73.
J. EHRARD, *L'Idée de nature en France dans la première*

moitié du XVIIIe siècle, S.E.V.P.E.N., 1963, t. II, p. 718-736.

R. Aron, *Les Etapes de la pensée sociologique*, Gallimard (1967), 1976, p. 27-76 et p. 628-641.

P. Foriers, « L'Egalité chez Montesquieu », in *L'Egalité, I*, E. Bruylant, Bruxelles, 1971, p. 247-257.

S. Goyard-Fabre, *La Philosophie du droit de Montesquieu*, préface de Jean Carbonnier, Klincksieck, 1973.

G. Vlachos, *La Politique de Montesquieu, nature et méthode*, Montchrestien, 1974.

V. Goldschmidt, *Anthropologie et politique, les principes du système de Rousseau*, Vrin, 1974, p. 189-217.

P. Vernière, *Montesquieu et l'Esprit des lois ou la raison impure*, Société d'Edition d'Enseignement Supérieur, 1977.

N. Wagner, *Morelly, le méconnu des Lumières*, Klincksieck, 1978, p. 226-230.

IV. Publications collectives

Revue de Métaphysique et de Morale, octobre 1939.

La Pensée politique et constitutionnelle de Montesquieu, Bicentenaire de l'*Esprit des lois*, Recueil Sirey, 1952.

Revue Internationale de Philosophie, 1955, fasc. 3-4.

Actes du Congrès Montesquieu de Bordeaux 1955, Delmas, Bordeaux, 1956.

A ces indications sommaires, on ajoutera les titres qui ont pu être cités dans l'*Introduction*. Le livre de Paul Vernière contient une bibliographie systématique, que peuvent compléter, pour des questions d'histoire et de droit, les ouvrages de Mme Goyard-Fabre et de Mark H. Waddicor. — L'édition de R. Derathé donne, pour chacun des problèmes abordés dans le commentaire, un état de la question, appuyé sur une documentation étendue et sûre.

NOTE SUR LE TEXTE DE CETTE ÉDITION

La présente édition reproduit le texte de l'édition de 1757, lui-même repris dans les *Œuvres complètes* de 1758. On a toutefois tenu à rétablir la division de l'ouvrage en six parties, indispensables à l'intelligence du texte et conforme à l'intention de l'auteur. Pour les mêmes raisons, on a replacé l'*Invocation aux Muses* au début du XXe Livre. Pour éviter, enfin, une confusion avec la *Table des matières* proprement dite, on a intitulé *Index* la « Table des matières contenues dans l'*Esprit des lois* et dans la *Défense* », qui figure pour la première fois dans l'édition de 1757. Selon un usage maintenant établi, les références au tome et à la page ont été remplacées par des renvois au livre et au chapitre.

Remarque :

Le sens des citations latines du texte est généralement donné par Montesquieu lui-même, ou largement explicité. Lorsque ce n'était pas le cas, nous les avons traduites. Elles sont indiquées par un astérisque et figurent en fin de volume. (Note de l'éditeur.)

ÉLOGE DE MONSIEUR LE PRÉSIDENT DE MONTESQUIEU

*Mis à la tête du cinquième volume de l'*ENCYCLOPÉDIE *par M. d'Alembert.*

L'INTÉRÊT que les bons citoyens prennent à l'ENCYCLOPÉDIE, et le grand nombre de gens de lettres qui lui consacrent leurs travaux, semblent nous permettre de la regarder comme un des monuments les plus propres à être dépositaires des sentiments de la patrie, et des hommages qu'elle doit aux hommes célèbres qui l'ont honorée. Persuadés néanmoins que M. de Montesquieu était en droit d'attendre d'autres panégyristes que nous, et que la douleur publique eût mérité des interprètes plus éloquents, nous eussions renfermé au-dedans de nous-même nos justes regrets et notre respect pour sa mémoire : mais l'aveu de ce que nous lui devons nous est trop précieux, pour en laisser le soin à d'autres. Bienfaiteur de l'humanité par ses écrits, il a daigné l'être aussi de cet ouvrage; et notre reconnaissance ne veut que tracer quelques lignes au pied de sa statue.

CHARLES DE SECONDAT, baron DE LA BRÈDE ET DE MONTESQUIEU, ancien président à mortier au parlement de Bordeaux, de l'Académie française, de l'académie royale des sciences et des belles-lettres de Prusse, et de la société royale de Londres, naquit au château de La Brède, près de Bordeaux, le 18 janvier 1689, d'une famille noble de Guyenne. Son trisaïeul, Jean de Secondat, maître d'hôtel de Henri II, roi de Navarre, et ensuite de Jeanne, fille de ce roi, qui épousa Antoine de Bourbon, acquit la terre de Montesquieu, d'une somme de 10 000 livres que cette princesse lui donna par un acte authentique, en récompense de sa probité et de ses services. Henri III, roi de Navarre, depuis Henri IV, roi de France, érigea en baronnie la terre de Montesquieu, en faveur de Jacob de Secondat, fils de Jean, d'abord gentilhomme ordinaire de la chambre de ce prince, et ensuite maître de camp du régiment de Châtillon. Jean Gaston de Secondat, son second fils, ayant épousé la fille du premier président du parlement de Bordeaux, acquit dans cette compagnie une charge de président à mortier. Il eut plusieurs enfants, dont un entra dans le service, s'y distingua, et le quitta de fort bonne heure : ce fut le père de Charles de Secondat, auteur de *L'Esprit des lois*. Ces détails paraîtront peut-être déplacés à la tête de l'éloge d'un philosophe, dont le nom a si peu besoin d'ancêtres : mais n'envions point à leur mémoire l'éclat que ce nom répand sur elle.

Les succès de l'enfance, présage quelquefois si trompeur, ne le furent point dans Charles de Secondat : il annonça de bonne heure ce qu'il devait être; et son père donna tous ses soins à cultiver ce génie naissant, objet de son espérance et de sa tendresse. Dès l'âge de vingt ans, le jeune Montesquieu préparait déjà les matériaux de *L'Esprit des lois*, par un extrait raisonné des immenses volumes qui composent le corps du droit civil : ainsi autrefois Newton avait jeté, dès sa première jeunesse, les fondements des ouvrages qui l'ont rendu immortel. Cependant l'étude de la jurisprudence, quoique moins aride pour M. de Montesquieu que pour la plupart de ceux qui s'y livrent, parce qu'il la cultivait en philosophe, ne suffisait pas à l'étendue et à l'activité de son génie. Il approfondissait, dans le même temps, des matières encore plus importantes et plus délicates[a], et les discutait dans le silence avec la sagesse, la décence et l'équité qu'il a depuis montrées dans ses ouvrages.

Un oncle paternel, président à mortier au parlement de Bordeaux juge éclairé et citoyen vertueux, l'oracle de sa compagnie et de sa province, ayant perdu un fils unique, et voulant conserver, dans son corps, l'esprit d'élévation qu'il avait tâché d'y répandre, laissa ses biens et sa charge à M. de Montesquieu. Il était conseiller au parlement de Bordeaux depuis le 24 février 1714, et fut reçu président à mortier le 13 juillet 1716. Quelques années après, en 1722, pendant la minorité du roi, sa compagnie le chargea de présenter des remontrances à l'occasion d'un nouvel impôt. Placé entre le trône et le peuple, il remplit, en sujet respectueux et en magistrat plein de courage, l'emploi si noble et si peu envié, de faire parvenir au

a. C'était un ouvrage en forme de lettres, dont le but était de prouver que l'idolâtrie de la plupart des païens ne paraissait pas mériter une damnation éternelle.

souverain le cri des malheureux : et la misère publique, représentée avec autant d'habileté que de force, obtint la justice qu'elle demandait. Ce succès, il est vrai, par malheur pour l'Etat bien plus que pour lui, fut aussi passager que s'il eût été injuste; à peine la voix des peuples eut-elle cessé de se faire entendre, que l'impôt supprimé fut remplacé par un autre : mais le citoyen avait fait son devoir.

Il fut reçu, le 3 avril 1716, dans l'académie de Bordeaux qui ne faisait que de naître. Le goût pour la musique et pour les ouvrages de pur agrément, avait d'abord rassemblé les membres qui la formaient. M. de Montesquieu crut, avec raison, que l'ardeur naissante et les talents de ses confrères pourraient s'exercer avec encore plus d'avantage sur les objets de la physique. Il était persuadé que la nature, si digne d'être observée partout, trouvait aussi partout des yeux dignes de la voir; qu'au contraire les ouvrages de goût ne souffrant point de médiocrité, et la capitale étant en ce genre le centre des lumières et des secours, il était trop difficile de rassembler loin d'elle un assez grand nombre d'écrivains distingués. Il regardait les sociétés de bel esprit, si étrangement multipliées dans nos provinces, comme une espèce, ou plutôt comme une ombre de luxe littéraire, qui nuit à l'opulence réelle, sans même en offrir l'apparence. Heureusement M. le duc de la Force, par un prix qu'il venait de fonder à Bordeaux, avait secondé des vues si éclairées et si justes. On jugea qu'une expérience bien faite serait préférable à un discours faible ou à un mauvais poème; et Bordeaux eut une académie des sciences.

M. de Montesquieu, nullement empressé de se montrer au public, semblait attendre, selon l'expression d'un grand génie, *un âge mûr pour écrire*. Ce ne fut qu'en 1721, c'est-à-dire, âgé de trente-deux ans, qu'il mit au jour les *Lettres persanes*. Le *Siamois* des *amusements sérieux et comiques* pouvait lui en avoir fourni l'idée; mais il surpassa son modèle. La peinture des mœurs orientales, réelles ou supposées, de l'orgueil et du flegme de l'amour asiatique, n'est que le moindre objet de ces lettres; elle n'y sert, pour ainsi dire, que de prétexte à une satire fine de nos mœurs, et à des matières importantes, que l'auteur approfondit, en paraissant glisser sur elles. Dans cette espèce de tableau mouvant, Usbek expose surtout, avec autant de légèreté que d'énergie, ce qui a le plus frappé parmi nous ses yeux pénétrants; notre habitude de traiter sérieusement les choses les plus futiles, et de tourner les plus importantes en plaisanterie; nos conversations si bruyantes et si frivoles; notre ennui dans le sein du plaisir même; nos préjugés et nos actions en contradiction continuelle avec nos lumières; tant d'amour pour la gloire, joint à tant de respect pour l'idole de la faveur; nos courtisans si rampants et si vains; notre politesse extérieure, et notre mépris réel pour les étrangers, ou notre prédilection affectée pour eux; la bizarrerie de nos goûts, qui n'a rien au-dessous d'elle, que l'empressement de toute l'Europe à les adopter; notre dédain barbare pour deux des plus respectables occupations d'un citoyen, le commerce et la magistrature; nos disputes littéraires si vives et si inutiles; notre fureur d'écrire avant que de penser, et de juger avant que de connaître. A cette peinture vive, mais sans fiel, il oppose, dans l'apologue des Troglodytes, le tableau d'un peuple vertueux, devenu sage par le malheur : morceau digne du portique. Ailleurs, il montre la philosophie longtemps étouffée, reparaissant tout à coup, regagnant, par ses progrès, le temps qu'elle a perdu; pénétrant jusque chez les Russes à la voix d'un génie qui l'appelle; tandis que, chez d'autres peuples de l'Europe, la superstition, semblable à une atmosphère épaisse, empêche la lumière qui les environne de toutes parts d'arriver jusqu'à eux. Enfin, par les principes qu'il établit sur la nature des gouvernements anciens et modernes, il présente le germe de ces idées lumineuses, développées depuis par l'auteur dans son grand ouvrage.

Ces différents sujets, privés aujourd'hui des grâces de la nouveauté qu'ils avaient dans la naissance des lettres persanes, y conserveront toujours le mérite du caractère original qu'on a su leur donner : mérite d'autant plus réel, qu'il vient ici du génie seul de l'écrivain, et non du voile étranger dont il s'est couvert; car Usbek a pris, durant son séjour en France, non seulement une connaissance si parfaite de nos mœurs, mais une si forte teinture de nos manières même, que son style fait souvent oublier son pays. Ce léger défaut de vraisemblance peut n'être pas sans dessein et sans adresse : en relevant nos ridicules et nos vices, il a voulu sans doute aussi rendre justice à nos avantages. Il a senti toute la fadeur d'un éloge direct; et il nous a plus finement loués, en prenant si souvent notre ton pour médire plus agréablement de nous.

Malgré le succès de cet ouvragc, M. de Montesquieu ne

s'en était point déclaré ouvertement l'auteur. Peut-être croyait-il échapper plus aisément par ce moyen à la satire littéraire, qui épargne plus volontiers les écrits anonymes, parce que c'est toujours la personne, et non l'ouvrage, qui est le but de ses traits. Peut-être craignait-il d'être attaqué sur le prétendu contraste des lettres persanes avec l'austérité de sa place; espèce de reproche, disait-il, que les critiques ne manquent jamais, parce qu'il ne demande aucun effort d'esprit. Mais son secret était découvert, et déjà le public le montrait à l'Académie française. L'événement fit voir combien le silence de M. de Montesquieu avait été sage. Usbek s'exprime quelquefois assez librement, non sur le fonds du christianisme, mais sur des matières que trop de personnes affectent de confondre avec le christianisme même; sur l'esprit de persécution dont tant de chrétiens ont été animés; sur les usurpations temporelles de la puissance ecclésiastique; sur la multiplication excessive des monastères, qui enlève des sujets à l'Etat, sans donner à Dieu des adorateurs; sur quelques opinions qu'on a vainement tenté d'ériger en dogmes; sur nos disputes de religion, toujours violentes, et souvent funestes. S'il paraît toucher ailleurs à des questions plus délicates, et qui intéressent de plus près la religion chrétienne, ses réflexions, appréciées avec justice, sont en effet très favorables à la révélation; puisqu'il se borne à montrer combien la raison humaine, abandonnée à elle-même, est peu éclairée sur ces objets. Enfin, parmi les véritables lettres de M. de Montesquieu, l'imprimeur étranger en avait inséré quelques-unes d'une autre main : et il eût fallu du moins, avant que de condamner l'auteur, démêler ce qui lui appartenait en propre. Sans égard à ces considérations, d'un côté la haine sous le nom de zèle, de l'autre le zèle sans discernement ou sans lumières, se soulevèrent et se réunirent contre les *Lettres persanes*. Des délateurs, espèces d'hommes dangereuse et lâche, que même dans un gouvernement sage on a quelquefois le malheur d'écouter, alarmèrent, par un extrait infidèle, la piété du ministère. M. de Montesquieu, par le conseil de ses amis, soutenu de la voix publique, s'étant présenté pour la place de l'Académie française, vacante par la mort de M. de Sacy, le ministre écrivit à cette compagnie que Sa Majesté ne donnerait jamais son agrément à l'auteur des *Lettres persanes :* qu'il n'avait point lu ce livre; mais que des personnes en qui il avait confiance lui en avaient fait connaître le poison et le danger. M. de Montesquieu sentit le coup qu'une pareille accusation pouvait porter à sa personne, à sa famille, à la tranquillité de sa vie. Il n'attachait pas assez de prix aux honneurs littéraires, ni pour les rechercher avec avidité, ni pour affecter de les dédaigner quand ils se présentaient à lui, ni enfin pour en regarder la simple privation comme un malheur : mais l'exclusion perpétuelle, et surtout les motifs de l'exclusion, lui paraissaient une injure. Il vit le ministre; lui déclara que, par des raisons particulières, il n'avouait point les *Lettres persanes;* mais qu'il était encore plus éloigné de désavouer un ouvrage dont il croyait n'avoir point à rougir; et qu'il devait être jugé d'après une lecture, et non sur une délation : le ministre prit enfin le parti par où il aurait dû commencer; il lut le livre, aima l'auteur, et apprit à mieux placer sa confiance. L'Académie française ne fut point privée d'un de ses plus beaux ornements; et la France eut le bonheur de conserver un sujet que la superstition ou la calomnie étaient prêtes à lui faire perdre : car M. de Montesquieu avait déclaré au gouvernement, qu'après l'espèce d'outrage qu'on allait lui faire, il irait chercher, chez les étrangers qui lui tendaient les bras, la sûreté, le repos, et peut-être les récompenses qu'il aurait dû espérer dans son pays. La nation eût déploré cette perte, et la honte en fût pourtant retombée sur elle.

Feu M. le maréchal d'Estrées, alors directeur de l'Académie française, se conduisit dans cette circonstance en courtisan vertueux, et d'une âme vraiment élevée : il ne craignit, ni d'abuser de son crédit, ni de le compromettre; il soutint son ami, et justifia Socrate. Ce trait de courage, si précieux aux lettres, si digne d'avoir aujourd'hui des imitateurs, et si honorable à la mémoire de M. le maréchal d'Estrées, n'aurait pas dû être oublié dans son éloge.

M. de Montesquieu fut reçu le 24 janvier 1728. Son discours est un des meilleurs qu'on ait prononcés dans une pareille occasion : le mérite en est d'autant plus grand, que les récipiendaires, gênés jusqu'alors par ces formules et ces éloges d'usage auxquels une espèce de prescription les assujettit, n'avaient encore osé franchir ce cercle pour traiter d'autres sujets, ou n'avaient point pensé du moins à les y renfermer. Dans cet état même de contrainte, il eut l'avantage de réussir. Entre plusieurs traits dont brille son discours [1], on reconnaîtrait l'écrivain qui pense, au seul

1. On le trouvera à la fin de cet éloge.

portrait du cardinal de Richelieu, *qui apprit à la France le secret de ses forces, et à l'Espagne celui de sa faiblesse ; qui ôta à l'Allemagne ses chaînes, et lui en donna de nouvelles.* Il faut admirer M. de Montesquieu d'avoir su vaincre la difficulté de son sujet, et pardonner à ceux qui n'ont pas eu le même succès.

Le nouvel académicien était d'autant plus digne de ce titre, qu'il avait, peu de temps auparavant, renoncé à tout autre travail, pour se livrer entièrement à son génie et à son goût. Quelque importante que fût la place qu'il occupait, avec quelques lumières et quelque intégrité qu'il en eût rempli les devoirs, il sentait qu'il y avait des objets plus dignes d'occuper ses talents ; qu'un citoyen est redevable à sa nation et à l'humanité de tout le bien qu'il peut leur faire ; et qu'il serait plus utile à l'une et à l'autre, en les éclairant par ses écrits, qu'il ne pouvait l'être en discutant quelques contestations particulières dans l'obscurité. Toutes ces réflexions le déterminèrent à vendre sa charge. Il cessa d'être magistrat, et ne fut plus qu'homme de lettres.

Mais, pour se rendre utile par ses ouvrages aux différentes nations, il était nécessaire qu'il les connût. Ce fut dans cette vue qu'il entreprit de voyager. Son but était d'examiner partout le physique et le moral ; d'étudier les lois et la Constitution de chaque pays ; de visiter les savants, les écrivains, les artistes célèbres ; de chercher surtout ces hommes rares et singuliers, dont le commerce supplée quelquefois à plusieurs années d'observations et de séjour. M. de Montesquieu eût pu dire, comme Démocrite : « Je n'ai rien oublié pour m'instruire : j'ai quitté mon pays, et parcouru l'univers, pour mieux connaître la vérité : j'ai vu tous les personnages illustres de mon temps. » Mais il y eut cette différence entre le Démocrite français, et celui d'Abdère, que le premier voyageait pour instruire les hommes, et le second pour s'en moquer.

Il alla d'abord à Vienne, où il vit souvent le célèbre prince Eugène. Ce héros si funeste à la France (à laquelle il aurait pu être si utile), après avoir balancé la fortune de Louis XIV, et humilié la fierté ottomane, vivait sans faste durant la paix, aimant et cultivant les lettres dans une cour où elles sont peu en honneur, et donnant à ses maîtres l'exemple de les protéger. M. de Montesquieu crut entrevoir dans ses discours quelques restes d'intérêt pour son ancienne patrie. Le prince Eugène en laissait voir surtout, autant que le peut faire un ennemi, sur les suites funestes de cette division intestine qui trouble depuis si longtemps l'Eglise de France : l'homme d'Etat en prévoyait la durée et les effets, et les prédit au philosophe.

M. de Montesquieu partit de Vienne pour voir la Hongrie, contrée opulente et fertile, habitée par une nation fière et généreuse, le fléau de ses tyrans, et l'appui de ses souverains. Comme peu de personnes connaissent bien ce pays, il a écrit avec soin cette partie de ses voyages.

D'Allemagne, il passa en Italie. Il vit à Venise le fameux Law, à qui il ne restait, de sa grandeur passée, que des projets heureusement destinés à mourir dans sa tête, et un diamant qu'il engageait pour jouer aux jeux de hasard. Un jour la conversation roulait sur le fameux système que Law avait inventé; époque de tant de malheurs et de fortunes, et surtout d'une dépravation remarquable dans nos mœurs. Comme le Parlement de Paris, dépositaire immédiat des lois dans les temps de minorité, avait fait éprouver au ministre écossais quelque résistance dans cette occasion, M. de Montesquieu lui demanda pourquoi on n'avait pas essayé de vaincre cette résistance par un moyen presque toujours infaillible en Angleterre, par le grand mobile des actions des hommes, en un mot, par l'argent. *Ce ne sont pas*, répondit Law, *des génies aussi ardents et aussi généreux que mes compatriotes ; mais ils sont beaucoup plus incorruptibles*. Nous ajouterons, sans aucun préjugé de vanité nationale, qu'un corps libre pour quelques instants doit mieux résister à la corruption, que celui qui l'est toujours : le premier, en vendant sa liberté, la perd; le second ne sait, pour ainsi dire, que la prêter, et l'exerce même en l'engageant. Ainsi les circonstances et la nature du gouvernement font les vices et les vertus des nations.

Un autre personnage non moins fameux, que M. de Montesquieu vit encore plus souvent à Venise, fut le comte de Bonneval. Cet homme, si connu par ses aventures qui n'étaient pas encore à leur terme, et flatté de converser avec un juge digne de l'entendre, lui faisait avec plaisir le détail singulier de sa vie, le récit des actions militaires où il s'était trouvé, le portrait des généraux et des ministres qu'il avait connus. M. de Montesquieu se rappelait souvent ces conversations, et en racontait différents traits à ses amis.

Il alla, de Venise, à Rome. Dans cette ancienne capitale du monde, qui l'est encore à certains égards, il s'appliqua surtout à examiner ce qui la distingue aujourd'hui le plus; les ouvrages des Raphaël, des Titien, et des Michel-Ange. Il n'avait point fait une étude particulière des beaux-arts; mais l'expression, dont brillent les chefs-d'œuvre en ce genre, saisit infailliblement tout homme de génie. Accoutumé à étudier la nature, il la reconnaît quand elle est imitée, comme un portrait ressemblant frappe tous ceux à qui l'original est familier. Malheur aux productions de l'art dont toute la beauté n'est que pour les artistes!

Après avoir parcouru l'Italie, M. de Montesquieu vint en Suisse. Il examina soigneusement les vastes pays arrosés par le Rhin. Et il ne lui resta plus rien à voir en Allemagne, car Frédéric ne régnait pas encore. Il s'arrêta ensuite quelque temps dans les Provinces-Unies, monument admirable de ce que peut l'industrie humaine, animée par l'amour de la liberté. Enfin il se rendit en Angleterre, où il demeura deux ans. Digne de voir et d'entretenir les plus grands hommes, il n'eut à regretter que de n'avoir pas fait plus tôt ce voyage. Locke et Newton étaient morts. Mais il eut souvent l'honneur de faire sa cour à leur protectrice, la célèbre reine d'Angleterre, qui cultivait la philosophie sur le trône, et qui goûta, comme elle le devait, M. de Montesquieu. Il ne fut pas moins accueilli par la nation, qui n'avait pas besoin, sur cela, de prendre le ton de ses maîtres. Il forma à Londres des liaisons intimes avec des hommes exercés à méditer, et à se préparer aux grandes choses par des études profondes. Il s'instruisit avec eux de la nature du gouvernement, et parvint à le bien connaître. Nous parlons ici d'après les témoignages publics que lui en ont rendu les Anglais eux-mêmes, si jaloux de nos avantages, et si peu disposés à reconnaître en nous aucune supériorité.

Comme il n'avait rien examiné, ni avec la prévention d'un enthousiaste, ni avec l'austérité d'un cynique; il n'avait remporté de ses voyages, ni un dédain outrageant pour les étrangers, ni un mépris encore plus déplacé pour son propre pays. Il résultait, de ses observations, que l'Allemagne était faite pour y voyager, l'Italie pour y séjourner, l'Angleterre pour y penser, et la France pour y vivre.

De retour enfin dans sa patrie, M. de Montesquieu se retira pendant deux ans à sa terre de La Brède. Il y jouit en paix de cette solitude que le spectacle et le tumulte du monde sert à rendre plus agréable : il vécut avec lui-même, après en être sorti si longtemps : et, ce qui nous intéresse le plus, il mit la dernière main à son ouvrage *Sur la cause de la grandeur et de la décadence des Romains*, qui parut en 1734.

Les empires, ainsi que les hommes, doivent croître, dépérir et s'éteindre. Mais cette révolution nécessaire a souvent des causes cachées, que la nuit des temps nous dérobe, et que le mystère ou leur petitesse apparente a même quelquefois voilées aux yeux des contemporains. Rien ne ressemble plus, sur ce point, à l'histoire moderne, que l'histoire ancienne. Celle des Romains mérite néanmoins, à cet égard, quelque exception : Elle présente une politique raisonnée, un système suivi d'agrandissement, qui ne permet pas d'attribuer la fortune de ce peuple à des ressorts obscurs et subalternes. Les causes de la grandeur romaine se trouvent donc dans l'histoire; et c'est au philosophe à les y découvrir. D'ailleurs, il n'en est pas des systèmes dans cette étude, comme dans celle de la physique. Ceux-ci sont presque toujours précipités, parce qu'une observation nouvelle et imprévue peut les renverser en un instant; au contraire, quand on recueille avec soin les faits que nous transmet l'histoire ancienne d'un pays, si on ne rassemble pas toujours tous les matériaux qu'on peut désirer, on ne saurait du moins espérer d'en avoir un jour davantage. L'étude réfléchie de l'histoire, étude si importante et si difficile, consiste à combiner, de la manière la plus parfaite, ces matériaux défectueux : tel serait le mérite d'un architecte, qui, sur des ruines savantes, tracerait, de la manière la plus vraisemblable, le plan d'un édifice antique; en suppléant, par le génie, et par d'heureuses conjectures, à des restes informes et tronqués.

C'est sous ce point de vue qu'il faut envisager l'ouvrage de M. de Montesquieu. Il trouve les causes de la grandeur des Romains dans l'amour de la liberté, du travail, et de la patrie, qu'on leur inspirait dès l'enfance; dans ces dissensions intestines, qui donnaient du ressort aux esprits, et qui cessaient tout à coup à la vue de l'ennemi; dans cette constance après le malheur, qui ne désespérait jamais de la république; dans le principe où ils furent toujours de ne faire jamais la paix qu'après des victoires; dans l'honneur du triomphe, sujet d'émulation pour les généraux; dans la protection qu'ils accordaient aux peuples révoltés contre leurs rois; dans l'excellente politique de laisser aux vaincus leurs dieux et leurs coutumes; dans celle de n'avoir jamais deux puissants ennemis sur les bras, et de tout souffrir de l'un, jusqu'à ce qu'ils eussent anéanti l'autre. Il trouve les causes de leur décadence dans l'agrandissement même de l'Etat, qui changea en guerres civiles les tumultes populaires; dans les guerres éloignées, qui, forçant les citoyens à une trop longue absence, leur faisaient perdre insensiblement l'esprit républicain; dans le droit de bourgeoisie accordé à tant de nations, et qui ne fit plus, du peuple romain, qu'une espèce de monstre à plusieurs têtes; dans la corruption introduite par le luxe de l'Asie; dans les proscriptions de Sylla, qui avilirent l'esprit de la nation, et la préparèrent à l'esclavage; dans la nécessité où les Romains se trouvèrent de souffrir des maîtres, lorsque leur liberté leur fut devenue à charge; dans l'obligation où ils furent de changer de maximes, en changeant de gouvernement; dans cette suite de monstres qui régnèrent, presque sans interruption, depuis Tibère jusqu'à Nerva, et depuis Commode jusqu'à Constantin; enfin, dans la translation et le partage de l'empire, qui périt d'abord en Occident par la puissance des barbares, et qui, après avoir langui plusieurs siècles en Orient sous des empereurs imbéciles ou féroces, s'anéantit insensiblement, comme ces fleuves qui disparaissent dans des sables.

Un assez petit volume a suffi à M. de Montesquieu, pour développer un tableau si intéressant et si vaste. Comme l'auteur ne s'appesantit point sur les détails, et ne saisit que les branches fécondes de son sujet, il a su renfermer en très peu d'espace un grand nombre d'objets distinctement aperçus, et rapidement présentés, sans fatigue pour le lecteur. En laissant beaucoup voir, il laisse encore plus à penser : et il aurait pu intituler son livre, *histoire romaine, à l'usage des hommes d'Etat et des philosophes*.

Quelque réputation que M. de Montesquieu se fût acquise par ce dernier ouvrage, et par ceux qui l'avaient précédé, il n'avait fait que se frayer le chemin à une plus grande entreprise, à celle qui doit immortaliser son nom, et le rendre respectable aux siècles futurs. Il en avait dès longtemps formé le dessein : il en médita pendant vingt ans l'exécution; ou, pour parler plus exactement, toute sa vie en avait été la méditation continuelle. D'abord il s'était fait, en quelque façon, étranger dans son propre pays, afin de le mieux connaître. Il avait ensuite parcouru toute l'Europe, et profondément étudié les différents peuples qui l'habitent. L'île fameuse, qui se glorifie tant de ses lois, et qui en profite si mal, avait été pour lui, dans ce long voyage, ce que l'île de Crète fut autrefois pour Lycurgue, une école où il avait su s'instruire sans tout approuver. Enfin, il avait, si on peut parler ainsi, interrogé et jugé les nations et les hommes célèbres qui n'existent plus aujourd'hui que dans les annales du monde. Ce fut ainsi qu'il s'éleva par degrés au plus beau titre qu'un sage puisse mériter, celui de législateur des nations.

S'il était animé par l'importance de la manière, il était effrayé en même temps par son étendue : il l'abandonna, et y revint à plusieurs reprises. Il sentit plus d'une fois, comme il l'avoue lui-même, tomber les mains paternelles. Encouragé enfin par ses amis, il ramassa toutes ses forces, et donna *L'Esprit des lois*.

Dans cet important ouvrage, M. de Montesquieu, sans s'appesantir, à l'exemple de ceux qui l'ont précédé, sur des discussions métaphysiques relatives à l'homme supposé dans un état d'abstraction; sans se borner, comme d'autres, à considérer certains peuples dans quelques relations ou circonstances particulières, envisage les habitants de l'univers dans l'état réel où ils sont, et dans tous les rapports qu'ils peuvent avoir entre eux. La plupart des autres écrivains en ce genre sont presque toujours, ou de simples moralistes, ou de simples jurisconsultes, ou même quelquefois de simples théologiens : Pour lui, l'homme de tous les pays et de toutes les nations, il s'occupe moins de ce que le devoir exige de nous, que des moyens par lesquels on peut nous obliger de le remplir; de la perfection métaphysique des lois, que de celle dont la nature humaine les rend susceptibles; des lois qu'on a faites, que de celles qu'on a dû faire; des lois d'un peuple particulier, que de celles de tous les peuples. Ainsi, en se comparant lui-même à ceux qui ont couru avant lui cette grande et noble carrière, il a pu dire, comme le Corrège, quand il eut vu les ouvrages de ses rivaux, *Et moi aussi, je suis peintre*[c].

Rempli et pénétré de son objet, l'auteur de *L'Esprit des lois* y embrasse un si grand nombre de matières, et les traite avec tant de brièveté et de profondeur, qu'une lecture assidue et méditée peut seule faire sentir le mérite de ce livre. Elle servira surtout, nous osons le dire, à faire

c. On trouvera, à la suite de cet éloge, l'analyse de l'*Esprit des lois*, par le même auteur.

disparaître le prétendu défaut de méthode, dont quelques lecteurs ont accusé M. de Montesquieu; avantage qu'ils n'auraient pas dû le taxer légèrement d'avoir négligé dans une matière philosophique, et dans un ouvrage de vingt années. Il faut distinguer le désordre réel de celui qui n'est qu'apparent. Le désordre est réel, quand l'analogie et la fuite des idées n'est point observée; quand les conclusions sont érigées en principes, ou les précèdent; quand le lecteur, après des détours sans nombre, se retrouve au point d'où il est parti. Le désordre n'est qu'apparent, quand l'auteur, mettant à leur véritable place les idées dont il fait usage, laisse à suppléer aux lecteurs les idées intermédiaires. Et c'est ainsi que M. de Montesquieu a cru pouvoir et devoir en user dans un livre destiné à des hommes qui pensent, dont le génie doit suppléer à des omissions volontaires et raisonnées.

L'ordre, qui se fait apercevoir dans les grandes parties de *L'Esprit des lois*, ne règne pas moins dans les détails : nous croyons que, plus on approfondira l'ouvrage, plus on en sera convaincu. Fidèle à ses divisions générales, l'auteur rapporte à chacune les objets qui lui appartiennent exclusivement; et, à l'égard de ceux qui, par différentes branches, appartiennent à plusieurs divisions à la fois, il a placé sous chaque division la branche qui lui appartient en propre. Par-là on aperçoit aisément, et sans confusion, l'influence que les différentes parties du sujet ont les unes sur les autres; comme, dans un arbre ou système bien entendu des connaissances humaines, on peut voir le rapport mutuel des sciences et des arts. Cette comparaison d'ailleurs est d'autant plus juste, qu'il en est du plan qu'on peut se faire dans l'examen philosophique des lois, comme de l'ordre qu'on peut observer dans un arbre encyclopédique des sciences : il y restera toujours de l'arbitraire; et tout ce qu'on peut exiger de l'auteur, c'est qu'il suive, sans détour et sans écart, le système qu'il s'est une fois formé.

Nous dirons de l'obscurité, que l'on peut se permettre dans un tel ouvrage, la même chose que du défaut d'ordre. Ce qui serait obscur pour les lecteurs vulgaires ne l'est pas pour ceux que l'auteur a eus en vue. D'ailleurs, l'obscurité volontaire n'en est pas une. M. de Montesquieu ayant à présenter quelquefois des vérités importantes, dont l'énoncé absolu et direct aurait pu blesser sans fruit, a eu la prudence de les envelopper; et, par cet innocent artifice, les a voilées à ceux à qui elles seraient nuisibles, sans qu'elles fussent perdues pour les sages.

Parmi les ouvrages qui lui ont fourni des secours, et quelquefois des vues pour le sien, on voit qu'il a surtout profité des deux historiens qui ont pensé le plus, Tacite et Plutarque : mais, quoiqu'un philosophe qui a fait ces deux lectures soit dispensé de beaucoup d'autres, il n'avait pas cru devoir, en ce genre, rien négliger ni dédaigner de ce qui pouvait être utile à son objet. La lecture que suppose *L'Esprit des lois* est immense ; et l'usage raisonné que l'auteur a fait de cette multitude prodigieuse de matériaux, paraîtra encore plus surprenant, quand on saura qu'il était presque entièrement privé de la vue, et obligé d'avoir recours à des yeux étrangers. Cette vaste lecture contribue non seulement à l'utilité, mais à l'agrément de l'ouvrage. Sans déroger à la majesté de son sujet, M. de Montesquieu sait en tempérer l'austérité, et procurer aux lecteurs des moments de repos, soit par des faits singuliers et peu connus, soit par des allusions délicates, soit par ces coups de pinceau énergiques et brillants, qui peignent d'un seul trait les peuples et les hommes.

Enfin, car nous ne voulons pas jouer ici le rôle des commentateurs d'Homère, il y a sans doute des fautes dans *L'Esprit des lois*, comme il y en a dans tout ouvrage de génie, dont l'auteur a le premier osé se frayer des routes nouvelles. M. de Montesquieu a été parmi nous, pour l'étude des lois, ce que Descartes a été pour la philosophie : il éclaire souvent, et se trompe quelquefois ; et, en se trompant même, il instruit ceux qui savent lire. Cette nouvelle édition montrera, par les additions et corrections qu'il y a faites, que, s'il est tombé de temps en temps, il a su le reconnaître et se relever. Par-là, il acquerra du moins le droit à un nouvel examen, dans les endroits où il n'aura pas été de l'avis de ses censeurs ; peut-être même ce qu'il aura jugé le plus digne de correction leur a-t-il absolument échappé, tant l'envie de nuire est ordinairement aveugle.

Mais ce qui est à la portée de tout le monde dans *L'Esprit des lois*, ce qui doit rendre l'auteur cher à toutes les nations, ce qui servirait même à couvrir des fautes plus grandes que les siennes, c'est l'esprit de citoyen qui l'a dicté. L'amour du bien public, le désir de voir les hommes heureux, s'y montrent de toutes parts ; et, n'eût-il que ce mérite si rare et si précieux, il serait digne, par cet endroit seul, d'être la lecture des peuples et des rois. Nous voyons déjà, par une heureuse expérience, que les fruits de cet ouvrage ne se bornent pas, dans ses lecteurs, à des sentiments stériles. Quoique M. de Montesquieu ait peu survécu à la publication de *L'Esprit des lois*, il a eu la satisfaction d'entrevoir les effets qu'il commence à produire parmi nous; l'amour naturel des Français pour leur patrie, tourné vers son véritable objet; ce goût pour le commerce, pour l'agriculture, et pour les arts utiles, qui se répand insensiblement dans notre nation; cette lumière générale sur les principes du gouvernement, qui rend les peuples plus attachés à ce qu'ils doivent aimer. Ceux qui ont si indécemment attaqué cet ouvrage, lui doivent peut-être plus qu'ils ne s'imaginent. L'ingratitude, au reste, est le moindre reproche qu'on ait à leur faire. Ce n'est pas sans regret et sans honte pour notre siècle, que nous allons les dévoiler; mais cette histoire importe trop à la gloire de M. de Montesquieu, et à l'avantage de la philosophie, pour être passée sous silence. Puisse l'opprobre, qui couvre enfin ses ennemis, leur devenir salutaire!

A peine *L'Esprit des lois* parut-il, qu'il fut recherché avec empressement, sur la réputation de l'auteur : mais, quoique M. de Montesquieu eût écrit pour le bien du peuple, il ne devait pas avoir le peuple pour juge : la profondeur de l'objet était une suite de son importance même. Cependant les traits qui étaient répandus dans l'ouvrage, et qui auraient été déplacés s'ils n'étaient pas nés du fond du sujet, persuadèrent à trop de personnes qu'il était écrit pour elles. On cherchait un livre agréable; et on ne trouvait qu'un livre utile, dont on ne pouvait d'ailleurs, sans quelque attention, saisir l'ensemble et les détails. On traita légèrement *L'Esprit des lois ;* le titre même fut un sujet de plaisanterie; enfin, l'un des plus beaux monuments littéraires qui soient sortis de notre nation, fut regardé d'abord par elle avec assez d'indifférence. Il fallut que les véritables juges eussent eu le temps de lire : bientôt ils ramenèrent la multitude, toujours prompte à changer d'avis. La partie du public qui enseigne dicta à la partie qui écoute ce qu'elle devait penser et dire; et le suffrage des hommes éclairés, joint aux échos qui le répétèrent, ne forma plus qu'une voix dans toute l'Europe.

Ce fut alors que les ennemis publics et secrets des lettres et de la philosophie (car elles en ont de ces deux espèces) réunirent leurs traits contre l'ouvrage. De là, cette foule de brochures qui lui furent lancées de toutes parts, et que nous ne tirerons pas de l'oubli où elles sont déjà plongées. Si leurs auteurs n'avaient pris de bonnes mesures pour être inconnus à la postérité, elle croirait que *L'Esprit des lois* a été écrit au milieu d'un peuple de barbares.

M. de Montesquieu méprisa sans peine les critiques ténébreuses de ces auteurs sans talent, qui, soit par une jalousie qu'ils n'ont pas droit d'avoir, soit pour satisfaire la malignité du public qui aime la satire et la méprise, outragent ce qu'ils ne peuvent atteindre; et, plus odieux par le mal qu'ils veulent faire, que redoutables par celui qu'ils font, ne réussissent pas même dans un genre d'écrire que sa facilité et son objet rendent également vil. Il mettait les ouvrages de cette espèce sur la même ligne que ces nouvelles hebdomadaires de l'Europe, dont les éloges sont sans autorité et les traits sans effet, que des lecteurs oisifs parcourent sans y ajouter foi, et dans lesquelles les souverains sont insultés sans le savoir, ou sans daigner s'en venger. Il ne fut pas aussi indifférent sur les principes d'irréligion qu'on l'accusa d'avoir semé dans *L'Esprit des lois*. En méprisant de pareils reproches, il aurait cru les mériter; et l'importance de l'objet lui ferma les yeux sur la valeur de ses adversaires. Ces hommes également dépourvus de zèle, et également empressés d'en faire paraître; également effrayés de la lumière que les lettres répandent, non au préjudice de la religion, mais à leur désavantage, avaient pris différentes formes pour lui porter atteinte. Les uns, par un stratagème aussi puérile que pusillanime, s'étaient écrit à eux-même; les autres, après l'avoir déchiré sous le masque de l'anonyme, s'étaient ensuite déchirés entre eux à son occasion. M. de Montesquieu, quoique jaloux de les confondre, ne jugea pas à propos de perdre un temps précieux à les combattre les uns après les autres : il se contenta de faire un exemple sur celui qui s'était le plus signalé par scs excès.

C'était l'auteur d'une feuille anonyme et périodique, qui croit avoir succédé à Pascal, parce qu'il a succédé à ses opinions; panégyriste d'ouvrages que personne ne lit, et apologiste de miracles que l'autorité séculière a fait cesser dès qu'elle l'a voulu; qui appelle impiété et scandale le peu d'intérêt que les gens de lettres prennent à ses querelles; et s'est aliéné, par une adresse digne de lui, la partie de la nation qu'il avait le plus d'intérêt de ménager.

Les coups de ce redoutable athlète furent dignes des vues qui l'inspirèrent : il accusa M. de Montesquieu de spinozime et de déisme (deux imputations incompatibles); d'avoir suivi le système de Pope (dont il n'y avait pas un mot dans l'ouvrage); d'avoir cité Plutarque, qui n'est pas un auteur chrétien; de n'avoir point parlé du péché originel et de la grâce. Il prétendit enfin que *L'Esprit des lois* était une production de la constitution *unigenitus;* idée qu'on nous soupçonnera peut-être de prêter par dérision au critique. Ceux qui ont connu M. de Montesquieu, l'ouvrage de Clément XI et le sien, peuvent juger, par cette accusation, de toutes les autres.

Le malheur de cet écrivain dut bien le décourager : il voulait perdre un sage par l'endroit le plus sensible à tout citoyen, il ne fit que lui procurer une nouvelle gloire, comme homme de lettres : la *Défense de L'Esprit des lois* parut. Cet ouvrage, par la modération, la vérité, la finesse de plaisanterie qui y règnent, doit être regardé comme un modèle en ce genre. M. de Montesquieu, chargé par son adversaire d'imputations atroces, pouvait le rendre odieux sans peine; il fit mieux, il le rendit ridicule. S'il faut tenir compte à l'agresseur d'un bien qu'il a fait sans le vouloir, nous lui devons une éternelle reconnaissance de nous avoir procuré ce chef-d'œuvre. Mais, ce qui ajoute encore au mérite de ce morceau précieux, c'est que l'auteur s'y est peint lui-même sans y penser : ceux qui l'ont connu croient l'entendre; et la postérité s'assurera, en lisant sa *défense*, que sa conversation n'était pas inférieure à ses écrits; éloge que bien peu de grands hommes ont mérité.

Une autre circonstance lui assure pleinement l'avantage dans cette dispute. Le critique, qui, pour preuve de son attachement à la religion, en déchire les ministres, accusait hautement le clergé de France, et surtout la faculté de théologie, d'indifférence pour la cause de Dieu, en ce qu'ils ne proscrivaient pas authentiquement un si pernicieux ouvrage. La faculté était en droit de mépriser le reproche d'un écrivain sans aveu : mais il s'agissait de la religion; une délicatesse louable lui a fait prendre le parti d'examiner *L'Esprit des lois*. Quoiqu'elle s'en occupe depuis plusieurs années, elle n'a rien prononcé jusqu'ici; et, fût-il échappé à M. de Montesquieu quelques inadvertances légères, presque inévitables dans une carrière si vaste, l'attention longue et scrupuleuse qu'elles auraient demandée de la part du corps le plus éclairé de l'Eglise, prouverait au moins combien elles seraient excusables.

Mais ce corps, plein de prudence, ne précipitera rien dans une si importante matière. Il connaît les bornes de la raison et de la foi : il sait que l'ouvrage d'un homme de lettres ne doit point être examiné comme celui d'un théologien; que les mauvaises conséquences, auxquelles une proposition peut donner lieu par des interprétations odieuses, ne rendent point blâmable la proposition en elle-même; que d'ailleurs nous vivons dans un siècle malheureux, où les intérêts de la religion ont besoin d'être ménagés; et qu'on peut lui nuire auprès des simples, en répandant mal à propos, sur des génies du premier ordre, le soupçon d'incrédulité; qu'enfin, malgré cette accusation injuste, M. de Montesquieu fut toujours estimé, recherché et accueilli par tout ce que l'Eglise a de plus respectable et de plus grand. Eût-il conservé auprès des gens de bien la considération dont il jouissait, s'ils l'eussent regardé comme un écrivain dangereux ?

Pendant que des insectes le tourmentaient dans son propre pays, l'Angleterre élevait un monument à sa gloire. En 1752, M. Dassier, célèbre par les médailles qu'il a frappées à l'honneur de plusieurs hommes illustres, vint de Londres à Paris pour frapper la sienne. M. de La Tour, cet artiste si supérieur par son talent, et si estimable par son désintéressement et l'élévation de son âme, avait ardemment désiré de donner un nouveau lustre à son pinceau, en transmettant à la postérité le portrait de l'auteur de *L'Esprit des lois ;* il ne voulait que la satisfaction de le peindre; et il méritait, comme Apelle, que cet honneur lui fût réservé : mais M. de Montesquieu, d'autant plus avare du temps de M. de La Tour que celui-ci en était plus prodigue, se refusa constamment et poliment à ses pressantes sollicitations. M. Dassier essuya d'abord des difficultés semblables. « Croyez-vous, dit-il enfin à M. de Montesquieu, qu'il n'y ait pas autant d'orgueil à refuser ma proposition, qu'à l'accepter ? » Désarmé par cette plaisanterie, il laissa faire à M. Dassier tout ce qu'il voulut.

L'auteur de *L'Esprit des lois* jouissait enfin paisiblement de sa gloire, lorsqu'il tomba malade au commencement de février. Sa santé, naturellement délicate, commençait à s'altérer depuis longtemps, par l'effet lent et presque infaillible des études profondes, par les chagrins qu'on avait cherché à lui susciter sur son ouvrage; enfin, par le genre de vie qu'on le forçait de mener à Paris, et qu'il sentait lui être funeste. Mais l'empressement avec lequel on recherchait sa société était trop vif, pour n'être pas quelquefois indiscret; on voulait, sans s'en apercevoir, jouir de lui aux dépens de lui-même. A peine la nouvelle du danger où il était se fut-elle répandue, qu'elle devint l'objet des conversations et de l'inquiétude publique. Sa maison ne désemplissait point de personnes de tout rang qui venaient s'informer de son état, les unes par un intérêt véritable, les autres pour s'en donner l'apparence, ou pour suivre la foule. Sa Majesté, pénétrée de la perte que son royaume allait faire, en demanda plusieurs fois des nouvelles; témoignage de bonté et de justice, qui n'honore pas moins le monarque que le sujet. La fin de M. de Montesquieu ne fut point indigne de sa vie. Accablé de douleurs cruelles, éloigné d'une famille à qui il était cher, et qui n'a pas eu la consolation de lui fermer les yeux, entouré de quelques amis, et d'un plus grand nombre de spectateurs, il conserva, jusqu'au dernier moment, la paix et l'égalité de son âme. Enfin, après avoir satisfait avec décence à tous ses devoirs, plein de confiance en l'Etre éternel auquel il allait se rejoindre, il mourut avec la tranquillité d'un homme de bien, qui n'avait jamais consacré ses talents qu'à l'avantage de la vertu et de l'humanité. La France et l'Europe le perdirent le 10 février 1755, à l'âge de soixante-six ans révolus.

Toutes les nouvelles publiques ont annoncé cet événement comme une calamité. On pourrait appliquer à M. de Montesquieu ce qui a été dit autrefois d'un illustre Romain; que personne, en apprenant sa mort, n'en témoigna de joie; que personne même ne l'oublia dès qu'il ne fut plus. Les étrangers s'empressèrent de faire éclater leurs regrets; et milord Chesterfield, qu'il suffit de nommer, fit imprimer, dans un des papiers publics de Londres, un article en son honneur, article digne de l'un et de l'autre; c'est le portrait d'Anaxagore, tracé par Périclès [d]. L'académie royale des sciences et des belles-

d. Voici cet éloge en anglais, tel qu'on le lit dans la gazette appelée *Evening-post*, ou *Poste du soir :*

On the 10th of this month, died at Paris, universally and sincerely regretted, Charles Secondat, baron of Montesquieu, and president a mortier of the parliament of Bourdeaux. His virtues did honour to human nature, his writing justice. A friend to mankind, he asserted their undoubted and inalienable rights with freedom, even in his own country, whose prejudices in matters of religion and government (il faut

lettres de Prusse, quoiqu'on n'y soit point dans l'usage de prononcer l'éloge des associés étrangers, a cru devoir lui faire cet honneur, qu'elle n'a fait encore qu'à l'illustre Jean Bernoulli. M. de Maupertuis, tout malade qu'il était, a rendu lui-même à son ami ce dernier devoir, et n'a voulu se reposer sur personne d'un soin si cher et si triste. A tant de suffrages éclatants en faveur de M. de Montesquieu, nous croyons pouvoir joindre, sans indiscrétion, les éloges que lui a donnés, en présence de l'un de nous, le monarque même auquel cette académie célèbre doit son lustre, prince fait pour sentir les pertes de la philosophie, et pour l'en consoler.

Le 17 février, l'Académie française lui fit, selon l'usage, un service solennel, auquel, malgré la rigueur de la saison, presque tous les gens de lettres de ce corps, qui n'étaient point absents de Paris, se firent un devoir d'assister. On aurait dû, dans cette triste cérémonie, placer *L'Esprit des lois* sur son cercueil, comme on exposa autrefois, vis-à-vis le cercueil de Raphaël, son dernier tableau de la transfiguration. Cet appareil simple et touchant eût été une belle oraison funèbre.

Jusqu'ici nous n'avons considéré M. de Montesquieu que comme écrivain et philosophe : ce serait lui dérober la moitié de sa gloire, que de passer sous silence ses agréments et ses qualités personnelles.

Il était, dans le commerce, d'une douceur et d'une gaieté toujours égales. Sa conversation était légère, agréable, et instructive, par le grand nombre d'hommes et de peuples qu'il avait connus. Elle était coupée, comme

se ressouvenir que c'est un Anglais qui parle) *he had long lamented, and endeavoured (not without some success) to remove. He wel knew, and justly admired the happy constitution of this country, where fix'd and known laws equally restrain monarchy from tyranny, and liberty from licentiousness. His works will illustrate his name, and survive him, as long as right reason, moral obligation, and the true spirit of laws, shall be understood, respected and maintained.* C'est-à-dire : Le 10 de février, est mort à Paris, universellement et sincèrement regretté, Charles de Secondat, baron de Montesquieu, président au mortier au parlement de Bordeaux. Ses vertus ont fait honneur à la nature humaine; ses écrits lui ont rendu et fait rendre justice. Ami de l'humanité, il en soutient avec force et avec vérité les droits indubitables et inaliénables... Il connaissait parfaitement bien, et admirait avec justice, l'heureux gouvernement de ce pays, dont les lois, fixes et connues, sont un frein contre la monarchie qui tendrait à la tyrannie, et contre la liberté qui dégénérerait en licence. Ses ouvrages rendront son nom célèbre; et lui survivront aussi longtemps que la droite raison, les obligations morales, et le vrai esprit des lois, seront entendus, respectés et conservés.

son style, pleine de sel et de saillies, sans amertume et sans satire. Personne ne racontait plus vivement, plus promptement, avec plus de grâce et moins d'apprêt. Il savait que la fin d'une histoire plaisante en est toujours le but; il se hâtait donc d'y arriver, et produisait l'effet sans l'avoir promis.

Ses fréquentes distractions ne le rendaient que plus aimable; il en sortait toujours par quelque trait inattendu, qui réveillait la conversation languissante : d'ailleurs, elles n'étaient jamais, ni jouées, ni choquantes, ni importunes. Le feu de son esprit, le grand nombre d'idées dont il était plein, les faisaient naître; mais il n'y tombait jamais au milieu d'un entretien intéressant ou sérieux : le désir de plaire à ceux avec qui il se trouvait, le rendait alors à eux sans affectation et sans effort.

Les agréments de son commerce tenaient, non seulement à son caractère et à son esprit, mais à l'espèce de régime qu'il observait dans l'étude. Quoique capable d'une méditation profonde et longtemps soutenue, il n'épuisait jamais ses forces; il quittait toujours le travail, avant que d'en ressentir la moindre impression de fatigue [e].

Il était sensible à la gloire; mais il ne voulait y parvenir qu'en la méritant. Jamais il n'a cherché à augmenter la sienne par ces manœuvres sourdes, par ces voies obscures et honteuses, qui déshonorent la personne, sans ajouter au nom de l'auteur.

Digne de toutes les distinctions et de toutes les récompenses, il ne demandait rien, et ne s'étonnait point d'être oublié : mais il a osé, même dans des circonstances délicates, protéger à la cour des hommes de lettres persécutés, célèbres et malheureux, et leur a obtenu des grâces.

Quoiqu'il vécût avec les grands, soit par nécessité, soit par convenance, soit par goût, leur société n'était pas nécessaire à son bonheur. Il fuyait, dès qu'il le pouvait,

e. L'auteur de la feuille anonyme et périodique, dont nous avons parlé ci-dessus, prétend trouver une contradiction manifeste, entre ce que nous disons ici, et ce que nous avons dit un peu plus haut, que la santé de M. de Montesquieu s'était altérée par l'*effet* LENT et *presque infaillible des études profondes.* Mais pourquoi, en rapprochant les deux endroits, a-t-il supprimé les mots, *lent* et *presque infaillible*, qu'il avait sous les yeux ? C'est évidemment parce qu'il a senti qu'un effet lent n'est pas moins réel, pour n'être pas ressenti sur-le-champ; et que, par conséquent, ces mots détruisaient l'apparence de la contradiction qu'on prétendait faire remarquer. Telle est la bonne foi de cet auteur dans des bagatelles, et à plus forte raison dans des matières plus sérieuses. *(Note tirée de l'avertissement du sixième volume de l'Encyclopédie.)*

à sa terre; il y retrouvait, avec joie, sa philosophie, ses livres, et le repos. Entouré de gens de la campagne dans ses heures de loisir, après avoir étudié l'homme dans le commerce du monde et dans l'histoire des nations, il l'étudiait encore dans ces âmes simples que la nature seule a instruites, et il y trouvait à apprendre : il conversait gaiement avec eux; il leur cherchait de l'esprit, comme Socrate; il paraissait se plaire autant dans leur entretien, que dans les sociétés les plus brillantes, surtout quand il terminait leurs différends, et soulageait leurs peines par ses bienfaits.

Rien n'honore plus sa mémoire que l'économie avec laquelle il vivait, et qu'on a osé trouver excessive, dans un monde avare et fastueux, peu fait pour en pénétrer les motifs, et encore moins pour les sentir. Bienfaisant, et par conséquent juste, M. de Montesquieu ne voulait rien prendre sur sa famille, ni des secours qu'il donnait aux malheureux, ni des dépenses considérables auxquelles ses longs voyages, la faiblesse de sa vue, et l'impression de ses ouvrages, l'avaient obligé. Il a transmis à ses enfants, sans diminution ni augmentation, l'héritage qu'il avait reçu de ses pères; il n'y a rien ajouté que la gloire de son nom et l'exemple de sa vie.

Il avait épousé, en 1715, demoiselle Jeanne de Lartigue, fille de Pierre de Lartigue, lieutenant-colonel au régiment de Maulévrier : il en a eu deux filles, et un fils qui, par son caractère, ses mœurs et ses ouvrages, s'est montré digne d'un tel père.

Ceux qui aiment la vérité et la patrie ne seront pas fâchés de trouver ici quelques-unes de ses maximes : il pensait,

Que chaque portion de l'Etat doit être également soumise aux lois; mais que les privilèges de chaque portion de l'Etat doivent être respectés, lorsque leurs effets n'ont rien de contraire au droit naturel, qui oblige tous les citoyens à concourir également au bien public : que la possession ancienne était, en ce genre, le premier des titres, et le plus inviolable des droits, qu'il était toujours injuste, et quelquefois dangereux de vouloir ébranler ;

Que les magistrats, dans quelque circonstance et pour quelque grand intérêt de corps que ce puisse être, ne doivent jamais être que magistrats, sans parti et sans passion, comme les lois, qui absolvent et punissent sans aimer ni haïr.

Il disait, enfin, à l'occasion des disputes ecclésiastiques

qui ont tant occupé les empereurs et les chrétiens grecs, que les querelles théologiques, lorsqu'elles cessent d'être renfermées dans les écoles, déshonorent infailliblement une nation aux yeux des autres : en effet, le mépris même des sages pour ces querelles ne la justifie pas ; parce que les sages faisant partout le moins de bruit et le plus petit nombre, ce n'est jamais sur eux qu'une nation est jugée.

L'importance des ouvrages dont nous avons eu à parler dans cet éloge, nous en a fait passer sous silence de moins considérables, qui servaient à l'auteur comme de délassement, et qui auraient suffi pour l'éloge d'un autre. Le plus remarquable est le *Temple de Gnide*, qui suivit d'assez près *Les Lettres persanes*. M. de Montesquieu, après avoir été, dans celles-ci, Horace, Théophraste et Lucien, fut Ovide et Anacréon dans ce nouvel essai. Ce n'est plus l'amour despotique de l'Orient qu'il se propose de peindre ; c'est la délicatesse et la naïveté de l'amour pastoral, tel qu'il est dans une âme neuve que le commerce des hommes n'a point encore corrompue. L'auteur, craignant peut-être qu'un tableau si étranger à nos mœurs, ne parût trop languissant et trop uniforme, a cherché à l'animer par les peintures les plus riantes. Il transporte le lecteur dans des lieux enchantés, dont, à la vérité, le spectacle intéresse peu l'amant heureux, mais dont la description flatte encore l'imagination, quand les désirs sont satisfaits. Emporté par son sujet, il a répandu, dans sa prose, ce style animé, figuré et poétique, dont le roman de Télémaque a fourni parmi nous le premier modèle. Nous ignorons pourquoi quelques censeurs du temple de Gnide ont dit, à cette occasion, qu'il aurait eu besoin d'être en vers. Le style poétique, si on entend, comme on le doit, par ce mot, un style plein de chaleur et d'images, n'a pas besoin, pour être agréable, de la marche uniforme et cadencée de la versification : mais, si on ne fait consister ce style que dans une diction chargée d'épithètes oisives, dans les peintures froides et triviales des ailes et du carquois de l'Amour, et de semblables objets, la versification n'ajoutera presque aucun mérite à ces ornements usés : on y cherchera toujours en vain l'âme et la vie. Quoi qu'il en soit, le temple de Gnide étant une espèce de poème en prose, c'est à nos écrivains les plus célèbres en ce genre à fixer le rang qu'il doit occuper : il mérite de pareils juges. Nous croyons, du moins, que les peintures de cet ouvrage soutiendraient avec succès une des principales épreuves des descriptions poétiques, celle de les représenter sur la toile. Mais ce qu'on doit surtout remarquer dans le temple de Gnide, c'est qu'Anacréon même y est toujours observateur et philosophe. Dans le quatrième chant, il paraît décrire les mœurs des Sybarites, et on s'aperçoit aisément que ces mœurs sont les nôtres. La préface porte surtout l'empreinte de l'auteur des *Lettres persanes*. En présentant le temple de Gnide comme la traduction d'un manuscrit grec, plaisanterie défigurée depuis par tant de mauvais copistes, il en prend occasion de peindre, d'un trait de plume, l'ineptie des critiques, et le pédantisme des traducteurs, et finit par ces paroles dignes d'être rapportées : « Si les gens graves désiraient de moi quelque ouvrage moins frivole, je suis en état de les satisfaire. Il y a trente ans que je travaille à un livre de douze pages, qui doit contenir tout ce que nous savons sur la métaphysique, la politique et la morale, et tout ce que de très grands auteurs ont oublié dans les volumes qu'ils ont donnés sur ces sciences-là. »

Nous regardons comme une des plus honorables récompenses de notre travail, l'intérêt particulier que M. de Montesquieu prenait à l'Encyclopédie, dont toutes les ressources ont été jusqu'à présent dans le courage et l'émulation de ses auteurs. Tous les gens de lettres, selon lui, devaient s'empresser de concourir à l'exécution de cette entreprise utile. Il en a donné l'exemple, avec M. de Voltaire, et plusieurs autres écrivains célèbres. Peut-être les traverses que cet ouvrage a essuyées, et qui lui rappelaient les siennes propres, l'intéressaient-elles en notre faveur. Peut-être était-il sensible, sans s'en apercevoir, à la justice que nous avions osé lui rendre dans le premier volume de l'Encyclopédie, lorsque personne n'osait encore élever sa voix pour le défendre. Il nous destinait un article sur *le goût*, qui a été trouvé imparfait dans ses papiers : nous le donnerons en cet état au public, et nous le traiterons avec le même respect que l'antiquité témoigna autrefois pour les dernières paroles de Sénèque. La mort l'a empêché d'étendre plus loin ses bienfaits à notre égard; et, en joignant nos propres regrets à ceux de l'Europe entière, nous pourrions écrire sur son tombeau :

FINIS VITÆ EJUS NOBIS LUCTUOSUS, *PATRIÆ* TRISTIS, EXTRANEIS ETIAM IGNOTISQUE NON SINE CURA FUIT*.

Tacit. *in Agricol.* c. 43.

ANALYSE DE L'ESPRIT DES LOIS,

PAR M. D'ALEMBERT,

Pour servir de suite à l'éloge de M. de Montesquieu.

La plupart des gens de lettres qui ont parlé de *L'Esprit des lois*, s'étant plus attachés à le critiquer, qu'à en donner une idée juste; nous allons tâcher de suppléer à ce qu'ils auraient dû faire, et d'en développer le plan, le caractère et l'objet. Ceux qui en trouveront l'analyse trop longue, jugeront peut-être, après l'avoir lue, qu'il n'y avait que ce seul moyen de bien faire saisir la méthode de l'auteur. On doit se souvenir, d'ailleurs, que l'histoire des écrivains célèbres n'est que celle de leurs pensées et de leurs travaux; et que cette partie de leur éloge en est la plus essentielle et la plus utile.

Les hommes, dans l'état de nature, abstraction faite de toute religion, ne connaissant, dans les différends qu'ils peuvent avoir, d'autre loi que celle des animaux, le droit du plus fort, on doit regarder l'établissement des sociétés comme une espèce de traité contre ce droit injuste; traité destiné à établir, entre les différentes parties du genre humain, une sorte de balance. Mais il en est de l'équilibre moral comme du physique; il est rare qu'il soit parfait et durable; et les traités du genre humain sont, comme les traités entre nos princes, une semence continuelle de divisions. L'intérêt, le besoin et le plaisir ont rapproché les hommes. Mais ces mêmes motifs les poussent sans cesse à vouloir jouir des avantages de la société, sans en porter les charges; et c'est en ce sens qu'on peut dire, avec l'auteur, que les hommes, dès qu'ils sont en société, sont en état de guerre. Car la guerre suppose, dans ceux qui se la font, sinon l'égalité de force, au moins l'opinion de cette égalité; d'où naît le désir et l'espoir mutuel de se vaincre : or, dans l'état de société, si la balance n'est jamais parfaite entre les hommes, elle n'est pas non plus trop inégale : Au contraire; ou ils n'auraient rien à se disputer dans l'état de nature; ou, si la nécessité les y obligeait, on ne verrait que la faiblesse fuyant devant la force, des oppresseurs sans combat, et des opprimés sans résistance.

Voilà donc les hommes, réunis et armés tout à la fois, s'embrassant d'un côté, si on peut parler ainsi; et cherchant, de l'autre, à se blesser mutuellement. Les lois sont le lien, plus ou moins efficace, destiné à suspendre ou à retenir leurs coups. Mais l'étendue prodigieuse du globe que nous habitons, la nature différente des régions de la terre et des peuples qui la couvrent, ne permettant pas que tous les hommes vivent sous un seul et même gouvernement, le genre humain a dû se partager en un certain nombre d'Etats, distingués par la différence des lois auxquelles ils obéissent. Un seul gouvernement n'aurait fait, du genre humain, qu'un corps exténué et languissant, étendu sans vigueur sur la surface de la terre : les différents Etats sont autant de corps agiles et robustes, qui, en se donnant la main les uns aux autres, n'en forment qu'un, et dont l'action réciproque entretient partout le mouvement et la vie.

On peut distinguer trois sortes de gouvernements; le républicain, le monarchique, le despotique. Dans le républicain, le peuple en corps a la souveraine puissance. Dans le monarchique, un seul gouverne par des lois fondamentales. Dans le despotique, on ne connaît d'autre loi que la volonté du maître, ou plutôt du tyran. Ce n'est pas à dire qu'il n'y ait dans l'univers que ces trois espèces d'Etats; ce n'est pas à dire même qu'il y ait des Etats qui appartiennent uniquement et rigoureusement à quelqu'une de ces formes; la plupart sont, pour ainsi dire, mi-partis ou nuancés les uns des autres. Ici, la monarchie incline au despotisme; là, le gouvernement monarchique est combiné avec le républicain; ailleurs, ce n'est pas le peuple entier, c'est seulement une partie du peuple qui fait les lois. Mais la division précédente n'en est pas moins exacte et moins juste. Les trois espèces de gouvernement, qu'elle renferme, sont tellement distinguées, qu'elles n'ont proprement rien de commun; et, d'ailleurs, tous les Etats que nous connaissons participent de l'une ou de l'autre. Il était donc nécessaire de former, de ces trois espèces, des classes particulières, et de s'appliquer à déterminer les lois qui leur sont propres. Il sera facile ensuite de modifier ces lois dans l'application à quelque gouvernement que ce soit, selon qu'il appartiendra plus ou moins à ces différentes formes.

Dans les divers Etats, les lois doivent être relatives à leur *nature*, c'est-à-dire, à ce qui les constitue; et à leur *principe*, c'est-à-dire, à ce qui les soutient et les fait agir : distinction importante, la clef d'une infinité de lois, et dont l'auteur tire bien des conséquences.

Les principales lois relatives à la *nature* de la démocratie font que le peuple y soit, à certains égards, le monarque; à d'autres, le sujet; qu'il élise et juge ses magistrats; et que les magistrats, en certaines occasions, décident. La nature de la monarchie demande qu'il y ait, entre le monarque et le peuple, beaucoup de pouvoirs et de rangs intermédiaires, et un corps dépositaire des lois, médiateur entre les sujets et le prince. La nature du despotisme exige que le tyran exerce son autorité, ou par lui seul, ou par un seul qui le représente.

Quant au *principe* des trois gouvernements, celui de la démocratie est l'amour de la république, c'est-à-dire de l'égalité : dans les monarchies, où un seul est le dispensateur des distinctions et des récompenses, et où l'on s'accoutume à confondre l'Etat avec ce seul homme, le principe est l'honneur, c'est-à-dire l'ambition et l'amour de l'estime ; sous le despotisme enfin, c'est la crainte. Plus ces principes sont en vigueur, plus le gouvernement est stable; plus ils s'altèrent et se corrompent, plus il incline à sa destruction. Quand l'auteur parle de l'égalité dans les démocraties, il n'entend pas une égalité extrême, absolue, et par conséquent chimérique; il entend cet heureux équilibre qui rend tous les citoyens également soumis aux lois, et également intéressés à les observer.

Dans chaque gouvernement, les lois de l'éducation doivent être relatives au *principe*. On entend ici, par *éducation*, celle qu'on reçoit en entrant dans le monde; et non celle des parents et des maîtres, qui souvent y est contraire, surtout dans certains Etats. Dans les monarchies, l'éducation doit avoir pour objet l'urbanité et les égards réciproques; dans les États despotiques, la terreur et l'avilissement des esprits; dans les républiques, on a besoin de toute la puissance de l'éducation; elle doit inspirer un sentiment noble, mais pénible, le renoncement à soi-même, d'où naît l'amour de la patrie.

Les lois que le législateur donne doivent être conformes au *principe* de chaque gouvernement; dans la république, entretenir l'égalité et la frugalité; dans la monarchie, soutenir la noblesse, sans écraser le peuple; sous le gouvernement despotique, tenir également tous les Etats dans le silence. On ne doit point accuser M. de Montesquieu d'avoir ici tracé aux souverains les principes du pouvoir arbitraire, dont le nom seul est si odieux aux princes justes, et, à plus forte raison, au citoyen sage et vertueux. C'est travailler à l'anéantir, que de montrer ce qu'il faut faire pour le conserver : la perfection de ce gouvernement en est la ruine; et le code exact de la tyrannie, tel que l'auteur le donne, est en même temps la satire et le fléau le plus redoutable des tyrans. A l'égard des autres gouvernements, ils ont chacun leurs avantages : Le républicain est plus propre aux petits Etats, le monarchique aux grands; le républicain plus sujet aux excès, le monarchique aux abus; le républicain apporte plus de maturité dans l'exécution des lois, le monarchique plus de promptitude.

La différence des principes des trois gouvernements doit en produire dans le nombre et l'objet des lois, dans la forme des jugements et la nature des peines. La constitution des monarchies, étant invariable et fondamentale, exige plus de lois civiles et de tribunaux, afin que la justice soit rendue d'une manière plus uniforme et moins arbitraire. Dans les Etats modérés, soit monarchies, soit républiques, on ne saurait apporter trop de formalités aux lois criminelles. Les peines doivent non seulement être en proportion avec le crime, mais encore les plus douces qu'il est possible, surtout dans la démocratie : l'opinion attachée aux peines fera souvent plus d'effet que leur grandeur même. Dans les républiques, il faut juger selon la loi, parce qu'aucun particulier n'est le maître de l'altérer. Dans les monarchies, la clémence du souverain peut quelquefois l'adoucir; mais les crimes ne doivent jamais y être jugés que par les magistrats expressément chargés d'en connaître. Enfin, c'est principalement dans les démocraties que les lois doivent être sévères contre le luxe, le relâchement des mœurs, et la séduction des femmes. Leur douceur et leur faiblesse même les rend assez propres à gouverner dans les monarchies; et l'histoire prouve que souvent elles ont porté la couronne avec gloire.

M. de Montesquieu ayant ainsi parcouru chaque gouvernement en particulier, les examine ensuite dans le rapport qu'ils peuvent avoir les uns aux autres, mais seulement sous le point de vue le plus général, c'est-à-dire, sous celui qui est uniquement relatif à leur nature et à leur principe. Envisagés de cette manière, les Etats ne peuvent avoir d'autres rapports que celui de se défendre ou d'attaquer. Les républiques devant, par leur nature, renfermer un petit Etat, elles ne peuvent se défendre sans alliance; mais c'est avec des républiques qu'elles doivent s'allier. La force défensive de la monarchie consiste principalement à avoir des frontières hors d'insulte. Les Etats ont, comme les hommes, le droit d'attaquer pour leur propre conservation : du droit de la guerre dérive celui de conquête; droit nécessaire, légitime et malheureux, *qui laisse toujours à payer une dette immense pour s'acquitter envers la nature humaine*, et dont la loi générale est de faire aux vaincus le moins de mal qu'il est possible. Les républiques peuvent moins conquérir que les monarchies : des conquêtes immenses supposent le despotisme, ou l'assurent. Un des grands principes de l'esprit de conquête doit être de rendre meilleure, autant qu'il est possible, la condition du peuple conquis : c'est satisfaire, tout à la fois, la loi naturelle et la maxime d'Etat. Rien n'est plus beau que le traité de paix de Gélon avec les Carthaginois, par lequel il leur défendit d'immoler à l'avenir leurs propres enfants. Les Espagnols, en conquérant le Pérou, auraient dû obliger de même les habitants à ne plus immoler des hommes à leurs dieux; mais ils crurent plus avantageux d'immoler ces peuples même. Ils n'eurent plus pour conquête qu'un vaste désert; ils furent forcés à dépeupler leur pays; et s'affaiblirent pour toujours par leur propre victoire. On peut être obligé quelquefois de changer les lois du peuple vaincu; rien ne peut jamais obliger de lui ôter ses mœurs, ou même ses coutumes, qui sont souvent toutes ses mœurs. Mais le moyen le plus sûr de conserver une conquête, c'est de mettre, s'il est possible, le peuple vaincu au niveau du peuple conquérant, de lui accorder les mêmes droits et les mêmes privilèges : c'est ainsi qu'en ont souvent usé les Romains; c'est ainsi surtout qu'en usa César à l'égard des Gaulois.

Jusqu'ici, en considérant chaque gouvernement, tant en lui-même, que dans son rapport aux autres, nous n'avons eu égard ni à ce qui doit leur être commun, ni aux circonstances particulières tirées, ou de la nature du pays, ou du génie des peuples : c'est ce qu'il faut maintenant développer.

La loi commune de tous les gouvernements, du moins des gouvernements modérés, et par conséquent justes, est la liberté politique dont chaque citoyen doit jouir. Cette liberté n'est point la licence absurde de faire tout ce qu'on veut, mais le pouvoir de faire tout ce que les lois permettent. Elle peut être envisagée, ou dans son rapport à la Constitution, ou dans son rapport au citoyen.

Il y a, dans la Constitution de chaque Etat, deux sortes de pouvoirs, la puissance législative, et l'exécutrice; et cette dernière a deux objets, l'intérieur de l'Etat, et le dehors. C'est de la distribution légitime et de la répartition convenable de ces différentes espèces de pouvoirs, que dépend la plus grande perfection de la liberté politique, par rapport à la constitution. M. de Montesquieu en apporte pour preuve la constitution de la république romaine, et celle de l'Angleterre. Il trouve le principe de celle-ci dans cette loi fondamentale du gouvernement des anciens Germains, que les affaires peu importantes y étaient décidées par les chefs, et que les grandes étaient portées au tribunal de la nation, après avoir auparavant été agitées par les chefs. M. de Montesquieu n'examine point si les Anglais jouissent, ou non, de cette extrême liberté politique que leur Constitution leur donne : il lui suffit qu'elle soit établie par leurs lois. Il est encore plus éloigné de vouloir faire la satire des autres Etats : il croit, au contraire, que l'excès, même dans le bien, n'est pas toujours désirable; que la liberté extrême a ses inconvénients, comme l'extrême servitude; et qu'en général la nature humaine s'accommode mieux d'un Etat moyen.

La liberté politique, considérée par rapport au citoyen, consiste dans la sûreté où il est, à l'abri des lois; ou, du moins, dans l'opinion de cette sûreté, qui fait qu'un citoyen n'en craint point un autre. C'est principalement par la nature et la proportion des peines, que cette liberté s'établit, ou se détruit. Les crimes contre la religion doivent être punis par la privation des biens que la religion procure; les crimes contre les mœurs, par la honte; les crimes contre la tranquillité publique, par la prison ou l'exil; les crimes contre la sûreté, par les supplices. Les écrits doivent être moins punis que les actions; jamais les simples pensées ne doivent l'être. Accusations non juridiques, espions, lettres anonymes, toutes ces ressources de la tyrannie, également honteuses à ceux qui en sont l'instrument et à ceux qui s'en servent, doivent être proscrites dans un bon gouvernement monarchique. Il n'est permis d'accuser qu'en face de la loi, qui punit toujours ou l'accusé ou le calomniateur. Dans tout autre cas, ceux qui gouvernent doivent dire, avec l'empereur Constance : *Nous ne saurions soupçonner celui à qui il a manqué un accusateur, lorsqu'il ne lui manquait pas un ennemi*. C'est une très bonne institution que celle d'une partie publique qui se charge, au nom de l'État, de poursuivre les crimes; et qui ait toute l'utilité des délateurs, sans en avoir les vils intérêts, les inconvénients et l'infamie.

La grandeur des impôts doit être en proportion directe avec la liberté. Ainsi, dans les démocraties, ils peuvent être plus grands qu'ailleurs, sans être onéreux; parce que chaque citoyen les regarde comme un tribut qu'il se paye à lui-même, et qui assure la tranquillité et le sort de chaque membre. De plus, dans un Etat démocratique, l'emploi infidèle des deniers publics est plus difficile; parce qu'il est plus aisé de le connaître et de le punir, le dépositaire en devant compte, pour ainsi dire, au premier citoyen qui l'exige.

Dans quelque gouvernement que ce soit, l'espèce de tributs la moins onéreuse est celle qui est établie sur les marchandises; parce que le citoyen paie sans s'en apercevoir. La quantité excessive de troupes en temps de paix n'est qu'un prétexte pour charger le peuple d'impôts, un moyen d'énerver l'Etat, et un instrument de servitude. La régie des tributs, qui en fait rentrer le produit en entier dans le fisc public, est sans comparaison moins à charge au peuple, et par conséquent plus avantageuse, lorsqu'elle peut avoir lieu, que la ferme de ces mêmes tributs, qui laisse toujours entre les mains de quelques particuliers une partie des revenus de l'Etat. Tout est perdu surtout (ce sont ici les termes de l'auteur) lorsque la profession de traitant devient honorable; et elle le devient dès que le luxe est en vigueur. Laisser quelques hommes se nourrir de la substance publique pour les dépouiller à leur tour, comme on l'a autrefois pratiqué dans certains Etats, c'est réparer une injustice par une autre, et faire deux maux au lieu d'un.

Venons maintenant, avec M. de Montesquieu, aux circonstances particulières indépendantes de la nature du gouvernement, et qui doivent en modifier les lois. Les circonstances qui viennent de la nature du pays sont de deux sortes; les unes ont rapport au climat, les autres au terrain. Personne ne doute que le climat n'influe sur la disposition habituelle des corps, et par conséquent sur les caractères; c'est pourquoi les lois doivent se conformer au physique du climat dans les choses indifférentes, et au contraire le combattre dans les effets vicieux : Ainsi, dans les pays où l'usage du vin est nuisible, c'est une très bonne loi que celle qui l'interdit; dans les pays où la chaleur du climat porte à la paresse, c'est une très bonne loi que celle qui encourage au travail. Le gouvernement peut donc corriger les effets du climat : et cela suffit pour mettre l'esprit des lois à couvert du reproche très injuste qu'on lui a fait d'attribuer tout au froid et à la chaleur; car, outre que la chaleur et le froid ne sont pas la seule chose par laquelle les climats soient distingués, il serait aussi absurde de nier certains effets du climat, que de vouloir lui attribuer tout.

L'usage des esclaves, établi dans les pays chauds de l'Asie et de l'Amérique, et réprouvé dans les climats tempérés de l'Europe, donne sujet à l'auteur de traiter de l'esclavage civil. Les hommes n'ayant pas plus de droit sur la liberté que sur la vie les uns des autres, il s'ensuit que l'esclavage, généralement parlant, est contre la loi naturelle. En effet, le droit d'esclavage ne peut venir ni de la guerre, puisqu'il ne pourrait être alors fondé que sur le rachat de la vie, et qu'il n'y a plus de droit sur la vie de ceux qui n'attaquent plus; ni de la vente qu'un homme fait de lui-même à un autre, puisque tout citoyen, étant redevable de sa vie à l'Etat, lui est, à plus forte raison, redevable de sa liberté, et par conséquent n'est pas le maître de la vendre. D'ailleurs, quel serait le prix de cette vente ? Ce ne peut être l'argent donné au vendeur, puisqu'au moment qu'on se rend esclave, toutes les possessions appartiennent au maître : or une vente sans prix est aussi chimérique qu'un contrat sans condition. Il n'y a peut-être jamais eu qu'une loi juste en faveur de l'esclavage; c'était la loi romaine, qui rendait le débiteur esclave du créancier : encore cette loi, pour être équitable, devait borner la servitude quant au degré et quant au temps. L'esclavage peut, tout au plus, être toléré dans les Etats despotiques, où les hommes libres, trop faibles contre le gouvernement, cherchent à devenir, pour leur propre utilité, les esclaves de ceux qui tyrannisent l'Etat; ou bien dans les climats dont la chaleur énerve si fort le corps et affaiblit tellement le courage, que les hommes n'y sont portés à un devoir pénible que par la crainte du châtiment.

A côté de l'esclavage civil, on peut placer la servitude domestique, c'est-à-dire celle où les femmes sont dans certains climats. Elle peut avoir lieu dans ces contrées de l'Asie où elles sont en état d'habiter avec les hommes avant que de pouvoir faire usage de leur raison; nubiles par la loi du climat, enfants par celle de la nature. Cette sujétion devient encore plus nécessaire dans les pays où la polygamie est établie : usage que M. de Montesquieu ne prétend pas justifier dans ce qu'il a de contraire à la religion; mais qui, dans les lieux où il est reçu (et à ne parler que politiquement), peut être fondé jusqu'à un certaint point, ou sur la nature du pays, ou sur le rapport du nombre des femmes au nombre des hommes. M. de Montesquieu parle, à cette occasion, de la répudiation et du divorce; et il établit, sur de bonnes raisons, que la répudiation, une fois admise, devrait être permise aux femmes comme aux hommes.

Si le climat a tant d'influence sur la servitude domestique et civile, il n'en a pas moins sur la servitude politique, c'est-à-dire sur celle qui soumet un peuple à un autre. Les peuples du nord sont plus forts et plus courageux que ceux du midi : ceux-ci doivent donc, en général, être subjugués, ceux-là conquérants; ceux-ci esclaves, ceux-là libres. C'est aussi ce que l'histoire confirme : l'Asie a été conquise onze fois par les peuples du nord; l'Europe a souffert beaucoup moins de révolutions.

A l'égard des lois relatives à la nature du terrain, il est clair que la démocratie convient mieux que la monarchie aux pays stériles, où la terre a besoin de toute l'industrie des hommes. La liberté d'ailleurs est, en ce cas, une espèce de dédommagement de la dureté du travail. Il faut plus de lois pour un peuple agriculteur que pour un peuple qui nourrit des troupeaux, pour celui-ci que pour un peuple chasseur, pour un peuple qui fait usage de la monnaie que pour celui qui l'ignore.

Enfin, on doit avoir égard au génie particulier de la nation. La vanité, qui grossit les objets, est un bon ressort pour le gouvernement; l'orgueil, qui les déprise, est un ressort dangereux. Le législateur doit respecter, jusqu'à un certain point, les préjugés, les passions, les abus. Il doit imiter Solon, qui avait donné aux Athéniens, non les meilleures lois en elles-mêmes, mais les meilleures qu'ils pussent avoir : le caractère gai de ces peuples demandait des lois plus faciles; le caractère dur des Lacédémoniens, des lois plus sévères. Les lois sont un mauvais moyen pour changer les manières et les usages; c'est par les récompenses et l'exemple qu'il faut tâcher d'y parvenir. Il est pourtant vrai, en même temps, que les lois d'un peuple, quand on n'affecte pas d'y choquer grossièrement et directement ses mœurs, doivent influer insensiblement sur elles, soit pour les affermir, soit pour les changer.

Après avoir approfondi de cette manière la nature et l'esprit des lois par rapport aux différentes espèces de pays et de peuples, l'auteur revient de nouveau à considérer les Etats les uns par rapport aux autres. D'abord, en les comparant entre eux d'une manière générale, il n'avait pu les envisager que par rapport au mal qu'ils peuvent se faire; ici il les envisage par rapport aux secours mutuels qu'ils peuvent se donner : or ces secours sont principalement fondés sur le commerce. Si l'esprit de commerce produit naturellement un esprit d'intérêt opposé à la sublimité des vertus morales, il rend aussi un peuple naturellement juste, et en éloigne l'oisiveté et le brigandage. Les nations libres, qui vivent sous des gouvernements modérés, doivent s'y livrer plus que les nations esclaves. Jamais une nation ne doit exclure de son commerce une autre nation, sans de grandes raisons. Au reste, la liberté en ce genre n'est pas une faculté absolue accordée aux négociants de faire ce qu'ils veulent, faculté qui leur serait souvent préjudiciable; elle consiste à ne gêner les négociants qu'en faveur du commerce. Dans la monarchie, la noblesse ne doit point s'y adonner, encore moins le prince. Enfin, il est des nations auxquelles le commerce est désavantageux : Ce ne sont pas celles qui n'ont besoin de rien, mais celles qui ont besoin de tout : paradoxe que l'auteur rend sensible par l'exemple de la Pologne, qui manque de tout, excepté de blé, et qui, par le commerce qu'elle en fait, prive les paysans de leur nourriture, pour satisfaire au luxe des seigneurs. M. de Montesquieu, à l'occasion des lois que le commerce exige, fait l'histoire de ses différentes révolutions; et cette partie de son livre n'est ni la moins intéressante, ni la moins curieuse. Il compare l'appauvrissement de l'Espagne, par la découverte de l'Amérique, au sort de ce prince imbécile de la fable, prêt à mourir de faim, pour avoir demandé aux dieux que tout ce qu'il toucherait se convertît en or. L'usage de la monnaie étant une partie considérable de l'objet du commerce, et son principal instrument, il a cru devoir, en conséquence, traiter des opérations sur la monnaie, du change, du paiement des dettes publiques, du prêt à intérêt, dont il fixe les lois et les limites, et qu'il ne confond nullement avec les excès si justement condamnés de l'usure.

La population et le nombre des habitants ont, avec le

commerce, un rapport immédiat; et les mariages ayant pour objet la population, M. de Montesquieu approfondit ici cette importante matière. Ce qui favorise le plus la propagation, est la continence publique; l'expérience prouve que les conjonctions illicites y contribuent peu, et même y nuisent. On a établi avec justice, pour les mariages, le consentement des pères : cependant on y doit mettre des restrictions; car la loi doit, en général, favoriser les mariages. La loi qui défend le mariage des mères avec les fils, est (indépendamment des préceptes de la religion) une très bonne loi civile; car, sans parler de plusieurs autres raisons, les contractants étant d'âge très différent, ces sortes de mariages peuvent rarement avoir la propagation pour objet. La loi qui défend le mariage du père avec la fille, est fondée sur les mêmes motifs : cependant (à ne parler que civilement) elle n'est pas si indispensablement nécessaire que l'autre à l'objet de la population, puisque la vertu d'engendrer finit beaucoup plus tard dans les hommes; aussi l'usage contraire a-t-il eu lieu chez certains peuples, que la lumière du christianisme n'a point éclairés. Comme la nature porte d'elle-même au mariage, c'est un mauvais gouvernement que celui où on aura besoin d'y encourager. La liberté, la sûreté, la modération des impôts, la proscription du luxe, sont les vrais principes et les vrais soutiens de la population : cependant on peut, avec succès, faire des lois pour encourager les mariages, quand, malgré la corruption, il reste encore des ressorts dans le peuple qui l'attachent à sa patrie. Rien n'est plus beau que les lois d'Auguste pour favoriser la propagation de l'espèce. Par malheur, il fit ces lois dans la décadence, ou plutôt dans la chute de la république; et les citoyens découragés devaient prévoir qu'ils ne mettraient plus au monde que des esclaves : aussi l'exécution de ces lois fut-elle bien faible durant tout le temps des empereurs païens. Constantin enfin les abolit en se faisant chrétien, comme si le christianisme avait pour but de dépeupler la société, en conseillant à un petit nombre la perfection du célibat.

L'établissement des hôpitaux, selon l'esprit dans lequel il est fait, peut nuire à la population, ou la favoriser. Il peut, et il doit même y avoir des hôpitaux dans un Etat dont la plupart des citoyens n'ont que leur industrie pour ressource, parce que cette industrie peut quelquefois être malheureuse; mais les secours, que ces hôpitaux donnent, ne doivent être que passagers, pour ne point encourager la mendicité et la fainéantise. Il faut commencer par rendre le peuple riche, et bâtir ensuite des hôpitaux pour les besoins imprévus et pressants. Malheureux les pays où la multitude des hôpitaux et des monastères, qui ne sont que des hôpitaux perpétuels, fait que tout le monde est à son aise, excepté ceux qui travaillent!

M. de Montesquieu n'a encore parlé que des lois humaines. Il passe maintenant à celles de la religion, qui, dans presque tous les Etats, sont un objet si essentiel du gouvernement. Partout il fait l'éloge du christianisme; il en montre les avantages et la grandeur; il cherche à le faire aimer; il soutient qu'il n'est pas impossible, comme Bayle l'a prétendu, qu'une société de parfaits chrétiens forme un Etat subsistant et durable. Mais il s'es tcru permis aussi d'examiner ce que les différentes religions (humainement parlant) peuvent avoir de conforme ou de contraire au génie et à la situation des peuples qui les professent. C'est dans ce point de vue qu'il faut lire tout ce qu'il a écrit sur cette matière, et qui a été l'objet de tant de déclamations injustes. Il est surprenant surtout que, dans un siècle qui en appelle tant d'autres barbares, on lui ait fait un crime de ce qu'il dit de la tolérance; comme si c'était approuver une religion, que de la tolérer; comme si enfin l'Evangile même ne proscrivait pas tout autre moyen de la répandre, que la douceur et la persuasion. Ceux en qui la superstition n'a pas éteint tout sentiment de compassion et de justice, ne pourront lire, sans être attendris, la remontrance aux inquisiteurs, ce tribunal odieux, qui outrage la religion en paraissant la venger.

Enfin, après avoir traité en particulier des différentes espèces de lois que les hommes peuvent avoir, il ne reste plus qu'à les comparer toutes ensemble, et à les examiner dans leur rapport avec les choses sur lesquelles elles statuent. Les hommes sont gouvernés par différentes espèces de lois; par le droit naturel, commun à chaque individu, par le droit divin, qui est celui de la religion; par le droit ecclésiastique, qui est celui de la police de la religion; par le droit civil, qui est celui des membres d'une même société; par le droit politique, qui est celui du gouvernement de cette société; par le droit des gens, qui est celui des sociétés les unes par rapport aux autres. Ces droits ont chacun leurs objets distingués, qu'il faut bien se garder de confondre. On ne doit jamais régler par l'un ce qui appartient à l'autre, pour ne point mettre de désordre ni d'injustice dans les principes qui gouvernent les hommes. Il faut enfin que les principes qui prescrivent le genre des lois, et qui en circonscrivent l'objet, règnent aussi dans la manière de les composer. L'esprit de modération doit, autant qu'il est possible, en dicter toutes les dispositions. Des lois bien faites seront conformes à l'esprit du législateur, même en paraissant s'y opposer. Telle était la fameuse loi de Solon, par laquelle tous ceux qui ne prenaient point de part dans les séditions étaient déclarés infâmes. Elle prévenait les séditions, ou les rendait utiles, en forçant tous les membres de la république à s'occuper de ses vrais intérêts. L'ostracisme même était une très bonne loi : car, d'un côté, elle était honorable au citoyen qui en était l'objet; et prévenait, de l'autre, les effets de l'ambition : il fallait d'ailleurs un très grand nombre de suffrages, et on ne pouvait bannir que tous les cinq ans. Souvent les lois qui paraissent les mêmes n'ont ni le même motif, ni le même effet, ni la même équité; la forme du gouvernement, les conjonctures et le génie du peuple changent tout. Enfin le style des lois doit être simple et grave. Elles peuvent se dispenser de motiver, parce que le motif est supposé exister dans l'esprit du législateur; mais, quand elles motivent, ce doit être sur des principes évidents : elles ne doivent pas ressembler à cette loi qui, défendant aux aveugles de plaider, apporte pour raison qu'ils ne peuvent pas voir les ornements de la magistrature.

M. de Montesquieu, pour montrer, par des exemples, l'application de ses principes, a choisi deux différents peuples, le plus célèbre de la terre, et celui dont l'histoire nous intéresse le plus, les Romains et les Français. Il ne s'attache qu'à une partie de la jurisprudence du premier; celle qui regarde les successions. A l'égard des Français, il entre dans le plus grand détail sur l'origine et les révolutions de leurs lois civiles, et sur les différents usages, abolis ou subsistants, qui en ont été la suite. Il s'étend principalement sur les lois féodales, cette espèce de gouvernement inconnu à toute l'Antiquité, qui le sera peut-être pour toujours aux siècles futurs, et qui a fait tant de biens et tant de maux. Il discute surtout ces lois dans le rapport qu'elles ont à l'établissement et aux révolutions de la monarchie française. Il prouve, contre M. l'abbé du Bos, que les Francs sont réellement entrés en conquérants dans les Gaules; et qu'il n'est pas vrai, comme cet auteur le prétend, qu'ils aient été appelés par les peuples pour succéder aux droits des empereurs romains qui les opprimaient : détail profond, exact, et curieux, mais dans lequel il nous est impossible de le suivre.

Telle est l'analyse générale, mais très informe et très imparfaite, de l'ouvrage de M. de Montesquieu. Nous l'avons séparée du reste de son éloge, pour ne pas trop interrompre la suite de notre récit.

DE L'ESPRIT
DES LOIS

AVERTISSEMENT DE L'AUTEUR

1° Pour l'intelligence des quatre premiers livres de cet ouvrage, il faut observer que ce que j'appelle la vertu *dans la république, est l'amour de la patrie, c'est-à-dire, l'amour de l'égalité. Ce n'est point une vertu morale, ni une vertu chrétienne; c'est la vertu* politique; *et celle-ci est le ressort qui fait mouvoir le gouvernement républicain, comme l'*honneur *est le ressort qui fait mouvoir la monarchie. J'ai donc appelé* vertu politique *l'amour de la patrie et de l'égalité. J'ai eu des idées nouvelles: il a bien fallu trouver de nouveaux mots ou donner aux anciens de nouvelles acceptions. Ceux qui n'ont pas compris ceci m'ont fait dire des choses absurdes, et qui seraient révoltantes dans tous les pays du monde, parce que, dans tous les pays du monde, on veut de la morale.*

2°. Il faut faire attention qu'il y a une très grande différence entre dire qu'une certaine qualité, modification de l'âme, ou vertu, n'est pas le ressort qui fait agir un gouvernement, et dire qu'elle n'est point dans ce gouvernement. Si je disais, telle roue, tel pignon, ne font point le ressort qui fait mouvoir cette montre : en conclurait-on qu'ils ne sont point dans la montre ? Tant s'en faut que les vertus morales et chrétiennes soient exclues de la monarchie, que même la vertu politique ne l'est pas. En un mot, l'honneur est dans la république, quoique la vertu politique en soit le ressort; la vertu politique est dans la monarchie, quoique l'honneur en soit le ressort.

Enfin l'homme de bien, dont il est question dans le livre III, chapitre V, n'est pas l'homme de bien chrétien, mais l'homme de bien politique, qui a la vertu politique dont j'ai parlé. C'est l'homme qui aime les lois de son pays, et qui agit par l'amour des lois de son pays. J'ai donné un nouveau jour à toutes ces choses dans cette édition-ci, en fixant encore plus les idées: et, dans la plupart des endroits où je me suis servi du mot de vertu, *j'ai mis* vertu politique.

PRÉFACE

Si, dans le nombre infini de choses qui sont dans ce livre, il y en avait quelqu'une qui, contre mon attente, pût offenser, il n'y en a pas du moins qui y ait été mise avec mauvaise intention. Je n'ai point naturellement l'esprit désapprobateur. *Platon* remerciait le ciel de ce qu'il était né du temps de *Socrate ;* et moi, je lui rends grâces de ce qu'il m'a fait naître dans le gouvernement où je vis, et de ce qu'il a voulu que j'obéisse à ceux qu'il m'a fait aimer.

Je demande une grâce que je crains qu'on ne m'accorde pas; c'est de ne pas juger, par la lecture d'un moment, d'un travail de vingt années; d'approuver ou de condamner le livre entier, et non pas quelques phrases. Si l'on veut chercher le dessein de l'auteur, on ne le peut bien découvrir que dans le dessein de l'ouvrage.

J'ai d'abord examiné les hommes; et j'ai cru que, dans cette infinie diversité de lois et de mœurs, ils n'étaient pas uniquement conduits par leurs fantaisies.

J'ai posé les principes; et j'ai vu les cas particuliers s'y plier comme d'eux-mêmes, les histoires de toutes les nations n'en être que les suites, et chaque loi particulière liée avec une autre loi, ou dépendre d'une autre plus générale.

Quand j'ai été rappelé à l'antiquité, j'ai cherché à en prendre l'esprit, pour ne pas regarder comme semblables des cas réellement différents, et ne pas manquer les différences de ceux qui paraissent semblables.

Je n'ai point tiré mes principes de mes préjugés, mais de la nature des choses.

Ici, bien des vérités ne se feront sentir qu'après qu'on aura vu la chaîne qui les lie à d'autres. Plus on réfléchira sur les détails, plus on sentira la certitude des principes.

Ces détails même, je ne les ai pas tous donnés; car qui pourrait dire tout sans un mortel ennui ?

On ne trouvera point ici ces traits saillants, qui semblent caractériser les ouvrages d'aujourd'hui. Pour peu qu'on voie les choses avec une certaine étendue, les saillies s'évanouissent; elles ne naissent, d'ordinaire, que parce que l'esprit se jette tout d'un côté, et abandonne tous les autres.

Je n'écris point pour censurer ce qui est établi dans quelque pays que ce soit. Chaque nation trouvera ici les raisons de ses maximes; et on en tirera naturellement cette conséquence, qu'il n'appartient de proposer des changements, qu'à ceux qui sont assez heureusement nés pour pénétrer, d'un coup de génie, toute la Constitution d'un Etat.

Il n'est pas indifférent que le peuple soit éclairé. Les préjugés des magistrats ont commencé par être les préjugés de la nation. Dans un temps d'ignorance, on n'a aucun doute, même lorsqu'on fait les plus grands maux; dans un temps de lumière, on tremble encore lorsqu'on fait les plus grands biens. On sent les abus anciens, on en voit la correction; mais on voit encore les abus de la correction même. On laisse le mal, si l'on craint le pire; on laisse le bien, si on est en doute du mieux. On ne regarde les parties, que pour juger du tout ensemble : on examine toutes les causes, pour voir les résultats.

Si je pouvais faire en sorte que tout le monde eût de nouvelles raisons pour aimer ses devoirs, son prince, sa patrie, ses lois; qu'on pût mieux sentir son bonheur dans chaque pays, dans chaque gouvernement, dans chaque poste où l'on se trouve; je me croirais le plus heureux des mortels.

Si je pouvais faire en sorte que ceux qui commandent augmentassent leurs connaissances sur ce qu'ils doivent prescrire, et que ceux qui obéissent trouvassent un nouveau plaisir à obéir, je me croirais le plus heureux des mortels.

Je me croirais le plus heureux des mortels, si je pouvais faire que les hommes pussent se guérir de leurs préjugés. J'appelle ici préjugés, non pas ce qui fait qu'on ignore de certaines choses, mais ce qui fait qu'on s'ignore soi-même.

C'est en cherchant à instruire les hommes, que l'on peut pratiquer cette vertu générale qui comprend l'amour de tous. L'homme, cet être flexible, se pliant dans la société aux pensées et aux impressions des autres, est également capable de connaître sa propre nature, lorsqu'on la lui montre, et d'en perdre jusqu'au sentiment, lorsqu'on la lui dérobe.

J'ai bien des fois commencé, et bien des fois abandonné cet ouvrage; j'ai mille fois envoyé aux vents les feuilles que j'avais écrites[a]; je sentais tous les jours les mains paternelles tomber[b]; je suivais mon objet sans former de dessein; je ne connaissais ni les règles ni les exceptions; je ne trouvais la vérité que pour la perdre. Mais, quand j'ai découvert mes principes, tout ce que je cherchais est venu à moi; et dans le cours de vingt années, j'ai vu mon ouvrage commencer, croître, s'avancer, et finir.

Si cet ouvrage a du succès, je le devrai beaucoup à la majesté de mon sujet : cependant je ne crois pas avoir totalement manqué de génie. Quand j'ai vu ce que tant de grands hommes, en France, en Angleterre et en Allemagne, ont écrit avant moi, j'ai été dans l'admiration; mais je n'ai point perdu le courage. *Et moi aussi je suis peintre*[c], ai-je dit avec *le Corrège.*

a. *Ludibria ventis.*
b. *Bis patriæ cecidere manus...*
c. *Ed io anche son pittore.*

DE L'ESPRIT
DES LOIS

*... Prolem sine matre creatam**.
OVIDE.

PREMIÈRE PARTIE

LIVRE PREMIER

DES LOIS EN GÉNÉRAL

CHAPITRE PREMIER

Des lois, dans le rapport qu'elles ont avec les divers êtres.

Les lois, dans la signification la plus étendue, sont les rapports nécessaires qui dérivent de la nature des choses; et, dans ce sens, tous les êtres ont leurs lois, la divinité[a] a ses lois, le monde matériel a ses lois, les intelligences supérieures à l'homme ont leurs lois, les bêtes ont leurs lois, l'homme a ses lois.

Ceux qui ont dit qu'*une fatalité aveugle a produit tous les effets que nous voyons dans le monde*, ont dit une grande absurdité : car quelle plus grande absurdité qu'une fatalité aveugle qui aurait produit des êtres intelligents ?

Il y a donc une raison primitive; et les lois sont les rapports qui se trouvent entre elle et les différents êtres, et les rapports de ces divers êtres entre eux.

Dieu a du rapport avec l'univers, comme créateur et comme conservateur; les lois selon lesquelles il a créé sont celles selon lesquelles il conserve : il agit selon ces règles, parce qu'il les connaît; il les connaît, parce qu'il les a faites; il les a faites, parce qu'elles ont du rapport avec sa sagesse et sa puissance.

Comme nous voyons que le monde, formé par le mouvement de la matière, et privé d'intelligence, subsiste toujours, il faut que ses mouvements aient des lois invariables; et, si l'on pouvait imaginer un autre monde que celui-ci, il aurait des règles constantes, ou il serait détruit.

a. *La loi,* dit Plutarque, *est la reine de tous mortels et immortels,* Au traité, *Qu'il est requis qu'un prince soit savant.*

Ainsi la création, qui paraît être un acte arbitraire, suppose des règles aussi invariables que la fatalité des athées. Il serait absurde de dire que le créateur, sans ces règles, pourrait gouverner le monde, puisque le monde ne subsisterait pas sans elles.

Ces règles sont un rapport constamment établi. Entre un corps mu et un autre corps mu, c'est suivant les rapport de la masse et de la vitesse que tous les mouvements sont reçus, augmentés, diminués, perdus; chaque diversité est *uniformité*, chaque changement est *constance*.

Les êtres particuliers intelligents peuvent avoir des lois qu'ils ont faites : mais ils en ont aussi qu'ils n'ont pas faites. Avant qu'il y eût des êtres intelligents, ils étaient possibles; ils avaient donc des rapports possibles, et par conséquent des lois possibles. Avant qu'il y eût des lois faites, il y avait des rapports de justice possibles. Dire qu'il n'y a rien de juste ni d'injuste que ce qu'ordonnent ou défendent les lois positives, c'est dire qu'avant qu'on eût tracé de cercle, tous les rayons n'étaient pas égaux.

Il faut donc avouer des rapports d'équité antérieurs à la loi positive qui les établit : comme par exemple, que, supposé qu'il y eût des sociétés d'hommes, il serait juste de se conformer à leurs lois; que, s'il y avait des êtres intelligents qui eussent reçu quelque bienfait d'un autre être, ils devraient en avoir de la reconnaissance; que, si un être intelligent avait créé un être intelligent, le créé devrait rester dans la dépendance qu'il a eue dès son origine; qu'un être intelligent qui a fait du mal à un être intelligent mérite de recevoir le même mal; et ainsi du reste.

Mais il s'en faut bien que le monde intelligent soit aussi bien gouverné que le monde physique. Car, quoique celui-là ait aussi des lois qui par leur nature sont invariables, il ne les suit pas constamment comme le monde physique suit les siennes. La raison en est que les êtres particuliers intelligents sont bornés par leur nature, et par conséquent sujets à l'erreur; et d'un autre côté, il est de leur nature qu'ils agissent par eux-mêmes. Ils ne suivent donc pas constamment leurs lois primitives; et celles même qu'ils se donnent, ils ne les suivent pas toujours.

On ne sait si les bêtes sont gouvernées par les lois générales du mouvement, ou par une motion particulière. Quoi qu'il en soit, elles n'ont point avec Dieu de rapport plus intime que le reste du monde matériel; et le sentiment ne leur sert que dans le rapport qu'elles ont entre elles, ou avec d'autres êtres particuliers, ou avec elles-mêmes.

Par l'attrait du plaisir, elles conservent leur être particulier; et, par le même attrait, elles conservent leur espèce. Elles ont des lois naturelles, parce qu'elles sont unies par le sentiment; elles n'ont point de lois positives, parce qu'elles ne sont point unies par la connaissance. Elles ne suivent pourtant pas invariablement leurs lois naturelles : les plantes, en qui nous ne remarquons ni connaissance, ni sentiment, les suivent mieux.

Les bêtes n'ont point les suprêmes avantages que nous avons; elles en ont que nous n'avons pas. Elles n'ont point nos espérances, mais elles n'ont pas nos craintes; elles subissent comme nous la mort, mais c'est sans la connaître; la plupart même se conservent mieux que nous, et ne font pas un aussi mauvais usage de leurs passions.

L'homme, comme être physique, est, ainsi que les autres corps, gouverné par des lois invariables. Comme être intelligent, il viole sans cesse les lois que Dieu a établies, et change celles qu'il établit lui-même : il faut qu'il se conduise; et cependant il est un être borné : il est sujet à l'ignorance et à l'erreur, comme toutes les intelligences finies : les faibles connaissances qu'il a, il les perd encore. Comme créature sensible; il devient sujet à mille passions. Un tel être pouvait à tous les instants oublier son créateur; Dieu l'a rappelé à lui par les lois de la religion. Un tel être pouvait à tous les instants s'oublier lui-même; les philosophes l'ont averti par les lois de la morale. Fait pour vivre dans la société, il y pouvait oublier les autres; les législateurs l'ont rendu à ses devoirs par les lois politiques et civiles.

CHAPITRE II

Des lois de la nature.

Avant toutes ces lois, sont celles de la nature; ainsi nommées, parce qu'elles dérivent uniquement de la constitution de notre être. Pour les connaître bien, il faut considérer un homme avant l'établissement des sociétés. Les lois de la nature seront celles qu'il recevrait dans un état pareil.

Cette loi qui, en imprimant dans nous-mêmes l'idée d'un créateur, nous porte vers lui, est la première des *lois naturelles*, par son importance, et non pas dans l'ordre de ces lois. L'homme, dans l'état de nature, aurait plutôt la faculté de connaître, qu'il n'aurait des connaissances. Il est clair que ses premières idées ne seraient point des idées spéculatives : il songerait à la conservation de son être, avant de chercher l'origine de son être. Un homme pareil ne sentirait d'abord que sa faiblesse; sa timidité serait extrême : et, si l'on avait là-dessus besoin de l'expérience, l'on a trouvé dans les forêts des hommes sauvages[a]; tout les faits trembler, tout les fait fuir.

Dans cet état, chacun se sent inférieur; à peine chacun se sent-il égal. On ne chercherait donc point à s'attaquer, et la paix serait la première loi naturelle.

Le désir que *Hobbes* donne d'abord aux hommes de se subjuguer les uns les autres, n'est pas raisonnable. L'idée de l'empire et de la domination est si composée, et dépend de tant d'autres idées, que ce ne serait pas celle qu'il aurait d'abord.

Hobbes demande *pourquoi, si les hommes ne sont pas naturellement en état de guerre, ils vont toujours armés? et pourquoi ils ont des clefs pour fermer leurs maisons?* Mais on ne sent pas que l'on attribue aux hommes avant l'établissement des sociétés, ce qui ne peut leur arriver qu'après cet établissement, qui leur fait trouver des motifs pour s'attaquer et pour se défendre.

Au sentiment de sa faiblesse, l'homme joindrait le sentiment de ses besoins. Ainsi une autre loi naturelle serait celle qui lui inspirerait de chercher à se nourrir.

J'ai dit que la crainte porterait les hommes à se fuir : mais les marques d'une crainte réciproque les engageraient bientôt à s'approcher. D'ailleurs, ils y seraient portés par le plaisir qu'un animal sent à l'approche d'un animal de son espèce. De plus, ce charme que les deux sexes s'inspirent par leur différence, augmenterait ce plaisir; et la prière naturelle qu'ils se font toujours l'un à l'autre, serait une troisième loi.

Outre le sentiment que les hommes ont d'abord, ils parviennent encore à avoir des connaissances; ainsi ils

a. Témoin le sauvage qui fut trouvé dans les forêts de Hanovre, et que l'on vit en Angleterre sous le règne de George Ier.

ont un second lien que les autres animaux n'ont pas. Ils ont donc un nouveau motif de s'unir; et le désir de vivre en société est une quatrième loi naturelle.

CHAPITRE III

Des lois positives.

Sitôt que les hommes sont en société, ils perdent le sentiment de leur faiblesse; l'égalité qui était entre eux cesse, et l'état de guerre commence.

Chaque société particulière vient à sentir sa force; ce qui produit un état de guerre de nation à nation. Les particuliers, dans chaque société, commencent à sentir leur force; ils cherchent à tourner en leur faveur les principaux avantages de cette société; ce qui fait entre eux un état de guerre.

Ces deux sortes d'états de guerre font établir les lois parmi les hommes. Considérés comme habitants d'une si grande planète, qu'il est nécessaire qu'il y ait différents peuples, ils ont des lois dans le rapport que ces peuples ont entre eux; et c'est le DROIT DES GENS. Considérés comme vivants dans une société qui doit être maintenue, ils ont des lois dans le rapport qu'ont ceux qui gouvernent avec ceux qui sont gouvernés; et c'est le DROIT POLITIQUE. Ils en ont encore dans le rapport que tous les citoyens ont entre eux; et c'est le DROIT CIVIL.

Le *droit des gens* est naturellement fondé sur ce principe, que les diverses nations doivent se faire dans la paix le plus de bien, et dans la guerre le moins de mal qu'il est possible, sans nuire à leurs véritables intérêts.

L'objet de la guerre, c'est la victoire; celui de la victoire, la conquête; celui de la conquête, la conservation. De ce principe et du précédent, doivent dériver toutes les lois qui forment le *droit des gens*.

Toutes les nations ont un droit des gens; et les *Iroquois* même, qui mangent leurs prisonniers, en ont un. Ils envoient et reçoivent des ambassades; ils connaissent des droits de la guerre et de la paix : le mal est que ce droit des gens n'est pas fondé sur les vrais principes,

Outre le droit des gens qui regarde toutes les sociétés, il y a un *droit politique* pour chacune. Une société ne saurait subsister sans un gouvernement. *La réunion de toutes les forces particulières,* dit très bien *Gravina,* forme ce qu'on appelle l'ÉTAT POLITIQUE.

La force générale peut être placée entre les mains d'*un seul,* ou entre les mains de *plusieurs.* Quelques-uns ont pensé que la nature ayant établi le pouvoir paternel, le gouvernement d'un seul était le plus conforme à la nature. Mais l'exemple du pouvoir paternel ne prouve rien. Car, si le pouvoir du père a du rapport au gouvernement d'un seul; après la mort du père, le pouvoir des frères; ou, après la mort des frères, celui des cousins germains, ont du rapport au gouvernement de plusieurs. La puissance politique comprend nécessairement l'union de plusieurs familles.

Il vaut mieux dire que le gouvernement le plus conforme à la nature est celui dont la disposition particulière se rapporte mieux à la disposition du peuple pour lequel il est établi.

Les forces particulières ne peuvent se réunir, sans que toutes les volontés se réunissent. *La réunion de ces volontés,* dit encore très bien *Gravina, est ce qu'on appelle l'*ÉTAT CIVIL.

La loi, en général, est la raison humaine, en tant qu'elle gouverne tous les peuples de la terre; et les lois politiques et civiles de chaque nation ne doivent être que les cas particuliers où s'applique cette raison humaine.

Elles doivent être tellement propres au peuple pour lequel elles sont faites, que c'est un très grand hasard si celles d'une nation peuvent convenir à une autre.

Il faut qu'elles se rapportent à la nature et au principe du gouvernement qui est établi, ou qu'on veut établir; soit qu'elles le forment, comme font les lois politiques; soit qu'elles le maintiennent, comme font les lois civiles.

Elles doivent être relatives au *physique* du pays; au climat glacé, brûlant, ou tempéré; à la qualité du terrain, à sa situation, à sa grandeur; au genre de vie des peuples, laboureurs, chasseurs, ou pasteurs : elles doivent se rapporter au dégré de liberté que la constitution peut souffrir, à la religion des habitants, à leurs inclinations, à leurs richesses, à leur nombre, à leur commerce, à leurs mœurs, à leur manières : enfin elles ont des rapports entre elles; elles en ont avec leur origine, avec l'objet du législateur, avec l'ordre des choses sur lesquelles elles sont établies. C'est dans toutes ces vues qu'il faut les considérer.

C'est ce que j'entreprends de faire dans cet ouvrage. J'examinerai tous ces rapports : ils forment tous ensemble ce que l'on appelle l'ESPRIT DES LOIS.

Je n'ai point séparé les lois *politiques* des *civiles*. Car, comme je ne traite point des lois, mais de l'esprit des lois ; et que cet esprit consiste dans les divers rapports que les lois peuvent avoir avec diverses choses ; j'ai dû moins suivre l'ordre naturel des lois, que celui de ces rapports et de ces choses.

J'examinerai d'abord les rapports que les lois ont avec la nature et avec le principe de chaque gouvernement : et, comme ce principe a sur les lois une suprême influence, je m'attacherai à le bien connaître ; et, si je puis une fois l'établir, on en verra couler les lois comme de leur source. Je passerai ensuite aux autres rapports, qui semblent être plus particuliers.

LIVRE II

DES LOIS QUI DÉRIVENT DIRECTEMENT DE LA NATURE DU GOUVERNEMENT

CHAPITRE PREMIER

De la nature des trois divers gouvernements.

Il y a trois espèces de gouvernements ; le RÉPUBLICAIN, le MONARCHIQUE, et le DESPOTIQUE. Pour en découvrir la nature, il suffit de l'idée qu'en ont les hommes les moins instruits. Je suppose trois définitions, ou plutôt trois faits : l'un, que *le gouvernement républicain est celui où le peuple en corps, ou seulement une partie du peuple, a la souveraine puissance ; le monarchique, celui où un seul gouverne, mais par des lois fixes et établies ; au lieu que, dans le despotique, un seul, sans loi et sans règle, entraîne tout par sa volonté et par ses caprices.*

Voilà ce que j'appelle la nature de chaque gouvernement. Il faut voir quelles sont les lois qui suivent directement de cette nature, et qui par conséquent sont les premières lois fondamentales.

CHAPITRE II

Du gouvernement républicain, et des lois relatives à la démocratie.

Lorsque, dans la république, le peuple en corps a la souveraine puissance, c'est une *démocratie*. Lorsque la souveraine puissance est entre les mains d'une partie du peuple, cela s'appelle une *aristocratie*.

Le peuple, dans la démocratie, est, à certains égards, le monarque; à certains autres, il est le sujet.

Il ne peut être monarque que par ses suffrages, qui sont ses volontés. La volonté du souverain est le souverain lui-même. Les lois qui établissent le droit de suffrage sont donc fondamentales dans ce gouvernement. En effet, il est aussi important d'y régler comment, par qui, à qui, sur quoi, les suffrages doivent être donnés, qu'il l'est dans une monarchie de savoir quel est le monarque, et de quelle manière il doit gouverner.

Libanius[a] dit qu'à *Athènes un étranger qui se mêlait dans l'assemblée du peuple, était puni de mort*. C'est qu'un tel homme usurpait le droit de souveraineté.

Il est essentiel de fixer le nombre des citoyens qui doivent former les assemblées; sans cela, on pourrait ignorer si le peuple a parlé, ou seulement une partie du peuple. A Lacédémone, il fallait dix mille citoyens. A Rome, née dans la petitesse pour aller à la grandeur; à Rome, faite pour éprouver toutes les vicissitudes de la fortune; à Rome, qui avait tantôt presque tous ses citoyens hors de ses murailles, tantôt toute l'Italie et une partie de la terre dans ses murailles, on avait point fixé ce nombre[b]; et ce fut une des grandes causes de sa ruine.

Le peuple qui a la souveraine puissance doit faire par lui-même tout ce qu'il peut bien faire; et ce qu'il ne peut pas bien faire, il faut qu'il le fasse par ses ministres.

Ses ministres ne sont point à lui, s'il ne les nomme : c'est donc une maxime fondamentale de ce gouvernement, que le peuple nomme ses ministres, c'est-à-dire ses magistrats.

Il a besoin, comme les monarques, et même plus qu'eux, d'être conduit par un conseil ou sénat. Mais, pour qu'il y ait confiance, il faut qu'il en élise les membres; soit qu'il les choisisse lui-même, comme à Athènes; ou par quelque magistrat qu'il a établi pour les élire, comme cela se pratiquait à Rome dans quelques occasions.

Le peuple est admirable pour choisir ceux à qui il doit confier quelque partie de son autorité. Il n'a à se déterminer que par des choses qu'il ne peut ignorer, et des faits qui tombent sous les sens. Il sait très bien qu'un

a. *Déclamations* 17 et 18.

b. Voyez les *Considérations sur les causes de la grandeur des Romains, et de leur décadence*, chap. IX, Paris, 1755.

homme a été souvent à la guerre, qu'il y a eu tels ou tels succès : il est donc très capable d'élire un général. Il sait qu'un juge est assidu, que beaucoup de gens se retirent de son tribunal contents de lui, qu'on ne l'a pas convaincu de corruption; en voilà assez pour qu'il élise un préteur. Il a été frappé de la magnificence ou des richesses d'un citoyen; cela suffit pour qu'il puisse choisir un édile. Toutes ces choses sont des faits, dont il s'instruit mieux dans la place publique, qu'un monarque dans son palais. Mais, saura-t-il conduire une affaire, connaître les lieux, les occasions, les moments; en profiter ? Non : il ne le saura pas.

Si l'on pouvait douter de la capacité naturelle qu'a le peuple pour discerner le mérite, il n'y aurait qu'à jeter les yeux sur cette suite continuelle de choix étonnants que firent les Athéniens et les Romains; ce qu'on n'attribuera pas sans doute au hasard.

On sait qu'à Rome, quoique le peuple se fût donné le droit d'élever aux charges les plébéiens, il ne pouvait se résoudre à les élire; et quoiqu'à Athènes on pût, par la loi d'*Aristide*, tirer les magistrats de toutes les classes, il n'arriva jamais, dit Xénophon [c], que le bas peuple demandât celles qui pouvaient intéresser son salut ou sa gloire.

Comme la plupart des citoyens, qui ont assez de suffisance pour élire, n'en ont pas assez pour être élus; de même le peuple, qui a assez de capacité pour se faire rendre compte de la gestion des autres, n'est pas propre à gérer par lui-même.

Il faut que les affaires aillent, et qu'elles aillent un certain mouvement, qui ne soit ni trop lent ni trop vite. Mais le peuple a toujours trop d'action, ou trop peu. Quelquefois, avec cent mille bras, il renverse tout; quelquefois, avec cent mille pieds, il ne va que comme les insectes.

Dans l'état populaire, on divise le peuple en de certaines classes. C'est dans la manière de faire cette division que les grands législateurs se sont signalés; et c'est de là qu'ont toujours dépendu la durée de la démocratie, et sa prospérité.

Servius Tullius suivit, dans la composition de ses classes, l'esprit de l'aristocratie. Nous voyons, dans Tite-Live [d] et dans Denys d'Halicarnasse [e], comment il mit

c. Pages 691 et 692, édition de Wechelius, de l'an 1596.
d. Liv. I.
e. Liv. IV, art. 15 et suiv.

le droit de suffrage entre les mains des principaux citoyens. Il avait divisé le peuple de Rome en cent quatre-vingt-treize centuries, qui formaient six classes. Et mettant les riches, mais en plus petit nombre dans les premières centuries; les moins riches, mais en plus grand nombre, dans les suivantes; il jeta toute la foule des indigents dans la dernière : et chaque centurie n'ayant qu'une voix [f], c'étaient les moyens et les richesses qui donnaient le suffrage, plutôt que les personnes.

Solon divisa le peuple d'Athènes en quatre classes. Conduit par l'esprit de la démocratie, il ne les fit pas pour fixer ceux qui devaient élire, mais ceux qui pouvaient être élus : et laissant à chaque citoyen le droit d'élection, il voulut [g] que, dans chacune de ces quatre classes, on pût élire des juges; mais que ce ne fût que dans les trois premières, où étaient les citoyens aisés, qu'on pût prendre les magistrats.

Comme la division de ceux qui ont droit de suffrage est, dans la république, une loi fondamentale; la manière de le donner est une autre loi fondamentale.

Le suffrage par le *sort* est de la nature de la démocratie; le suffrage par *choix* est de celle de l'aristocratie.

Le sort est une façon d'élire qui n'afflige personne; il laisse à chaque citoyen une espérance raisonnable de servir sa patrie.

Mais, comme il est défectueux par lui-même, c'est à le régler et à le corriger que les grands législateurs se sont surpassés.

Solon établit, à Athènes, que l'on nommerait par choix à tous les emplois militaires, et que les sénateurs et les juges seraient élus par le sort.

Il voulut que l'on donnât par choix les magistratures civiles qui exigeaient une grande dépense, et que les autres fussent données par le sort.

Mais, pour corriger le sort, il régla qu'on ne pourrait élire que dans le nombre de ceux qui se présenteraient; que celui qui aurait été élu serait examiné par des juges [h],

f. Voyez, dans les *Considérations sur les causes de la grandeur des Romains, et de leur décadence*, chap. IX, comment cet esprit de Servius Tullius se conserva dans la république.

g. Denys d'Halicarnasse, *Eloge d'Isocrate*, p. 97, t. II, édit. de Wechelius. Pollux, liv. VIII, chap. X, art. 130.

h. Voyez l'oraison de Démosthène, *De falsa legat.* et l'oraison contre Timarque.

et que chacun pourrait l'accuser d'en être indigne [i] : cela tenait en même temps du sort et du choix. Quand on avait fini le temps de sa magistrature, il fallait essuyer un autre jugement sur la manière dont on s'était comporté. Les gens sans capacité devaient avoir bien de la répugnance à donner leur nom pour être tirés au sort.

La loi qui fixe la manière de donner les billets de suffrage, est encore une loi fondamentale dans la démocratie. C'est une grande question, si les suffrages doivent être publics, ou secrets. Cicéron [k] écrit que les lois [l] qui les rendirent secrets dans les derniers temps de la république romaine, furent une des grandes causes de sa chute. Comme ceci se pratique diversement dans différentes républiques, voici, je crois, ce qu'il en faut penser.

Sans doute que, lorsque le peuple donne ses suffrages, ils doivent être publics [m]; et ceci doit être regardé comme une loi fondamentale de la démocratie. Il faut que le petit peuple soit éclairé par les principaux, et contenu par la gravité de certains personnages. Ainsi, dans la république romaine, en rendant les suffrages secrets, on détruisit tout; il ne fut plus possible d'éclairer une populace qui se perdait. Mais lorsque, dans une aristocratie, le corps des nobles donne les suffrages [n], ou dans une démocratie le sénat [o]; comme il n'est là question que de prévenir les brigues, les suffrages ne sauraient être trop secrets.

La brigue est dangereuse dans un sénat; elle est dangereuse dans un corps de nobles : elle ne l'est pas dans le peuple, dont la nature est d'agir par passion. Dans les Etats où il n'a point de part au gouvernement, il s'échauffera pour un acteur, comme il aurait fait pour les affaires. Le malheur d'une république, c'est lorsqu'il n'y a plus de brigues; et cela arrive, lorsqu'on a corrompu le peuple à prix d'argent : il devient de sang-froid, il s'affectionne

i. On tirait même, pour chaque place, deux billets; l'un qui donnait la place, l'autre qui nommait celui qui devait succéder, en cas que le premier fût rejeté.

k. Liv. I et III des *Lois.*

l. Elles s'appellaient *lois tabulaires.* On donnait à chaque citoyen deux tables; la première marquée d'un A, pour dire *antiquo;* l'autre d'un U et d'un R, *uti rogas.*

m. A Athènes, on levait les mains.

n. Comme à Venise.

o. Les trente tyrans d'Athènes voulurent que les suffrages des *Aréopagites* fussent publics, pour les diriger à leur fantaisie. *Lysias, Orat. contra Agorat,* cap. VIII.

à l'argent, mais il ne s'affectionne plus aux affaires : sans souci du gouvernement, et de ce qu'on y propose, il attend tranquillement son salaire.

C'est encore une loi fondamentale de la démocratie, que le peuple seul fasse des lois. Il y a pourtant mille occasions où il est nécessaire que le sénat puisse statuer; il est même souvent à propos d'essayer une loi avant de l'établir. La Constitution de Rome et celle d'Athènes étaient très sages. Les arrêts du sénat[p] avaient force de loi pendant un an; ils ne devenaient perpétuels que par la volonté du peuple.

p. Voyez Denys d'Halicarnasse, liv. IV et IX.

CHAPITRE III

Des lois relatives à la nature de l'aristocratie.

Dans l'aristocratie, la souveraine puissance est entre les mains d'un certain nombre de personnes. Ce sont elles qui font les lois, et qui les font exécuter; et le reste du peuple n'est tout au plus à leur égard, que comme, dans une monarchie, les sujets sont à l'égard du monarque.

On n'y doit point donner le suffrage par sort; on n'en aurait que les inconvénients. En effet, dans un gouvernement qui a déjà établi les distinctions les plus affligeantes, quand on serait choisi par le sort, on n'en serait pas moins odieux : c'est le noble qu'on envie, et non pas le magistrat.

Lorsque les nobles sont en grand nombre, il faut un sénat qui règle les affaires que le corps des nobles ne saurait décider, et qui prépare celles dont il décide. Dans ce cas, on peut dire que l'aristocratie est en quelque sorte dans le sénat, la démocratie dans le corps des nobles; et que le peuple n'est rien.

Ce sera une chose très heureuse dans l'aristocratie, si, par quelque voie indirecte, on fait sortir le peuple de son anéantissement : ainsi à Gênes la banque de Saint-Georges, qui est administrée en grande partie par les principaux du peuple[a], donne à celui-ci une certaine

a. Voyez M. Addisson, *Voyages d'Italie*, p. 16.

influence dans le gouvernement, qui en fait toute la prospérité.

Les sénateurs ne doivent point avoir le droit de remplacer ceux qui manquent dans le sénat; rien ne serait plus capable de perpétuer les abus. A Rome, qui fut dans les premiers temps une espèce d'aristocratie, le sénat ne se suppléait pas lui-même; les sénateurs nouveaux étaient nommés [b] par les censeurs.

Une autorité exorbitante, donnée tout à coup à un citoyen dans une république, forme une monarchie, ou plus qu'une monarchie. Dans celle-ci, les lois ont pourvu à la constitution, ou s'y sont accommodées; le principe du gouvernement arrête le monarque : mais, dans une république où un citoyen se fait donner [c] un pouvoir exorbitant, l'abus de ce pouvoir est plus grand; parce que les lois, qui ne l'ont point prévu, n'ont rien fait pour l'arrêter.

L'exception à cette règle est lorsque la constitution de l'Etat est telle qu'il a besoin d'une magistrature qui ait un pouvoir exorbitant. Tel était Rome avec ses dictateurs, telle est Venise avec ses inquisiteurs d'Etat; ce sont des magistratures terribles, qui ramènent violemment l'Etat à la liberté. Mais, d'où vient que ces magistratures se trouvent si différentes dans ces deux républiques ? C'est que Rome défendait les restes de son aristocratie contre le peuple; au lieu que Venise se sert de ses inquisiteurs d'État pour maintenir son aristocratie contre les nobles. De là il suivait qu'à Rome la dictature ne devait durer que peu de temps; parce que le peuple agit par sa fougue, et non pas par ses desseins. Il fallait que cette magistrature s'exerçât avec éclat, parce qu'il s'agissait d'intimider le peuple, et non pas de le punir; que le dictateur ne fût créé que pour une seule affaire, et n'eût une autorité sans bornes qu'à raison de cette affaire, parce qu'il était toujours créé pour un cas imprévu. A Venise, au contraire, il faut une magistrature permanente : c'est là que les desseins peuvent être commencés, suivis, suspendus, repris; que l'ambition d'un seul devient celle d'une famille, et l'ambition d'une famille celle de plusieurs. On a besoin d'une magistrature cachée; parce que les crimes qu'elle punit, toujours profonds, se

b. Ils le furent d'abord par les consuls.

c. C'est ce qui renversa la république romaine. Voyez les *Considérations sur les causes de la grandeur des Romains, et de leur décadence*, Paris, 1755.

forment dans le secret et dans le silence. Cette magistrature doit avoir une inquisition générale; parce qu'elle n'a pas à arrêter les maux que l'on connaît, mais à prévenir même ceux qu'on ne connaît pas. Enfin, cette dernière est établie pour venger les crimes qu'elle soupçonne; et la première employait plus les menaces que les punitions pour les crimes, même avoués par leurs auteurs.

Dans toute magistrature, il faut compenser la grandeur de la puissance par la brièveté de sa durée. Un an est le temps que la plupart des législateurs ont fixé; un temps plus long serait dangereux, un plus court serait contre la nature de la chose. Qui est-ce qui voudrait gouverner ainsi ses affaires domestiques ? A Raguse [d] le chef de la république change tous les mois, les autres officiers toutes les semaines, le gouverneur du château tous les jours. Ceci ne peut avoir lieu que dans une petite république [e] environnée de puissances formidables, qui corrompraient aisément de petits magistrats.

La meilleure aristocratie est celle où la partie du peuple qui n'a point de part à la puissance, est si petite et si pauvre, que la partie dominante n'a aucun intérêt à l'opprimer. Ainsi, quand Antipater [f] établit à Athènes que ceux qui n'auraient pas deux mille drachmes seraient exclus du droit de suffrage, il forma la meilleure aristocratie qui fût possible; parce que ce cens était si petit, qu'il n'excluait que peu de gens, et personne qui eût quelque considération dans la cité.

Les familles aristocratiques doivent donc être peuple, autant qu'il est possible. Plus une aristocratie approchera de la démocratie, plus elle sera parfaite; et elle le deviendra moins, à mesure qu'elle approchera de la monarchie.

La plus imparfaite de toutes est celle où la partie du peuple qui obéit est dans l'esclavage civil de celle qui commande, comme l'aristocratie de Pologne, où les paysans sont esclaves de la noblesse.

d. *Voyages* de Tournefort.
e. A Lucques, les magistrats ne sont établis que pour deux mois.
f. Diodore, liv. XVIII, page 601, édition de Rhodoman.

CHAPITRE IV

Des lois, dans leur rapport avec la nature du gouvernement monarchique.

Les pouvoirs intermédiaires subordonnés et dépendants constituent la nature du gouvernement monarchique, c'est-à-dire, de celui où un seul gouverne par des lois fondamentales. J'ai dit les pouvoirs intermédiaires, subordonnés et dépendants : en effet, dans la monarchie, le prince est la source de tout pouvoir politique et civil. Ces lois fondamentales supposent nécessairement des canaux moyens par où coule la puissance : car, s'il n'y a dans l'Etat que la volonté momentanée et capricieuse d'un seul, rien ne peut être fixe, et par conséquent aucune loi fondamentale.

Le pouvoir intermédiaire subordonné le plus naturel, est celui de la noblesse. Elle entre, en quelque façon, dans l'essence de la monarchie, dont la maxime fondamentale est, *point de monarque, point de noblesse ; point de noblesse, point de monarque ;* mais on a un despote.

Il y a des gens qui avaient imaginé, dans quelques Etats en Europe, d'abolir toutes les justices des seigneurs. Ils ne voyaient pas qu'ils voulaient faire ce que le parlement d'Angleterre a fait. Abolissez, dans une monarchie, les prérogatives des seigneurs, du clergé, de la noblesse et des villes; vous aurez bientôt un Etat populaire, ou bien un Etat despotique.

Les tribunaux d'un grand Etat en Europe frappent sans cesse, depuis plusieurs siècles, sur la juridiction patrimoniale des seigneurs et sur l'ecclésiastique. Nous ne voulons pas censurer des magistrats si sages : mais nous laissons à décider jusqu'à quel point la constitution ne peut être changée.

Je ne suis point entêté des privilèges des ecclésiastiques : mais je voudrais qu'on fixât bien une fois leur juridiction. Il n'est point question de savoir si on a eu raison de l'établir : mais si elle est établie; si elle fait une partie des lois du pays, et si elle y est partout relative; si, entre deux pouvoirs que l'on reconnaît indépendants, les conditions ne doivent pas être réciproques; et s'il n'est pas égal à un bon sujet de défendre la justice du prince, ou les limites qu'elle s'est de tout temps prescrites.

Autant que le pouvoir du clergé est dangereux dans une république, autant est-il convenable dans une monarchie; surtout dans celles qui vont au despotisme. Où en seraient l'Espagne et le Portugal depuis la perte de leurs lois, sans ce pouvoir qui arrête seul la puissance arbitraire ? barrière toujours bonne, lorsqu'il n'y en a point d'autre : car, comme le despotisme cause à la nature humaine des maux effroyables, le mal même qui le limite est un bien.

Comme la mer, qui semble vouloir couvrir toute la terre, est arrêtée par les herbes et les moindres graviers qui se trouvent sur le rivage; ainsi les monarques, dont le pouvoir paraît sans bornes, s'arrêtent par les plus petits obstacles, et soumettent leur fierté naturelle à la plainte et à la prière.

Les Anglais, pour favoriser la liberté, ont ôté toutes les puissances intermédiaires qui formaient leur monarchie. Ils ont bien raison de conserver cette liberté; s'ils venaient à la perdre, ils seraient un des peuples les plus esclaves de la terre.

M. Law, par une ignorance égale de la constitution républicaine et de la monarchique, fut un des plus grands promoteurs du despotisme que l'on eût encore vu en Europe. Outre les changements qu'il fit si brusques, si inusités, si inouïs; il voulait ôter les rangs intermédiaires, et anéantir les corps politiques : il dissolvait[a] la monarchie par ses chimériques remboursements, et semblait vouloir racheter la constitution même.

Il ne suffit pas qu'il y ait, dans une monarchie, des rangs intermédiaires; il faut encore un dépôt de lois. Ce dépôt ne peut être que dans les corps politiques, qui annoncent les lois lorsqu'elles sont faites, et les rappellent lorsqu'on les oublie. L'ignorance naturelle à la noblesse, son inattention, son mépris pour le gouvernement civil, exigent qu'il y ait un corps qui fasse sans cesse sortir les lois de la poussière où elles seraient ensevelies. Le conseil du prince n'est pas un dépôt convenable. Il est, par sa nature, le dépôt de la volonté momentanée du prince qui exécute, et non pas le dépôt des lois fondamentales. De plus, le conseil du monarque change

a. Ferdinand, roi d'Aragon, se fit grand-maître des ordres; et cela seul altéra la constitution.

sans cesse; il n'est point permanent; il ne saurait être nombreux; il n'a point à un assez haut degré la confiance du peuple : il n'est donc pas en état de l'éclairer dans les temps difficiles, ni de le ramener à l'obéissance.

Dans les Etats despotiques, où il n'y a point de lois fondamentales, il n'y a pas non plus de dépôt de lois. De là vient que, dans ces pays, la religion a ordinairement tant de force; c'est qu'elle forme une espèce de dépôt et de permanence : Et, si ce n'est pas la religion, ce sont les coutumes qu'on y vénère, au lieu des lois.

Chapitre V

Des lois relatives à la nature de l'Etat despotique.

Il résulte de la nature du pouvoir despotique, que l'homme seul qui l'exerce, le fasse de même exercer par un seul. Un homme à qui ses cinq sens disent sans cesse qu'il est tout, et que les autres ne sont rien, est naturellement paresseux, ignorant, voluptueux. Il abandonne donc les affaires. Mais, s'il les confiait à plusieurs, il y aurait des disputes entre eux; on ferait des brigues pour être le premier esclave; le prince serait obligé de rentrer dans l'administration. Il est donc plus simple qu'il l'abandonne à un vizir [a], qui aura d'abord la même puissance que lui. L'établissement d'un vizir est, dans cet Etat, une loi fondamentale.

On dit qu'un pape, à son élection, pénétré de son incapacité, fit d'abord des difficultés infinies. Il accepta enfin, et livra à son neveu toutes les affaires. Il était dans l'admiration, et disait : « Je n'aurais jamais cru que cela eût été si aisé. » Il en est de même des princes d'Orient. Lorsque, de cette prison où des eunuques leur ont affaibli le cœur et l'esprit, et souvent leur ont laissé ignorer leur état même, on les tire pour les placer sur le trône, ils sont d'abord étonnés : mais, quand ils ont fait un vizir; et que, dans leur sérail, ils se sont livrés aux passions les plus brutales; lorsqu'au milieu d'une cour abattue, ils ont suivi leurs caprices les plus stupides, ils n'auraient jamais cru que cela eût été si aisé.

a. Les rois d'Orient ont toujours des vizirs, dit M. Chardin.

Plus l'empire est étendu, plus le sérail s'agrandit; et plus, par conséquent, le prince est enivré de plaisirs. Ainsi, dans ces États, plus le prince a de peuples à gouverner, moins il pense au gouvernement; plus les affaires y sont grandes, et moins on y délibère sur les affaires.

LIVRE III

DES PRINCIPES DES TROIS GOUVERNEMENTS

CHAPITRE PREMIER

Différence de la nature du gouvernement et de son principe.

Après avoir examiné quelles sont les lois relatives à la nature de chaque gouvernement, il faut voir celles qui le sont à son principe.

Il y a cette différence [a] entre la nature du gouvernement et son principe, que sa nature est ce qui le fait être tel; et son principe, ce qui le fait agir. L'une est la structure particulière, et l'autre les passions humaines qui le font mouvoir.

Or, les lois ne doivent pas être moins relatives au principe de chaque gouvernement, qu'à sa nature. Il faut donc chercher quel est ce principe. C'est ce que je vais faire dans ce livre-ci.

CHAPITRE II

Du principe des divers gouvernements.

J'ai dit que la nature du gouvernement républicain est que le peuple en corps, ou de certaines familles, y aient la souveraine puissance : celle du gouvernement monarchique, que le prince y ait la souveraine puissance, mais qu'il l'exerce selon des lois établies : celle du gouvernement despotique, qu'un seul y gouverne selon ses

a. Cette distinction est très importante, et j'en tirerai bien des conséquences : elle est la clef d'une infinité de lois.

volontés et ses caprices. Il ne m'en faut pas davantage pour trouver leurs trois principes; ils en dérivent naturellement. Je commencerai par le gouvernement républicain, et je parlerai d'abord du démocratique.

CHAPITRE III

Du principe de la démocratie.

Il ne faut pas beaucoup de probité, pour qu'un gouvernement monarchique ou un gouvernement despotique se maintiennent ou se soutiennent. La force des lois dans l'un, le bras du prince toujours levé dans l'autre, règlent ou contiennent tout. Mais, dans un Etat populaire, il faut un ressort de plus, qui est la VERTU.

Ce que je dis est confirmé par le corps entier de l'histoire, et est très conforme à la nature des choses. Car il est clair que, dans une monarchie, où celui qui fait exécuter les lois se juge au-dessus des lois, on a besoin de moins de vertu que dans un gouvernement populaire, où celui qui fait exécuter les lois sent qu'il y est soumis lui-même, et qu'il en portera le poids.

Il est clair encore que le monarque qui, par mauvais conseil ou par négligence, cesse de faire exécuter les lois, peut aisément réparer le mal; il n'a qu'à changer de conseil, ou se corriger de cette négligence même. Mais lorsque, dans un gouvernement populaire, les lois ont cessé d'être exécutées, comme cela ne peut venir que de la corruption de la république, l'Etat est déjà perdu.

Ce fut un assez beau spectacle dans le siècle passé, de voir les efforts impuissants des Anglais pour établir parmi eux la démocratie. Comme ceux qui avaient part aux affaires n'avaient point de vertu, que leur ambition était irritée par le succès de celui qui avait le plus osé[a], que l'esprit d'une faction n'était réprimé que par l'esprit d'une autre; le gouvernement changeait sans cesse : le peuple étonné cherchait la démocratie, et ne la trouvait nulle part. Enfin, après bien des mouvements, des chocs et des secousses, il fallut se reposer dans le gouvernement même qu'on avait proscrit.

a. Cromwell.

Quand Sylla voulut rendre à Rome la liberté, elle ne put plus la recevoir; elle n'avait plus qu'un faible reste de vertu : et comme elle en eut toujours moins, au lieu de se réveiller après César, Tibère, Caïus, Claude, Néron, Domitien, elle fut toujours plus esclave; tous les coups portèrent sur les tyrans, aucun sur la tyrannie.

Les politiques grecs, qui vivaient dans le gouvernement populaire, ne reconnaissaient d'autre force qui pût le soutenir, que celle de la vertu. Ceux d'aujourd'hui ne nous parlent que de manufactures, de commerce, de finances, de richesses, et de luxe même.

Lorsque cette vertu cesse, l'ambition entre dans les cœurs qui peuvent la recevoir, et l'avarice entre dans tous. Les désirs changent d'objets : ce qu'on aimait, on ne l'aime plus. On était libre avec les lois, on veut être libre contre elles. Chaque citoyen est comme un esclave échappé de la maison de son maître. Ce qui était *maxime*, on l'appelle *rigueur;* ce qui était *règle*, on l'appelle *gêne;* ce qui était *attention*, on l'appelle *crainte*. C'est la frugalité qui y est l'avarice, et non pas le désir d'avoir. Autrefois le bien des particuliers faisait le trésor public; mais, pour lors, le trésor public devient le patrimoine des particuliers. La république est une dépouille; et sa force n'est plus que le pouvoir de quelques citoyens, et la licence de tous.

Athènes eut dans son sein les mêmes forces pendant qu'elle domina avec tant de gloire, et pendant qu'elle servit avec tant de honte. Elle avait vingt mille citoyens [b], lorsqu'elle défendit les Grecs contre les Perses, qu'elle disputa l'empire à Lacédémone, et qu'elle attaqua la Sicile. Elle en avait vingt mille, lorsque Démétrius de Phalère les dénombra [c], comme dans un marché l'on compte les esclaves. Quand Philippe osa dominer dans la Grèce, quand il parut aux portes d'Athènes [d], elle n'avait encore perdu que le temps. On peut voir, dans Démosthène, quelle peine il fallut pour la réveiller : on y craignait Philippe, non pas comme l'ennemi de la liberté, mais des plaisirs [e]. Cette ville, qui avait résisté à tant de défaites, qu'on avait vu renaître après ses destructions, fut vaincue à Chéronée, et le fut pour toujours. Qu'importe que Phi-

b. Plutarque, *in Pericle*; Platon, *in Critia*.

c. Il s'y trouva vingt et un mille citoyens, dix mille étrangers, quatre cent mille esclaves. Voyez Athénée, liv. VI.

d. Elle avait vingt mille citoyens. Voyez Démosthène, *in Aristog*.

e. Ils avaient fait une loi pour punir de mort celui qui proposerait de convertir aux usages de la guerre l'argent destiné pour les théâtres.

lippe renvoie tous les prisonniers ? Il ne renvoie pas des hommes. Il était toujours aussi aisé de triompher des forces d'Athènes, qu'il était difficile de triompher de sa vertu.

Comment Carthage aurait-elle pu se soutenir ? Lorsque Annibal, devenu préteur, voulut empêcher les magistrats de piller la république, n'allèrent-ils pas l'accuser devant les Romains ? Malheureux, qui voulaient être citoyens sans qu'il y eût de cité, et tenir leurs richesses de la main de leurs destructeurs ! Bientôt Rome leur demanda pour otages trois cents de leurs principaux citoyens ; elle se fit livrer les armes et les vaisseaux, et ensuite leur déclara la guerre. Par les choses que fit le désespoir dans Carthage désarmée [f], on peut juger de ce qu'elle aurait pu faire avec sa vertu, lorsqu'elle avait ses forces.

f. Cette guerre dura trois ans.

CHAPITRE IV

Du principe de l'aristocratie.

Comme il faut de la vertu dans le gouvernement populaire, il en faut aussi dans l'aristocratique. Il est vrai qu'elle n'y est pas si absolument requise.

Le peuple qui est, à l'égard des nobles, ce que les sujets sont à l'égard du monarque, est contenu par leurs lois. Il a donc moins besoin de vertu que le peuple de la démocratie. Mais, comment les nobles seront-ils contenus ? Ceux qui doivent faire exécuter les lois contre leurs collègues, sentiront d'abord qu'ils agissent contre eux-mêmes. Il faut donc de la vertu dans ce corps, par la nature de la constitution.

Le gouvernement aristocratique a, par lui-même, une certaine force que la démocratie n'a pas. Les nobles y forment un corps qui, par sa prérogative et pour son intérêt particulier, réprime le peuple : il suffit qu'il y ait des lois, pour qu'à cet égard elles soient exécutées.

Mais, autant qu'il est aisé à ce corps de réprimer les autres, autant est-il difficile qu'il se réprime lui-même [a].

a. Les crimes publics y pourront être punis, parce que c'est l'affaire de tous ; les crimes particuliers n'y seront pas punis, parce que l'affaire de tous est de ne les pas punir.

Telle est la nature de cette constitution, qu'il semble qu'elle mette les mêmes gens sous la puissance des lois, et qu'elle les en retire.

Or, un corps pareil ne peut se réprimer que de deux manières ; ou par une grande vertu, qui fait que les nobles se trouvent en quelque façon égaux à leur peuple, ce qui peut former une grande république ; ou par une vertu moindre, qui est une certaine modération qui rend les nobles au moins égaux à eux-mêmes ; ce qui fait leur conservation.

La *modération* est donc l'âme de ces gouvernements. J'entends celle qui est fondée sur la vertu, non pas celle qui vient d'une lâcheté et d'une paresse de l'âme.

CHAPITRE V

Que la vertu n'est point le principe du gouvernement monarchique.

Dans les monarchies, la politique fait faire les grandes choses avec le moins de vertu qu'elle peut ; comme dans les plus belles machines, l'art emploie aussi peu de mouvements, de forces et de roues qu'il est possible.

L'Etat subsiste, indépendamment de l'amour pour la patrie, du désir de la vraie gloire, du renoncement à soi-même, du sacrifice de ses plus chers intérêts, et de toutes ces vertus héroïques que nous trouvons dans les anciens, et dont nous avons seulement entendu parler.

Les lois y tiennent la place de toutes ces vertus, dont on n'a aucun besoin ; l'Etat vous en dispense : une action qui se fait sans bruit y est en quelque façon sans conséquence.

Quoique tous les crimes soient publics par leur nature, on distingue pourtant les crimes véritablement publics d'avec les crimes privés ; ainsi appelés, parce qu'ils offensent plus un particulier, que la société entière.

Or, dans les républiques, les crimes privés sont plus publics ; c'est-à-dire, choquent plus la constitution de l'Etat, que les particuliers : et, dans les monarchies, les crimes publics sont plus privés ; c'est-à-dire, choquent plus les fortunes particulières, que la constitution de l'Etat même.

Je supplie qu'on ne s'offense pas de ce que j'ai dit; je parle après toutes les histoires. Je sais très bien qu'il n'est pas rare qu'il y ait des princes vertueux; mais je dis que, dans une monarchie, il est très difficile que le peuple le soit [a].

Qu'on lise ce que les historiens de tous les temps ont dit sur la cour des monarques; qu'on se rappelle les conversations des hommes de tous les pays sur le misérable caractère des courtisans : ce ne sont point des choses de spéculation, mais d'une triste expérience.

L'ambition dans l'oisiveté, la bassesse dans l'orgueil, le désir de s'enrichir sans travail, l'aversion pour la vérité, la flatterie, la trahison, la perfidie, l'abandon de tous ses engagements, le mépris des devoirs du citoyen, la crainte de la vertu du prince, l'espérance de ses faiblesses, et, plus que tout cela, le ridicule perpétuel jeté sur la vertu, forment, je crois, le caractère du plus grand nombre des courtisans, marqué dans tous les lieux et dans tous les temps. Or, il est très mal aisé que la plupart des principaux d'un Etat soient malhonnêtes gens, et que les inférieurs soient gens de bien; que ceux-là soient trompeurs, et que ceux-ci consentent à n'être que dupes.

Que si, dans le peuple, il se trouve quelque malheureux honnête homme [b], le cardinal de Richelieu, dans son testament politique, insinue qu'un monarque doit se garder de s'en servir [c]. Tant il est vrai que la vertu n'est pas le ressort de ce gouvernement! Certainement elle n'en est point exclue; mais elle n'en est pas le ressort.

CHAPITRE VI

Comment on supplée à la vertu dans le gouvernement monarchique.

Je me hâte, et je marche à grands pas, afin qu'on ne croie pas que je fasse une satire du gouvernement monar-

a. Je parle ici de la vertu politique, qui est la vertu morale, dans le sens qu'elle se dirige au bien général; fort peu des vertus morales particulières; et point du tout de cette vertu qui a du rapport aux vérités révélées. On verra bien ceci au livre V, chap. II.

b. Entendez ceci dans le sens de la note précédente.

c. *Il ne faut pas*, y est-il dit, *se servir de gens de bas lieu; ils sont trop austères et trop difficiles.*

chique. Non; s'il manque d'un ressort, il en a un autre. L'HONNEUR, c'est-à-dire, le préjugé de chaque personne et de chaque condition, prend la place de la vertu politique dont j'ai parlé, et la représente partout. Il y peut inspirer les plus belles actions; il peut, joint à la force des lois, conduire au but du gouvernement, comme la vertu même.

Ainsi, dans les monarchies bien réglées, tout le monde sera à peu près bon citoyen, et on trouvera rarement quelqu'un qui soit homme de bien; car, pour être homme de bien [a], il faut avoir intention de l'être [b], et aimer l'Etat moins pour soi que pour lui-même.

CHAPITRE VII

Du principe de la monarchie.

Le gouvernement monarchique suppose, comme nous avons dit, des prééminences, des rangs, et même une noblesse d'origine. La nature de l'*honneur* est de demander des préférences et des distinctions; il est donc, par la chose même, placé dans ce gouvernement.

L'ambition est pernicieuse dans une république. Elle a de bons effets dans la monarchie; elle donne la vie à ce gouvernement; et on y a cet avantage, qu'elle n'y est pas dangereuse, parce qu'elle y peut être sans cesse réprimée.

Vous diriez qu'il en est comme du système de l'univers, où il y a une force qui éloigne sans cesse du centre tous les corps, et une force de pesanteur qui les y ramène. L'honneur fait mouvoir toutes les parties du corps politique; il les lie par son action même; et il se trouve que chacun va au bien commun, croyant aller à ses intérêts particuliers.

Il est vrai que, philosophiquement parlant, c'est un honneur faux qui conduit toutes les parties de l'Etat : mais cet honneur faux est aussi utile au public, que le vrai le serait aux particuliers qui pourraient l'avoir.

Et n'est-ce pas beaucoup, d'obliger les hommes à faire

a. Ce mot, *homme de bien*, ne s'entend ici que dans un sens politique.

b. Voyez la note *a* de la page 148.

toutes les actions difficiles, et qui demandent de la force, sans autre récompense que le bruit de ces actions ?

Chapitre VIII

Que l'honneur n'est point le principe des Etats despotiques.

Ce n'est point l'*honneur* qui est le principe des Etats despotiques : les hommes y étant tous égaux, on n'y peut se préférer aux autres : les hommes y étant tous esclaves, on n'y peut se préférer à rien.

De plus, comme l'honneur a ses lois et ses règles, et qu'il ne saurait plier; qu'il dépend bien de son propre caprice, et non pas de celui d'un autre; il ne peut se trouver que dans des Etats où la Constitution est fixe, et qui ont des lois certaines.

Comment serait-il souffert chez le *despote ?* Il fait gloire de mépriser la vie, et le despote n'a de force que parce qu'il peut l'ôter. Comment pourrait-il souffrir le despote ? Il a des règles suivies, et des caprices soutenus; le despote n'a aucune règle, et ses caprices détruisent tous les autres.

L'honneur inconnu aux Etats despotiques, où même souvent on n'a pas de mot pour l'exprimer [a], règne dans les monarchies; il y donne la vie à tout le corps politique, aux lois, et aux vertus même.

Chapitre IX

Du principe du gouvernement despotique.

Comme il faut de la *vertu* dans une république, et dans une monarchie de l'*honneur*, il faut de la CRAINTE dans un gouvernement despotique : pour la vertu, elle n'y est point nécessaire; et l'honneur y serait dangereux.

Le pouvoir immense du prince y passe tout entier à

a. Voyez Perry, page 447.

ceux à qui il le confie. Des gens capables de s'estimer beaucoup eux-mêmes, seraient en état d'y faire des révolutions. Il faut donc que la *crainte* y abatte tous les courages, et y éteigne jusqu'au moindre sentiment d'ambition.

Un gouvernement modéré peut, tant qu'il veut, et sans péril, relâcher ses ressorts. Il se maintient par ses lois et par sa force même. Mais lorsque, dans le gouvernement despotique, le prince cesse un moment de lever le bras; quand il ne peut pas anéantir à l'instant ceux qui ont les premières places [a], tout est perdu : car le ressort du gouvernement, qui est la *crainte*, n'y étant plus, le peuple n'a plus de protecteur.

C'est apparemment dans ce sens que des *cadis* ont soutenu que le grand seigneur n'était point obligé de tenir sa parole ou son serment, lorsqu'il bornait par-là son autorité [b].

Il faut que le peuple soit jugé par les lois, et les grands par la fantaisie du prince; que la tête du dernier sujet soit en sûreté, et celle des bachas toujours exposée. On ne peut parler sans frémir de ces gouvernements monstrueux. Le sophi de Perse détrôné de nos jours par *Miriréis*, vit le gouvernement périr avant la conquête, parce qu'il n'avait pas versé assez de sang [c].

L'histoire nous dit que les horribles cruautés de Domitien effrayèrent les gouverneurs, au point que le peuple se rétablit un peu sous son règne [d]. C'est ainsi qu'un torrent, qui ravage tout d'un côté, laisse de l'autre des campagnes où l'œil voit de loin quelques prairies.

CHAPITRE X

Différence de l'obéissance dans les gouvernements modérés, et dans les gouvernements despotiques.

Dans les Etats despotiques, la nature du gouvernement demande une obéissance extrême; et la volonté du prince,

a. Comme il arrive souvent dans l'aristocratie militaire.
b. RICAUT, *De l'Empire ottoman.*
c. Voyez l'histoire de cette révolution, par le père Du Cerceau.
d. Son gouvernement était militaire; ce qui est une des espèces du gouvernement despotique.

une fois connue, doit avoir aussi infailliblement son effet, qu'une boule jetée contre une autre doit avoir le sien.

Il n'y a point de tempérament, de modification, d'accommodements, de termes, d'équivalents, de pourparlers, de remontrances; rien d'égal ou de meilleur à proposer. L'homme est une créature qui obéit à une créature qui veut.

On n'y peut pas plus représenter ses craintes sur un événement futur, qu'excuser ses mauvais succès sur le caprice de la fortune. Le partage des hommes, comme des bêtes, y est l'instinct, l'obéissance, le châtiment.

Il ne sert de rien d'opposer les sentiments naturels, le respect pour un père, la tendresse pour ses enfants et ses femmes, les lois de l'honneur, l'état de sa santé; on a reçu l'ordre, et cela suffit.

En Perse, lorsque le roi a condamné quelqu'un, on ne peut plus lui en parler, ni demander grâce. S'il était ivre ou hors de sens, il faudrait que l'arrêt s'exécutât tout de même [a]; sans cela il se contredirait, et la loi ne peut se contredire. Cette manière de penser y a été de tout temps : l'ordre que donna Assuérus d'exterminer les Juifs ne pouvant être révoqué, on prit le parti de leur donner la permission de se défendre.

Il y a pourtant une chose que l'on peut quelquefois opposer à la volonté du prince [b]; c'est la religion. On abandonnera son père, on le tuera même, si le prince l'ordonne : mais on ne boira pas du vin, s'il le veut et s'il l'ordonne. Les lois de la religion sont d'un précepte supérieur; parce qu'elles sont données sur la tête du prince, comme sur celles des sujets. Mais, quant au droit naturel, il n'en est pas de même; le prince est supposé n'être plus un homme.

Dans les Etats monarchiques et modérés, la puissance est bornée par ce qui en est le ressort; je veux dire l'honneur, qui règne, comme un monarque, sur le prince et sur le peuple. On n'ira point lui alléguer les lois de la religion; un courtisan se croirait ridicule : On lui alléguera sans cesse celles de l'honneur. De là résultent des modifications nécessaires dans l'obéissance; l'honneur est naturellement sujet à des bizarreries, et l'obéissance les suivra toutes.

Quoique la manière d'obéir soit différente dans ces

a. Voyez *Chardin*.
b. *Ibid*.

deux gouvernements, le pouvoir est pourtant le même. De quelque côté que le monarque se tourne, il emporte et précipite la balance, et est obéi. Toute la différence est que, dans la monarchie, le prince a des lumières, et que les ministres y sont infiniment plus habiles et plus rompus aux affaires, que dans l'Etat despotique.

Chapitre XI

Réflexions sur tout ceci.

Tels sont les principes des trois gouvernements. Ce qui ne signifie pas que, dans une certaine république, on soit vertueux; mais qu'on devrait l'être : Cela ne prouve pas non plus que, dans une certaine monarchie, on ait de l'honneur; et que, dans un état despotique particulier, on ait de la crainte : mais qu'il faudrait en avoir; sans quoi le gouvernement sera imparfait.

LIVRE IV

QUE LES LOIS DE L'ÉDUCATION DOIVENT ÊTRE RELATIVES AUX PRINCIPES DU GOUVERNEMENT

Chapitre premier

Des lois de l'éducation.

Les *lois de l'éducation* sont les premières que nous recevons. Et, comme elles nous préparent à être citoyens, chaque famille particulière doit être gouvernée sur le plan de la grande famille qui les comprend toutes.

Si le peuple en général a un principe, les parties qui le composent, c'est-à-dire les familles, l'auront aussi. Les lois de l'éducation seront donc différentes dans chaque espèce de gouvernement. Dans les monarchies, elles auront pour objet l'*honneur;* dans les républiques, la *vertu;* dans le despotisme, la *crainte*.

Chapitre II

De l'éducation dans les monarchies.

Ce n'est point dans les maisons publiques où l'on instruit l'enfance, que l'on reçoit dans les monarchies la principale éducation; c'est lorsque l'on entre dans le monde, que l'éducation, en quelque façon, commence. Là est l'école de ce que l'on appelle *honneur*, ce maître universel qui doit partout nous conduire.

C'est là que l'on voit, et que l'on entend toujours dire trois choses : qu'*il faut mettre, dans les vertus, une certaine noblesse ; dans les mœurs, une certaine franchise ; dans les manières, une certaine politesse.*

Les vertus qu'on nous y montre sont toujours moins ce que l'on doit aux autres, que ce que l'on se doit à soi-même : elles ne sont pas tant ce qui nous appelle vers nos concitoyens, que ce qui nous en distingue.

On n'y juge pas les actions des hommes comme bonnes, mais comme belles; comme justes, mais comme grandes; comme raisonnables, mais comme extraordinaires.

Dès que l'honneur y peut trouver quelque chose de noble, il est ou le juge qui les rend légitimes, ou le sophiste qui les justifie.

Il permet la galanterie, lorsqu'elle est unie à l'idée des sentiments du cœur, ou à l'idée de conquête : Et c'est la vraie raison pour laquelle les mœurs ne sont jamais si pures dans les monarchies, que dans les gouvernements républicains.

Il permet la ruse, lorsqu'elle est jointe à l'idée de la grandeur de l'esprit ou de la grandeur des affaires; comme dans la politique, dont les finesses ne l'offensent pas.

Il ne défend l'adulation que lorsqu'elle est séparée de l'idée d'une grande fortune, et n'est jointe qu'au sentiment de sa propre bassesse.

A l'égard des mœurs, j'ai dit que l'éducation des monarchies doit y mettre une certaine franchise. On y veut donc de la vérité dans les discours. Mais est-ce par amour pour elle ? point du tout. On la veut, parce qu'un homme qui est accoutumé à la dire paraît être hardi et libre. En effet, un tel homme semble ne dépendre que des choses, et non pas de la manière dont un autre les reçoit.

C'est ce qui fait qu'autant qu'on y recommande cette espèce de franchise, autant on y méprise celle du peuple, qui n'a que la vérité et la simplicité pour objet.

Enfin, l'éducation dans les monarchies exige, dans les manières, une certaine politesse. Les hommes, nés pour vivre ensemble, sont nés aussi pour se plaire; et celui qui n'observerait pas les bienséances, choquant tous ceux avec qui il vivrait, se discréditerait au point qu'il deviendrait incapable de faire aucun bien.

Mais ce n'est pas d'une source si pure que la politesse a coutume de tirer son origine. Elle naît de l'envie de se distinguer. C'est par orgueil que nous sommes polis : nous nous sentons flattés d'avoir des manières qui prouvent que nous ne sommes pas dans la bassesse, et que nous n'avons pas vécu avec cette sorte de gens que l'on a abandonnés dans tous les âges.

Dans les monarchies, la politesse est naturalisée à la cour. Un homme excessivement grand rend tous les autres petits. De là, les égards que l'on doit à tout le monde : de là naît la politesse, qui flatte autant ceux qui sont polis, que ceux à l'égard de qui ils le sont; parce qu'elle fait comprendre qu'on est de la cour, ou qu'on est digne d'en être.

L'air de la cour consiste à quitter sa grandeur propre pour une grandeur empruntée. Celle-ci flatte plus un courtisan que la sienne même. Elle donne une certaine modestie superbe qui se répand au loin; mais dont l'orgueil diminue insensiblement, à proportion de la distance où l'on est de la source de cette grandeur.

On trouve, à la cour, une délicatesse de goût en toutes choses, qui vient d'un usage continuel des superfluités d'une grande fortune, de la variété, et surtout de la lassitude des plaisirs, de la multiplicité, de la confusion, même des fantaisies, qui, lorsqu'elles sont agréables, y sont toujours reçues.

C'est sur toutes ces choses que l'éducation se porte, pour faire ce qu'on appelle l'honnête homme, qui a toutes les qualités et toutes les vertus que l'on demande dans ce gouvernement.

Là l'honneur, se mêlant partout, entre dans toutes les façons de penser et toutes les manières de sentir, et dirige même les principes.

Cet honneur bizarre fait que les vertus ne sont que ce qu'il veut, et comme il les veut : il met, de son chef, des règles à tout ce qui nous est prescrit : il étend ou il borne nos devoirs à sa fantaisie, soit qu'ils aient leur source dans la religion, dans la politique, ou dans la morale.

Il n'y a rien, dans la monarchie, que les lois, la religion et l'honneur prescrivent tant que l'obéissance aux volontés du prince : mais cet honneur nous dicte que le prince ne doit jamais nous prescrire une action qui nous déshonore, parce qu'elle nous rendrait incapables de le servir.

Crillon refusa d'assassiner le duc de Guise; mais il offrit à Henri III de se battre contre lui. Après la Saint-Barthélemy, Charles IX ayant écrit à tous les gouverneurs de faire massacrer les huguenots, le vicomte Dorte, qui commandait dans Bayonne, écrivit au roi [a] : « Sire, je n'ai trouvé, parmi les habitants et les gens de

a. Voyez l'*Histoire* de d'Aubigné.

guerre, que de bons citoyens, de braves soldats, et pas un bourreau; ainsi, eux et moi, supplions votre majesté d'employer nos bras et nos vies à choses faisables. » Ce grand et généreux courage regardait une lâcheté comme une chose impossible.

Il n'y a rien que l'honneur prescrive plus à la noblesse, que de servir le prince à la guerre : En effet, c'est la profession distinguée; parce que ses hasards, ses succès et ses malheurs même conduisent à la grandeur. Mais, en imposant cette loi, l'honneur veut en être l'arbitre; et, s'il se trouve choqué, il exige ou permet qu'on se retire chez soi.

Il veut qu'on puisse indifféremment aspirer aux emplois, ou les refuser; il tient cette liberté au-dessus de la fortune même.

L'honneur a donc ses règles suprêmes; et l'éducation est obligée de s'y conformer [b]. Les principales sont, qu'il nous est bien permis de faire cas de notre fortune; mais qu'il nous est souverainement défendu d'en faire aucun de notre vie.

La seconde est que, lorsque nous avons été une fois placés dans un rang, nous ne devons rien faire ni souffrir qui fasse voir que nous nous tenons inférieurs à ce rang même.

La troisième, que les choses que l'honneur défend sont plus rigoureusement défendues, lorsque les lois ne concourent point à les proscrire; et que celles qu'il exige sont plus fortement exigées, lorsque les lois ne les demandent pas.

CHAPITRE III
De l'éducation dans le gouvernement despotique.

Comme l'éducation dans les monarchies ne travaille qu'à élever le cœur, elle ne cherche qu'à l'abaisser dans les Etats despotiques. Il faut qu'elle y soit servile. Ce sera un bien, même dans le commandement, de l'avoir eue telle; personne n'y étant tyran, sans être en même temps esclave.

b. On dit ici ce qui est, et non pas ce qui doit être : l'honneur est un préjugé, que la religion travaille tantôt à détruite, tantôt à régler.

L'extrême obéissance suppose de l'ignorance dans celui qui obéit; elle en suppose même dans celui qui commande. Il n'a point à délibérer, à douter, ni à raisonner; il n'a qu'à vouloir.

Dans les Etats despotiques, chaque maison est un empire séparé. L'éducation qui consiste principalement à vivre avec les autres, y est donc très bornée : elle se réduit à mettre la crainte dans le cœur, et à donner à l'esprit la connaissance de quelques principes de religion fort simples. Le savoir y sera dangereux, l'émulation funeste; et, pour les vertus, Aristote ne peut croire qu'il y en ait quelqu'une de propre aux esclaves [a]; ce qui bornerait bien l'éducation dans ce gouvernement.

L'éducation y est donc, en quelque façon, nulle. Il faut ôter tout, afin de donner quelque chose; et commencer par faire un mauvais sujet, pour faire un bon esclave.

Eh! pourquoi l'éducation s'attacherait-elle à y former un bon citoyen qui prît part au malheur public ? S'il aimait l'Etat, il serait tenté de relâcher les ressorts du gouvernement : s'il ne réussissait pas, il se perdrait; s'il réussissait, il courrait risque de se perdre, lui, le prince, et l'empire.

CHAPITRE IV

Différence des effets de l'éducation chez les anciens, et parmi nous.

La plupart des peuples anciens vivaient dans des gouvernements qui ont la vertu pour principe; et, lorsqu'elle y était dans sa force, on y faisait des choses que nous ne voyons plus aujourd'hui, et qui étonnent nos petites âmes.

Leur éducation avait un autre avantage sur la nôtre; elle n'était jamais démentie. Epaminondas, la dernière année de sa vie, disait, écoutait, voyait, faisait les mêmes choses que dans l'âge où il avait commencé d'être instruit.

Aujourd'hui, nous recevons trois éducations différentes ou contraires; celle de nos pères, celle de nos maîtres, celle du monde. Ce qu'on nous dit dans la dernière

a. *Politiq.*, liv. I chap. III.

renverse toutes les idées des premières. Cela vient, en quelque partie, du contraste qu'il y a parmi nous entre les engagements de la religion et ceux du monde; chose que les anciens ne connaissaient pas.

CHAPITRE V

De l'éducation dans le gouvernement républicain.

C'est dans le gouvernement républicain que l'on a besoin de toute la puissance de l'éducation. La crainte des gouvernements despotiques naît d'elle-même parmi les menaces et les châtiments; l'honneur des monarchies est favorisé par les passions, et les favorise à son tour : mais la vertu politique est un renoncement à soi-même, qui est toujours une chose très pénible.

On peut définir cette vertu, l'amour des lois et de la patrie. Cet amour, demandant une préférence continuelle de l'intérêt public au sien propre, donne toutes les vertus particulières : elles ne sont que cette préférence.

Cet amour est singulièrement affecté aux démocraties. Dans elles seules, le gouvernement est confié à chaque citoyen. Or, le gouvernement est comme toutes les choses du monde; pour le conserver, il faut l'aimer.

On n'a jamais ouï dire que les rois n'aimassent pas la monarchie, et que les despotes haïssent le despotisme.

Tout dépend donc d'établir, dans la république, cet amour; et c'est à l'inspirer, que l'éducation doit être attentive. Mais, pour que les enfants puissent l'avoir, il y a un moyen sûr; c'est que les pères l'aient eux-mêmes.

On est ordinairement le maître de donner à ses enfants ses connaissances; on l'est encore plus de leur donner ses passions.

Si cela n'arrive pas, c'est que ce qui a été fait dans la maison paternelle est détruit par les impressions du dehors.

Ce n'est point le peuple naissant qui dégénère; il ne se perd que lorsque les hommes faits sont déjà corrompus.

CHAPITRE VI

De quelques institutions des Grecs.

Les anciens Grecs, pénétrés de la nécessité que les peuples, qui vivaient sous un gouvernement populaire, fussent élevés à la vertu, firent, pour l'inspirer, des institutions singulières. Quand vous voyez, dans la vie de Lycurgue, les lois qu'il donna aux Lacédémoniens, vous croyez lire l'histoire des Sévarambes. Les lois de Crète étaient l'original de celles de Lacédémone; et celles de Platon en étaient la correction.

Je prie qu'on fasse un peu d'attention à l'étendue de génie qu'il fallut à ces législateurs, pour voir qu'en choquant tous les usages reçus, en confondant toutes les vertus, ils montreraient à l'univers leur sagesse. Lycurgue, mêlant le larcin avec l'esprit de justice, le plus dur esclavage avec l'extrême liberté, les sentiments les plus atroces avec la plus grande modération, donna de la stabilité à sa ville. Il sembla lui ôter toutes les ressources, les arts, le commerce, l'argent, les murailles : on y a de l'ambition, sans espérance d'être mieux : on y a les sentiments naturels; et on n'y est ni enfant, ni mari, ni père : la pudeur même est ôtée à la chasteté. C'est par ces chemins que Sparte est menée à la grandeur et à la gloire; mais avec une telle infaillibilité de ses institutions, qu'on n'obtenait rien contre elle en gagnant des batailles, si on ne parvenait à lui ôter sa police [a].

La Crète et la Laconie furent gouvernées par ces lois. Lacédémone céda la dernière aux Macédoniens, et la Crète [b] fut la dernière proie des Romains. Les Samnites eurent ces mêmes institutions, et elles furent pour ces Romains le sujet de vingt-quatre triomphes [c].

Cet extraordinaire que l'on voyait dans les institutions de la Grèce, nous l'avons vu dans la lie et la corruption de

a. Philopœmen contraignit les Lacédémoniens d'abandonner la manière de nourrir leurs enfants; sachant bien que, sans cela, ils auraient toujours une âme grande, et le cœur haut. Plutarque, *Vie de Philopœmen*. Voyez Tite-Live, liv. XXXVIII.

b. Elle défendit pendant trois ans ses lois et sa liberté. Voyez les liv. XCVIII, XCIX et C de Tite-Live, dans l'*Epitome* de Florus. Elle fit plus de résistance que les plus grands rois.

c. Florus, liv. I.

nos temps modernes [d]. Un législateur honnête homme a formé un peuple, où la probité paraît aussi naturelle que la bravoure chez les Spartiates. M. Pen est un véritable Lycurgue : et, quoique le premier ait eu la paix pour objet, comme l'autre a eu la guerre, ils se ressemblent dans la voie singulière où ils ont mis leur peuple, dans l'ascendant qu'ils ont eu sur des hommes libres, dans les préjugés qu'ils ont vaincus, dans les passions qu'ils ont soumises.

Le Paraguay peut nous fournir un autre exemple. On a voulu en faire un crime à la *société* qui regarde le plaisir de commander comme le seul bien de la vie : mais il sera toujours beau de gouverner les hommes, en les rendant plus heureux [e].

Il est heureux pour elle d'avoir été la première qui ait montré, dans ces contrées, l'idée de la religion jointe à celle de l'humanité. En réparant les dévastations des Espagnols, elle a commencé à guérir une des grandes plaies qu'ait encore reçues le genre humain.

Un sentiment exquis qu'a cette société pour tout ce qu'elle appelle honneur, son zèle pour une religion qui humilie bien plus ceux qui l'écoutent que ceux qui la prêchent, lui ont fait entreprendre de grandes choses; et elle y a réussi. Elle a retiré des bois des peuples dispersés; elle leur a donné une subsistance assurée; elle les a vêtus : et, quand elle n'aurait fait par là qu'augmenter l'industrie parmi les hommes, elle aurait beaucoup fait.

Ceux qui voudront faire des institutions pareilles établiront la communauté de biens de la république de Platon, ce respect qu'il demandait pour les dieux, cette séparation d'avec les étrangers pour la conservation des mœurs, et la cité faisant le commerce et non pas les citoyens; ils donneront nos arts sans notre luxe, et nos besoins sans nos désirs.

Ils proscriront l'argent, dont l'effet est de grossir la fortune des hommes au-delà des bornes que la nature y avait mises, d'apprendre à conserver inutilement ce qu'on avait amassé de même, de multiplier à l'infini les désirs, et de suppléer à la nature, qui nous avait donné des moyens très bornés d'irriter nos passions, et de nous corrompre les uns les autres.

d. *In fece Romuli*, Cicéron.

e. Les Indiens du Paraguay ne dépendent point d'un seigneur particulier, ne paient qu'un cinquième des tributs, et ont des armes à feu pour se défendre.

« Les Epidamniens [f] sentant leurs mœurs se corrompre par leur communication avec les barbares, élurent un magistrat pour faire tous les marchés au nom de la cité et pour la cité. » Pour lors, le commerce ne corrompt pas la Constitution, et la Constitution ne prive pas la société des avantages du commerce.

f. PLUTARQUE, *Demande des choses grecques.*

CHAPITRE VII

En quel cas ces institutions singulières peuvent être bonnes.

Ces sortes d'institutions peuvent convenir dans les républiques, parce que la vertu politique en est le principe : mais, pour porter à l'honneur dans les monarchies, ou pour inspirer de la crainte dans les Etats despotiques, il ne faut pas tant de soins.

Elles ne peuvent d'ailleurs avoir lieu que dans un petit Etat [a], où l'on peut donner une éducation générale, et élever tout un peuple comme une famille.

Les lois de Minos, de Lycurgue et de Platon, supposent une attention singulière de tous les citoyens les uns sur les autres. On ne peut se promettre cela dans la confusion, dans les négligences, dans l'étendue des affaires d'un grand peuple.

Il faut, comme on l'a dit, bannir l'argent dans ces institutions. Mais, dans les grandes sociétés, le nombre, la variété, l'embarras, l'importance des affaires, la facilité des achats, la lenteur des échanges, demandent une mesure commune. Pour porter partout sa puissance, ou la défendre partout, il faut avoir ce à quoi les hommes ont attaché partout la puissance.

a. Comme étaient les villes de la Grèce.

CHAPITRE VIII

Explication d'un paradoxe des anciens, par rapport aux mœurs.

Polybe, le judicieux Polybe, nous dit que la musique était nécessaire pour adoucir les mœurs des Arcades, qui habitaient un pays où l'air est triste et froid; que ceux de Cynète, qui négligèrent la musique, surpassèrent en cruauté tous les Grecs, et qu'il n'y a point de ville où l'on ait vu tant de crimes. Platon ne craint point de dire que l'on ne peut faire de changement dans la musique, qui n'en soit un dans la Constitution de l'Etat. Aristote, qui semble n'avoir fait sa politique que pour opposer ses sentiments à ceux de Platon, est pourtant d'accord avec lui touchant la puissance de la musique sur les mœurs. Théophraste, Plutarque [a], Strabon [b], tous les Anciens ont pensé de même. Ce n'est point une opinion jetée sans réflexion; c'est un des principes de leur politique [c]. C'est ainsi qu'ils donnaient des lois, c'est ainsi qu'ils voulaient qu'on gouvernât les cités.

Je crois que je pourrais expliquer ceci. Il faut se mettre dans l'esprit que, dans les villes grecques, surtout celles qui avaient pour principal objet la guerre, tous les travaux et toutes les professions qui pouvaient conduire à gagner de l'argent, étaient regardés comme indignes d'un homme libre. « La plupart des arts, dit Xénophon [d], corrompent le corps de ceux qui les exercent; ils obligent de s'asseoir à l'ombre, ou près du feu : on n'a de temps ni pour ses amis, ni pour la république. » Ce ne fut que dans la corruption de quelques démocraties, que les artisans parvinrent à être citoyens. C'est ce qu'Aristote [e] nous

a. *Vie de Pélopidas.*

b. Liv. I.

c. Platon, liv. IV des *Lois,* dit que les préfectures de la musique et de la gymnastique sont les plus importants emplois de la cité; et, dans sa *République,* liv. III, *Damon vous dira,* dit-il, *quels sont les sons capables de faire naître la bassesse de l'âme, l'insolence, et les vertus contraires.*

d. Liv. V. *Dits mémorables.*

e. *Politique,* liv. III, ch. IV.

apprend; et il soutient qu'une bonne république ne leur donnera jamais le droit de cité [f].

L'agriculture était encore une profession servile, et ordinairement c'était quelque peuple vaincu qui l'exerçait; les Ilotes, chez les Lacédémoniens; les Périéciens, chez les Crétois; les Pénestes, chez les Thessaliens; d'autres [g] peuples esclaves, dans d'autres républiques.

Enfin, tout bas commerce [h] était infâme ches les Grecs. Il aurait fallu qu'un citoyen eût rendu des services à un esclave, à un locataire, à un étranger : cette idée choquait l'esprit de la liberté grecque; aussi Platon [i] veut-il, dans ses lois, qu'on punisse un citoyen qui ferait le commerce.

On était donc fort embarrassé dans les républiques grecques. On ne voulait pas que les citoyens travaillassent au commerce, à l'agriculture, ni aux arts; on ne voulait pas non plus qu'ils fussent oisifs [k]. Ils trouvaient une occupation dans les exercices qui dépendaient de la gymnastique, et dans ceux qui avaient du rapport à la guerre [l]. L'institution ne leur en donnait point d'autres. Il faut donc regarder les Grecs comme une société d'athlètes et de combattants. Or, ces exercices, si propres à faire des gens durs et sauvages [m], avaient besoin d'être tempérés par d'autres qui pussent adoucir les mœurs. La musique, qui tient à l'esprit par les organes du corps, était très propre à cela. C'est un milieu entre les exercices du corps qui rendent les hommes durs, et les sciences de spéculation qui les rendent sauvages. On ne peut pas dire que la musique inspirât la vertu; cela serait inconcevable : mais elle empêchait l'effet de la férocité de l'institution, et

f. Diophante, dit ARISTOTE, *Politique*, chap. VII, *établit autrefois, à Athènes, que les artisans seraient esclaves du public.*

g. Aussi Platon et Aristote veulent-ils que les esclaves cultivent les terres, *Lois*, liv. VII; *Politique*, liv. VII, chap. X. Il est vrai que l'agriculture n'était pas partout exercée par des esclaves : au contraire, comme dit Aristote, les meilleures républiques étaient celles où les citoyens s'y attachaient : mais cela n'arriva que par la corruption des anciens gouvernements, devenus démocratiques; car, dans les premiers temps, les villes de Grèce vivaient dans l'aristocratie.

h. Cauponatio.

i. Liv. II.

k. ARISTOTE, *Politique*, liv. X.

l. Ars corporum exercendorum, gymnastica; variis certaminibus terendorum paedotribica. ARISTOTE, *Politique*, liv. VIII, chap. III.

m. Aristote dit que les enfants des Lacédémoniens, qui commençaient ces exercices dès l'âge le plus tendre, en contractaient trop de férocité. *Politique*, liv. VIII, chap. IV.

faisait que l'âme avait, dans l'éducation, une part qu'elle n'y aurait point eue.

Je suppose qu'il y ait parmi nous une société de gens si passionnés pour la chasse, qu'ils s'en occupassent uniquement; il est sûr qu'ils en contracteraient une certaine rudesse. Si ces mêmes gens venaient à prendre encore du goût pour la musique, on trouverait bientôt de la différence dans leurs manières et dans leurs mœurs. Enfin, les exercices des Grecs n'excitaient en eux qu'un genre de passions, la rudesse, la colère, la cruauté. La musique les excite toutes; et peut faire sentir à l'âme la douceur, la pitié, la tendresse, le doux plaisir. Nos auteurs de morale, qui, parmi nous, proscrivent si fort les théâtres, nous font assez sentir le pouvoir que la musique a sur nos âmes.

Si, à la société dont j'ai parlé, on ne donnait que des tambours et des airs de trompette, n'est-il pas vrai que l'on parviendrait moins à son but, que si l'on donnait une musique tendre ? Les anciens avaient donc raison, lorsque, dans certaines circonstances, ils préféraient, pour les mœurs, un mode à un autre.

Mais, dira-t-on, pourquoi choisir la musique par préférence ? C'est que, de tous les plaisirs des sens, il n'y en a aucun qui corrompe moins l'âme. Nous rougissons de lire, dans Plutarque [n], que les Thébains, pour adoucir les mœurs de leurs jeunes gens, établirent, par les lois, un amour qui devrait être proscrit par toutes les nations du monde.

n. Vie de Pélopidas.

LIVRE V

QUE LES LOIS QUE LE LÉGISLATEUR DONNE DOIVENT ÊTRE RELATIVES AU PRINCIPE DU GOUVERNEMENT

Chapitre premier

Idée de ce livre.

Nous venons de voir que les lois de l'éducation doivent être relatives au principe de chaque gouvernement. Celles que le législateur donne à toute la société sont de même. Ce rapport des lois avec ce principe tend tous les ressorts du gouvernement, et ce principe en reçoit à son tour une nouvelle force. C'est ainsi que, dans les mouvements physiques, l'action est toujours suivie d'une réaction.

Nous allons examiner ce rapport dans chaque gouvernement; et nous commencerons par l'Etat républicain, qui a la vertu pour principe.

Chapitre II

Ce que c'est que la vertu dans l'Etat politique.

La vertu, dans une république, est une chose très simple : C'est l'amour de la république; c'est un sentiment, et non une suite de connaissances : le dernier homme de l'Etat peut avoir ce sentiment, comme le premier. Quand le peuple a une fois de bonnes maximes, il s'y tient plus longtemps, que ce qu'on appelle les honnêtes gens. Il est rare que la corruption commence par lui; souvent il a tiré, de la médiocrité de ses lumières, un attachement plus fort pour ce qui est établi.

L'amour de la patrie conduit à la bonté des mœurs; et la bonté des mœurs mène à l'amour de la patrie. Moins nous pouvons satisfaire nos passions particulières, plus nous nous livrons aux générales. Pourquoi les moines aiment-ils tant leur ordre ? c'est justement par l'endroit qui fait qu'il leur est insupportable. Leur règle les prive de toutes les choses sur lesquelles les passions ordinaires s'appuient : reste donc cette passion pour la règle même qui les afflige. Plus elle est austère, c'est-à-dire, plus elle retranche de leurs penchants, plus elle donne de force à ceux qu'elle leur laisse.

Chapitre III

Ce que c'est que l'amour de la république dans la démocratie.

L'amour de la république, dans une démocratie, est celui de la démocratie; l'amour de la démocratie est celui de l'égalité.

L'amour de la démocratie est encore l'amour de la frugalité. Chacun devant y avoir le même bonheur et les mêmes avantages, y doit goûter les mêmes plaisirs, et former les mêmes espérances; chose qu'on ne peut attendre que de la frugalité générale.

L'amour de l'égalité, dans une démocratie, borne l'ambition au seul désir, au seul bonheur de rendre à sa patrie de plus grands services que les autres citoyens. Ils ne peuvent pas lui rendre tous des services égaux : mais ils doivent tous également lui en rendre. En naissant, on contracte envers elle une dette immense, dont on ne peut jamais s'acquitter.

Ainsi les distinctions y naissent du principe de l'égalité, lors même qu'elle paraît ôtée par des services heureux, ou par des talents supérieurs.

L'amour de la frugalité borne le *désir d'avoir* à l'attention que demande le nécessaire pour sa famille, et même le superflu pour sa patrie. Les richesses donnent une puissance dont un citoyen ne peut pas user pour lui; car il ne serait pas égal. Elles procurent des délices dont il ne doit pas jouir non plus, parce qu'elles choqueraient l'égalité tout de même.

Aussi les bonnes démocraties, en établissant la frugalité domestique, ont-elles ouvert la porte aux dépenses publiques, comme on fit à Athènes et à Rome. Pour lors, la magnificence et la profusion naissaient du fond de la frugalité même : et, comme la religion demande qu'on ait les mains pures pour faire des offrandes aux dieux, les lois voulaient des mœurs frugales, pour que l'on pût donner à sa patrie.

Le bon sens et le bonheur des particuliers consiste beaucoup dans la médiocrité de leurs talents et de leurs fortunes. Une république où les lois auront formé beaucoup de gens médiocres, composée de gens sages, se gouvernera sagement; composée de gens heureux, elle sera très heureuse.

CHAPITRE IV

Comment on inspire l'amour de l'égalité et de la frugalité.

L'amour de l'*égalité*, et celui de la *frugalité*, sont extrêmement excités par l'égalité et la frugalité mêmes, quand on vit dans une société où les lois ont établi l'une et l'autre.

Dans les monarchies et les Etats despotiques, personne n'aspire à l'égalité; cela ne vient pas même dans l'idée : chacun y tend à la supériorité. Les gens des conditions les plus basses ne désirent d'en sortir, que pour être les maîtres des autres.

Il en est de même de la frugalité : Pour l'aimer, il faut en jouir. Ce ne seront point ceux qui sont corrompus par les délices qui aimeront la vie frugale; et, si cela avait été naturel et ordinaire, Alcibiade n'aurait pas fait l'admiration de l'univers. Ce ne seront pas non plus ceux qui envient, ou qui admirent le luxe des autres, qui aimeront la frugalité : des gens qui n'ont devant les yeux que des hommes riches, ou des hommes misérables comme eux, détestent leur misère, sans aimer ou connaître ce qui fait le terme de la misère.

C'est donc une maxime très vraie que, pour que l'on aime l'égalité et la frugalité dans une république, il faut que les lois les y aient établies.

CHAPITRE V

Comment les lois établissent l'égalité, dans la démocratie.

Quelques législateurs anciens, comme Lycurgue et Romulus, partagèrent également les terres. Cela ne pouvait avoir lieu que dans la fondation d'une république nouvelle; ou bien lorsque l'ancienne était si corrompue, et les esprits dans une telle disposition, que les pauvres se croyaient obligés de chercher, et les riches obligés de souffrir un pareil remède.

Si, lorsque le législateur fait un pareil partage, il ne donne pas des lois pour le maintenir, il ne fait qu'une constitution passagère; l'inégalité entrera par le côté que les lois n'auront pas défendu, et la république sera perdue.

Il faut donc que l'on règle, dans cet objet, les dots des femmes, les donations, les successions, les testaments; enfin, toutes les manières de contracter. Car, s'il était permis de donner son bien à qui on voudrait, et comme on voudrait, chaque volonté particulière troublerait la disposition de la loi fondamentale.

Solon, qui permettait à Athènes de laisser son bien à qui on voulait par testament, pourvu qu'on n'eût point d'enfants [a], contredisait les lois anciennes, qui ordonnaient que les biens restassent dans la famille du testateur [b]. Il contredisait les siennes propres; car, en supprimant les dettes, il avait cherché l'égalité.

C'était une bonne loi, pour la démocratie, que celle qui défendait d'avoir deux hérédités [c]. Elle prenait son origine du partage égal des terres et des portions données à chaque citoyen. La loi n'avait pas voulu qu'un seul homme eût plusieurs portions.

La loi qui ordonnait que le plus proche parent épousât l'héritière, naissait d'une source pareille. Elle est donnée chez les Juifs après un pareil partage. Platon [d],

a. PLUTARQUE, *Vie de Solon.*
b. Ibid.
c. Philolaüs de Corinthe établit, à Athènes, que le nombre des portions de terre, et celui des hérédités, serait toujours le même. ARISTOTE, *Politique,* liv. II, chap. XII.
d. République, liv. VIII.

qui fonde ses lois sur ce partage, la donne de même; et c'était une loi athénienne.

Il y avait à Athènes une loi, dont je ne sache pas que personne ait connu l'esprit. Il était permis d'épouser sa sœur consanguine, et non pas sa sœur utérine [e]. Cet usage tirait son origine des républiques, dont l'esprit était de ne pas mettre sur la même tête deux portions de fonds de terre, et par conséquent deux hérédités. Quand un homme épousait sa sœur du côté du père, il ne pouvait avoir qu'une hérédité, qui était celle de son père : mais, quand il épousait sa sœur utérine, il pouvait arriver que le père de cette sœur, n'ayant pas d'enfants mâles, lui laissât sa succession; et que, par conséquent, son frère, qui l'avait épousée, en eût deux.

Qu'on ne m'objecte pas ce que dit Philon [f], que, quoiqu'à Athènes, on épousât sa sœur consanguine, et non pas sa sœur utérine, on pouvait à Lacédémone épouser sa sœur utérine, et non pas sa sœur consanguine. Car je trouve dans Strabon [g] que, quand à Lacédémone une sœur épousait son frère, elle avait, pour sa dot, la moitié de la portion du frère. Il est clair que cette seconde loi était faite pour prévenir les mauvaises suites de la première. Pour empêcher que le bien de la famille de la sœur ne passât dans celle du frère, on donnait en dot à la sœur la moitié du bien du frère.

Sénèque [h], parlant de Silanus qui avait épousé sa sœur, dit qu'à Athènes la permission était restreinte, et qu'elle était générale à Alexandrie. Dans le gouvernement d'un seul, il n'était guère question de maintenir le partage des biens.

Pour maintenir ce partage des terres dans la démocratie, c'était une bonne loi que celle qui voulait qu'un père, qui avait plusieurs enfants, en choisît un pour succéder à sa portion [i], et donnât les autres en adoption à quelqu'un qui n'eût point d'enfants, afin que le nombre des citoyens pût toujours se maintenir égal à celui des partages.

e. Cornelius Nepos, *in præfat*, Cet usage était des premiers temps. Aussi Abraham dit-il de Sara : *Elle est ma sœur, fille de mon père, et non de ma mère.* Les mêmes raisons avaient fait établir une même loi chez différents peuples.

f. *De specialibus legibus quæ pertinent ad præcepta Decalogi.*

g. Liv. X.

h. *Athenis dimidium licet, Alexandriæ totum.* SÉNÈQUE, *De morte Claudii.*

i. Platon fait une pareille loi, liv. III *des Lois.*

Phaléas de Calcédoine[k] avait imaginé une façon de rendre égales les fortunes, dans une république où elles ne l'étaient pas. Il voulait que les riches donnassent des dots aux pauvres, et n'en reçussent pas; et que les pauvres reçussent de l'argent pour leurs filles, et n'en donnassent pas. Mais je ne sache point qu'aucune république se soit accommodée d'un règlement pareil. Il met les citoyens sous des conditions dont les différences sont si frappantes, qu'ils haïraient cette égalité même que l'on chercherait à introduire. Il est bon quelquefois que les lois ne paraissent pas aller si directement au but qu'elles se proposent.

Quoique, dans la démocratie, l'égalité réelle soit l'âme de l'Etat, cependant elle est si difficile à établir, qu'une exactitude extrême à cet égard ne conviendrait pas toujours. Il suffit que l'on établisse un cens[l] qui réduise ou fixe les différences à un certain point; après quoi, c'est à des lois particulières à égaliser, pour ainsi dire, les inégalités, par les charges qu'elles imposent aux riches, et le soulagement qu'elles accordent aux pauvres. Il n'y a que les richesses médiocres qui puissent donner ou souffrir ces sortes de compensations; car, pour les fortunes immodérées, tout ce qu'on ne leur accorde pas de puissance et d'honneur, elles le regardent comme une injure.

Toute inégalité, dans la démocratie, doit être tirée de la nature de la démocratie, et du principe même de l'égalité. Par exemple : on y peut craindre que des gens qui auraient besoin d'un travail continuel pour vivre, ne fussent trop appauvris par une magistrature, ou qu'ils n'en négligeassent les fonctions; que des artisans ne s'enorgueillissent; que des affranchis trop nombreux ne devinssent plus puissants que les anciens citoyens. Dans ces cas, l'égalité entre les citoyens[m] peut être ôtée dans la démocratie, pour l'utilité de la démocratie. Mais ce n'est qu'une égalité apparente que l'on ôte : car un homme ruiné par une magistrature serait dans une pire condition que les autres citoyens; et ce même homme, qui serait obligé d'en négliger les fonctions, mettrait les

k. ARISTOTE, *Politique*, liv. II, chap. VII.

l. Solon fit quatre classe; la première, de ceux qui avaient cinq cents mines de revenu, tant en grains, qu'en fruits liquides; la seconde, de ceux qui en avaient trois cents, et pouvaient entretenir un cheval; la troisième, de ceux qui n'en avaient que deux cents; la quatrième, de tous ceux qui vivaient de leurs bras. PLUTARQUE, *Vie de Solon.*

m. Solon exclut des charges tous ceux du quatrième cens.

autres citoyens dans une condition pire que la sienne; et ainsi du reste.

CHAPITRE VI

Comment les lois doivent entretenir la frugalité dans la démocratie.

Il ne suffit pas, dans une bonne démocratie, que les portions de terres soient égales; il faut qu'elles soient petites, comme chez les Romains. « A Dieu ne plaise, disait Curius à ses soldats [a], qu'un citoyen estime peu de terre, ce qui est suffisant pour nourrir un homme. »

Comme l'égalité des fortunes entretient la frugalité, la frugalité maintient l'égalité des fortunes. Ces choses, quoique différentes, sont telles, qu'elles ne peuvent subsister l'une sans l'autre; chacune d'elles est la cause et l'effet; si l'une se retire de la démocratie, l'autre la suit toujours.

Il est vrai que, lorsque la démocratie est fondée sur le commerce, il peut fort bien arriver que des particuliers y aient de grandes richesses, et que les mœurs n'y soient pas corrompues. C'est que l'esprit de commerce entraîne avec soi celui de frugalité, d'économie, de modération, de travail, de sagesse, de tranquillité, d'ordre et de règle. Ainsi, tandis que cet esprit subsiste, les richesses qu'il produit n'ont aucun mauvais effet. Le mal arrive, lorsque l'excès des richesses détruit cet esprit de commerce : on voit tout à coup naître les désordres de l'inégalité, qui ne s'étaient pas encore fait sentir.

Pour maintenir l'esprit de commerce, il faut que les principaux citoyens le fassent eux-mêmes; que cet esprit règne seul, et ne soit point croisé par un autre; que toutes les lois le favorisent; que ces mêmes lois, par leurs dispositions, divisant les fortunes à mesure que le commerce les grossit, mettent chaque citoyen pauvre dans une assez grande aisance, pour pouvoir travailler comme les autres; et chaque citoyen riche dans une telle médiocrité, qu'il ait besoin de son travail pour conserver ou pour acquérir.

a. Ils demandaient une plus grande portion de la terre conquise. PLUTARQUE, *Œuvres morales, Vies des anciens rois et capitaines.*

C'est une très bonne loi, dans une république commerçante, que celle qui donne à tous les enfants une portion égale dans la succession des pères. Il se trouve par là que, quelque fortune que le père ait faite, ses enfants, toujours moins riches que lui, sont portés à fuir le luxe, et à travailler comme lui. Je ne parle que des républiques commerçantes; car, pour celles qui ne le sont pas, le législateur a bien d'autres règlements à faire [b].

Il y avait, dans la Grèce, deux sortes de républiques. Les unes étaient militaires, comme Lacédémone; d'autres étaient commerçantes, comme Athènes. Dans les unes, on voulait que les citoyens fussent oisifs; dans les autres, on cherchait à donner de l'amour pour le travail. Solon fit un crime de l'oisiveté, et voulut que chaque citoyen rendît compte de la manière dont il gagnait sa vie. En effet, dans une bonne démocratie, où l'on ne doit dépenser que pour le nécessaire, chacun doit l'avoir; car de qui le recevrait-on?

Chapitre VII

Autres moyens de favoriser le principe de la démocratie.

On ne peut pas établir un partage égal des terres dans toutes les démocraties. Il y a des circonstances où un tel arrangement serait impraticable, dangereux, et choquerait même la Constitution. On n'est pas toujours obligé de prendre les voies extrêmes. Si l'on voit, dans une démocratie, que ce partage, qui doit maintenir les mœurs, n'y convienne pas, il faut avoir recours à d'autres moyens.

Si l'on établit un corps fixe qui soit par lui-même la règle des mœurs; un sénat où l'âge, la vertu, la gravité, les services donnent entrée; les sénateurs, exposés à la vue du peuple comme les simulacres des dieux, inspireront des sentiments qui seront portés dans le sein de toutes les familles.

Il faut surtout que ce sénat s'attache aux institutions anciennes, et fasse en sorte que le peuple et les magistrats ne s'en départent jamais.

Il y a beaucoup à gagner, en fait de mœurs, à garder

b. On y doit borner beaucoup les dots des femmes.

les coutumes anciennes. Comme les peuples corrompus font rarement de grandes choses; qu'ils n'ont guère établi de sociétés, fondé de villes, donné de lois; et qu'au contraire ceux qui avaient des mœurs simples et austères ont fait la plupart des établissements; rappeler les hommes aux maximes anciennes, c'est ordinairement les ramener à la vertu.

De plus : s'il y a eu quelque révolution, et que l'on ait donné à l'Etat une forme nouvelle, cela n'a guère pu se faire qu'avec des peines et des travaux infinis, et rarement avec l'oisiveté et des mœurs corrompues. Ceux même qui ont fait la révolution ont voulu la faire goûter; et ils n'ont guère pu y réussir que par de bonnes lois. Les institutions anciennes sont donc ordinairement des corrections, et les nouvelles des abus. Dans le cours d'un long gouvernement, on va au mal par une pente insensible, et on ne remonte au bien que par un effort.

On a douté si les membres du sénat dont nous parlons doivent être à vie, ou choisis pour un temps. Sans doute qu'ils doivent être choisis pour la vie, comme cela se pratiquait à Rome [a], à Lacédémone [b] et à Athènes même. Car il ne faut pas confondre ce qu'on appelait le sénat à Athènes, qui était un corps qui changeait tous les trois mois, avec l'aréopage, dont les membres étaient établis pour la vie, comme des modèles perpétuels.

Maxime générale : Dans un sénat fait pour être la règle, et, pour ainsi dire, le dépôt des mœurs, les sénateurs doivent être élus pour la vie : Dans un sénat fait pour préparer les affaires, les sénateurs peuvent changer.

L'esprit, dit Aristote, vieillit comme le corps. Cette réflexion n'est bonne qu'à l'égard d'un magistrat unique, et ne peut être appliquée à une assemblée de sénateurs.

Outre l'aréopage, il y avait à Athènes des gardiens des mœurs, et des gardiens des lois [c]. A Lacédémone, tous les vieillards étaient censeurs. A Rome, deux magistrats particuliers avaient la censure. Comme le sénat veille sur le peuple, il faut que des censeurs aient les yeux sur le peuple et sur le sénat. Il faut qu'ils rétablissent, dans la

a. Les magistrats y étaient annuels, et les sénateurs pour la vie.
b. *Lycurgue*, dit Xénophon, *De republ. Lacedœm.*, *voulut qu'on élût les sénateurs parmi les vieillards, pour qu'ils ne se négligeassent pas, même à la fin de la vie; et, en les établissant juges du courage des jeunes gens, il a rendu la vieillesse de ceux-là plus honorable que la force de ceux-ci.*
c. L'Aréopage lui-même était soumis à la censure.

république, tout ce qui a été corrompu; qu'ils notent la tiédeur, jugent les négligences, et corrigent les fautes, comme les lois punissent les crimes.

La loi romaine qui voulait que l'accusation de l'adultère fût publique, était admirable pour maintenir la pureté des mœurs; elle intimidait les femmes, elle intimidait aussi ceux qui devaient veiller sur elles.

Rien ne maintient plus les mœurs, qu'une extrême subordination des jeunes gens envers les vieillards. Les uns et les autres seront contenus, ceux-là par le respect qu'ils auront pour les vieillards, et ceux-ci par le respect qu'ils auront pour eux-mêmes.

Rien ne donne plus de force aux lois, que la subordination extrême des citoyens aux magistrats. « La grande différence que Lycurgue a mise entre Lacédémone et les autres cités, dit Xénophon [d], consiste en ce qu'il a surtout fait que les citoyens obéissent aux lois; ils courent lorsque le magistrat les appelle. Mais, à Athènes, un homme riche serait au désespoir que l'on crût qu'il dépendît du magistrat. »

L'autorité paternelle est encore très utile pour maintenir les mœurs. Nous avons déjà dit que, dans une république, il n'y a pas une force si réprimante, que dans les autres gouvernements. Il faut donc que les lois cherchent à y suppléer : elles le font par l'autorité paternelle.

A Rome, les pères avaient droit de vie et de mort sur leurs enfants [e]. A Lacédémone, chaque père avait droit de corriger l'enfant d'un autre.

La puissance paternelle se perdit à Rome avec la république. Dans les monarchies, où l'on n'a que faire de mœurs si pures, on veut que chacun vive sous la puissance des magistrats.

Les lois de Rome, qui avaient accoutumé les jeunes gens à la dépendance, établirent une longue minorité. Peut-être avons-nous eu tort de prendre cet usage : dans une monarchie, on n'a pas besoin de tant de contrainte.

Cette même subordination, dans la république, y pourrait demander que le père restât, pendant sa vie, le

d. *République de Lacédémone.*

e. On peut voir, dans l'histoire romaine, avec quel avantage pour la république on se servit de cette puissance. Je ne parlerai que du temps de la plus grande corruption. Aulus Fulvius s'était mis en chemin pour aller trouver Catilina; son père le rappela, et le fit mourir. SALLUSTE, *De bello Catil.* Plusieurs autres citoyens firent de même. Dion, liv. XXXVII.

maître des biens de ses enfants, comme il fut réglé à Rome. Mais cela n'est pas de l'esprit de la monarchie.

CHAPITRE VIII

Comment les lois doivent se rapporter au principe du gouvernement, dans l'aristocratie.

Si, dans l'aristocratie, le peuple est vertueux, on y jouira à peu près du bonheur du gouvernement populaire, et l'Etat deviendra puissant. Mais, comme il est rare que, là où les fortunes des hommes sont si inégales, il y ait beaucoup de vertu; il faut que les lois tendent à donner, autant qu'elles peuvent, un esprit de modération, et cherchent à rétablir cette égalité que la constitution de l'Etat ôte nécessairement.

L'esprit de modération est ce qu'on appelle la vertu dans l'aristocratie; il y tient la place de l'esprit d'égalité dans l'Etat populaire.

Si le faste et la splendeur qui environnent les rois sont une partie de leur puissance, la modestie et la simplicité des manières font la force des nobles aristocratiques [a]. Quand ils n'affectent aucune distinction, quand ils se confondent avec le peuple, quand ils sont vêtus comme lui, quand ils lui font partager tous leurs plaisirs, il oublie sa faiblesse.

Chaque gouvernement a sa nature et son principe. Il ne faut donc pas que l'aristocratie prenne la nature et le principe de la monarchie; ce qui arriverait, si les nobles avaient quelques prérogatives personnelles et particulières, distinctes de celles de leur corps : les privilèges doivent être pour le sénat, et le simple respect pour les sénateurs.

Il y a deux sources principales de désordres dans les Etats aristocratiques : l'inégalité extrême entre ceux qui gouvernent et ceux qui sont gouvernés; et la même inégalité entre les différents membres du corps qui gouverne.

a. De nos jours, les Vénitiens, qui, à bien des égards, se sont conduits très sagement, décidèrent sur une dispute, entre un noble Vénitien et un gentilhomme de Terre-ferme, pour une préséance dans une église; que, hors de Venise, un noble Vénitien n'avait point de prééminence sur un autre citoyen.

De ces deux inégalités, résultent des haines et des jalousies que les lois doivent prévenir ou arrêter.

La première inégalité se trouve principalement lorsque les privilèges des principaux ne sont honorables que parce qu'ils sont honteux au peuple. Telle fut à Rome la loi qui défendait aux patriciens de s'unir par mariage aux plébéiens [b]; ce qui n'avait d'autre effet que de rendre d'un côté les patriciens plus superbes, et de l'autre plus odieux. Il faut voir les avantages qu'en tirèrent les tribuns dans leurs harangues.

Cette inégalité se trouvera encore, si la condition des citoyens est différente par rapport aux subsides; ce qui arrive de quatre manières : lorsque les nobles se donnent le privilège de n'en point payer; lorsqu'ils font des fraudes pour s'en exempter [c]; lorsqu'ils les appellent à eux, sous prétexte de rétributions ou d'appointements pour les emplois qu'ils exercent; enfin, quand ils rendent le peuple tributaire, et se partagent les impôts qu'ils lèvent sur eux. Ce dernier cas est rare; une aristocratie, en cas pareil, est le plus dur de tous les gouvernements.

Pendant que Rome inclina vers l'aristocratie, elle évita très bien ces inconvénients. Les magistrats ne tiraient jamais d'appointements de leur magistrature. Les principaux de la république furent taxés comme les autres; ils le furent même plus, et quelquefois ils le furent seuls. Enfin, bien loin de se partager les revenus de l'Etat, tout ce qu'ils purent tirer du trésor public, tout ce que la fortune leur envoya de richesses, ils le distribuèrent au peuple, pour se faire pardonner leurs honneurs [d].

C'est une maxime fondamentale, qu'autant que les distributions faites au peuple ont de pernicieux effets dans la démocratie, autant en ont-elles de bons dans le gouvernement aristocratique. Les premières font perdre l'esprit de citoyen, les autres y ramènent.

Si l'on ne distribue point les revenus au peuple, il faut lui faire voir qu'ils sont bien administrés : les lui montrer, c'est, en quelque manière, l'en faire jouir. Cette chaîne d'or que l'on tendait à Venise, les richesses que l'on portait à Rome dans les triomphes, les trésors que l'on gar-

b. Elle fut mise, par les décemvirs, dans les deux dernières tables. Voyez Denys d'Halicarnasse, liv. X.

c. Comme dans quelques aristocraties de nos jours. Rien n'affaiblit tant l'Etat.

d. Voyez, dans Strabon, liv. XIV, comment les Rhodiens se conduisirent à cet égard.

dait dans le temple de Saturne, étaient véritablement les richesses du peuple.

Il est surtout essentiel, dans l'aristocratie, que les nobles ne lèvent pas les tributs. Le premier ordre de l'Etat ne s'en mêlait moint à Rome; on en chargea le second; et cela même eut, dans la suite, de grands inconvénients. Dans une aristocratie où les nobles lèveraient les tributs, tous les particuliers seraient à la discrétion des gens d'affaires; il n'y aurait point de tribunal supérieur qui les corrigeât. Ceux d'entre eux préposés pour ôter les abus, aimeraient mieux jouir des abus. Les nobles seraient comme les princes des Etats despotiques, qui confisquent les biens de qui il leur plaît.

Bientôt les profits qu'on y ferait seraient regardés comme un patrimoine, que l'avarice étendrait à sa fantaisie. On ferait tomber les fermes; on réduirait à rien les revenus publics. C'est par là que quelques Etats, sans avoir reçu d'échec qu'on puisse remarquer, tombent dans une faiblesse dont les voisins sont surpris, et qui étonne les citoyens mêmes.

Il faut que les lois leur défendent aussi le commerce : des marchands si accrédités feraient toutes sortes de monopoles. Le commerce est la profession des gens égaux : et, parmi les Etats despotiques, les plus misérables sont ceux où le prince est marchand.

Les lois de Venise [e] défendent aux nobles le commerce, qui pourrait leur donner, même innocemment, des richesses exorbitantes.

Les lois doivent employer les moyens les plus efficaces pour que les nobles rendent justice au peuple. Si elles n'ont point établi un tribun, il faut qu'elles soient un tribun elles-mêmes.

Toute sorte d'asile contre l'exécution des lois perd l'aristocratie; et la tyrannie en est tout près.

Elles doivent mortifier, dans tous les temps, l'orgueil de la domination. Il faut qu'il y ait, pour un temps ou pour toujours, un magistrat qui fasse trembler les nobles, comme les éphores à Lacédémone, et les inquisiteurs d'Etat à Venise; magistratures qui ne sont soumises à aucunes formalités. Ce gouvernement a besoin de ressorts bien violents : Une bouche de pierre [f] s'ouvre à tout

e. Amelot de la Houssaye, *Du gouvernement de Venise*, part. III. La loi Claudia défendait aux sénateurs d'avoir en mer aucun vaisseau qui tînt plus de quarante muids. Tite-Live, liv. XXI.

f. Les délateurs y jettent leurs billets.

délateur à Venise; vous diriez que c'est celle de la tyrannie.

Ces magistratures tyranniques, dans l'aristocratie, ont du rapport à la censure de la démocratie, qui, par sa nature, n'est pas moins indépendante. En effet, les censeurs ne doivent point être recherchés sur les choses qu'ils ont faites pendant leur censure; il faut leur donner de la confiance, jamais du découragement. Les Romains étaient admirables; on pouvait faire rendre à tous les magistrats [g] raison de leur conduite, excepté aux censeurs [h].

Deux choses sont pernicieuses dans l'aristocratie; la pauvreté extrême des nobles, et leurs richesses exorbitantes. Pour prévenir leur pauvreté, il faut surtout les obliger de bonne heure à payer leurs dettes. Pour modérer leurs richesses, il faut des dispositions sages et insensibles; non pas des confiscations, des lois agraires, des abolitions de dettes, qui font des maux infinis.

Les lois doivent ôter le droit d'aînesse entre les nobles [i]; afin que, par le partage continuel des successions, les fortunes se remettent toujours dans l'égalité.

Il ne faut point de substitutions, de retraits lignagers, de majorats, d'adoptions. Tous les moyens inventés pour perpétuer la grandeur des familles dans les Etats monarchiques, ne sauraient être d'usage dans l'aristocratie [k].

Quand les lois ont égalisé les familles, il leur reste à maintenir l'union entre elles. Les différends des nobles doivent être promptement décidés; sans cela, les contestations entre les personnes deviennent des contestations entre les familles. Des arbitres peuvent terminer les procès, ou les empêcher de naître.

Enfin, il ne faut point que les lois favorisent les distinctions que la vanité met entre les familles, sous prétexte qu'elles sont plus nobles ou plus anciennes; cela doit être mis au rang des petitesses des particuliers.

On n'a qu'à jeter les yeux sur Lacédémone; on verra comment les éphores surent mortifier les faiblesses des rois, celles des grands, et celles du peuple.

g. Voyez Tite-Live, liv. XLIX. Un censeur ne pouvait pas même être troublé par un censeur : chacun faisait sa note, sans prendre l'avis de son collègue; et, quand on fit autrement, la censure fut, pour ainsi dire, renversée.

h. A Athènes, les logistes, qui faisaient rendre compte à tous les magistrats, ne rendaient point compte eux-mêmes.

i. Cela est ainsi établi à Venise, Amelot de la Houssaye, p. 30 et 31.

k. Il semble que l'objet de quelques aristocraties soit moins de maintenir l'Etat, que ce qu'elles appellent leur noblesse.

CHAPITRE IX

Comment les lois sont relatives à leur principe, dans la monarchie.

L'honneur étant le principe de ce gouvernement, les lois doivent s'y rapporter.

Il faut qu'elles y travaillent à soutenir cette noblesse, dont l'honneur est, pour ainsi dire, l'enfant et le père.

Il faut qu'elles la rendent héréditaire; non pas pour être le terme entre le pouvoir du prince et la faiblesse du peuple, mais le lien de tous les deux.

Les substitutions, qui conservent les biens dans les familles, seront très utiles dans ce gouvernement, quoiqu'elles ne conviennent pas dans les autres.

Le retrait lignager rendra aux familles nobles les terres que la prodigalité d'un parent aura aliénées.

Les terres nobles auront des privilèges, comme les personnes. On ne peut pas séparer la dignité du monarque de celle du royaume; on ne peut guère séparer non plus la dignité du noble de celle de son fief.

Toutes ces prérogatives seront particulières à la noblesse, et ne passeront point au peuple, si l'on ne veut choquer le principe du gouvernement, si l'on ne veut diminuer la force de la noblesse, et celle du peuple.

Les substitutions gênent le commerce; le retrait lignager fait une infinité de procès nécessaires; et tous les fonds du royaume vendus sont au moins, en quelque façon, sans maître pendant un an. Des prérogatives attachées à des fiefs donnent un pouvoir très à charge à ceux qui les souffrent. Ce sont des inconvénients particuliers de la noblesse, qui disparaissent devant l'utilité générale qu'elle procure : Mais, quand on les communique au peuple, on choque inutilement tous les principes.

On peut, dans les monarchies, permettre de laisser la plus grande partie de ses biens à un seul de ses enfants; cette permission n'est même bonne que là.

Il faut que les lois favorisent tout le commerce [a] que la constitution de ce gouvernement peut donner; afin que

a. Elle ne le permet qu'au peuple. Voyez la loi troisième, au code *De comm. et mercatoribus*, qui est pleine de bon sens.

les sujets puissent, sans périr, satisfaire aux besoins toujours renaissants du prince et de sa cour.

Il faut qu'elles mettent un certain ordre dans la manière de lever les tributs, afin qu'elle ne soit pas plus pesante que les charges mêmes.

La pesanteur des charges produit d'abord le travail; le travail, l'accablement; l'accablement, l'esprit de paresse.

Chapitre X

De la promptitude de l'exécution, dans la monarchie.

Le gouvernement monarchique a un grand avantage sur le républicain : les affaires étant menées par un seul, il y a plus de promptitude dans l'exécution. Mais, comme cette promptitude pourrait dégénérer en rapidité, les lois y mettront une certaine lenteur. Elles ne doivent pas seulement favoriser la nature de chaque constitution, mais encore remédier aux abus qui pourraient résulter de cette même nature.

Le cardinal de Richelieu [a] veut que l'on évite, dans les monarchies, les épines des compagnies, qui forment des difficultés sur tout. Quand cet homme n'aurait pas eu le despotisme dans le cœur, il l'aurait eu dans la tête.

Les corps qui ont le dépôt des lois n'obéissent jamais mieux que quand ils vont à pas tardifs, et qu'ils apportent, dans les affaires du prince, cette réflexion qu'on ne peut guère attendre du défaut de lumières de la cour sur les lois de l'Etat, ni de la précipitation de ses conseils [b].

Que serait devenue la plus belle monarchie du monde, si les magistrats, par leurs lenteurs, par leurs plaintes, par leurs prières, n'avaient arrêté le cours des vertus même de ses rois, lorsque ces monarques, ne consultant que leur grande âme, auraient voulu récompenser sans mesure des services rendus avec un courage et une fidélité aussi sans mesure ?

a. *Testam. polit.*

b. *Barbaris cunctatio servilis; statim exequi regium videtur.* Tacite, *Annal.*, liv. V.

CHAPITRE XI

De l'excellence du gouvernement monarchique.

Le gouvernement monarchique a un grand avantage sur le despotique. Comme il est de sa nature qu'il y ait, sous le prince, plusieurs ordres qui tiennent à la Constitution, l'Etat est plus fixe, la Constitution plus inébranlable, la personne de ceux qui gouvernent plus assurée.

Cicéron [a] croit que l'établissement des tribuns de Rome fut le salut de la république. « En effet, dit-il, la force du peuple qui n'a point de chef est plus terrible. Un chef sent que l'affaire roule sur lui, il y pense : mais le peuple, dans son impétuosité, ne connaît point le péril où il se jette. » On peut appliquer cette réflexion à un Etat despotique, qui est un peuple sans tribuns ; et à une monarchie, où le peuple a, en quelque façon, des tribuns.

En effet, on voit partout que, dans les mouvements du gouvernement despotique, le peuple mené par lui-même porte toujours les choses aussi loin qu'elles peuvent aller ; tous les désordres qu'il commet sont extrêmes : Au lieu que, dans les monarchies, les choses sont très rarement portées à l'excès. Les chefs craignent pour eux-mêmes ; ils ont peur d'être abandonnés ; les puissances intermédiaires dépendantes [b] ne veulent pas que le peuple prenne trop le dessus. Il est rare que les ordres de l'État soient entièrement corrompus. Le prince tient à ces ordres : et les séditieux, qui n'ont ni la volonté ni l'espérance de renverser l'Etat, ne peuvent ni ne veulent renverser le prince.

Dans ces circonstances, les gens qui ont de la sagesse et de l'autorité s'entremettent ; on prend des tempéraments, on s'arrange, on se corrige ; les lois reprennent leur vigueur, et se font écouter.

Aussi toutes nos histoires sont-elles pleines de guerres civiles sans révolutions ; celles des Etats despotiques sont pleines de révolutions sans guerres civiles.

Ceux qui ont écrit l'histoire des guerres civiles de quelques Etats, ceux même qui les ont fomentées,

a. Liv. III *Des lois.*
b. Voyez ci-dessus la première note du liv. II, chap. IV.

prouvent assez combien l'autorité que les princes laissent à de certains ordres pour leur service, leur doit être peu suspecte; puisque, dans l'égarement même, ils ne soupiraient qu'après les lois et leur devoir, et retardaient la fougue et l'impétuosité des factieux plus qu'ils ne pouvaient la servir [c].

Le cardinal de Richelieu, pensant peut-être qu'il avait trop avili les ordres de l'Etat, a recours, pour le soutenir, aux vertus du prince et de ses ministres [d]; et il exige d'eux tant de choses, qu'en vérité il n'y a qu'un ange qui puisse avoir tant d'attention, tant de lumières, tant de fermeté, tant de connaissances; et on peut à peine se flatter que, d'ici à la dissolution des monarchies, il puisse y avoir un prince et des ministres pareils.

Comme les peuples qui vivent sous une bonne police sont plus heureux que ceux qui, sans règle et sans chefs, errent dans les forêts; aussi les monarques, qui vivent sous les lois fondamentales de leur Etat, sont-ils plus heureux que les princes despotiques, qui n'ont rien qui puisse régler le cœur de leurs peuples, ni le leur.

CHAPITRE XII

Continuation du même sujet.

Qu'on n'aille point chercher de la magnanimité dans les Etats despotiques; le prince n'y donnerait point une grandeur qu'il n'a pas lui-même : chez lui, il n'y a pas de gloire.

C'est dans les monarchies que l'on verra autour du prince les sujets recevoir ses rayons; c'est là que chacun tenant, pour ainsi dire, un plus grand espace, peut exercer ces vertus qui donnent à l'âme, non pas de l'indépendance, mais de la grandeur.

c. *Mémoires* du cardinal de Retz, et autres histoires.
d. *Testam. polit.*

CHAPITRE XIII

Idée du despotisme.

Quand les sauvages de la Louisiane veulent avoir du fruit, ils coupent l'arbre au pied, et cueillent le fruit [a]. Voilà le gouvernement despotique.

CHAPITRE XIV

Comment les lois sont relatives au principe du gouvernement despotique.

Le gouvernement despotique a pour principe la crainte : mais, à des peuples timides, ignorants, abattus, il ne faut pas beaucoup de lois.

Tout y doit rouler sur deux ou trois idées : il n'en faut donc pas de nouvelles. Quand vous instruisez une bête, vous vous donnez bien de garde de lui faire changer de maître, de leçon et d'allure; vous frappez son cerveau par deux ou trois mouvements, et pas davantage.

Lorsque le prince est enfermé, il ne peut sortir du séjour de la volupté, sans désoler tous ceux qui l'y retiennent. Ils ne peuvent souffrir que sa personne et son pouvoir passent en d'autres mains. Il fait donc rarement la guerre en personne, et il n'ose guère la faire par ses lieutenants.

Un prince pareil, accoutumé, dans son palais, à ne trouver aucune résistance, s'indigne de celle qu'on lui fait les armes à la main : il est donc ordinairement conduit par la colère ou par la vengeance. D'ailleurs, il ne peut avoir d'idée de la vraie gloire. Les guerres doivent donc s'y faire dans toute leur fureur naturelle, et le droit des gens y avoir moins d'étendue qu'ailleurs.

Un tel prince a tant de défauts, qu'il faudrait craindre d'exposer au grand jour sa stupidité naturelle. Il est caché, et l'on ignore l'état où il se trouve. Par bonheur, les

a. Lettres édif., Recueil II, p. 315.

hommes sont tels dans ces pays, qu'ils n'ont besoin que d'un nom qui les gouverne.

Charles XII étant à Bender, trouvant quelque résistance dans le sénat de Suède, écrivit qu'il leur enverrait une de ses bottes pour commander. Cette botte aurait commandé comme un roi despotique.

Si le prince est prisonnier, il est censé être mort, et un autre monte sur le trône. Les traités que fait le prisonnier sont nuls; son successeur ne les ratifierait pas. En effet, comme il est les lois, l'Etat et le prince; et que, sitôt qu'il n'est plus le prince, il n'est rien; s'il n'était pas censé mort, l'Etat serait détruit.

Une des choses qui détermina le plus les Turcs à faire leur paix séparée avec Pierre Ier, fut que les Moscovites dirent au vizir qu'en Suède on avait mis un autre roi sur le trône [a].

La conservation de l'Etat n'est que la conservation du prince, ou plutôt du palais où il est enfermé. Tout ce qui ne menace pas directement ce palais ou la ville capitale, ne fait point d'impression sur des esprits ignorants, orgueilleux et prévenus : et, quant à l'enchaînement des événements, ils ne peuvent le suivre, le prévoir, y penser même. La politique, ses ressorts et ses lois, y doivent être très bornés; et le gouvernement politique y est aussi simple que le gouvernement civil [b].

Tout se réduit à concilier le gouvernement politique et civil avec le gouvernement domestique, les officiers de l'Etat avec ceux du sérail.

Un pareil Etat sera dans la meilleure situation, lorsqu'il pourra se regarder comme seul dans le monde, qu'il sera environné de déserts, et séparé des peuples qu'il appellera barbares. Ne pouvant compter sur la milice, il sera bon qu'il détruise une partie de lui-même.

Comme le principe du gouvernement despotique est la crainte, le but en est la tranquillité : mais ce n'est point une paix, c'est le silence de ces villes que l'ennemi est prêt d'occuper.

La force n'étant pas dans l'Etat, mais dans l'armée qui l'a fondé; il faudrait, pour défendre l'Etat, conserver cette armée : mais elle est formidable au prince. Comment donc concilier la sûreté de l'Etat avec la sûreté de la personne ?

a. Suite de PUFENDORF, *Hist. universelle*, au traité de la Suède chap. x.

b. Selon M. Chardin, il n'y a point de conseil d'Etat en Perse.

Voyez, je vous prie, avec quelle industrie le gouvernement moscovite cherche à sortir du despotisme, qui lui est plus pesant qu'aux peuples mêmes. On a cassé les grands corps de troupes, on a diminué les peines des crimes, on a établi des tribunaux, on a commencé à connaître les lois, on a instruit les peuples. Mais il y a des causes particulières, qui le ramèneront peut-être au malheur qu'il voulait fuir.

Dans ces Etats, la religion a plus d'influence que dans aucun autre; elle est une crainte ajoutée à la crainte. Dans les empires mahométans, c'est de la religion que les peuples tirent, en partie, le respect étonnant qu'ils ont pour leur prince.

C'est la religion qui corrige un peu la constitution turque. Les sujets, qui ne sont pas attachés à la gloire et à la grandeur de l'Etat par honneur, le sont par la force et par le principe de la religion.

De tous les gouvernements despotiques, il n'y en a point qui s'accable plus lui-même, que celui où le prince se déclare propriétaire de tous les fonds de terre, et l'héritier de tous ses sujets. Il en résulte toujours l'abandon de la culture des terres; et, si d'ailleurs le prince est marchand, toute espèce d'industrie est ruinée.

Dans ces Etats, on ne répare, on n'améliore rien [c]. On ne bâtit de maisons que pour la vie; on ne fait point de fossés, on ne plante point d'arbres; on tire tout de la terre, on ne lui rend rien; tout est en friche, tout est désert.

Pensez-vous que des lois qui ôtent la propriété des fonds de terre et la succession des biens, diminueront l'avarice et la cupidité des grands ? Non : elles irriteront cette cupidité et cette avarice. On sera porté à faire mille vexations, parce qu'on ne croira avoir en propre que l'or ou l'argent que l'on pourra voler ou cacher.

Pour que tout ne soit pas perdu, il est bon que l'avidité du prince soit modérée par quelque coutume. Ainsi, en Turquie, le prince se contente ordinairement de prendre trois pour cent sur les successions [d] des gens du peuple. Mais, comme le grand seigneur donne la plupart des terres à sa milice, et en dispose à sa fantaisie; comme il se saisit de toutes les successions des officiers de l'empire;

c. Voyez RICAUT, *Etat de l'empire ottoman*, p. 196.
d. Voyez, sur les successions des Turcs, *Lacédémone ancienne et moderne*. Voyez aussi RICAUT, *De l'empire ottoman*.

comme, lorsqu'un homme meurt sans enfants mâles, le grand seigneur a la propriété, et que les filles n'ont que l'usufruit; il arrive que la plupart des biens de l'Etat sont possédés d'une manière précaire.

Par la loi de Bantam [e], le roi prend la succession, même la femme, les enfants et la maison. On est obligé, pour éluder la plus cruelle disposition de cette loi, de marier les enfants à huit, neuf ou dix ans, et quelquefois plus jeunes, afin qu'ils ne se trouvent pas faire une malheureuse partie de la succession du père.

Dans les Etats où il n'y a point de lois fondamentales, la succession à l'empire ne saurait être fixe. La couronne y est élective par le prince, dans sa famille, ou hors de sa famille. En vain serait-il établi que l'aîné succéderait; le prince en pourrait toujours choisir un autre. Le successeur est déclaré par le prince lui-même, ou par ses ministres, ou par une guerre civile. Ainsi cet Etat a une raison de dissolution de plus qu'une monarchie.

Chaque prince de la famille royale ayant une égale capacité pour être élu, il arrive que celui qui monte sur le trône fait d'abord étrangler ses frères, comme en Turquie; ou les fait aveugler, comme en Perse; ou les rend fous, comme chez le Mogol : ou, si l'on ne prend point ces précautions, comme à Maroc, chaque vacance de trône est suivie d'une affreuse guerre civile.

Par les Constitutions de Moscovie [f], le czar peut choisir qui il veut pour son successeur, soit dans sa famille, soit hors de sa famille. Un tel établissement de succession cause mille révolutions, et rend le trône aussi chancelant que la succession est arbitraire. L'ordre de succession étant une des choses qu'il importe le plus au peuple de savoir, le meilleur est celui qui frappe le plus les yeux, comme la naissance, et un certain ordre de naissance. Une telle disposition arrête les brigues, étouffe l'ambition; on ne captive plus l'esprit d'un prince faible, et l'on ne fait point parler les mourants.

Lorsque la succession est établie par une loi fondamentale, un seul prince est le successeur, et ses frères n'ont aucun droit réel ou apparent de lui disputer la couronne. On ne peut présumer ni faire valoir une volonté particulière du père. Il n'est donc pas plus question d'arrêter

e. *Recueil des voyages qui ont servi à l'établissement de la compagnie des Indes*, t. I. La loi de Pégu est moins cruelle; si l'on a des enfants, le roi ne succède qu'aux deux tiers. *Ibid.*, t. III, p. 1.

f. Voyez les différentes Constitutions, surtout celle de 1711.

ou de faire mourir le frère du roi, que quelque autre sujet que ce soit.

Mais, dans les Etats despotiques, où les frères du prince sont également ses esclaves et ses rivaux, la prudence veut que l'on s'assure de leurs personnes; surtout dans les pays mahométans, où la religion regarde la victoire ou le succès comme un jugement de Dieu; de sorte que personne n'y est souverain de droit, mais seulement de fait.

L'ambition est bien plus irritée dans des Etats où des princes du sang voient que, s'ils ne montent pas sur le trône, ils seront enfermés ou mis à mort, que parmi nous où les princes du sang jouissent d'une condition qui, si elle n'est pas si satisfaisante pour l'ambition, l'est peut-être plus pour les désirs modérés.

Les princes des Etats despotiques ont toujours abusé du mariage. Ils prennent ordinairement plusieurs femmes, surtout dans la partie du monde où le despotisme est, pour ainsi dire, naturalisé, qui est l'Asie. Ils en ont tant d'enfants, qu'ils ne peuvent guère avoir d'affection pour eux, ni ceux-ci pour leurs frères.

La famille régnante ressemble à l'Etat : elle est trop faible, et son chef est trop fort; elle paraît étendue, et elle se réduit à rien. Artaxerxès [g] fit mourir tous ses enfants, pour avoir conjuré contre lui. Il n'est pas vraisemblable que cinquante enfants conspirent contre leur père; et encore moins qu'ils conspirent, parce qu'il n'a pas voulu céder sa concubine à son fils aîné. Il est plus simple de croire qu'il y a là quelque intrigue de ces sérails d'Orient; de ces lieux où l'artifice, la méchanceté, la ruse règnent dans le silence, et se couvrent d'une épaisse nuit; où un vieux prince, devenu tous les jours plus imbécile, est le premier prisonnier du palais.

Après tout ce que nous venons de dire, il semblerait que la nature humaine se soulèverait sans cesse contre le gouvernement despotique. Mais, malgré l'amour des hommes pour la liberté, malgré leur haine contre la violence, la plupart des peuples y sont soumis. Cela est aisé à comprendre. Pour former un gouvernement modéré, il faut combiner les puissances, les régler, les tempérer, les faire agir; donner, pour ainsi dire, un lest à l'une, pour la mettre en état de résister à une autre; c'est un chef-d'œuvre de législation, que le hasard fait rarement, et que rarement on laisse faire à la prudence. Un gouvernement

g. Voyez Justin.

despotique, au contraire, saute, pour ainsi dire, aux yeux; il est uniforme partout : comme il ne faut que des passions pour l'établir, tout le monde est bon pour cela.

Chapitre XV

Continuation du même sujet.

Dans les climats chauds, où règne ordinairement le despotisme, les passions se font plutôt sentir, et elles sont aussi plutôt amorties [a]; l'esprit y est plus avancé; les périls de la dissipation des biens y sont moins grands; il y a moins de facilité de se distinguer, moins de commerce entre les jeunes gens renfermés dans la maison; on s'y marie de meilleure heure : On y peut donc être majeur plutôt que dans nos climat d'Europe. En Turquie, la majorité commence à quinze ans [b].

La cession de biens n'y peut avoir lieu; dans un gouvernement où personne n'a de fortune assurée, on prête plus à la personne qu'aux biens.

Elle entre naturellement dans les gouvernements modérés [c], et surtout dans les républiques; à cause de la plus grande confiance que l'on doit avoir dans la probité des citoyens, et de la douceur que doit inspirer une forme de gouvernement que chacun semble s'être donnée lui-même.

Si, dans la république romaine, les législateurs avaient établi la cession de biens [d], on ne serait pas tombé dans tant de séditions et de discordes civiles, et on n'aurait point essuyé les dangers des maux, ni les périls des remèdes.

La pauvreté et l'incertitude des fortunes, dans les Etats despotiques, y naturalisent l'usure; chacun augmentant le prix de son argent à proportion du péril qu'il y a à le prêter. La misère vient donc de toutes parts dans

a. Voyez le livre *Des lois*, dans le rapport avec la nature du climat.

b. La Guilletière, *Lacédémone ancienne et nouvelle*, p. 463.

c. Il en est de même des atermoiements, dans les banqueroutes de bonne foi.

d. Elle ne fut établie que par la loi Julie, *De cessione bonorum*. On évitait la prison, et la section ignominieuse des biens.

ces pays malheureux; tout y est ôté, jusqu'à la ressource des emprunts.

Il arrive de là qu'un marchand n'y saurait faire un grand commerce; il vit au jour la journée; s'il se chargeait de beaucoup de marchandises, il perdrait plus par les intérêts qu'il donnerait pour les payer, qu'il ne gagnerait sur les marchandises. Aussi les lois sur le commerce n'y ont-elles guère de lieu; elles se réduisent à la simple police.

Le gouvernement ne saurait être injuste, sans avoir des mains qui exercent ses injustices : or, il est impossible que ces mains ne s'emploient pour elles-mêmes. Le péculat est donc naturel dans les Etats despotiques.

Ce crime y étant le crime ordinaire, les confiscations sont utiles. Par là on console le peuple; l'argent qu'on en tire est un tribut considérable, que le prince lèverait difficilement sur des sujets abîmés : il n'y a même, dans ce pays, aucune famille qu'on veuille conserver.

Dans les Etats modérés, c'est tout autre chose. Les confiscations rendraient la propriété des biens incertaine; elles dépouilleraient des enfants innocents; elles détruiraient une famille, lorsqu'il ne s'agirait que de punir un coupable. Dans les républiques, elles feraient le mal d'ôter l'égalité qui en fait l'âme, en privant un citoyen de son nécessaire physique [e].

Une loi romaine veut [f] qu'on ne confisque que dans le cas du crime de lèse-majesté au premier chef. Il serait souvent très sage de suivre l'esprit de cette loi, et de borner les confiscations à de certains crimes. Dans les pays où une coutume locale a disposé des *propres*, Bodin [g] dit très bien qu'il ne faudrait confisquer que les *acquêts*.

CHAPITRE XVI

De la communication du pouvoir.

Dans le gouvernement despotique, le *pouvoir* passe tout entier dans les mains de celui à qui on le confie. Le

e. Il me semble qu'on aimait trop les confiscations dans la république d'Athènes.

f. Authent. Bona damnatorum. Cod. *De bon. proscript. seu damn.*

g. Liv. V, chap. III.

vizir est le despote lui-même; et chaque officier particulier est le vizir. Dans le gouvernement monarchique, le pouvoir s'applique moins immédiatement; le monarque, en le donnant, le tempère [a]. Il fait une telle distribution de son autorité, qu'il n'en donne jamais une partie, qu'il n'en retienne une plus grande.

Ainsi, dans les Etats monarchiques, les gouverneurs particuliers des villes ne relèvent pas tellement du gouverneur de la province, qu'ils ne relèvent du prince encore davantage; et les officiers particuliers des corps militaires ne dépendant pas tellement du général, qu'ils ne dépendent du prince encore plus.

Dans la plupart des Etats monarchiques, on a sagement établi, que ceux qui ont un commandement un peu étendu ne soient attachés à aucun corps de milice; de sorte que, n'ayant de commandement que par une volonté particulière du prince, pouvant être employés et ne l'être pas, ils sont, en quelque façon, dans le service, et, en quelque façon, dehors.

Ceci est incompatible avec le gouvernement despotique. Car, si ceux qui n'ont pas un emploi actuel avaient néanmoins des prérogatives et des titres, il y aurait dans l'Etat des hommes grands par eux-mêmes; ce qui choquerait la nature de ce gouvernement.

Que si le gouverneur d'une ville était indépendant du bacha, il faudrait tous les jours des tempéraments pour les accommoder; chose absurde dans un gouvernement despotique. Et, de plus, le gouverneur particulier pouvant ne pas obéir, comment l'autre pourrait-il répondre de sa province sur sa tête ?

Dans ce gouvernement, l'autorité ne peut être balancée; celle du moindre magistrat ne l'est pas plus que celle du despote. Dans les pays modérés, la loi est partout sage, elle est partout connue, et les plus petits magistrats peuvent la suivre. Mais, dans le despotisme, où la loi n'est que la volonté du prince, quand le prince serait sage, comment un magistrat pourrait-il suivre une volonté qu'il ne connaît pas ? Il faut qu'il suive la sienne.

Il y a plus : c'est que la loi n'étant que ce que le prince veut, et le prince ne pouvant vouloir que ce qu'il connaît, il faut bien qu'il y ait une infinité de gens qui veuillent pour lui et comme lui.

a. *Ut esse Phœbi dulcius lumen solet*
Jamjam cadentis...

Enfin, la loi étant la volonté momentanée du prince, il est nécessaire que ceux qui veulent pour lui veuillent subitement comme lui.

Chapitre XVII

Des présents.

C'est un usage, dans les pays despotiques, que l'on n'aborde qui que ce soit au-dessus de soi, sans lui faire un présent, pas même les rois. L'empereur du Mogol [a] ne reçoit point les requêtes de ses sujets, qu'il n'en ait reçu quelque chose. Ces princes vont jusqu'à corrompre leurs propres grâces.

Cela doit être ainsi dans un gouvernement où personne n'est citoyen; dans un gouvernement où l'on est plein de l'idée que le supérieur ne doit rien à l'inférieur; dans un gouvernement où les hommes ne se croient liés que par les châtiments que les uns exercent sur les autres; dans un gouvernement où il y a peu d'affaires, et où il est rare que l'on ait besoin de se présenter devant un grand, de lui faire des demandes, et encore moins des plaintes.

Dans une république, les présents sont une chose odieuse, parce que la vertu n'en a pas besoin. Dans une monarchie, l'honneur est un motif plus fort que les présents. Mais, dans l'Etat despotique, où il n'y a ni honneur ni vertu, on ne peut être déterminé à agir que par l'espérance des commodités de la vie.

C'est dans les idées de la république, que Platon [b] voulait que ceux qui reçoivent des présents pour faire leur devoir, fussent punis de mort. *Il n'en faut prendre*, disait-il, *ni pour les choses bonnes, ni pour les mauvaises.*

C'était une mauvaise loi que cette loi romaine [c] qui permettait aux magistrats de prendre de petits présents [d], pourvu qu'ils ne passassent pas cent écus dans toute l'année. Ceux à qui on ne donne rien ne désirent rien; ceux à qui on donne un peu désirent bientôt un peu plus,

a. *Recueil des voyages qui ont servi à l'établissement de la compagnie des Indes*, t. I, p. 80.
b. Liv. XII *Des lois.*
c. *Leg.* 6, § 2, *Dig. ad leg. Jul. rep.*
d. *Munuscula.*

et ensuite beaucoup. D'ailleurs, il est plus aisé de convaincre celui qui, ne devant rien prendre, prend quelque chose, que celui qui prend plus, lorsqu'il devrait prendre moins; et qui trouve toujours, pour cela, des prétextes, des excuses, des causes et des raisons plausibles.

CHAPITRE XVIII

Des récompenses que le souverain donne.

Dans les gouvernements despotiques, où, comme nous avons dit, on n'est déterminé à agir que par l'espérance des commodités de la vie, le prince qui récompense n'a que de l'argent à donner. Dans une monarchie, où l'honneur règne seul, le prince ne récompenserait que par des distinctions, si les distinctions que l'honneur établit n'étaient jointes à un luxe qui donne nécessairement des besoins : le prince y récompense donc par des honneurs qui mènent à la fortune. Mais, dans une république, où la vertu règne, motif qui se suffit à lui-même, et qui exclut tous les autres, l'Etat ne récompense que par des témoignages de cette vertu.

C'est une règle générale, que les grandes récompenses, dans une monarchie et dans une république, sont un signe de leur décadence; parce qu'elles prouvent que leurs principes sont corrompus; que, d'un côté, l'idée de l'honneur n'y a plus tant de force; que, de l'autre, la qualité de citoyen s'est affaiblie.

Les plus mauvais empereurs romains ont été ceux qui ont le plus donné; par exemple, Caligula, Claude, Néron, Othon, Vitellius, Commode, Héliogabale, et Caracalla. Les meilleurs, comme Auguste, Vespasien, Antonin Pie, Marc Aurèle, et Pertinax, ont été économes. Sous les bons empereurs, l'Etat reprenait ses principes : le trésor de l'honneur suppléait aux autres trésors.

CHAPITRE XIX

Nouvelles conséquences des principes des trois gouvernements.

Je ne puis me résoudre à finir ce livre, sans faire encore quelques applications de mes trois principes.

Première question. Les lois doivent-elles forcer un citoyen à accepter les emplois publics ? Je dis qu'elles le doivent dans le gouvernement républicain, et non pas dans le monarchique. Dans le premier, les magistratures sont des témoignages de vertu, des dépôts que la patrie confie à un citoyen, qui ne doit vivre, agir et penser que pour elle : il ne peut donc pas les refuser [a]. Dans le second, les magistratures sont des témoignages d'honneur : or, telle est la bizarrerie de l'honneur, qu'il se plaît à n'en accepter aucun que quand il veut, et de la manière qu'il veut.

Le feu roi de Sardaigne [b] punissait ceux qui refusaient les dignités et les emplois de son Etat ; il suivait, sans le savoir, des idées républicaines. Sa manière de gouverner d'ailleurs prouve assez que ce n'était pas là son intention.

Seconde question. Est-ce une bonne maxime, qu'un citoyen puisse être obligé d'accepter, dans l'armée, une place inférieure à celle qu'il a occupée ? On voyait souvent, chez les Romains, le capitaine servir l'année d'après sous son lieutenant [c]. C'est que, dans les républiques, la vertu demande qu'on fasse à l'Etat un sacrifice continuel de soi-même et de ses répugnances. Mais, dans les monarchies, l'honneur vrai ou faux ne peut souffrir ce qu'il appelle se dégrader.

Dans les gouvernements despotiques, où l'on abuse également de l'honneur, des postes et des rangs, on fait

a. PLATON, dans sa *République*, liv. VIII, met ces refus au nombre des marques de la corruption de la répubique. Dans ses *Lois*, liv. VI, il veut qu'on les punisse par une amende. A Venise, on les punit par l'exil.

b. Victor-Amédée.

c. Quelques centurions ayant appelé au peuple, pour demander l'emploi qu'ils avaient eu : *Il est juste, mes compagnons*, dit un centurion, *que vous regardiez comme honorables tous les postes où vous défendrez la république*. Tite-Live, liv. XLII.

indifféremment d'un prince un goujat, et d'un goujat un prince.

Troisième question. Mettra-t-on sur une même tête les emplois civils et militaires ? Il faut les unir dans la république, et les séparer dans la monarchie. Dans les républiques, il serait bien dangereux de faire, de la profession des armes, un état particulier, distingué de celui qui a les fonctions civiles; et, dans les monarchies, il n'y aurait pas moins de péril à donner les deux fonctions à la même personne.

On ne prend les armes, dans la république, qu'en qualité de défenseur des lois et de la patrie; c'est parce que l'on est citoyen, qu'on se fait, pour un temps, soldat. S'il y avait deux états distingués, on ferait sentir à celui qui, sous les armes, se croit citoyen, qu'il n'est que soldat.

Dans les monarchies, les gens de guerre n'ont pour objet que la gloire, ou du moins l'honneur, ou la fortune. On doit bien se garder de donner les emplois civils à des hommes pareils : il faut, au contraire, qu'ils soient contenus par les magistrats civils; et que les mêmes gens n'aient pas, en même temps, la confiance du peuple, et la force pour en abuser [d].

Voyez, dans une nation où la république se cache sous la forme de la monarchie, combien l'on craint un Etat particulier de gens de guerre; et comment le guerrier reste toujours citoyen, ou même magistrat; afin que ces qualités soient un gage pour la patrie, et qu'on ne l'oublie jamais.

Cette division de magistratures en civiles et militaires, faite par les Romains après la perte de la république, ne fut pas une chose arbitraire. Elle fut une suite du changement de la constitution de Rome : elle était de la nature du gouvernement monarchique. Et ce qui ne fut que commencé sous Auguste [e], les empereurs suivants [f] furent obligés de l'achever, pour tempérer le gouvernement militaire.

Ainsi Procope, concurrent de Valens à l'empire, n'y entendait rien, lorsque, donnant à Hormisdas, prince

*d. Ne imperium ad optimos nobilium transferretur, senatum militia vetuit Gallienus; etiam adire excercitum**. Aurelius VICTOR, *De viris illustrib.*

e. Auguste ôta aux sénateurs, proconsuls et gouverneurs, le droit de porter les armes. Dion, liv. XXXIII.

f. Constantin. Voyez *Zozime*, liv. II.

du sang royal de Perse, la dignité de proconsul [g], il rendit à cette magistrature le commandement des armées qu'elle avait autrefois; à moins qu'il n'eût des raisons particulières. Un homme qui aspire à la souveraineté cherche moins ce qui est utile à l'Etat, que ce qui l'est à sa cause.

Quatrième question. Convient-il que les charges soient vénales ? Elles ne doivent pas l'être dans les Etats despotiques, où il faut que les sujets soient placés ou déplacés dans un instant par le prince.

Cette vénalité est bonne dans les Etats monarchiques; parce qu'elle fait faire, comme un métier de famille, ce qu'on ne voudrait pas entreprendre pour la vertu; qu'elle destine chacun à son devoir, et rend les ordres de l'Etat plus permanents. Suidas [h] dit très bien qu'Anastase avait fait de l'empire une espèce d'aristocratie, en vendant toutes les magistratures.

Platon [i] ne peut souffrir cette vénalité. « C'est, dit-il, comme si, dans un navire, on faisait quelqu'un pilote ou matelot pour son argent. Serait-il possible que la règle fût mauvaise dans quelque autre emploi que ce fût de la vie, et bonne seulement pour conduire une république ? » Mais Platon parle d'une république fondée sur la vertu, et nous parlons d'une monarchie. Or, dans une monarchie où, quand les charges ne se vendraient pas par un règlement public, l'indigence et l'avidité des courtisans les vendraient tout de même; le hasard donnera de meilleurs sujets que le choix du prince. Enfin, la manière de s'avancer par les richesses inspire et entretient l'industrie [k]; chose dont cette espèce de gouvernement a grand besoin.

Cinquième question. Dans quel gouvernement faut-il des censeurs ? Il en faut dans une république, où le principe du gouvernement est la vertu. Ce ne sont pas seulement les crimes qui détruisent la vertu; mais encore les négligences, les fautes, une certaines tiédeur dans l'amour de la patrie, des exemples dangereux, des semences de corruption; ce qui ne choque point les lois, mais les élude; ce qui ne les détruit pas, mais les affaiblit : tout cela doit être corrigé par les censeurs.

On est étonné de la punition de cet aréopagite qui

g. Ammian Marcellin, liv. XXVI. *More veterum et bella recturo.*
h. Fragments tirés des *Ambassades* de Constantin Porphyrogénète.
i. *République*, liv. VIII.
k. Paresse de l'Espagne; on y donne tous les emplois.

avait tué un moineau qui, poursuivi par un épervier, s'était réfugié dans son sein. On est surpris que l'aréopage ait fait mourir un enfant qui avait crevé les yeux à son oiseau. Qu'on fasse attention qu'il ne s'agit point là d'une condamnation pour crime, mais d'un jugement de mœurs dans une république fondée sur les mœurs.

Dans les monarchies, il ne faut point de censeurs : elles sont fondées sur l'honneur, et la nature de l'honneur est d'avoir pour censeur tout l'univers. Tout homme qui y manque est soumis aux reproches de ceux mêmes qui n'en ont point.

Là, les censeurs seraient gâtés par ceux mêmes qu'ils devraient corriger. Ils ne seraient pas bons contre la corruption d'une monarchie; mais la corruption d'une monarchie serait trop forte contre eux.

On sent bien qu'il ne faut point de censeurs dans les gouvernements despotiques. L'exemple de la Chine semble déroger à cette règle : mais nous verrons, dans la suite de cet ouvrage, les raisons singulières de cet établissement.

LIVRE VI

CONSÉQUENCES DES PRINCIPES DES DIVERS GOUVERNEMENTS, PAR RAPPORT A LA SIMPLICITÉ DES LOIS CIVILES ET CRIMINELLES, LA FORME DES JUGEMENTS, L'ÉTABLISSEMENT DES PEINES.

Chapitre premier

De la simplicité des lois civiles, dans les divers gouvernements.

Le gouvernement monarchique ne comporte pas des lois aussi simples que le despotique. Il y faut des tribunaux. Ces tribunaux donnent des décisions. Elles doivent être conservées; elles doivent être apprises, pour que l'on y juge aujourd'hui comme l'on y jugea hier, et que la propriété et la vie des citoyens y soient assurées et fixes comme la Constitution même de l'Etat.

Dans une monarchie, l'administration d'une justice qui ne décide pas seulement de la vie et des biens, mais aussi de l'honneur, demande des recherches scrupuleuses. La délicatesse du juge augmente à mesure qu'il a un plus grand dépôt, et qu'il prononce sur de plus grands intérêts.

Il ne faut donc pas être étonné de trouver, dans les lois de ces Etats, tant de règles, de restrictions, d'extensions, qui multiplient les cas particuliers, et semblent faire un art de la raison même.

La différence de rang, d'origine, de condition, qui est établie dans le gouvernement monarchique, entraîne souvent des distinctions dans la nature des biens; et des lois relatives à la constitution de cet Etat peuvent augmenter le nombre de ces distinctions. Ainsi, parmi nous, les biens sont propres, acquêts, ou conquêts; dotaux, paraphernaux; paternels, et maternels; meubles de plusieurs espèces; libres, substitués; du lignage, ou non; nobles, en franc-alleu, ou roturiers; rentes foncières, ou constituées à prix d'argent. Chaque sorte de biens est soumise à des règles particulières; il faut les suivre, pour en disposer : ce qui ôte encore de la simplicité.

Dans nos gouvernements, les fiefs sont devenus héréditaires. Il a fallu que la noblesse eût une certaine consistance, afin que le propriétaire du fief fût en état de servir le prince. Cela a dû produire bien des variétés : par exemple, il y a des pays où l'on n'a pu partager les fiefs entre les frères; dans d'autres, les cadets ont pu avoir leur subsistance avec plus d'étendue.

Le monarque, qui connaît chacune de ses provinces, peut établir diverses lois, ou souffrir différentes coutumes. Mais le despote ne connaît rien, et ne peut avoir d'attention sur rien; il lui faut une allure générale; il gouverne par une volonté rigide, qui est partout la même; tout s'aplanit sous ses pieds.

À mesure que les jugements des tribunaux se multiplient dans les monarchies, la jurisprudence se charge de décisions, qui quelquefois se contredisent; ou parce que les juges, qui se succèdent, pensent différemment; ou parce que les affaires sont tantôt bien, tantôt mal défendues; ou enfin par une infinité d'abus qui se glissent dans tout ce qui passe par la main des hommes. C'est un mal nécessaire, que le législateur corrige de temps en temps, comme contraire même à l'esprit des gouvernements modérés. Car, quand on est obligé de recourir aux tribunaux, il faut que cela vienne de la nature de la Constitution, et non pas des contradictions et de l'incertitude des lois.

Dans les gouvernements où il y a nécessairement des distinctions dans les personnes, il faut qu'il y ait des privilèges. Cela diminue encore la simplicité, et fait mille exceptions.

Un des privilèges le moins à charge à la société, et surtout à celui qui le donne, c'est de plaider devant un tribunal, plutôt que devant un autre. Voilà de nouvelles affaires; c'est-à-dire, celles où il s'agit de savoir devant quel tribunal il faut plaider.

Les peuples des États despotiques sont dans un cas bien différent. Je ne sais sur quoi, dans ces pays, le législateur pourrait statuer, ou le magistrat juger. Il suit, de ce que les terres appartiennent au prince, qu'il n'y a presque point de lois civiles sur la propriété des terres. Il suit, du droit que le souverain a de succéder, qu'il n'y en a pas non plus sur les successions. Le négoce exclusif qu'il fait, dans quelques pays, rend inutiles toutes sortes de lois sur le commerce. Les mariages que l'on y contracte avec des filles esclaves, font qu'il n'y a guère de lois civiles sur les dots et sur les avantages des femmes. Il résulte encore, de cette prodigieuse multitude d'esclaves, qu'il n'y a presque point de gens qui aient une volonté propre, et qui, par conséquent, doivent répondre de leur conduite devant un juge. La plupart des actions morales, qui ne sont que les volontés du père, du mari, du maître, se règlent par eux, et non par les magistrats.

J'oubliais de dire que ce que nous appelons l'honneur, étant à peine connu dans ces Etats, toutes les affaires qui regardent cet honneur, qui est un si grand chapitre parmi nous, n'y ont point de lieu. Le despotisme se suffit à lui-même; tout est vide autour de lui. Aussi, lorsque les voyageurs nous décrivent les pays où il règne, rarement nous parlent-ils de lois civiles [a].

Toutes les occasions de dispute et de procès y sont donc ôtées. C'est ce qui fait, en partie, qu'on y maltraite si fort les plaideurs : l'injustice de leur demande paraît à découvert, n'étant pas cachée, palliée, ou protégée par une infinité de lois.

Chapitre II

De la simplicité des lois criminelles, dans les divers gouvernements.

On entend dire sans cesse qu'il faudrait que la justice fût rendue partout comme en Turquie. Il n'y aura donc que les plus ignorants de tous les peuples qui auront vu clair dans la chose du monde qu'il importe le plus au hommes de savoir ?

Si vous examinez les formalités de la justice, par rapport à la peine qu'a un citoyen à se faire rendre son bien, ou à obtenir satisfaction de quelque outrage, vous en trouverez

a. Au Mazulipatan, on n'a pu découvrir qu'il y eût de loi écrite. Voyez le *Recueil des voyages qui ont servi à l'établissement de la compagnie des Indes*, t. IV, part. I, p. 391. Les Indiens ne se règlent, dans les jugements, que sur de certaines coutumes. Le *védan*, et autres livres pareils, ne contiennent point de lois civiles, mais des préceptes religieux. Voyez *Lettres édif.*, quatorzième recueil.

sans doute trop : Si vous les regardez dans le rapport qu'elles ont avec la liberté et la sûreté des citoyens, vous en trouverez souvent trop peu; et vous verrez que les peines, les dépenses, les longueurs, les dangers même de la justice, sont le prix que chaque citoyen donne pour sa liberté.

En Turquie, où l'on fait très peu d'attention à la fortune, à la vie, à l'honneur des sujets, on termine promptement, d'une façon ou d'une autre, toutes les disputes. La manière de les finir est indifférente, pourvu qu'on finisse. Le bacha, d'abord éclairci, fait distribuer, à sa fantaisie, des coups de bâton sur la plante des pieds des plaideurs, et les renvoie chez eux.

Et il serait bien dangereux que l'on y eût les passions des plaideurs : elles supposent un désir ardent de se faire rendre justice, une haine, une action dans l'esprit, une constance à poursuivre. Tout cela doit être évité dans un gouvernement où il ne faut avoir d'autre sentiment que la crainte, et où tout mène tout à coup, et sans qu'on le puisse prévoir, à des révolutions. Chacun doit connaître qu'il ne faut point que le magistrat entende parler de lui, et qu'il ne tient sa sûreté que de son anéantissement.

Mais, dans les Etats modérés, où la tête du moindre citoyen est considérable, on ne lui ôte son honneur et ses biens qu'après un long examen : on ne le prive de la vie que lorsque la patrie elle-même l'attaque; et elle ne l'attaque qu'en lui laissant tous les moyens possibles de la défendre.

Aussi, lorsqu'un homme se rend plus absolu [a], songe-t-il d'abord à simplifier les lois. On commence, dans cet Etat, à être plus frappé des inconvénients particuliers, que de la liberté des sujets, dont on ne se soucie point du tout.

On voit que, dans les républiques, il faut pour le moins autant de formalités que dans les monarchies. Dans l'un et dans l'autre gouvernement, elles augmentent en raison du cas que l'on y fait de l'honneur, de la fortune, de la vie, de la liberté des citoyens.

Les hommes sont tous égaux dans le gouvernement républicain; ils sont égaux dans le gouvernement despotique : dans le premier, c'est parce qu'ils sont tout; dans le second, c'est parce qu'ils ne sont rien.

a. César, Cromwell, et tant d'autres.

CHAPITRE III

Dans quels gouvernements, et dans quels cas on doit juger selon un texte précis de la loi.

Plus le gouvernement approche de la république, plus la manière de juger devient fixe; et c'était un vice de la république de Lacédémone, que les *éphores* jugeassent arbitrairement, sans qu'il y eût des lois pour les diriger. A Rome, les premiers consuls jugèrent comme les éphores : on en sentit les inconvénients, et l'on fit des lois précises.

Dans les Etats despotiques, il n'y a point de lois : le juge est lui-même la règle. Dans les Etats monarchiques, il y a une loi; et, là où elle est précise, le juge la suit; là où elle ne l'est pas, il en cherche l'esprit. Dans le gouvernement républicain, il est de la nature de la constitution, que les juges suivent la lettre de la loi. Il n'y a point de citoyen contre qui on puisse interpréter une loi, quand il s'agit de ses biens, de son honneur, ou de sa vie.

A Rome, les juges prononçaient seulement que l'accusé était coupable d'un certain crime; et la peine se trouvait dans la loi, comme on le voit dans diverses lois qui furent faites. De même, en Angleterre, les jurés décident si l'accusé est coupable ou non du fait qui a été porté devant eux; et, s'il est déclaré coupable, le juge prononce la peine que la loi inflige pour ce fait : et, pour cela, il ne lui faut que des yeux.

CHAPITRE IV

De la manière de former les jugements.

De là suivent les différentes manières de former les jugements. Dans les monarchies, les juges prennent la manière des arbitres; ils délibèrent ensemble, ils se communiquent leurs pensées, ils se concilient; on modifie son avis, pour le rendre conforme à celui d'un autre; les avis les moins nombreux sont rappelés aux deux plus grands. Cela n'est point de la nature de la république. À Rome, et dans les villes grecques, les juges ne se communiquaient point : chacun donnait son avis d'une de ces trois manières; *J'absous, je condamne, il ne me paraît pas*[a] : c'est que le peuple jugeait, ou était censé juger. Mais le peuple n'est pas jurisconsulte; toutes ces modifications et tempéraments des arbitres ne sont pas pour lui; il faut lui présenter un seul objet, un fait, et un seul fait; et qu'il n'ait qu'à voir s'il doit condamner, absoudre, ou remettre le jugement.

Les Romains, à l'exemple des Grecs, introduisirent des formules d'actions[b], et établirent la nécessité de diriger chaque affaire par l'action qui lui était propre. Cela était nécessaire dans leur manière de juger : il fallait fixer l'état de la question, pour que le peuple l'eût toujours devant les yeux. Autrement, dans le cours d'une grande affaire, cet état de la question changerait continuellement, et on ne le reconnaîtrait plus.

De là, il suivait que les juges, chez les Romains, n'accordaient que la demande précise, sans rien augmenter, diminuer, ni modifier. Mais les *prêteurs* imaginèrent d'autres formules d'actions, qu'on appela *de bonne foi*[c], où la manière de prononcer était plus dans la disposition du juge. Ceci était plus conforme à l'esprit de la monarchie. Aussi les jurisconsultes français disent-ils : *En France*[d], *toutes les actions sont de bonne foi.*

a. *Non liquet.*
b. *Quas actiones ne populus, prout vellet, institueret, certas solemnesque esse voluerunt*, leg. 2, § 6, Digest. de orig. jur.
c. Dans lesquelles on mettait ces mots : *ex bona fide.*
d. On y condamne aux dépens celui-là même à qui on demande plus qu'il ne doit, s'il n'a offert et consigné ce qu'il doit.

Chapitre V

Dans quels gouvernements le souverain peut être juge.

Machiavel[a] attribue la perte de la liberté de Florence à ce que le peuple ne jugeait pas en corps, comme à Rome, des crimes de lèse-majesté commis contre lui.

a. *Discours sur la première décade de Tite-Live*, liv. I, chap. VII.

Il y avait, pour cela, huit juges établis : *Mais*, dit Machiavel, *peu sont corrompus par peu.* J'adopterais bien la maxime de ce grand homme : mais, comme dans ces cas, l'intérêt politique force, pour ainsi dire, l'intérêt civil (car c'est toujours un inconvénient, que le peuple juge lui-même ses offenses); il faut, pour y remédier, que les lois pourvoient, autant qu'il est en elles, à la sûreté des particuliers.

Dans cette idée, les législateurs de Rome firent deux choses : ils permirent aux accusés de s'exiler [b] avant le jugement [c]; et ils voulurent que les biens des condamnés fussent consacrés, pour que le peuple n'en eût pas la confiscation. On verra, dans le livre XI, les autres limitations que l'on mit à la puissance que le peuple avait de juger.

Solon sut bien prévenir l'abus que le peuple pourrait faire de sa puissance dans le jugement des crimes : il voulut que l'aréopage revît l'affaire; que, s'il croyait l'accusé injustement absous [d], il l'accusât de nouveau devant le peuple; que, s'il le croyait injustement condamné [e], il arrêtât l'exécution, et lui fît rejuger l'affaire : Loi admirable, qui soumettait le peuple à la censure de la magistrature qu'il respectait le plus, et à la sienne même!

Il sera bon de mettre quelque lenteur dans des affaires pareilles, surtout du moment que l'accusé sera prisonnier; afin que le peuple puisse se calmer, et juger de sang froid.

Dans les Etats despotiques, le prince peut juger lui-même. Il ne le peut dans les monarchies : la constitution serait détruite; les pouvoirs intermédiaires dépendants, anéantis; on verrait cesser toutes les formalités des jugements; la crainte s'emparerait de tous les esprits; on verrait la pâleur sur tous les visages; plus de confiance, plus d'honneur, plus d'amour, plus de sûreté, plus de monarchie.

Voici d'autres réflexions. Dans les Etats monarchiques, le prince est la partie qui poursuit les accusés, et les fait

b. Cela est bien expliqué dans l'oraison de Cicéron, *pro Cœcinna*, à la fin.

c. C'était une loi d'Athènes, comme il paraît par Démosthène. Socrate refusa de s'en servir.

d. DÉMOSTHÈNE, *Sur la Couronne*, p. 494, édition de Francfort, de l'an 1604.

e. Voyez PHILOSTRATE, *Vie des sophistes*, liv. I, *Vie d'Æschines.*

punir ou absoudre : s'il jugeait lui-même, il serait le juge et la partie.

Dans ces mêmes Etats, le prince a souvent les confiscations : s'il jugeait les crimes, il serait encore le juge et la partie.

De plus : il perdrait le plus bel attribut de sa souveraineté, qui est celui de faire grâce [f]. Il serait insensé qu'il fît et défît ses jugements : il ne voudrait pas être en contradiction avec lui-même.

Outre que cela confondrait toutes les idées; on ne saurait si un homme serait absous, ou s'il recevrait sa grâce.

Lorsque Louis XIII voulut être juge dans le procès du duc de la Valette [g], et qu'il appela, pour cela, dans son cabinet quelques officiers du parlement et quelques conseillers d'Etat; le roi les ayant forcés d'opiner sur le décret de prise de corps, le président de Bélièvre dit : « Qu'il voyait, dans cette affaire, une chose étrange; un prince opiner au procès d'un de ses sujets : Que les rois ne s'étaient réservé que les grâces, et qu'ils renvoyaient les condamnations vers leurs officiers. Et votre majesté voudrait bien voir sur la sellette un homme devant elle, qui, par son jugement, irait dans une heure à la mort! Que la face du prince, qui porte les grâces, ne peut soutenir cela; que sa vue seule levait les interdits des églises; qu'on ne devait sortir que content de devant le prince. » Lorsqu'on jugea le fonds, le même président dit, dans son avis : « Cela est un jugement sans exemple, voire contre tous les exemples du passé jusqu'à huy, qu'un roi de France ait condamné en qualité de juge, par son avis, un gentilhomme à mort [h]. »

Les jugements rendus par le prince seraient une source intarissable d'injustices et d'abus; les courtisans extorqueraient, par leur importunité, ses jugements. Quelques empereurs romains eurent la fureur de juger; nuls règnes n'étonnèrent plus l'univers par leurs injustices.

« Claude, dit Tacite [i], ayant attiré à lui le jugement des affaires et les fonctions des magistrats, donna occa-

f. Platon ne pense pas que les rois, qui sont, *dit-il*, prêtres, puissent assister au jugement où l'on condamne à la mort, à l'exil, à la prison.

g. Voyez la relation du procès fait à M. le duc de la Valette. Elle est imprimée dans les *Mémoires* de Montrésor, t. II, p. 62.

h. Cela fut changé dans la suite. Voyez la même relation.

i. *Annal.*, liv. XI.

sion à toutes sortes de rapines. » Aussi Néron parvenant à l'empire après Claude, voulant se concilier les esprits, déclara-t-il : « Qu'il se garderait bien d'être le juge de toutes les affaires; pour que les accusateurs et les accusés, dans les murs d'un palais, ne fussent pas exposés à l'inique pouvoir de quelques affranchis [k]. »

Sous le règne d'Arcadius, dit Zozime [l], « la nation des calomniateurs se répandit, entoura la cour, et l'infecta. Lorsqu'un homme était mort, on supposait qu'il n'avait point laissé d'enfants [m]; on donnait ses biens par un rescript. Car, comme le prince était étrangement stupide, et l'impératrice entreprenante à l'excès, elle servait l'insatiable avarice de ses domestiques et de ses confidentes; de sorte que, pour les gens modérés, il n'y avait rien de plus désirable que la mort ».

« Il y avait autrefois, dit Procope [n], fort peu de gens à la cour : mais, sous Justinien, comme les juges n'avaient plus la liberté de rendre justice, leurs tribunaux étaient déserts, tandis que le palais du prince retentissait des clameurs des parties qui y sollicitaient leurs affaires. » Tout le monde sait comment on y vendait les jugements, et même les lois.

Les lois sont les yeux du prince; il voit par elles ce qu'il ne pourrait pas voir sans elles. Veut-il faire la fonction des tribunaux ? il travaille non pas pour lui, mais pour ses séducteurs contre lui.

CHAPITRE VI

Que, dans la monarchie, les ministres ne doivent pas juger.

C'est encore un grand inconvénient, dans la monarchie, que les ministres du prince jugent eux-mêmes les affaires contentieuses. Nous voyons encore aujourd'hui des Etats où il y a des juges sans nombre, pour décider les affaires fiscales, et où les ministres, qui le croirait! veulent encore les juger. Les réflexions viennent en foule : je ne ferai que celle-ci.

k. Annal., liv. XIII.
l. *Hist.*, liv. V.
m. Même désordre sous Théodose le Jeune.
n. *Histoire secrète*.

Il y a, par la nature des choses, une espèce de contradiction entre le conseil du monarque et ses tribunaux. Le conseil des rois doit être composé de peu de personnes; et les tribunaux de judicature en demandent beaucoup. La raison en est que, dans le premier, on doit prendre les affaires avec une certaine passion, et les suivre de même; ce qu'on ne peut guère espérer que de quatre ou cinq hommes qui en font leur affaire. Il faut, au contraire, des tribunaux de judicature de sang-froid, et à qui toutes les affaires soient, en quelque façon, indifférentes.

Chapitre VII

Du magistrat unique.

Un tel magistrat ne peut avoir lieu que dans le gouvernement despotique. On voit, dans l'histoire romaine, à quel point un juge unique peut abuser de son pouvoir. Comment Appius, sur son tribunal, n'aurait-il pas méprisé les lois, puisqu'il viola même celle qu'il avait faite [a] ? Tite Live nous apprend l'inique distinction du décemvir. Il avait aposté un homme qui réclamait, devant lui, Virginie comme son esclave; les parents de Virginie lui demandèrent, qu'en vertu de sa loi, on la leur remît jusqu'au jugement définitif. Il déclara que sa loi n'avait été faite qu'en faveur du père; et que, Virginius étant absent, elle ne pouvait avoir d'application [b].

a. Voyez la loi II, § 24, ff. *de orig. jur.*
b. Quod pater puellæ abesset, locum, injuriæ esse ratus. Tite-Live, *Décade*, I. liv. III.

Chapitre VIII

Des accusations, dans les divers gouvernements.

A Rome [a], il était permis à un citoyen d'en accuser un autre. Cela était établi selon l'esprit de la république, où chaque citoyen doit avoir, pour le bien public, un zèle

a. Et dans bien d'autres cités.

sans bornes, où chaque citoyen est censé tenir tous les droits de la patrie dans ses mains. On suivit, sous les empereurs, les maximes de la république; et d'abord on vit paraître un genre d'hommes funestes, une troupe de délateurs. Quiconque avait bien des vices et bien des talents, une âme bien basse et un esprit ambitieux, cherchait un criminel, dont la condamnation pût plaire au prince : c'était la voie pour aller aux honneurs et à la fortune [b], chose que nous ne voyons point parmi nous.

Nous avons aujourd'hui une loi admirable; c'est celle qui veut que le prince, établi pour faire exécuter les lois, prépose un officier dans chaque tribunal, pour poursuivre en son nom tous les crimes : de sorte que la fonction des délateurs est inconnue parmi nous. Et, si ce vengeur public était soupçonné d'abuser de son ministère, on l'obligerait de nommer son dénonciateur.

Dans les lois de Platon [c], ceux qui négligent d'avertir les magistrats, ou de leur donner du secours, doivent être punis. Cela ne conviendrait point aujourd'hui. La partie publique veille pour les citoyens; elle agit, et ils sont tranquilles.

Chapitre IX

De la sévérité des peines, dans les divers gouvernements.

La sévérité des peines convient mieux au gouvernement despotique, dont le principe est la terreur, qu'à la monarchie et à la république, qui ont pour ressort l'honneur et la vertu.

Dans les Etats modérés, l'amour de la patrie, la honte et la crainte du blâme, sont des motifs réprimants, qui peuvent arrêter bien des crimes. La plus grande peine d'une mauvaise action sera d'en être convaincu. Les lois civiles y corrigeront donc plus aisément, et n'auront pas besoin de tant de force.

Dans ces Etats, un bon législateur s'attachera moins à punir les crimes, qu'à les prévenir; il s'appliquera plus à donner des mœurs, qu'à infliger des supplices.

b. Voyez, dans Tacite, les récompenses accordées à ces délateurs.
c. Liv. IX.

C'est une remarque perpétuelle des auteurs chinois [a], que plus, dans leur empire, on voyait augmenter les supplices, plus la révolution était prochaine. C'est qu'on augmentait les supplices, à mesure qu'on manquait de mœurs.

Il serait aisé de prouver que, dans tous ou presque tous les Etats d'Europe, les peines ont diminué ou augmenté, à mesure qu'on s'est plus approché ou plus éloigné de la liberté.

Dans les pays despotiques, on est si malheureux, que l'on y craint plus la mort, qu'on ne regrette la vie; les supplices y doivent donc être plus rigoureux. Dans les Etats modérés, on craint plus de perdre la vie, qu'on ne redoute la mort en elle-même; les supplices qui ôtent simplement la vie y sont donc suffisants.

Les hommes extrêmement heureux, et les hommes extrêmement malheureux, sont également portés à la dureté; témoins les moines et les conquérants. Il n'y a que la médiocrité et le mélange de la bonne et de la mauvaise fortune, qui donnent de la douceur et de la pitié.

Ce que l'on voit dans les hommes en particulier, se trouve dans les diverses nations. Chez les peuples sauvages, qui mènent une vie très dure, et chez les peuples des gouvernements despotiques, où il n'y a qu'un homme exorbitamment favorisé de la fortune, tandis que tout le reste en est outragé, on est également cruel. La douceur règne dans les gouvernements modérés.

Lorsque nous lisons, dans les histoires, les exemples de la justice atroce des sultans, nous sentons, avec une espèce de douleur, les maux de la nature humaine.

Dans les gouvernements modérés, tout, pour un bon législateur, peut servir à former des peines. N'est-il pas bien extraordinaire qu'à Sparte, une des principales fût de ne pouvoir prêter sa femme à un autre, ni recevoir celle d'un autre, de n'être jamais dans sa maison qu'avec des vierges ? En un mot, tout ce que la loi appelle une peine est effectivement une peine.

a. Je ferai voir, dans la suite, que la Chine, à cet égard, est dans le cas d'une république, ou d'une monarchie.

CHAPITRE X

Des anciennes lois françaises.

C'est bien dans les anciennes lois françaises que l'on trouve l'esprit de la monarchie. Dans les cas où il s'agit de peines pécuniaires, les non-nobles sont moins punis que les nobles [a]. C'est tout le contraire dans les crimes [b] : le noble perd l'honneur et réponse en cour; pendant que le vilain, qui n'a point d'honneur, est puni en son corps.

a. Si comme pour briser un arrêt, les non-nobles doivent une amende de quarante sous, et les nobles de soixante livres. Somme rurale, liv. II, p. 198, édit. got. de l'an 1512; et Beaumanoir, chap. 61, p. 309.
b. Voyez le *Conseil* de Pierre Défontaines, chap. XIII, surtout l'art. 22.

CHAPITRE XI

Que, lorsqu'un peuple est vertueux, il faut peu de peines.

Le peuple romain avait de la probité. Cette probité eut tant de force, que souvent le législateur n'eut besoin que de lui montrer le bien, pour le lui faire suivre. Il semblait, qu'au lieu d'ordonnances, il suffisait de lui donner des conseils.

Les peines des lois royales, et celles des lois des douze tables, furent presque toutes ôtées dans la république, soit par une suite de la loi Valérienne [a], soit par une conséquence de la loi Porcie [b]. On ne remarqua pas que la république en fût plus mal réglée, et il n'en résulta aucune lésion de police.

Cette loi Valérienne, qui défendait aux magistrats toute voie de fait contre un citoyen qui avait appelé au

a. Elle fut faite par Valerius Publicola, bientôt après l'expulsion des rois : elle fut renouvelée deux fois, toujours par des magistrats de la même famille, comme le dit Tite Live, liv. X. Il n'était pas question de lui donner plus de force, mais d'en perfectionner les disproportions. *Diligentius sanctum*, dit Tite-Live, *ibid.*
b. Lex Porcia pro tergo civium lata. Elle fut faite en 454 de la fondation de Rome.

peuple, n'infligeait à celui qui y contreviendrait que la peine d'être réputé méchant [c].

c. *Nihil ultra quam improbe factum adjecit,* Tite-Live.

CHAPITRE XII
De la puissance des peines.

L'expérience a fait remarquer que, dans les pays où les peines sont douces, l'esprit du citoyen en est frappé, comme il l'est ailleurs par les grandes.

Quelque inconvénient se fait-il sentir dans un Etat ? un gouvernement violent veut soudain le corriger; et, au lieu de songer à faire exécuter les anciennes lois, on établit une peine cruelle qui arrête le mal sur-le-champ. Mais on use le ressort du gouvernement; l'imagination se fait à cette grande peine, comme elle s'était faite à la moindre; et, comme on diminue la crainte pour celle-ci, l'on est bientôt forcé d'établir l'autre dans tous les cas. Les vols sur les grands chemins étaient communs dans quelques Etats; on voulut les arrêter : on inventa le supplice de la roue, qui les suspendit pendant quelque temps. Depuis ce temps, on a volé, comme auparavant, sur les grands chemins.

De nos jours, la désertion fut très fréquente; on établit la peine de mort contre les déserteurs, et la désertion n'est pas diminuée. La raison en est bien naturelle : un soldat, accoutumé tous les jours à exposer sa vie, en méprise, ou se flatte d'en mépriser le danger. Il est tous les jours accoutumé à craindre la honte : il fallait donc laisser une peine [a] qui faisait porter une flétrissure pendant la vie. On a prétendu augmenter la peine, et on l'a réellement diminuée.

Il ne faut point mener les hommes par les voies extrêmes; on doit être ménager des moyens que la nature nous donne pour les conduire. Qu'on examine la cause de tous les relâchements; on verra qu'elle vient de l'impunité des crimes, et non pas de la modération des peines.

Suivons la nature, qui a donné aux hommes la honte

a. On fendait le nez, on coupait les oreilles.

comme leur fléau; et que la plus grande partie de la peine soit l'infamie de la souffrir.

Que s'il se trouve des pays où la honte ne soit pas une suite du supplice, cela vient de la tyrannie, qui a infligé les mêmes peines aux scélérats et aux gens de bien.

Et si vous en voyez d'autres où les hommes ne sont retenus que par des supplices cruels, comptez encore que cela vient, en grande partie, de la violence du gouvernement, qui a employé ces supplices pour des fautes légères.

Souvent un législateur qui veut corriger un mal, ne songe qu'à cette correction; ses yeux sont ouverts sur cet objet, et fermés sur les inconvénients. Lorsque le mal est une fois corrigé, on ne voit plus que la dureté du législateur; mais il reste un vice dans l'Etat, que cette dureté a produit : les esprits sont corrompus, ils se sont accoutumés au despotisme.

Lysandre [b] ayant remporté la victoire sur les Athéniens, on jugea les prisonniers; on accusa les Athéniens d'avoir précipité tous les captifs de deux galères, et résolu en pleine assemblée de couper le poing aux prisonniers qu'ils feraient. Ils furent tous égorgés, excepté Adymante, qui s'était opposé à ce décret. Lysandre reprocha à Philoclès, avant de le faire mourir, qu'il avait dépravé les esprits, et fait des leçons de cruauté à toute la Grèce.

« Les Argiens, dit Plutarque [c], ayant fait mourir quinze cents de leurs citoyens, les Athéniens firent apporter les sacrifices d'expiation, afin qu'il plût aux dieux de détourner, du cœur des Athéniens, une si cruelle pensée. »

Il y a deux genres de corruption : l'un, lorsque le peuple n'observe point les lois; l'autre, lorsqu'il est corrompu par les lois : mal incurable, parce qu'il est dans le remède même.

CHAPITRE XIII

Impuissance des lois japonaises.

Les peines outrées peuvent corrompre le despotisme même. Jettons les yeux sur le Japon.

b. XÉNOPHON, *Hist.*, liv. II.
c. *Œuvres morales*, De ceux qui manient les affaires d'Etat.

On y punit de mort presque tous les crimes [a], parce que la désobéissance à un si grand empereur que celui du Japon, est un crime énorme. Il n'est pas question de corriger le coupable, mais de venger le prince. Ces idées sont tirées de la servitude; et viennent surtout de ce que l'empereur, étant propriétaire de tous les biens, presque tous les crimes se font directement contre ses intérêts.

On punit de mort les mensonges qui se font devant les magistrats [b]; chose contraire à la défense naturelle.

Ce qui n'a point l'apparence d'un crime, est là sévèrement puni : par exemple, un homme qui hasarde de l'argent au jeu est puni de mort.

Il est vrai que le caractère étonnant de ce peuple opiniâtre, capricieux, déterminé, bizarre, et qui brave tous les périls et tous les malheurs, semble, à la première vue, absoudre ses législateurs de l'atrocité de leurs lois. Mais, des gens qui naturellement méprisent la mort, et qui s'ouvrent le ventre pour la moindre fantaisie, sont-ils corrigés ou arrêtés par la vue continuelle des supplices ? et ne s'y familiarisent-ils pas ?

Les relations nous disent, au sujet de l'éducation des Japonais, qu'il faut traiter les enfants avec douceur, parce qu'ils s'obstinent contre les peines; que les esclaves ne doivent point être trop rudement traités, parce qu'ils se mettent d'abord en défense. Par l'esprit qui doit régner dans le gouvernement domestique, n'aurait-on pas pu juger de celui qu'on devait porter dans le gouvernement politique et civil ?

Un législateur sage aurait cherché à ramener les esprits par un juste tempérament des peines et des récompenses; par des maximes de philosophie, de morale et de religion, assorties à ces caractères; par la juste application des règles de l'honneur; par le supplice de la honte; par la jouissance d'un bonheur constant, et d'une douce tranquillité. Et, s'il avait craint que les esprits, accoutumés à n'être arrêtés que par une peine cruelle, ne pussent plus l'être par une plus douce, il aurait agi [c] d'une manière sourde et insensible; il aurait, dans les cas particuliers les plus graciables, modéré la peine du crime, jusqu'à ce qu'il eût pu parvenir à la modifier dans tous les cas.

a. Voyez Kempfer.

b. Recueil des voyages qui ont servi à l'établissement de la compagnie des Indes, t. III, part. II, p. 428.

c. Remarquez bien ceci, comme une maxime de pratique, dans les cas où les esprits ont été gâtés par des peines trop rigoureuses.

Mais le despotisme ne connaît point ces ressorts; il ne mène pas par ces voies. Il peut abuser de lui; mais c'est tout ce qu'il peut faire. Au Japon, il a fait un effort; il est devenu plus cruel que lui-même.

Des âmes partout effarouchées et rendues plus atroces, n'ont pu être conduites que par une atrocité plus grande.

Voilà l'origine, voilà l'esprit des lois du Japon. Mais elles ont eu plus de fureur que de force. Elles ont réussi à détruire le christianisme : mais des efforts si inouïs sont une preuve de leur impuissance. Elles ont voulu établir une bonne police, et leur faiblesse a paru encore mieux.

Il faut lire la relation de l'entrevue de l'empereur et du deyro à Meaco [d]. Le nombre de ceux qui y furent étouffés, ou tués par des garnements, fut incroyable : on enleva les jeunes filles et les garçons; on les retrouvait tous les jours exposés dans des lieux publics, à des heures indues, tous nus, cousus dans des sacs de toile, afin qu'ils ne connussent pas les lieux par où ils avaient passé; on vola tout ce qu'on voulut; on fendit le ventre à des chevaux, pour faire tomber ceux qui les montaient; on renversa des voitures, pour dépouiller les dames. Les Hollandais, à qui l'on dit qu'ils ne pouvaient passer la nuit sur des échafauds, sans être assassinés, en descendirent, etc.

Je passerai vite sur un autre trait. L'empereur adonné à des plaisirs infâmes, ne se mariait point : il courait risque de mourir sans successeur. Le deyro lui envoya deux filles très belles : il en épousa une par respect, mais il n'eut aucun commerce avec elle. Sa nourrice fit chercher les plus belles femmes de l'empire. Tout était inutile. La fille d'un armurier étonna son goût [e]; il se détermina, il en eut un fils. Les dames de la cour, indignées de ce qu'il leur avait préféré une personne d'une si basse naissance, étouffèrent l'enfant. Ce crime fut caché à l'empereur; il aurait versé un torrent de sang. L'atrocité des lois en empêche donc l'exécution. Lorsque la peine est sans mesure, on est souvent obligé de lui préférer l'impunité.

d. Recueil des voyages qui ont servi à l'établissement de la compagnie des Indes, t. V, part. II.
e. Ibid.

CHAPITRE XIV

De l'esprit du sénat de Rome.

Sous le consulat d'Acilius Glabrio et de Pison, on fit la loi *Acilia* [a] pour arrêter les brigues. Dion [b] dit que le sénat engagea les consuls à la proposer, parce que le tribun C. Cornelius avait résolu de faire établir des peines terribles contre ce crime, à quoi le peuple était fort porté. Le sénat pensait que des peines immodérées jetteraient bien la terreur dans les esprits; mais qu'elles auraient cet effet, qu'on ne trouverait plus personne pour accuser, ni pour condamner : au lieu qu'en proposant des peines modiques, on aurait des juges et des accusateurs.

a. Les coupables étaient condamnés à une amende; ils ne pouvaient plus être admis dans l'ordre des sénateurs, et nommés à aucune magistrature, Dion, liv. XXXVI.
b. Ibid.

CHAPITRE XV

Des lois des Romains, à l'égard des peines.

Je me trouve fort dans mes maximes, lorsque j'ai pour moi les Romains; et je crois que les peines tiennent à la nature du gouvernement, lorsque je vois ce grand peuple changer, à cet égard, de lois civiles, à mesure qu'il changeait de lois politiques.

Les lois *royales*, faites pour un peuple composé de fugitifs, d'esclaves et de brigands, furent très sévères. L'esprit de la république aurait demandé que les décemvirs n'eussent pas mis ces lois dans leurs douze tables : mais des gens qui aspiraient à la tyrannie n'avaient garde de suivre l'esprit de la république.

Tite-Live [a] dit, sur le supplice de Metius Suffetius, dictateur d'Albe, qui fut condamné par Tullus Hostilius à être tiré par deux chariots, que ce fut le premier et le dernier supplice où l'on témoigna avoir perdu la mémoire

a. Liv. I.

de l'humanité. Il se trompe : la loi des douze tables est pleine de dispositions très cruelles [b].

Celles qui découvrent le mieux le dessein des décemvirs est la peine capitale prononcée contre les auteurs des libelles et les poètes. Cela n'est guère du génie de la république, où le peuple aime à voir les grands humiliés. Mais des gens qui voulaient renverser la liberté craignaient des écrits qui pouvaient rappeler l'esprit de la liberté [c].

Après l'expulsion des décemvirs, presque toutes les lois qui avaient fixé les peines furent ôtées. On ne les abrogea pas expressément : mais la loi Porcia ayant défendu de mettre à mort un citoyen romain, elles n'eurent plus d'application.

Voilà le temps auquel on peut rappeler ce que Tite-Live [d] dit des Romains, que jamais peuple n'a plus aimé la modération des peines.

Que si l'on ajoute à la douceur des peines le droit qu'avait un accusé de se retirer avant le jugement, on verra bien que les Romains avaient suivi cet esprit que j'ai dit être naturel à la république.

Sylla, qui confondit la tyrannie, l'anarchie et la liberté, fit les lois Cornéliennes. Il sembla ne faire des règlements que pour établir des crimes. Ainsi, qualifiant une infinité d'actions du nom de meurtre, il trouva partout des meurtriers; et, par une pratique qui ne fut que trop suivie, il tendit des pièges, sema des épines, ouvrit des abîmes sur le chemin de tous les citoyens.

Presque toutes les lois de Sylla ne portaient que l'interdiction de l'eau et du feu. César y ajouta la confiscation des biens [e]; parce que les riches gardant dans l'exil leur patrimoine, ils étaient plus hardis à commettre des crimes.

Les empereurs ayant établi un gouvernement militaire, ils sentirent bientôt qu'il n'était pas moins terrible contre eux que contre les sujets; ils cherchèrent à le tempérer : ils crurent avoir besoin des dignités, et du respect qu'on avait pour elles.

On s'approcha un peu de la monarchie, et l'on divisa

b. On y trouve le supplice du feu, des peines presque toujours capitales, le vol puni de mort, etc.

c. Sylla, animé du même esprit que les décemvirs, augmenta, comme eux, les peines contre les écrivains satiriques.

d. Liv. I.

e. *Pœnas facinorum auxit, cum locupletes eo facilius scelere se obligarent, quod integris patrimoniis exularent.* SUÉTONE, *in Julio Cæsare.*

les peines en trois classes [f] : celles qui regardaient les premières personnes de l'Etat [g], et qui étaient assez douces; celles qu'on infligeait aux personnes d'un rang [h] inférieur, et qui étaient plus sévères; enfin, celles qui ne concernaient que les conditions basses [i], et qui furent les plus rigoureuses.

Le féroce et insensé Maximin irrita, pour ainsi dire, le gouvernement militaire, qu'il aurait fallu adoucir. Le sénat apprenait, dit Capitolin [k], que les uns avaient été mis en croix, les autres exposés aux bêtes, ou enfermés dans des peaux de bêtes récemment tuées, sans aucun égard pour les dignités. Il semblait vouloir exercer la discipline militaire, sur le modèle de laquelle il prétendait régler les affaires civiles.

On trouvera, dans les *Considérations sur la grandeur des Romains et leur décadence*, comment Constantin changea le despotisme militaire en un despotisme militaire et civil, et s'approcha de la monarchie. On y peut suivre les diverses révolutions de cet Etat; et voir comment on y passa de la rigueur à l'indolence, et de l'indolence à l'impunité.

f. Voyez la loi 3, § *Legis ad leg. Cornell, de sicariis;* et un très grand nombre d'autres, au digeste et au code.
g. *Sublimiores*.
h. *Medios*.
i. *Infimos*. Leg. 3, § *Legis ad leg. Cornell, de sicariis*.
k. Jul. CAP., *Maximini duo*.

CHAPITRE XVI

De la juste proportion des peines avec le crime.

Il est essentiel que les peines aient de l'harmonie entre elles; parce qu'il est essentiel que l'on évite plutôt un grand crime qu'un moindre; ce qui attaque plus la société, que ce qui la choque moins.

« Un imposteur [a], qui se disait Conflatin Ducas, suscita un grand soulèvement à Constantinople. Il fut pris, et condamné au fouet : mais, ayant accusé des personnes considérables, il fut condamné, comme calomniateur, à

a. *Hist*. de Nicéphore, patriarche de Constantinople.

être brûlé. » Il est singulier qu'on eût ainsi proportionné les peines entre le crime de lèse-majesté et celui de calomnie.

Cela fait souvenir d'un mot de Charles II, roi d'Angleterre. Il vit, en passant, un homme au pilori : Il demanda pourquoi il était là. *Sire*, lui dit-on, *c'est parce qu'il a fait des libelles contre vos ministres. Le grand sot !* dit le roi : *que ne les écrivait-il contre moi? on ne lui aurait rien fait.*

« Soixante-dix personnes conspirèrent contre l'empereur Basile [b] : il les fit fustiger; on leur brûla les cheveux et le poil. Un cerf l'ayant pris avec son bois par la ceinture, quelqu'un de sa suite tira son épée, coupa sa ceinture, et le délivra : il lui fit trancher la tête; parce qu'il avait, *disait-il*, tiré l'épée contre lui. » Qui pourrait penser que, sous le même prince, on eût rendu ces deux jugements ?

C'est un grand mal, parmi nous, de faire subir la même peine à celui qui vole sur un grand chemin, et à celui qui vole et assassine. Il est visible que, pour la sûreté publique, il faudrait mettre quelque différence dans la peine.

A la Chine, les voleurs cruels sont coupés en morceaux [c], les autres non : cette différence fait que l'on y vole, mais que l'on n'y assassine pas.

En Moscovie, où la peine des voleurs et celle des assassins sont les mêmes, on assassine [d] toujours. Les morts, y dit-on, ne racontent rien.

Quand il n'y a point de différence dans la peine, il faut en mettre dans l'espérance de la grâce. En Angleterre, on n'assassine point; parce que les voleurs peuvent espérer d'être transportés dans les colonies, non pas les assassins.

C'est un grand ressort des gouvernements modérés, que les lettres de grâce. Ce pouvoir que le prince a de pardonner, exécuté avec sagesse, peut avoir d'admirables effets. Le principe du gouvernement despotique, qui ne pardonne pas, et à qui on ne pardonne jamais, le prive de ces avantages.

b. Hist. de Nicéphore.
c. Père du Halde, t. I, p. 6.
d. Etat présent de la grande Russie, par Perry.

CHAPITRE XVII

De la torture ou question contre les criminels.

Parce que les hommes sont méchants, la loi est obligée de les supposer meilleurs qu'ils ne sont. Ainsi la déposition de deux témoins suffit dans la punition de tous les crimes. La loi les croit, comme s'ils parlaient par la bouche de la vérité. L'on juge aussi que tout enfant conçu pendant le mariage est légitime : la loi a confiance en la mère, comme si elle était la pudicité même. Mais la *question* contre les criminels n'est pas dans un cas forcé comme ceux-ci. Nous voyons aujourd'hui une nation [a] très bien policée la rejeter sans inconvénient. Elle n'est donc pas nécessaire par sa nature [b].

Tant d'habiles gens et tant de beaux génies ont écrit contre cette pratique, que je n'ose parler après eux. J'allais dire qu'elle pourrait convenir dans les gouvernements despotiques, où tout ce qui inspire la crainte entre plus dans les ressorts du gouvernement : j'allais dire que les esclaves, chez les Grecs et chez les Romains... Mais j'entends la voix de la nature qui crie contre moi.

CHAPITRE XVIII

Des peines pécuniaires, et des peines corporelles.

Nos pères les Germains n'admettaient guère que des peines pécuniaires. Ces hommes guerriers et libres estimaient que leur sang ne devait être versé que les armes à

a. La nation anglaise.

b. Les citoyens d'Athènes ne pouvaient être mis à la question (Lysias, *Orat. in Argorat.)*, excepté dans le crime de lèse-majesté. On donnait la question trente jours après la condamnation. (Curius Fortunatus, *Rethor. schol.* liv. II.) Il n'y avait pas de question préparatoire. Quant aux Romains, la loi 3 et 4 *ad leg. Juliam majest.* fait voir que la naissance, la dignité, la profession de la milice, garantissaient de la question, si ce n'est dans le cas de crime de lèse-majesté. Voyez les sages restrictions que les lois des Wisigoths mettaient à cette pratique.

la main. Les Japonais [a], au contraire, rejettent ces sortes de peines, sous prétexte que les gens riches éluderaient la punition. Mais les gens riches ne craignent-ils pas de perdre leurs biens ? les peines pécuniaires ne peuvent-elles pas se proportionner aux fortunes ? Et enfin, ne peut-on pas joindre l'infamie à ces peines ?

Un bon législateur prend un juste milieu : il n'ordonne pas toujours des peines pécuniaires; il n'inflige pas toujours des peines corporelles.

a. Voyez Kempfer.

Chapitre XIX

De la loi du talion.

Les Etats despotiques, qui aiment les lois simples, usent beaucoup de la *loi du talion* [a] : les Etats modérés la reçoivent quelquefois. Mais il y a cette différence, que les premiers la font exercer rigoureusement, et que les autres lui donnent presque toujours des tempéraments.

La loi des douze tables en admettait deux : elle ne condamnait au talion que lorsqu'on n'avait pu apaiser celui qui se plaignait [b]. On pouvait, après la condamnation, payer les dommages et intérêts [c], et la peine corporelle se convertissait en peine pécuniaire [d].

a. Elle est établie dans l'Alcoran. Voyez le chapitre *De la vache.*
b. *Si membrum rupit, ni cùm eo pacit, talio esto.* Aulu Gelle, liv. XX, chap. I.
c. *Ibid.*
d. Voyez aussi la loi des Wisigoths, liv. VI, tit. 4, § 3 et 5.

Chapitre XX

De la punition des pères pour leurs enfants.

On punit à la Chine les pères pour les fautes de leurs enfants. C'était l'usage du Pérou [a]. Ceci est encore tiré des idées despotiques.

a. Voyez Garcilasso, *Histoire des guerres civiles des Espagnols.*

On a beau dire qu'on punit à la Chine le père, pour n'avoir pas fait usage de ce pouvoir paternel que la nature a établi, et que les lois mêmes y ont augmenté : cela suppose toujours qu'il n'y a point d'honneur chez les Chinois. Parmi nous, les pères dont les enfants sont condamnés au supplice, et les enfants [b] dont les pères ont subi le même sort, sont aussi punis par la honte, qu'ils le seraient à la Chine par la perte de la vie.

Chapitre XXI

De la clémence du prince.

La clémence est la qualité distinctive des monarques. Dans la république, où l'on a pour principe la vertu, elle est moins nécessaire. Dans l'Etat despotique, où règne la crainte, elle est moins en usage; parce qu'il faut contenir les grands de l'Etat par des exemples de sévérité. Dans les monarchies, où l'on est gouverné par l'honneur, qui souvent exige ce que la loi défend, elle est plus nécessaire. La disgrâce y est un équivalent à la peine : les formalités mêmes des jugements y sont des punitions. C'est là que la honte vient de tous côtés, pour former des genres particuliers de peines.

Les grands y sont si fort punis par la disgrâce, par la perte souvent imaginaire de leur fortune, de leur crédit, de leurs habitudes, de leurs plaisirs, que la rigueur, à leur égard, est inutile : elle ne peut servir qu'à ôter aux sujets l'amour qu'ils ont pour la personne du prince, et le respect qu'ils doivent avoir pour les places.

Comme l'instabilité des grands est de la nature du gouvernement despotique, leur sûreté entre dans la nature de la monarchie.

Les monarques ont tant à gagner par la clémence, elle est suivie de tant d'amour, ils en tirent tant de gloire, que c'est presque toujours un bonheur pour eux d'avoir l'occasion de l'exercer; et on le peut presque toujours dans nos contrées.

On leur disputera peut-être quelque branche de l'auto-

b. *Au lieu de les punir,* disait Platon, *il faut les louer de ne pas ressembler à leur père,* liv. IX, *Des lois.*

rité, presque jamais l'autorité entière; et, si quelquefois ils combattent pour la couronne, ils ne combattent point pour la vie.

Mais, dira-t-on, quand faut-il punir ? quand faut-il pardonner ? C'est une chose qui se fait mieux sentir, qu'elle ne peut se prescrire. Quand la clémence a des dangers, ces dangers sont très visibles. On la distingue aisément de cette faiblesse qui mène le prince au mépris, et à l'impuissance même de punir.

L'empereur Maurice [a] prit la résolution de ne verser jamais le sang de ses sujets. Anastase [b] ne punissait point les crimes. Isaac l'Ange jura que, de son règne, il ne ferait mourir personne. Les empereurs grecs avaient oublié que ce n'était pas en vain qu'ils portaient l'épée.

a. Evagre, *Hist.*
b. Fragm. de Suidas, dans Constant. Porphyrog.

LIVRE VII

CONSÉQUENCES DES DIFFÉRENTS PRINCIPES DES TROIS GOUVERNEMENTS, PAR RAPPORT AUX LOIS SOMPTUAIRES, AU LUXE, ET A LA CONDITION DES FEMMES.

CHAPITRE PREMIER

Du luxe.

Le luxe est toujours en proposition avec l'inégalité des fortunes. Si, dans un Etat, les richesses sont également partagées, il n'y aura point de luxe; car il n'est fondé que sur les commodités qu'on se donne par le travail des autres.

Pour que les richesses restent également partagées, il faut que la loi ne donne à chacun que le nécessaire physique. Si l'on a au-delà, les uns dépenseront, les autres acquerront, et l'inégalité s'établira.

Supposant le nécessaire physique égal à une somme donnée, le luxe de ceux qui n'auront que le nécessaire sera égal à zéro; celui qui aura le double aura un luxe égal à un; celui qui aura le double du bien de ce dernier aura un luxe égal à trois; quand on aura encore le double, on aura un luxe égal à sept : de sorte que le bien du particulier qui suit, étant toujours supposé double de celui du précédent, le luxe croîtra du double plus une unité, dans cette progression 0, 1, 3, 7, 15, 31, 63, 127.

Dans la république de Platon [a], le luxe aurait pu se calculer au juste. Il y avait quatre sortes de cens établis. Le premier était précisément le terme où finissait la pauvreté, le second était double, le troisième triple, le quatrième quadruple du premier. Dans le premier cens,

a. Le premier cens était le sort héréditaire en terre; et Platon ne voulait pas qu'on pût avoir, en autres effets, plus du triple du sort héréditaire. Voyez *Des lois,* liv. V.

le luxe était égal à zéro; il était égal à un dans le second, à deux dans le troisième, à trois dans le quatrième; et il suivait ainsi la proportion arithmétique.

En considérant le luxe des divers peuples, les uns à l'égard des autres, il est, dans chaque État, en raison composée de l'inégalité des fortunes qui est entre les citoyens, et de l'inégalité des richesses des divers Etats. En Pologne, par exemple, les fortunes sont d'une inégalité extrême; mais la pauvreté du total empêche qu'il n'y ait autant de luxe, que dans un Etat plus riche.

Le luxe est encore en proportion avec la grandeur des villes, et surtout de la capitale; en sorte qu'il est en raison composée des richesses de l'Etat, de l'inégalité des fortunes des particuliers, et du nombre d'hommes qu'on assemble dans de certains lieux.

Plus il y a d'hommes ensemble, plus ils sont vains, et sentent naître en eux l'envie de se signaler par de petites chose [b]. S'ils sont en si grand nombre, que la plupart soient inconnus les uns aux autres, l'envie de se distinguer redouble, parce qu'il y a plus d'espérance de réussir. Le luxe donne cette espérance; chacun prend les marques de la condition qui précède la sienne. Mais, à force de vouloir se distinguer, tout devient égal, et on ne se distingue plus : comme tout le monde veut se faire regarder, on ne remarque personne.

Il résulte de tout cela une incommodité générale. Ceux qui excellent dans une profession mettent à leur art le prix qu'ils veulent; les plus petits talents suivent cet exemple; il n'y a plus d'harmonie entre les besoins et les moyens. Lorsque je suis forcé de plaider, il est nécessaire que je puisse payer un avocat; lorsque je suis malade, il faut que je puisse avoir un médecin.

Quelques gens ont pensé qu'en assemblant tant de peuple dans une capitale, on diminuait le commerce; parce que les hommes ne sont plus à une certaine distance les uns des autres. Je ne le crois pas; on a plus de désirs, plus de besoins, plus de fantaisies, quand on est ensemble.

b. Dans une grande ville, dit l'auteur de la *Fable des abeilles*, t. I, p. 133, on s'habille au-dessus de sa qualité, pour être estimé plus qu'on n'est par la multitude. C'est un plaisir pour un esprit faible, presque aussi grand que celui de l'accomplissement de ses désirs.

CHAPITRE II

Des lois somptuaires, dans la démocratie.

Je viens de dire que, dans les républiques, où les richesses sont également partagées, il ne peut point y avoir de luxe : et, comme on a vu au livre cinquième [a] que cette égalité de distribution faisait l'excellence d'une république, il suit que, moins il y a de luxe dans une république, plus elle est parfaite. Il n'y en avait point chez les premiers Romains; il n'y en avait point chez les Lacédémoniens; et, dans les républiques où l'égalité n'est pas tout à fait perdue, l'esprit de commerce, de travail et de vertu, fait que chacun y peut et que chacun y veut vivre de son propre bien, et que, par conséquent, il y a peu de luxe.

Les lois du nouveau partage des champs, demandées avec tant d'instance dans quelques républiques, étaient salutaires par leur nature. Elles ne sont dangereuses que comme action subite. En ôtant tout à coup les richesses aux uns, et augmentant de même celles des autres, elles sont dans chaque famille une révolution, et en doivent produire une générale dans l'Etat.

A mesure que le luxe s'établit dans une république, l'esprit se tourne vers l'intérêt particulier. A des gens à qui il ne faut rien que le nécessaire, il ne reste à désirer que la gloire de la patrie et la sienne propre. Mais une âme corrompue par le luxe a bien d'autres désirs : bientôt elle devient ennemie des lois qui la gênent. Le luxe que la garnison de Rhège commença à connaître, fit qu'elle en égorgea les habitants.

Sitôt que les Romains furent corrompus, leurs désirs devinrent immenses. On en peut juger par le prix qu'ils mirent aux choses. Une cruche de vin de Falerne [b] se vendait cent deniers romains; un barril de chair salée du Pont en coûtait quatre cents; un bon cuisinier, quatre talents; les jeunes garçons n'avaient point de prix. Quand, par une impétuosité [c] générale, tout le monde se portait à la volupté, que devenait la vertu ?

a. Chap. III et IV.

b. Fragment du livre 365 de Diodore, rapporté par Const. PORPHYROG., *Extrait des vertus et des vices.*

c. *Cum maximus omnium impetus ad luxuriam esset,* ibid.

Chapitre III

Des lois somptuaires, dans l'aristocratie.

L'aristocratie mal constituée a ce malheur, que les nobles y ont les richesses, et que cependant ils ne doivent pas dépenser; le luxe, contraire à l'esprit de modération, en doit être banni. Il n'y a donc que des gens très pauvres qui ne peuvent pas recevoir, et des gens très riches qui ne peuvent pas dépenser.

À Venise, les lois forcent les nobles à la modestie. Ils se sont tellement accoutumés à l'épargne, qu'il n'y a que les courtisanes qui puissent leur faire donner de l'argent. On se sert de cette voie pour entretenir l'industrie : les femmes les plus méprisables y dépensent sans danger, pendant que leurs tributaires y mènent la vie du monde la plus obscure.

Les bonnes républiques grecques avaient, à cet égard, des institutions admirables. Les riches employaient leur argent en fêtes, en chœurs de musique, en chariots, en chevaux pour la course, en magistrature onéreuse. Les richesses y étaient aussi à charge que la pauvreté.

Chapitre IV

Des lois somptuaires, dans les monarchies.

« Les Suions, nation germanique, rendent honneur aux richesses, dit Tacite [a]; ce qui fait qu'ils vivent sous le gouvernement d'un seul. » Cela signifie bien que le luxe est singulièrement propre aux monarchies, et qu'il n'y faut point de lois somptuaires.

Comme, par la constitution des monarchies, les richesses y sont inégalement partagées, il faut bien qu'il y ait du luxe. Si les riches n'y dépensent pas beaucoup, les pauvres mourront de faim. Il faut même que les riches y dépensent à proportion de l'inégalité des fortunes; et

a. *De moribus Germanorum.*

que, comme nous avons dit, le luxe y augmente dans cette proportion. Les richesses particulières n'ont augmenté que parce qu'elles ont ôté à une partie des citoyens le nécessaire physique : il faut donc qu'il leur soit rendu.

Ainsi, pour que l'Etat monarchique se soutienne, le luxe doit aller en croissant, du laboureur à l'artisan, au négociant, aux nobles, aux magistrats, aux grands seigneurs, aux traitants principaux, aux princes; sans quoi, tout serait perdu.

Dans le sénat de Rome, composé de graves magistrats, de jurisconsultes, et d'hommes pleins de l'idée des premiers temps, on proposa, sous Auguste, la correction des mœurs et du luxe des femmes. Il est curieux de voir, dans Dion [b], avec quel art il éluda les demandes importunes de ces sénateurs. C'est qu'il fondait une monarchie, et dissolvait une république.

Sous Tibère, les édiles proposèrent, dans le sénat, le rétablissement des anciennes lois somptuaires [c]. Ce prince, qui avait des lumières, s'y opposa : « L'Etat ne pourrait subsister, disait-il, dans la situation où sont les choses. Comment Rome pourrait-elle vivre ? comment pourraient vivre les provinces ? Nous avions de la frugalité, lorsque nous étions citoyens d'une seule ville : aujourd'hui, nous consommons les richesses de tout l'univers; on fait travailler pour nous les maîtres et les esclaves. » Il voyait bien qu'il ne fallait plus de lois somptuaires.

Lorsque, sous le même empereur, on proposa au sénat de défendre aux gouverneurs de mener leurs femmes dans les provinces, à cause des dérèglements qu'elles y apportaient, cela fut rejeté. On dit *que les exemples de la dureté des anciens avaient été changés en une façon de vivre plus agréable* [d]. On sentit qu'il fallait d'autres mœurs.

Le luxe est donc nécessaire dans les Etats monarchiques : il l'est encore dans les Etats despotiques. Dans les premiers, c'est un usage que l'on fait de ce qu'on possède de liberté : Dans les autres, c'est un abus qu'on fait des avantages de sa servitude; lorsqu'un esclave, choisi par son maître pour tyranniser ses autres esclaves, incertain pour le lendemain de la fortune de chaque

b. Dion Cassius, liv. XIV.
c. TACITE, *Annal.*, liv. III.
d. *Multa duritiei veterum melius et lætius mutata.* TACIT., *Ann.*, liv. III.

jour, n'a d'autre félicité que celle d'assouvir l'orgueil, les désirs et les voluptés de chaque jour.

Tout ceci mène à une réflexion : Les républiques finissent par le luxe : les monarchies par la pauvreté [e].

e. Opulentia paritura mox egestatem, Florus, liv. III.

Chapitre V

Dans quels cas les lois somptuaires sont utiles dans une monarchie.

Ce fut dans l'esprit de la république, ou dans quelques cas particuliers, qu'au milieu du treizième siècle on fit en Aragon des lois somptuaires. Jacques Ier ordonna que le roi, ni aucun de ses sujets, ne pourraient manger plus de deux sortes de viandes à chaque repas, et que chacune ne serait préparée que d'une seule manière; à moins que ce ne fût du gibier qu'on eût tué soi-même [a].

On a fait aussi, de nos jours, en Suède, des lois somptuaires; mais elles ont un objet différent de celles d'Aragon.

Un Etat peut faire des lois somptuaires dans l'objet d'une frugalité absolue : c'est l'esprit des lois somptuaires des républiques; et la nature de la chose fait voir que ce fut l'objet de celles d'Aragon.

Les lois somptuaires peuvent avoir aussi pour objet une frugalité relative; lorsqu'un Etat, sentant que des marchandises étrangères d'un trop haut prix demanderaient une telle exportation des siennes, qu'il se priverait plus de ses besoins par celles-ci, qu'il n'en satisferait par celles-là, en défend absolument l'entrée : et c'est l'esprit des lois que l'on a faites de nos jours en Suède [b]. Ce sont les seules lois somptuaires qui conviennent aux monarchies.

En général, plus un Etat est pauvre, plus il est ruiné par son luxe relatif; et plus, par conséquent, il lui faut de lois somptuaires relatives. Plus un Etat est riche, plus

a. Constitution de Jacques Ier, de l'an 1234, art. 6, dans *Marca Hisp.*, p. 1429.

b. On y a défendu les vins exquis, et autres marchandises précieuses.

son luxe relatif l'enrichit; et il faut bien se garder d'y faire des lois somptuaires relatives. Nous expliquerons mieux ceci dans le livre sur le commerce [c]. Il n'est ici question que du luxe absolu.

c. Voyez, t. II, liv. XX, chap. xx.

CHAPITRE VI

Du luxe à la Chine.

Des raisons particulières demandent des lois somptuaires dans quelques Etats. Le peuple, par la force du climat, peut devenir si nombreux, et d'un autre côté les moyens de le faire subsister peuvent être si incertains, qu'il est bon de l'appliquer tout entier à la culture des terres. Dans ces Etats, le luxe est dangereux, et les lois somptuaires y doivent être rigoureuses. Ainsi, pour savoir s'il faut encourager le luxe ou le proscrire, on doit d'abord jeter les yeux sur le rapport qu'il y a entre le nombre du peuple, et la facilité de le faire vivre. En Angleterre, le sol produit beaucoup plus de grains qu'il ne faut pour nourrir ceux qui cultivent les terres, et ceux qui procurent les vêtements : il peut donc y avoir des arts frivoles, et par conséquent du luxe. En France, il croît assez de blé pour la nourriture des laboureurs, et de ceux qui sont employés aux manufactures : de plus, le commerce avec les étrangers peut rendre, pour des choses frivoles, tant de choses nécessaires, qu'on n'y doit guère craindre le luxe.

A la Chine, au contraire, les femmes sont si fécondes, et l'espèce humaine s'y multiplie à un tel point, que les terres, quelque cultivées qu'elles soient, suffisent à peine pour la nourriture des habitants. Le luxe y est donc pernicieux, et l'esprit de travail et d'économie y est aussi requis que dans quelques républiques que ce soit [a]. Il faut qu'on s'attache aux arts nécessaires, et qu'on fuie ceux de la volupté.

Voilà l'esprit des belles ordonnances des empereurs chinois. « Nos anciens, dit un empereur de la famille des

a. Le luxe y a toujours été arrêté.

Tang [b], tenaient pour maxime que, s'il y avait un homme qui ne labourât point, une femme qui ne s'occupât point à filer, quelqu'un souffrait le froid ou la faim dans l'empire »... Et, sur ce principe, il fit détruire une infinité de monastères de bonzes.

Le troisième empereur de la vingt et unième dynastie [c], à qui on apporta des pierres précieuses trouvées dans une mine, la fit fermer; ne voulant pas fatiguer son peuple à travailler pour une chose qui ne pouvait ni le nourrir ni le vêtir.

« Notre luxe est si grand, dit Kiayventi [d], que le peuple orne de broderies les souliers des jeunes garçons et des filles, qu'il est obligé de vendre. » Tant d'hommes étant occupés à faire des habits pour un seul, le moyen qu'il n'y ait bien des gens qui manquent d'habits ? Il y a dix hommes qui mangent le revenu des terres, contre un laboureur : le moyen qu'il n'y ait bien des gens qui manquent d'aliments ?

Chapitre VII

Fatale conséquence du luxe à la Chine.

On voit, dans l'histoire de la Chine, qu'elle a eu vingt-deux dynasties qui se sont succédé; c'est-à-dire, qu'elle a éprouvé vingt-deux révolutions générales, sans compter une infinité de particulières. Les trois premières dynasties durèrent assez longtemps, parce qu'elles furent sagement gouvernées, et que l'empire était moins étendu qu'il ne le fut depuis. Mais on peut dire, en général, que toutes ces dynasties commencèrent assez bien. La vertu, l'attention, la vigilance sont nécessaires à la Chine : elles y étaient dans le commencement des dynasties, et elles manquaient à la fin. En effet, il était naturel que des empereurs nourris dans les fatigues de la guerre, qui parvenaient à faire descendre du trône une famille noyée dans les délices, conservassent la vertu qu'ils avaient éprouvée si utile, et craignissent les voluptés qu'ils avaient vues si

b. Dans une ordonnance rapportée par le P. du Halde, t. II, p. 497.

c. Hist. de la Chine, vingt et unième dynastie, dans l'ouvrage du P. du Halde, t. I.

d. Dans un discours rapporté par le P. du Halde, t. II, p. 418.

funestes. Mais, après ces trois ou quatre premiers princes, la corruption, le luxe, l'oisiveté, les délices, s'emparent des successeurs; ils s'enferment dans le palais; leur esprit s'affaiblit, leur vie s'accourcit, la famille décline; les grands s'élèvent, les eunuques s'accréditent; on ne met sur le trône que des enfants; le palais devient ennemi de l'empire; un peuple oisif, qui l'habite, ruine celui qui travaille; l'empereur est tué ou détruit par un usurpateur, qui fonde une famille, dont le troisième ou quatrième successeur va, dans le même palais, se renfermer encore.

CHAPITRE VIII

De la continence publique.

Il y a tant d'imperfections attachées à la perte de la vertu dans les femmes, toute leur âme en est si fort dégradée, ce point principal ôté en fait tomber tant d'autres, que l'on peut regarder, dans un Etat populaire, l'incontinence publique comme le dernier des malheurs, et la certitude d'un changement dans la Constitution.

Aussi les bons législateurs y ont-ils exigé des femmes une certaine gravité de mœurs. Ils ont proscrit de leurs républiques non seulement le vice, mais l'apparence même du vice. Ils ont banni jusqu'à ce commerce de galanterie qui produit l'oisiveté, qui fait que les femmes corrompent avant même d'être corrompues, qui donne un prix à tous les riens, et rabaisse ce qui est important, et qui fait que l'on ne se conduit plus que sur les maximes du ridicule que les femmes entendent si bien à établir.

CHAPITRE IX

De la condition des femmes, dans les divers gouvernements.

Les femmes ont peu de retenue dans les monarchies; parce que la distinction des rangs les appellant à la cour, elles y vont prendre cet esprit de liberté, qui est, à peu près, le seul qu'on y tolère. Chacun se sert de leurs agréments et de leurs passions, pour avancer sa fortune; et, comme leur faiblesse ne leur permet pas l'orgueil, mais la vanité, le luxe y règne toujours avec elles.

Dans les Etats despotiques, les femmes n'introduisent point le luxe; mais elles sont elles-mêmes un objet du luxe. Elles doivent être extrêmement esclaves. Chacun suit l'esprit du gouvernement, et porte chez soi ce qu'il voit établi ailleurs. Comme les lois y sont sévères et exécutées sur-le-champ, on a peur que la liberté des femmes n'y fasse des affaires. Leurs brouilleries, leurs indiscrétions, leurs répugnances, leurs penchants, leurs jalousies, leurs piques, cet art qu'ont les petites âmes d'intéresser les grandes, n'y sauraient être sans conséquence.

De plus : comme, dans ces Etats, les princes se jouent de la nature humaine, ils ont plusieurs femmes; et mille considérations les obligent de les renfermer.

Dans les républiques, les femmes sont libres par les lois, et captivées par les mœurs; le luxe en est banni, et, avec lui, la corruption et les vices.

Dans les villes grecques, où l'on ne vivait pas sous cette religion qui établit que, chez les hommes même, la pureté des mœurs est une partie de la vertu; dans les villes grecques, où un vice aveugle régnait d'une manière effrénée; où l'amour n'avait qu'une forme que l'on n'ose dire, tandis que la seule amitié s'était retirée dans les mariages [a]; la vertu, la simplicité, la chasteté des femmes y étaient telles, qu'on n'a guère jamais vu de peuple qui ait eu, à cet égard, une meilleure police [b].

CHAPITRE X

Du tribunal domestique, chez les Romains.

Les Romains n'avaient pas, comme les Grecs, des magistrats particuliers qui eussent inspection sur la conduite des femmes. Les censeurs n'avaient l'œil sur

a. *Quant au vrai amour*, dit Plutarque, *les femmes n'y ont aucune part*. Œuvres morales, traité *de l'Amour*, p. 600. Il parlait comme son siècle. Voyez Xénophon, au dialogue intitulé, *Hieron*.

b. A Athènes, il y avait un magistrat particulier, qui veillait sur la conduite des femmes.

elles que comme sur le reste de la république. L'institution du tribunal domestique [a] suppléa à la magistrature établie chez les Grecs [b].

Le mari assemblait les parents de la femme, et la jugeait devant eux [c]. Ce tribunal maintenait les mœurs dans la république. Mais ces mêmes mœurs maintenaient ce tribunal. Il devait juger, non seulement de la violation des lois; mais aussi de la violation des mœurs. Or, pour juger de la violation des mœurs, il faut en avoir.

Les peines de ce tribunal devaient être arbitraires, et l'étaient en effet : car tout ce qui regarde les mœurs, tout ce qui regarde les règles de la modestie, ne peut guère être compris sous un code de lois. Il est aisé de régler, par des lois, ce qu'on doit aux autres; il est difficile d'y comprendre tout ce qu'on se doit à soi-même.

Le tribunal domestique regardait la conduite générale des femmes. Mais il y avait un crime qui, outre l'animadversion de ce tribunal, était encore soumis à une accusation publique : c'était l'adultère; soit que, dans une république, une si grande violation de mœurs intéressât le gouvernement; soit que le dérèglement de la femme pût faire soupçonner celui du mari; soit enfin que l'on craignît que les honnêtes gens même n'aimassent mieux cacher ce crime que le punir, l'ignorer que le venger.

CHAPITRE XI

Comment les institutions changèrent à Rome avec le gouvernement.

Comme le tribunal domestique supposait des mœurs, l'accusation publique en supposait aussi; et cela fit que

a. Romulus institua ce tribunal, comme il paraît par Denys d'Halicarnasse, liv. II, p. 96.

b. Voyez, dans Tite-Live, liv. XXXIX, l'usage que l'on fit de ce tribunal, lors de la conjuration des bacchanales : on appela conjuration contre la république, des assemblées où l'on corrompait les mœurs des femmes et des jeunes gens.

c. Il paraît, par Denys d'Halicarnasse, liv. II, que, par l'institution de Romulus, le mari, dans les cas ordinaires, jugeait seul devant les parents de la femme; et que, dans les grands crimes, il la jugeait avec cinq d'entre eux. Aussi Ulpien, au titre 6, § 9, 12 et 13, distingue-t-il, dans les jugements des mœurs, celles qu'il appelle graves, d'avec celles qui l'étaient moins : *mores graviores, mores leviores.*

ces deux choses tombèrent avec les mœurs, et finirent avec la république [a].

L'établissement des questions perpétuelles, c'est-à-dire du partage de la juridiction entre les préteurs, et la coutume qui s'introduisit de plus en plus que ces préteurs jugeassent eux-mêmes [b] toutes les affaires, affaiblirent l'usage du tribunal domestique : ce qui paraît par la surprise des historiens, qui regardent comme des faits singuliers et comme un renouvellement de la pratique ancienne, les jugements que Tibère fit rendre par ce tribunal.

L'établissement de la monarchie et le changement des mœurs firent encore cesser l'accusation publique. On pouvait craindre qu'un malhonnête homme, piqué des mépris d'une femme, indigné de ses refus, outré de sa vertu même, ne formât le dessein de la perdre. La loi Julie ordonna qu'on ne pourrait accuser une femme d'adultère, qu'après avoir accusé son mari de favoriser ses dérèglements ; ce qui restreignit beaucoup cette accusation, et l'anéantit, pour ainsi dire [c].

Sixte V sembla vouloir renouveler l'accusation publique [d]. Mais il ne faut qu'un peu de réflexion pour voir que cette loi, dans une monarchie telle que la sienne, était encore plus déplacée que dans toute autre.

a. *Judicio de moribus (quod anteà quidem in antiquis legibus positum erat, non autem frequentabatur) penitùs abolito.* Leg. XI, § 2, cod. *de repud.*

b. *Judicia extraordinaria.*

c. Constantin l'ôta entièrement : *C'est une chose indigne*, disait-il, *que des mariages tranquilles soient troublés par l'audace des étrangers.*

d. Sixte V ordonna qu'un mari qui n'irait point se plaindre à lui des débauches de sa femme, serait puni de mort. Voyez Leti.

CHAPITRE XII

De la tutelle des femmes, chez les Romains.

Les institutions des Romains mettaient les femmes dans une perpétuelle tutelle, à moins qu'elles ne fussent sous l'autorité d'un mari [a]. Cette tutelle était donnée au plus proche des parents, par mâles ; et il paraît, par une expres-

a. *Nisi convenissent in manum viri.*

sion vulgaire [b], qu'elles étaient très gênées. Cela était bon pour la république, et n'était point nécessaire dans la monarchie [c].

Il paraît, par les divers codes des lois des barbares, que les femmes, chez les premiers Germains, étaient aussi dans une perpétuelle tutelle [d]. Cet usage passa dans les monarchies qu'ils fondèrent; mais il ne subsista pas.

b. *Ne sis mihi patruus oro.*

c. La loi Papienne ordonna, sous Auguste, que les femmes qui auraient eu trois enfants seraient hors de cette tutelle.

d. Cette tutelle s'appelait, chez les Germains, *mundeburdium.*

CHAPITRE XIII

Des peines établies par les empereurs contre les débauches des femmes.

La loi Julie établit une peine contre l'adultère. Mais, bien loin que cette loi, et celles que l'on fit depuis là-dessus, fussent une marque de la bonté des mœurs, elles furent, au contraire, une marque de leur dépravation.

Tout le système politique, à l'égard des femmes, changea dans la monarchie. Il ne fut plus question d'établir chez elles la pureté des mœurs, mais de punir leurs crimes. On ne faisait de nouvelles lois, pour punir ces crimes, que parce qu'on ne punissait plus les violations, qui n'étaient point ces crimes.

L'affreux débordement des mœurs obligeait bien les empereurs de faire des lois, pour arrêter, à un certain point, l'impudicité : mais leur intention ne fut pas de corriger les mœurs en général. Des faits positifs, rapportés par les historiens, prouvent plus cela que toutes ces lois ne sauraient prouver le contraire. On peut voir, dans Dion, la conduite d'Auguste à cet égard; et comment il éluda, et dans sa préture et dans sa censure, les demandes qui lui furent faites [a].

a. Comme on lui eut amené un jeune homme qui avait épousé une femme avec laquelle il avait eu auparavant un mauvais commerce, il hésita longtemps; n'osant ni approuver, ni punir ces choses. Enfin, reprenant ses esprits : *les séditions ont été cause de grands maux*, dit-il; *oublions-les*. Dion, liv. LIV. Les sénateurs lui ayant demandé des règlements sur les mœurs des femmes, il éluda cette demande, en leur disant, *qu'ils corrigeassent leurs femmes, comme il corrigeait la*

On trouve bien, dans les historiens, des jugements rigides rendus, sous Auguste et sous Tibère, contre l'impudicité de quelques dames romaines : mais, en nous faisant connaître l'esprit de ces règnes, ils nous font connaître l'esprit de ces jugements.

Auguste et Tibère songèrent principalement à punir les débauches de leurs parentes. Ils ne punissaient point le dérèglement des mœurs, mais un certain crime d'impiété ou de lèse-majesté [b] qu'ils avaient inventé, utile pour le respect, utile pour leur vengeance. De là vient que les auteurs romains s'élèvent si fort contre cette tyrannie.

La peine de la loi Julie était légère [c]. Les empereurs voulurent que, dans les jugements, on augmentât la peine de la loi qu'ils avaient faite. Cela fut le sujet des invectives des historiens. Ils n'examinaient pas si les femmes méritaient d'être punies, mais si l'on avait violé la loi pour les punir.

Une des principales tyrannies de Tibère [d] fut l'abus qu'il fit des anciennes lois. Quand il voulut punir quelque dame romaine au-delà de la peine portée par la loi Julie, il rétablit contre elle le tribunal domestique [e].

Ces dispositions à l'égard des femmes ne regardaient que les familles des sénateurs, et non pas celles du peuple. On voulait des prétextes aux accusations contre les grands, et les déportements des femmes en pouvaient fournir sans nombre.

Enfin ce que j'ai dit, que la bonté des mœurs n'est pas le principe du gouvernement d'un seul, ne se vérifia jamais mieux que sous ces premiers empereurs; et, si l'on en doutait, on n'aurait qu'à lire Tacite, Suétone, Juvénal, et Martial.

sienne. Sur quoi ils le prièrent de leur dire comment il en usait avec sa femme. Question, ce me semble, fort indiscrète.

b. *Culpam inter viros et feminas vulgatam gravi nomine læsarum religionum appellando, clementiam majorum suasque ipse leges egrediabatur.* TACITE, *Ann.*, liv. III.

c. Cette loi est rapportée au digeste; mais on n'y a pas mis la peine. On juge qu'elle n'était que de la relégation, puisque celle de l'inceste n'était que de la déportation. Leg. *Si quis viduam, ff. de quest.*

d. *Proprium id Tiberio fuit, scelera nuper reperta priscis verbis obtegere.* Tacite.

e. *Adulterii graviorem poenam deprecatus, ut, exemplo majorum, propinquis suis ultrà ducentesimum lapidem removeretur, suasit. Adultero Manlio Italia atque Africa interdictum est.* TACITE, *Annal.*, liv. II.

CHAPITRE XIV

Lois somptuaires chez les Romains.

Nous avons parlé de l'incontinence publique; parce qu'elle est jointe avec le luxe, qu'elle en est toujours suivie, et qu'elle le suit toujours. Si vous laissez en liberté les mouvements du cœur, comment pourrez-vous gêner les faiblesses de l'esprit ?

A Rome, outre les institutions générales, les censeurs firent faire, par les magistrats, plusieurs lois particulières, pour maintenir les femmes dans la frugalité. Les lois Fannienne, Lycinienne et Oppienne eurent cet objet. Il faut voir, dans Tive-Live [a], comment le sénat fut agité, lorsqu'elles demandèrent la révocation de la loi Oppienne. Valère Maxime met l'époque du luxe, chez les Romains, à l'abrogation de cette loi.

a. *Décade IV*, liv. IV.

CHAPITRE XV

Des dots et des avantages nuptiaux, dans les diverses constitutions.

Les dots doivent être considérables dans les monarchies, afin que les maris puissent soutenir leur rang et le luxe établi. Elles doivent être médiocres dans les républiques, où le luxe ne doit pas régner [a]. Elles doivent être à peu près nulles dans les Etats despotiques, où les femmes sont, en quelque façon, esclaves.

La communauté des biens introduite par les lois françaises entre le mari et la femme, est très convenable dans le gouvernement monarchique; parce qu'elle intéresse les femmes aux affaires domestiques, et les rappelle, comme malgré elles, au soin de leur maison. Elle l'est moins dans la république, où les femmes ont plus de vertu. Elle serait

a. Marseille fut la plus sage des républiques de son temps : les dots ne pouvaient passer cent écus en argent, et cinq en habits, dit Strabon, liv. IV.

absurde dans les Etats despotiques, où presque toujours les femmes sont elles-mêmes une partie de la propriété du maître.

Comme les femmes, par leur état, sont assez portées au mariage, les gains que la loi leur donne sur les biens de leur mari sont inutiles. Mais ils seraient très pernicieux dans une république, parce que leurs richesses particulières produisent le luxe. Dans les Etats despotiques, les gains de noces doivent être leur subsistance, et rien de plus.

CHAPITRE XVI

Belle coutume des Samnites.

Les Samnites avaient une coutume qui, dans une petite république, et surtout dans la situation où était la leur, devait produire d'admirables effets. On assemblait tous les jeunes gens, et on les jugeait. Celui qui était déclaré le meilleur de tous prenait, pour sa femme, la fillle qu'il voulait : celui qui avait les suffrages après lui choisissait encore; et ainsi de suite [a]. Il était admirable de ne regarder entre les biens des garçons que les belles qualités, et les services rendus à la patrie. Celui qui était le plus riche de ces sortes de biens choisissait une fille dans toute la nation. L'amour, la beauté, la chasteté, la vertu, la naissance, les richesses même, tout cela était, pour ainsi dire, la dot de la vertu. Il serait difficile d'imaginer une récompense plus noble, plus grande, moins à charge à un petit Etat, plus capable d'agir sur l'un et l'autre sexe.

Les Samnites descendaient des Lacédémoniens; et Platon, dont les institutions ne sont que la perfection des lois de Lycurgue, donna à peu près une pareille loi [b].

a. Fragm. de Nicolas de Damas, tiré de Stobée, dans le *Recueil* de Constantin Porphyrogénète.

b. Il leur permet même de se voir plus fréquemment.

CHAPITRE XVII

De l'administration des femmes.

Il est contre la raison et contre la nature, que les femmes soient maîtresses dans la maison, comme cela était établi chez les Egyptiens : mais il ne l'est pas qu'elles gouvernent un empire. Dans le premier cas, l'état de faiblesse où elles sont ne leur permet pas la prééminence : dans le second, leur faiblesse même leur donne plus de douceur et de modération; ce qui peut faire un bon gouvernement, plutôt que les vertus dures et féroces.

Dans les Indes, on se trouve très bien du gouvernement des femmes; et il est établi que, si les mâles ne viennent pas d'une mère du même sang, les filles qui ont une mère du sang royal succèdent [a]. On leur donne un certain nombre de personnes, pour les aider à porter le poids du gouvernement. Selon M. Smith [b], on se trouve aussi très bien du gouvernement des femmes en Afrique. Si l'on ajoute à cela l'exemple de la Moscovie et de l'Angleterre, on verra qu'elles réussissent également, et dans le gouvernement modéré, et dans le gouvernement despotique.

a. *Lettres édif.*, 14e recueil.

b. *Voyage de Guinée* seconde partie, page 165 de la traduction, sur le royaume d'Angona, sur la Côte d'Or.

LIVRE VIII

DE LA CORRUPTION DES PRINCIPES DES TROIS GOUVERNEMENTS

CHAPITRE PREMIER

Idée générale de ce livre.

La corruption de chaque gouvernement commence presque toujours par celle des principes.

CHAPITRE II

De la corruption du principe de la démocratie.

Le principe de la démocratie se corrompt, non seulement lorsqu'on perd l'esprit d'égalité, mais encore quand on prend l'esprit d'égalité extrême, et que chacun veut être égal à ceux qu'il choisit pour lui commander. Pour lors, le peuple, ne pouvant souffrir le pouvoir même qu'il confie, veut tout faire par lui-même, délibérer pour le sénat, exécuter pour les magistrats, et dépouiller tous les juges.

Il ne peut plus y avoir de vertu dans la république. Le peuple veut faire les fonctions des magistrats : on ne les respecte donc plus. Les délibérations du sénat n'ont plus de poids : on n'a donc plus d'égard pour les sénateurs, et par conséquent pour les vieillards. Que si l'on n'a pas du respect pour les vieillards, on n'en aura pas non plus pour les pères : les maris ne méritent pas plus de déférence, ni les maîtres plus de soumission. Tout le monde parviendra à aimer ce libertinage : la gêne du commandement fatiguera, comme celle de l'obéissance. Les femmes, les enfants, les esclaves n'auront de soumission pour personne. Il n'y aura plus de mœurs, plus d'amour de l'ordre, enfin plus de vertu.

On voit, dans le *Banquet* de Xénophon, une peinture bien naïve d'une république où le peuple a abusé de l'égalité. Chaque convive donne, à son tour, la raison pourquoi il est content de lui. « Je suis content de moi, dit Chamides, à cause de ma pauvreté. Quand j'étais riche, j'étais obligé de faire ma cour aux calomniateurs, sachant bien que j'étais plus en état de recevoir du mal d'eux que de leur en faire : la république me demandait toujours quelque nouvelle somme : je ne pouvais m'absenter. Depuis que je suis pauvre, j'ai acquis de l'autorité : personne ne me menace, je menace les autres : je puis m'en aller, ou rester. Déjà les riches se lèvent de leurs places, et me cèdent le pas. Je suis un roi, j'étais esclave : je payais un tribut à la république, aujourd'hui elle me nourrit : je ne crains plus de perdre, j'espère d'acquérir. »

Le peuple tombe dans ce malheur, lorsque ceux à qui il se confie, voulant cacher leur propre corruption, cherchent à le corrompre. Pour qu'il ne voie pas leur ambition, ils ne lui parlent que de sa grandeur; pour qu'il n'aperçoive pas leur avarice, ils flattent sans cesse la sienne.

La corruption augmentera parmi les corrupteurs, et elle augmentera parmi ceux qui sont déjà corrompus. Le peuple se distribuera tous les deniers publics; et, comme il aura joint à sa paresse la gestion des affaires, il voudra joindre à sa pauvreté les amusements du luxe. Mais, avec sa paresse et son luxe, il n'y aura que le trésor public qui puisse être un objet pour lui.

Il ne faudra pas s'étonner, si l'on voit les suffrages se donner pour de l'argent. On ne peut donner beaucoup au peuple, sans retirer encore plus de lui : mais, pour retirer de lui, il faut renverser l'Etat. Plus il paraîtra tirer d'avantage de sa liberté, plus il s'approchera du moment où il doit la perdre. Il se forme de petits tyrans, qui ont tous les vices d'un seul. Bientôt ce qui reste de liberté devient insupportable. Un seul tyran s'élève; et le peuple perd tout, jusqu'aux avantages de sa corruption.

La démocratie a donc deux excès à éviter : l'esprit d'inégalité, qui la mène à l'aristocratie, ou au gouvernement d'un seul; et l'esprit d'égalité extrême, qui la conduit au despotisme d'un seul, comme le despotisme d'un seul finit par la conquête.

Il est vrai que ceux qui corrompirent les républiques grecques ne devinrent pas toujours tyrans. C'est qu'ils s'étaient plus attachés à l'éloquence qu'à l'art militaire : outre qu'il y avait, dans le cœur de tous les Grecs, une haine implacable contre ceux qui renversaient le gouvernement républicain ; ce qui fit que l'anarchie dégénéra en anéantissement, au lieu de se changer en tyrannie.

Mais Syracuse, qui se trouva placée au milieu d'un grand nombre de petites oligarchies changées en tyrannies [a] ; Syracuse, qui avait un sénat [b] dont il n'est presque jamais fait mention dans l'histoire, essuya des malheurs que la corruption ordinaire ne donne pas. Cette ville, toujours dans la licence [c] ou dans l'oppression ; également travaillée par sa liberté et par sa servitude ; recevant toujours l'une et l'autre comme une tempête ; et, malgré sa puissance au-dehors, toujours déterminée à une révolution par la plus petite force étrangère ; avait, dans son sein, un peuple immense, qui n'eut jamais que cette cruelle alternative, de se donner un tyran, ou de l'être lui-même.

CHAPITRE III

De l'esprit d'égalité extrême.

Autant que le ciel est éloigné de la terre, autant le véritable esprit d'égalité l'est-il de l'esprit d'égalité extrême. Le premier ne consiste point à faire en sorte que tout le monde commande, ou que personne ne soit commandé ; mais à obéir et à commander à ses égaux. Il ne cherche pas à n'avoir point de maître, mais à n'avoir que ses égaux pour maîtres.

Dans l'état de nature, les hommes naissent bien dans l'égalité : mais ils n'y sauraient rester. La société la leur fait perdre, et ils ne redeviennent égaux que par les lois.

a. Voyez Plutarque, dans les *Vies de Timoléon et de Dion.*
b. C'est celui des six cents, dont parle Diodore.
c. Ayant chassé les tyrans, ils firent citoyens des étrangers et des soldats mercenaires ; ce qui causa des guerres civiles. ARISTOTE, *Politique*, liv. V, chap. III. Le peuple ayant été cause de la victoire sur les Athéniens, la république fut changée : *Ibid.*, chap. IV. La passion de deux jeunes magistrats, dont l'un enleva à l'autre un jeune garçon, et celui-ci lui débaucha sa femme, fit changer la forme de cette république : *Ibid.*, liv. VII, chap. IV.

Telle est la différence entre la démocratie réglée et celle qui ne l'est pas; que, dans la première, on n'est égal que comme citoyen; et que, dans l'autre, on est encore égal comme magistrat, comme sénateur, comme juge, comme père, comme mari, comme maître.

La place naturelle de la vertu est auprès de la liberté mais elle ne se trouve pas plus auprès de la liberté extrême, qu'auprès de la servitude.

Chapitre IV

Cause particulière de la corruption du peuple.

Les grands succès, surtout ceux auxquels le peuple contribue beaucoup, lui donnent un tel orgueil, qu'il n'est plus possible de le conduire. Jaloux des magistrats, il le devient de la magistrature : ennemi de ceux qui gouvernent, il l'est bientôt de la Constitution. C'est ainsi que la victoire de Salamine, sur les Perses, corrompit la république d'Athènes [a] : c'est ainsi que la défaite des Athéniens perdit la république de Syracuse [b].

Celle de Marseille n'éprouva jamais ces grands passages de l'abaissement à la grandeur : aussi se gouverna-t-elle toujours avec sagesse; aussi conserva-t-elle ses principes.

Chapitre V

De la corruption du principe de l'aristocratie.

L'aristocratie se corrompt, lorsque le pouvoir des nobles devient arbitraire : il ne peut plus y avoir de vertu dans ceux qui gouvernent, ni dans ceux qui sont gouvernés.

Quand les familles régnantes observent les lois, c'est une monarchie qui a plusieurs monarques, et qui est très bonne par sa nature; presque tous ces monarques sont

a. Arist., *Politique,* liv. V, chap. iv.
b. *Ibid.*

liés par les lois. Mais, quand elles ne les observent pas, c'est un Etat despotique qui a plusieurs despotes.

Dans ce cas, la république ne subsiste qu'à l'égard des nobles, et entre eux seulement. Elle est dans le corps qui gouverne, et l'Etat despotique est dans le corps qui est gouverné; ce qui fait les deux corps du monde les plus désunis.

L'extrême corruption est lorsque les nobles deviennent héréditaires [a] : ils ne peuvent plus guère avoir de modération. S'ils sont en petit nombre, leur pouvoir est plus grand; mais leur sûreté diminue : s'ils sont en plus grand nombre, leur pouvoir est moindre, et leur sûreté plus grande : en sorte que le pouvoir va croissant, et la sûreté diminuant, jusqu'au despote, sur la tête duquel est l'excès du pouvoir et du danger.

Le grand nombre des nobles, dans l'aristocratie héréditaire, rendra donc le gouvernement moins violent : mais, comme il y aura peu de vertu, on tombera dans un esprit de nonchalance, de paresse, d'abandon, qui fera que l'Etat n'aura plus de force ni de ressort [b].

Une aristocratie peut maintenir la force de son principe, si les lois sont telles qu'elles fassent plus sentir aux nobles les périls et les fatigues du commandement que ses délices; et si l'Etat est dans une telle situation, qu'il ait quelque chose à redouter; et que la sûreté vienne du dedans, et l'incertitude du dehors.

Comme une certaine confiance fait la gloire et la sûreté d'une monarchie, il faut, au contraire, qu'une république redoute quelque chose [c]. La crainte des Perses maintint les lois chez les Grecs. Carthage et Rome s'intimidèrent l'une l'autre, et s'affermirent. Chose singulière! plus ces Etats ont de sûreté, plus, comme des eaux trop tranquilles, ils sont sujets à se corrompre.

a. L'aristocratie se change en oligarchie.

b. Venise est une des républiques qui a le mieux corrigé, par ses lois, les inconvénients de l'aristocratie héréditaire.

c. Justin attribue à la mort d'Epaminondas l'extinction de la vertu à Athènes. N'ayant plus d'émulation, ils dépensèrent leurs revenus en fêtes, *frequentius cœnam quam castra visentes*. Pour lors, les Macédoniens sortirent de l'obscurité : liv. VI.

CHAPITRE VI

De la corruption du principe de la monarchie.

Comme les démocraties se perdent, lorsque le peuple dépouille le sénat, les magistrats et les juges de leurs fonctions; les monarchies se corrompent, lorsqu'on ôte peu à peu les prérogatives des corps, ou les privilèges des villes. Dans le premier cas, on va au despotisme de tous; dans l'autre, au despotisme d'un seul.

« Ce qui perdit les dynasties de Tsin et de Soüi, dit un auteur chinois, c'est qu'au lieu de se borner, comme les anciens, à une inspection générale, seule digne du souverain, les princes voulurent gouverner tout immédiatement par eux-mêmes [a]. » L'auteur chinois nous donne ici la cause de la corruption de presque toutes les monarchies.

La monarchie se perd, lorsqu'un prince croit qu'il montre plus sa puissance en changeant l'ordre des choses, qu'en le suivant; lorsqu'il ôte les fonctions naturelles des uns, pour les donner arbitrairement à d'autres; et lorsqu'il est plus amoureux de ses fantaisies que de ses volontés.

La monarchie se perd, lorsque le prince, rapportant tout uniquement à lui, appelle l'Etat à sa capitale, la capitale à sa cour, et la cour à sa seule personne.

Enfin elle se perd, lorsqu'un prince méconnaît son autorité, sa situation, l'amour de ses peuples; et lorsqu'il ne sent pas bien qu'un monarque doit se juger en sûreté, comme un despote doit se croire en péril.

CHAPITRE VII

Continuation du même sujet.

Le principe de la monarchie se corrompt, lorsque les premières dignités sont les marques de la première servitude; lorsqu'on ôte aux grands le respect des peuples, et

a. *Compilation d'ouvrages faits sous les Ming*, rapportés par le père du Halde.

qu'on les rend de vils instruments du pouvoir arbitraire.

Il se corrompt encore plus, lorsque l'honneur a été mis en contradiction avec les honneurs, et que l'on peut être à la fois couvert d'infamie [a] et de dignités.

Il se corrompt, lorsque le prince change sa justice en sévérité; lorsqu'il met, comme les empereurs romains, une tête de Méduse sur sa poitrine [b]; lorsqu'il prend cet air menaçant et terrible que Commode faisait donner à ses statues [c].

Le principe de la monarchie se corrompt, lorsque des âmes singulièrement lâches tirent vanité de la grandeur que pourrait avoir leur servitude; et qu'elles croient que ce qui fait que l'on doit tout au prince, fait que l'on ne doit rien à sa patrie.

Mais, s'il est vrai (ce que l'on a vu dans tous les temps), qu'à mesure que le pouvoir du monarque devient immense, sa sûreté diminue; corrompre ce pouvoir, jusqu'à le faire changer de nature, n'est-ce pas un crime de lèse-majesté contre lui ?

CHAPITRE VIII

Danger de la corruption du principe du gouvernement monarchique.

L'inconvénient n'est pas lorsque l'Etat passe d'un gouvernement modéré à un gouvernement modéré; comme de la république à la monarchie, ou de la monarchie à la république : mais quand il tombe et se précipite, du gouvernement modéré, au despotisme.

La plupart des peuples d'Europe sont encore gouvernés

a. Sous le règne de Tibère, on éleva des statues et l'on donna les ornements triomphaux aux délateurs; ce qui avilit tellement ces honneurs, que ceux qui les avaient mérités les dédaignèrent. Fragm. de Dion, liv. LVIII, tiré de l'*Extrait des vertus et des vices* de Const. Porphyrog. Voyez, dans Tacite, comment Néron, sur la découverte et la punition d'une prétendue conjuration, donna à Petronius Turpilianus, à Nerva, à Tigellinus, les ornements triomphaux. *Annales*, liv. XIV. Voyez aussi comment les généraux dédaignèrent de faire la guerre, parce qu'ils en méprisaient les honneurs, *pervulgaris triumphi insignibus.* TACITE, *Annales*, liv. XIII.

b. Dans cet Etat, le prince savait bien quel était le principe de son gouvernement.

c. Hérodien.

par les mœurs. Mais, si, par un long abus du pouvoir ; si, par une grande conquête, le despotisme s'établissait à un certain point, il n'y aurait pas de mœurs ni de climat qui tinssent ; et, dans cette belle partie du monde, la nature humaine souffrirait, au moins pour un temps, les insultes qu'on lui fait dans les trois autres.

CHAPITRE IX

Combien la noblesse est portée à défendre le trône.

La noblesse anglaise s'ensevelit, avec Charles Ier, sous les débris du trône ; et avant cela, lorsque Philippe II fit entendre aux oreilles des Français le mot de liberté, la couronne fut toujours soutenue par cette noblesse qui tient à honneur d'obéir à un roi, mais qui regarde comme la souveraine infamie de partager la puissance avec le peuple.

On a vu la maison d'Autriche travailler, sans relâche, à opprimer la noblesse hongroise. Elle ignorait de quel prix elle lui serait quelque jour. Elle cherchait, chez ces peuples, de l'argent qui n'y était pas : elle ne voyait pas des hommes qui y étaient. Lorsque tant de princes partageaient entre eux ses Etats, toutes les pièces de sa monarchie, immobiles et sans action, tombaient, pour ainsi dire, les unes sur les autres : il n'y avait de vie que dans cette noblesse qui s'indigna, oublia tout pour combattre, et crut qu'il était de sa gloire de périr et de pardonner.

CHAPITRE X

De la corruption du principe du gouvernement despotique.

Le principe du gouvernement despotique se corrompt sans cesse, parce qu'il est corrompu par sa nature. Les autres gouvernements périssent, parce que des accidents particuliers en violent le principe : celui-ci périt par son vice intérieur, lorsque quelques causes accidentelles n'empêchent point son principe de se corrompre. Il ne se maintient donc que quand des circonstances tirées du climat, de la religion, de la situation, ou du génie du peuple, le forcent à suivre quelque ordre, et à souffrir quelque règle. Ces choses forcent sa nature, sans la changer : sa férocité reste; elle est, pour quelque temps, apprivoisée.

CHAPITRE XI

Effets naturels de la bonté et de la corruption des principes.

Lorsque les principes du gouvernement sont une fois corrompus, les meilleures lois deviennent mauvaises, et se tournent contre l'Etat : lorsque les principes en sont sains, les mauvaises ont l'effet des bonnes; la force du principe entraîne tout.

Les Crétois, pour tenir les premiers magistrats dans la dépendance des lois, employaient un moyen bien singulier : c'était celui de l'*insurrection*. Une partie des citoyens se soulevait [a], mettait en fuite les magistrats, et les obligeait de rentrer dans la condition privée. Cela était censé fait en conséquence de la loi. Une institution pareille, qui établissait la sédition pour empêcher l'abus du pouvoir, semblait devoir renverser quelque république que ce fût. Elle ne détruisit pas celle de Crète : voici pourquoi [b] :

Lorsque les anciens voulaient parler d'un peuple qui avait le plus grand amour pour la patrie, ils citaient les Crétois : *La patrie*, disait Platon [c], *nom si tendre aux Crétois*. Ils l'appelaient d'un nom qui exprime l'amour d'une mère pour ses enfants [d]. Or, l'amour de la patrie corrige tout.

Les lois de Pologne ont aussi leur *insurrection*. Mais les inconvénients qui en résultent font bien voir que le seul peuple de Crète était en état d'employer, avec succès, un pareil remède.

Les exercices de la gymnastique, établis chez les Grecs, ne dépendirent pas moins de la bonté du principe du gouvernement. « Ce furent les Lacédémoniens et les

a. ARISTOTE, *Politique*, liv. II, chap. X.

b. On se réunissait toujours d'abord contre les ennemis du dehors, ce qui s'appelait *syncrétisme*. PLUTARQUE, *Moral.*, p. 88.

c. *République*, liv. IX.

d. PLUTARQUE, *Morales*, au traité, *Si l'homme d'âge doit se mêler des affaires publiques*.

Crétois, dit Platon [e], qui ouvrirent ces académies fameuses qui leur firent tenir dans le monde un rang si distingué. La pudeur s'alarma d'abord : mais elle céda à l'utilité publique. » Du temps de Platon, ces institutions étaient admirables [f] : elles se rapportaient à un grand objet, qui était l'art militaire. Mais, lorsque les Grecs n'eurent plus de vertu, elles détruisirent l'art militaire même : on ne descendit plus sur l'arène pour se former, mais pour se corrompre [g].

Plutarque nous dit [h] que, de son temps, les Romains pensaient que ces jeux avaient été la principale cause de la servitude où étaient tombés les Grecs. C'était, au contraire, la servitude des Grecs qui avait corrompu ces exercices. Du temps de Plutarque [i], les parcs où l'on combattait à nu, et les jeux de la lutte, rendaient les jeunes gens lâches, les portaient à un amour infâme, et n'en faisaient que des baladins : Mais, du temps d'Epaminondas, l'exercice de la lutte faisait gagner aux Thébains la bataille de Leuctres [k].

Il y a peu de lois qui ne soient bonnes, lorsque l'Etat n'a point perdu ses principes : et, comme disait Epicure en parlant des richesses, ce n'est point la liqueur qui est corrompue, c'est le vase.

Chapitre XII

Continuation du même sujet.

On prenait à Rome les juges dans l'ordre des sénateurs. Les Gracques transportèrent cette prérogative aux che-

e. *République*, liv. V.

f. La gymnastique se divisait en deux parties; la danse, et la lutte. On voyait, en Crète, les danses armées des Curettes; à Lacédémone, celles de Castor et de Pollux; à Athènes, les danses armées de Pallas, très propres pour ceux qui ne sont pas encore en âge d'aller à la guerre. *La lutte est l'image de la guerre*, dit Platon, *Des lois*, liv. VII. Il loue l'antiquité, de n'avoir établi que deux danses, la pacifique et la pyrrhique. Voyez comment cette dernière danse s'appliquait à l'art militaire. Platon, *Ibid.*

g. *... Aut libidinosæ*
Ledæas Lacædemonis palæstras.
Martial, liv. 4, epig. 55.

h. *Œuvres morales*, au traité *Des demandes des choses romaines.*

i. Plutarque, *Ibid.*

k. Plutarque, *Morales. Propos de table*, liv. II.

valiers. Drufus la donna aux sénateurs et aux chevaliers; Sylla aux sénateurs seuls; Cotta aux sénateurs, aux chevaliers et aux trésoriers de l'épargne. César exclut ces derniers. Antoine fit des décuries de sénateurs, de chevaliers et de centurions.

Quand une république est corrompue, on ne peut remédier à aucun des maux qui naissent, qu'en ôtant la corruption, et en rappelant les principes : toute autre correction est ou inutile, ou un nouveau mal. Pendant que Rome conserva ses principes, les jugements purent être sans abus entre les mains des sénateurs : mais, quand elle fut corrompue, à quelque corps que ce fût qu'on transportât les jugements, aux sénateurs, aux chevaliers, aux trésoriers de l'épargne, à deux de ces corps, à tous les trois ensemble, à quelque autre corps que ce fût, on était toujours mal. Les chevaliers n'avaient pas plus de vertu que les sénateurs, les trésoriers de l'épargne pas plus que les chevaliers, et ceux-ci aussi peu que les centurions.

Lorsque le peuple de Rome eut obtenu qu'il aurait part aux magistratures patriciennes, il était naturel de penser que ses flatteurs allaient être les arbitres du gouvernement. Non : l'on vit ce peuple, qui rendait les magistratures communes aux plébéiens, élire toujours des patriciens. Parce qu'il était vertueux, il était magnanime; parce qu'il était libre, il dédaignait le pouvoir. Mais, lorsqu'il eut perdu ses principes, plus il eut de pouvoir, moins il eut de ménagements; jusqu'à ce qu'enfin, devenu son propre tyran et son propre esclave, il perdit la force de la liberté, pour tomber dans la faiblesse de la licence.

Chapitre XIII

Effet du serment chez un peuple vertueux.

Il n'y a point eu de peuple, dit Tite-Live [a], où la dissolution se soit plus tard introduite que chez les Romains, et où la modération et la pauvreté aient été plus longtemps honorées.

Le *serment* eut tant de force chez ce peuple, que rien ne

a. Liv. I.

l'attacha plus aux lois. Il fit bien des fois, pour l'observer, ce qu'il n'aurait jamais fait pour la gloire, ni pour la patrie.

Quintius Cincinnatus, consul, ayant voulu lever une armée dans la ville contre les Eques et les Volsques, les tribuns s'y opposèrent. « Eh bien! dit-il, que tous ceux qui ont fait serment au consul de l'année précédente marchent sous mes enseignes [b]. » En vain les tribuns s'écrièrent-ils qu'on n'était plus lié par ce serment; que, quand on l'avait fait, Quintius était un homme privé : le peuple fut plus religieux que ceux qui se mêlaient de le conduire; il n'écouta ni les distinctions, ni les interprétations des tribuns.

Lorsque le même peuple voulut se retirer sur le mont sacré, il se sentit retenir par le serment qu'il avait fait aux consuls, de les suivre à la guerre [c]. Il forma le dessein de les tuer : on lui fit entendre que le serment n'en subsisterait pas moins. On peut juger de l'idée qu'il avait de la violation du serment, par le crime qu'il voulait commettre.

Après la bataille de Cannes, le peuple effrayé voulut se retirer en Sicile : Scipion lui fit jurer qu'il resterait à Rome; la crainte de violer leur serment surmonta toute autre crainte. Rome était un vaisseau tenu par deux ancres dans la tempête, la religion et les mœurs.

b. Tite-Live, liv. III.
c. Tite-Live. liv. II.

CHAPITRE XIV

Comment le plus petit changement dans la Constitution entraîne la ruine des principes.

Aristote nous parle de la république de Carthage comme d'une république très bien réglée. Polybe nous dit qu'à la seconde guerre punique [a] il y avait à Carthage cet inconvénient, que le sénat avait perdu presque toute son autorité. Tite-Live nous apprend que, lorsque Annibal retourna à Carthage, il trouva que les magistrats et les principaux citoyens détournaient, à leur profit, les

a. Environ cent ans après.

revenus publics, et abusaient de leur pouvoir. La vertu des magistrats tomba donc avec l'autorité du sénat; tout coula du même principe.

On connaît les prodiges de la censure chez les Romains. Il y eut un temps où elle devint pesante : mais on la soutint, parce qu'il y avait plus de luxe que de corruption. Claudius l'affaiblit : et, par cet affaiblissement, la corruption devint encore plus grande que le luxe; et la censure [b] s'abolit, pour ainsi dire, d'elle-même. Troublée, demandée, reprise, quittée, elle fut entièrement interrompue jusqu'au temps où elle devint inutile, je veux dire les règnes d'Auguste et de Claude.

CHAPITRE XV

Moyens très efficaces pour la conservation des trois principes.

Je ne pourrai me faire entendre que lorsqu'on aura lu les quatre chapitres suivants.

CHAPITRE XVI

Propriétés distinctives de la république.

Il est de la nature d'une république, qu'elle n'ait qu'un petit territoire : sans cela, elle ne peut guère subsister. Dans une grande république, il y a de grandes fortunes, et par conséquent peu de modération dans les esprits : il y a de trop grands dépôts à mettre entre les mains d'un citoyen; les intérêts se particularisent : un homme sent d'abord qu'il peut être heureux, grand, glorieux, sans sa patrie; et bientôt, qu'il peut être seul grand sur les ruines de sa patrie.

Dans une grande république, le bien commun est sacrifié à mille considérations : il est subordonné à des exceptions : il dépend des accidents. Dans une petite, le

b. Voyez Dion, liv. XXXVIII : la vie de Cicéron dans Plutarque : Cicéron à Atticus, liv. IV, *lettres* 10 et 15; Ascanius, sur CICÉRON, *De divinatione*.

bien public est mieux senti, mieux connu, plus près de chaque citoyen : les abus y sont moins étendus, et par conséquent moins protégés.

Ce qui fit subsister si longtemps Lacédémone, c'est qu'après toutes ses guerres, elle resta toujours avec son territoire. Le seul but de Lacédémone était la liberté : le seul avantage de sa liberté, c'était la gloire.

Ce fut l'esprit des républiques grecques de se contenter de leurs terres, comme de leurs lois. Athènes prit de l'ambition, et en donna à Lacédémone : mais ce fut plutôt pour commander à des peuples libres, que pour gouverner des esclaves; plutôt pour être à la tête de l'union, que pour la rompre. Tout fut perdu, lorsqu'une monarchie s'éleva : gouvernement dont l'esprit est plus tourné vers l'agrandissement.

Sans des circonstances particulières [a], il est difficile que tout autre gouvernement que le républicain puisse subsister dans une seule ville. Un prince d'un si petit Etat chercherait naturellement à opprimer; parce qu'il aurait une grande puissance, et peu de moyens pour en jouir, ou pour la faire respecter : Il foulerait donc beaucoup ses peuples. D'un autre côté, un tel prince serait aisément opprimé par une force étrangère, ou même par une force domestique : le peuple pourrait, à tous les instants, s'assembler et se réunir contre lui. Or, quand un prince d'une ville est chassé de sa ville, le procès est fini : s'il a plusieurs villes, le procès n'est que commencé.

CHAPITRE XVII

Propriétés distinctives de la monarchie.

Un Etat monarchique doit être d'une grandeur médiocre. S'il était petit, il se formerait en république : S'il était fort étendu, les principaux de l'Etat, grands par eux-mêmes, n'étant point sous les yeux du prince, ayant leur cour hors de sa cour, assurés d'ailleurs contre les exécutions promptes par les lois et par les mœurs, pourraient cesser d'obéir; ils ne craindraient pas une punition trop lente et trop éloignée.

a. Comme quand un petit souverain se maintient entre deux grands Etats, par leur jalousie mutuelle : mais il n'existe que précairement.

Aussi Charlemagne eut-il à peine fondé son empire, qu'il fallut le diviser; soit que les gouverneurs des provinces n'obéissent pas; soit que, pour les faire mieux obéir, il fût nécessaire de partager l'empire en plusieurs royaumes.

Après la mort d'Alexandre, son empire fut partagé. Comment ces grands de Grèce et de Macédoine, libres, ou du moins chefs des conquérants répandus dans cette vaste conquête, auraient-ils pu obéir ?

Après la mort d'Attila, son empire fut dissous : tant de rois, qui n'étaient plus contenus, ne pouvaient point reprendre des chaînes.

Le prompt établissement du pouvoir sans bornes est le remède qui, dans ces cas, peut prévenir la dissolution : nouveau malheur après celui de l'agrandissement!

Les fleuves courent se mêler dans la mer : les monarchies vont se perdre dans le despotisme.

CHAPITRE XVIII

Que la monarchie d'Espagne était dans un cas particulier.

Qu'on ne cite point l'exemple de l'Espagne; elle prouve plutôt ce que je dis. Pour garder l'Amérique, elle fit ce que le despotisme même ne fait pas; elle en détruisit les habitants. Il fallut, pour conserver sa colonie, qu'elle la tînt dans la dépendance de sa subsistance même.

Elle essaya le despotisme dans les Pays-Bas; et, sitôt qu'elle l'eut abandonné, ses embarras augmentèrent. D'un côté, les Wallons ne voulaient pas être gouvernés par les Espagnols; et, de l'autre, les soldats espagnols ne voulaient pas obéir aux officiers wallons [a].

Elle ne se maintint dans l'Italie, qu'à force de l'enrichir et de se ruiner : Car ceux qui auraient voulu se défaire du roi d'Espagne n'étaient pas, pour cela, d'humeur à renoncer à son argent.

a. Voyez l'*Histoire des Provinces-Unies*, par M. le Clerc.

CHAPITRE XIX

Propriétés distinctives du gouvernement despotique.

Un grand empire suppose une autorité despotique dans celui qui gouverne. Il faut que la promptitude des résolutions supplée à la distance des lieux où elles sont envoyées; que la crainte empêche la négligence du gouverneur ou du magistrat éloigné; que la loi soit dans une seule tête; et qu'elle change sans cesse, comme les accidents, qui se multiplient toujours dans l'Etat à proportion de sa grandeur.

CHAPITRE XX

Conséquence des chapitres précédents.

Que si la propriété naturelle des petits Etats est d'être gouvernés en république, celle des médiocres d'être soumis à un monarque, celle des grands empires d'être dominés par un despote; il suit que, pour conserver les principes du gouvernement établi, il faut maintenir l'Etat dans la grandeur qu'il avait déjà; et que cet Etat changera d'esprit, à mesure qu'on rétrécira, ou qu'on étendra ses limites.

CHAPITRE XXI

De l'empire de la Chine.

Avant de finir ce livre, je répondrai à une objection qu'on peut faire sur tout ce que j'ai dit jusqu'ici.

Nos missionnaires nous parlent du vaste empire de la Chine, comme d'un gouvernement admirable, qui mêle ensemble, dans son principe, la crainte, l'honneur et la vertu. J'ai donc posé une distinction vaine, lorsque j'ai établi les principes des trois gouvernements.

J'ignore ce que c'est que cet honneur dont on parle,

chez des peuples à qui on ne fait rien faire qu'à coups de bâton [a].

De plus : il s'en faut beaucoup que nos commerçants nous donnent l'idée de cette vertu dont nous parlent nos missionnaires : on peut les consulter sur les brigandages des mandarins [b]. Je prends encore à témoin le grand homme milord Anfon.

D'ailleurs, les lettres du P. Parennin, sur le procès que l'empereur fit faire à des princes du sang néophytes [c] qui lui avaient déplu, nous font voir un plan de tyrannie constamment suivi, et des injures faites à la nature humaine avec règle, c'est-à-dire de sang-froid.

Nous avons encore les lettres de M. de Mairan et du même P. Parennin, sur le gouvernement de la Chine. Après des questions et des réponses très sensées, le merveilleux s'est évanoui.

Ne pourrait-il pas se faire que les missionnaires auraient été trompés par une apparence d'ordre; qu'ils auraient été frappés de cet exercice continuel de la volonté d'un seul, par lequel ils sont gouvernés eux-mêmes, et qu'ils aiment tant à trouver dans les cours des rois des Indes ? parce que, n'y allant que pour y faire de grands changements, il leur est plus aisé de convaincre les princes qu'ils peuvent tout faire, que de persuader aux peuples qu'ils peuvent tout souffrir [d].

Enfin, il y a souvent quelque chose de vrai dans les erreurs mêmes. Des circonstances particulières, et peut-être uniques, peuvent faire que le gouvernement de la Chine ne soit pas aussi corrompu qu'il devrait l'être. Des causes, tirées la plupart du physique du climat, ont pu forcer les causes morales dans ce pays, et faire des espèces de prodiges.

Le climat de la Chine est tel, qu'il favorise prodigieusement la propagation de l'espèce humaine. Les femmes y sont d'une fécondité si grande, que l'on ne voit rien de pareil sur la terre. La tyrannie la plus cruelle n'y arrête point le progrès de la propagation. Le prince n'y peut pas dire, comme Pharaon, *Opprimons-les avec*

a. C'est le bâton qui gouverne la Chine, dit le P. du Halde.
b. Voyez, entre autres, la relation de Lange.
c. De la famille de Sourniama, *Lettres édif.*, recueil 18.
d. Voyez, dans le P. du Halde, comment les missionnaires se servirent de l'autorité de Canhi pour faire taire les mandarins, qui disaient toujours que, par les lois du pays, un culte étranger ne pouvait être établi dans l'empire.

sagesse. Il serait plutôt réduit à former le souhait de Néron, que le genre humain n'eût qu'une tête. Malgré la tyrannie, la Chine, par la force du climat, se peuplera toujours, et triomphera de la tyrannie.

La Chine, comme tous les pays où croît le riz [e], est sujette à des famines fréquentes. Lorsque le peuple meurt de faim, il se disperse pour chercher de quoi vivre. Il se forme, de toutes parts, des bandes de trois, quatre ou cinq voleurs : la plupart sont d'abord exterminées; d'autres se grossissent, et sont exterminées encore. Mais, dans un si grand nombre de provinces, et si éloignées, il peut arriver que quelque troupe fasse fortune. Elle se maintient, se fortifie, se forme en corps d'armée, va droit à la capitale, et le chef monte sur le trône.

Telle est la nature de la chose, que le mauvais gouvernement y est d'abord puni. Le désordre y naît soudain, parce que ce peuple prodigieux y manque de subsistance. Ce qui fait que, dans d'autres pays, on revient si difficilement des abus, c'est qu'ils n'y ont pas des effets sensibles; le prince n'y est pas averti d'une manière prompte et éclatante, comme il l'est à la Chine.

Il ne sentira point, comme nos princes, que, s'il gouverne mal, il sera moins heureux dans l'autre vie, moins puissant et moins riche dans celle-ci : Il saura que, si son gouvernement n'est pas bon, il perdra l'empire et la vie.

Comme, malgré les expositions d'enfants, le peuple augmente toujours à la Chine [f], il faut un travail infatigable pour faire produire aux terres de quoi le nourrir : cela demande une grande attention de la part du gouvernement. Il est, à tous les instants, intéressé à ce que tout le monde puisse travailler, sans crainte d'être frustré de ses peines. Ce doit moins être un gouvernement civil, qu'un gouvernement domestique.

Voilà ce qui a produit les règlements dont on parle tant. On a voulu faire régner les lois avec le despotisme : mais ce qui est joint avec le despotisme n'a plus de force. En vain ce despotisme, pressé par ses malheurs, a-t-il voulu s'enchaîner; il s'arme de ses chaînes, et devient plus terrible encore.

La Chine est donc un Etat despotique, dont le prin-

e. Voyez ci-dessous, liv. XXIII, chap. XIV.

f. Voyez le mémoire d'un Tsongtou, pour qu'on défriche. *Lettres édif*. 21e recueil.

cipe est la crainte. Peut-être que, dans les premières dynasties, l'empire n'étant pas si étendu, le gouvernement déclinait un peu de cet esprit. Mais aujourd'hui cela n'est pas.

SECONDE PARTIE

LIVRE IX

DES LOIS, DANS LE RAPPORT QU'ELLES ONT AVEC LA FORCE DÉFENSIVE

CHAPITRE PREMIER

Comment les républiques pourvoient à leur sûreté.

Si une république est petite, elle est détruite par une force étrangère : Si elle est grande, elle se détruit par un vice intérieur.

Ce double inconvénient infecte également les démocraties et les aristocraties, soit qu'elles soient bonnes, soit qu'elles soient mauvaises. Le mal est dans la chose même : il n'y a aucune forme qui puisse y remédier.

Ainsi il y a grande apparence que les hommes auraient été à la fin obligés de vivre toujours sous le gouvernement d'un seul, s'ils n'avaient imaginé une manière de Constitution qui a tous les avantages intérieurs du gouvernement républicain, et la force extérieure du monarchique. Je parle de la république fédérative.

Cette forme de gouvernement est une convention, par laquelle plusieurs corps politiques consentent à devenir citoyens d'un Etat plus grand qu'ils veulent former. C'est une société de sociétés, qui en font une nouvelle, qui peut s'agrandir par de nouveaux associés qui se sont unis.

Ce furent ces associations qui firent fleurir si longtemps le corps de la Grèce. Par elles, les Romains attaquèrent l'univers; et, par elles seules, l'univers se défendit contre eux : et, quand Rome fut parvenue au comble de sa grandeur, ce fut par des associations derrière le Danube et le Rhin, associations que la frayeur avait fait faire, que les barbares purent lui résister.

C'est par-là que la Hollande [a], l'Allemagne, les ligues suisses, sont regardées en Europe comme des républiques éternelles.

Les associations des villes étaient autrefois plus nécessaires qu'elles ne le sont aujourd'hui. Une cité sans puissance courait de plus grands périls. La conquête lui faisait perdre, non seulement la puissance exécutrice et la législative, comme aujourd'hui; mais encore tout ce qu'il y a de propriété parmi les hommes [b].

Cette sorte de république, capable de résister à la force extérieure, peut se maintenir dans sa grandeur, sans que l'intérieur se corrompe : La forme de cette société prévient tous les inconvénients.

Celui qui voudrait usurper ne pourrait guère être également accrédité dans tous les Etats confédérés. S'il se rendait trop puissant dans l'un, il alarmerait tous les autres : s'il subjuguait une partie, celle qui serait libre encore pourrait lui résister avec des forces indépendantes de celles qu'il aurait usurpées, et l'accabler avant qu'il eût achevé de s'établir.

S'il arrive quelque sédition chez un des membres confédérés, les autres peuvent l'apaiser. Si quelques abus s'introduisent quelque part, ils sont corrigés par les parties saines. Cet État peut périr d'un côté, sans périr de l'autre; la confédération peut être dissoute, et les confédérés rester souverains.

Composé de petites républiques, il jouit de la bonté du gouvernement intérieur de chacune; et, à l'égard du dehors, il a, par la force de l'association, tous les avantages des grandes monarchies.

CHAPITRE II

Que la constitution fédérative doit être composée d'Etats de même nature, surtout d'Etats républicains.

Les Cananéens furent détruits; parce que c'étaient de petites monarchies, qui ne s'étaient pas confédérées, et

a. Elle est formée par environ cinquante républiques, toutes différentes les unes des autres. *Etat des Provinces-Unies*, par M. JANISSON.

b. Liberté civile, biens, femmes, enfants, temples et sépultures mêmes.

qui ne se défendirent pas en commun. C'est que la nature des petites monarchies n'est pas la confédération.

La république fédérative d'Allemagne est composée de villes libres, et de petits Etats soumis à des princes. L'expérience fait voir qu'elle est plus imparfaite que celles de Hollande et de Suisse.

L'esprit de la monarchie est la guerre et l'agrandissement : l'esprit de la république est le paix et la modération. Ces deux sortes de gouvernement ne peuvent, que d'une manière forcée, subsister dans une république fédérative.

Aussi voyons-nous, dans l'histoire romaine, que, lorsque les Véïens eurent choisi un roi, toutes les petites républiques de Toscane les abandonnèrent. Tout fut perdu en Grèce, lorsque les rois de Macédoine obtinrent une place parmi les amphictions.

La république fédérative d'Allemagne, composée de princes et de villes libres, subsiste; parce qu'elle a un chef, qui est, en quelque façon, le magistrat de l'union; et, en quelque façon, le monarque.

CHAPITRE III

Autres choses requises dans la république fédérative.

Dans la république de Hollande, une province ne peut faire une alliance sans le consentement des autres. Cette loi est très bonne, et même nécessaire, dans la république fédérative. Elle manque dans la constitution germanique, où elles préviendrait les malheurs qui y peuvent arriver à tous les membres, par l'imprudence, l'ambition, ou l'avarice d'un seul. Une république qui s'est unie par une confédération politique, s'est donnée entière, et n'a plus rien à donner.

Il est difficile que les Etats qui s'associent soient de même grandeur, et aient une puissance égale. La république des Lyciens [a] était une association de vingt-trois villes : les grandes avaient trois voix dans le conseil commun; les médiocres, deux; les petites, une. La répu-

a. Strabon, liv. XIV.

blique de Hollande est composée de sept provinces, grandes ou petites, qui ont chacune une voix.

Les villes de Lycie [b] payaient les charges selon la proportion des suffrages. Les provinces de Hollande ne peuvent suivre cette proportion; il faut qu'elles suivent celle de leur puissance.

En Lycie [c], les juges et les magistrats des villes étaient élus par le conseil commun, et selon la proportion que nous avons dite. Dans la république de Hollande, ils ne sont point élus par le conseil commun, et chaque ville nomme ses magistrats. S'il fallait donner un modèle d'une belle république fédérative, je prendrais la république de Lycie.

CHAPITRE IV

Comment les Etats despotiques pourvoient à leur sûreté.

Comme les républiques pourvoient à leur sûreté en s'unissant, les Etats despotiques le font en se séparant, et en se tenant, pour ainsi dire, seuls. Ils sacrifient une partie du pays, ravagent les frontières et les rendent désertes; le corps de l'empire devient inaccessible.

Il est reçu en géométrie que, plus les corps ont d'étendue, plus leur circonférence est relativement petite. Cette pratique, de dévaster les frontières, est donc plus tolérable dans les grands Etats que dans les médiocres.

Cet Etat fait, contre lui-même, tout le mal que pourrait faire un cruel ennemi, mais un ennemi qu'on ne pourrait arrêter.

L'état despotique se conserve par une autre sorte de séparation, qui se fait en mettant les provinces éloignées entre les mains d'un prince qui en soit feudataire. Le Mogol, la Perse, les empereurs de la Chine ont leurs feudataires; et les Turcs se sont très bien trouvés d'avoir mis, entre leurs ennemis et eux, les Tartares, les Moldaves, les Valaques, et autrefois les Transilvains.

b. Strabon, liv. XIV.
c. Ibid.

CHAPITRE V

Comment la monarchie pourvoit à la sûreté.

La monarchie ne se détruit pas elle-même, comme l'état despotique : mais un Etat d'une grandeur médiocre pourrait être d'abord envahi. Elle a donc des places fortes qui défendent ses frontières, et des armées pour défendre ses places fortes. Le plus petit terrain s'y dispute avec art, avec courage, avec opiniâtreté. Les Etats despotiques font entre eux des invasions; il n'y a que les monarchies qui fassent la guerre.

Les places fortes appartiennent aux monarchies; les Etats despotiques craignent d'en avoir. Ils n'osent les confier à personne; car personne n'y aime l'Etat et le prince.

CHAPITRE VI

De la force défensive des Etats, en général.

Pour qu'un Etat soit dans sa force, il faut que sa grandeur soit telle, qu'il y ait un rapport de la vitesse avec laquelle on peut exécuter contre lui quelque entreprise, et la promptitude qu'il peut employer pour la rendre vaine. Comme celui qui attaque peut d'abord paraître partout, il faut que celui qui défend puisse se montrer partout aussi; et, par conséquent, que l'étendue de l'Etat soit médiocre, afin qu'elle soit proportionnée au degré de vitesse que la nature a donné aux hommes pour se transporter d'un lieu à un autre.

La France et l'Espagne sont précisément de la grandeur requise. Les forces se communiquent si bien, qu'elles se portent d'abord là où l'on veut; les armées s'y joignent, et passent rapidement d'une frontière à l'autre; et l'on n'y craint aucune des choses qui ont besoin d'un certain temps pour être exécutées.

En France, par un bonheur admirable, la capitale se trouve plus près des différentes frontières justement à proportion de leur faiblesse; et le prince y voit mieux chaque partie de son pays, à mesure qu'elle est plus exposée.

Mais, lorsqu'un vaste Etat, tel que la Perse, est attaqué, il faut plusieurs mois pour que les troupes dispersées puissent s'assembler; et on ne force pas leur marche pendant tant de temps, comme on fait pendant quinze jours. Si l'armée qui est sur la frontière est battue, elle est sûrement dispersée, parce que ses retraites ne sont pas prochaines : l'armée victorieuse, qui ne trouve pas de résistance, s'avance à grandes journées, paraît devant la capitale, et en forme le siège, lorsqu'à peine les gouverneurs des provinces peuvent être avertis d'envoyer du secours. Ceux qui jugent la révolution prochaine la hâtent, en n'obéissant pas. Car des gens, fidèles uniquement parce que la punition est proche, ne le sont plus dès qu'elle est éloignée; ils travaillent à leurs intérêts particuliers. L'empire se dissout, la capitale est prise, et le conquérant dispute les provinces avec les gouverneurs.

La vraie puissance d'un prince ne consiste pas tant dans la facilité qu'il y a à conquérir, que dans la difficuté qu'il y a à l'attaquer; et, si j'ose parler ainsi, dans l'immutabilité de sa condition. Mais l'agrandissement des Etats leur fait montrer de nouveaux côtés par où on peut les prendre.

Ainsi, comme les monarques doivent avoir de la sagesse pour augmenter leur puissance, ils ne doivent pas avoir moins de prudence afin de la borner. En faisant cesser les inconvénients de la petitesse, il faut qu'ils aient toujours l'œil sur les inconvénients de la grandeur.

CHAPITRE VII

Réflexions.

Les ennemis d'un grand prince qui a si longtemps régné l'ont mille fois accusé, plutôt, je crois, sur leurs craintes que sur leurs raisons, d'avoir formé et conduit le projet de la monarchie universelle. S'il y avait réussi, rien n'aurait été plus fatal à l'Europe, à ses anciens sujets, à lui, à sa famille. Le ciel, qui connaît les vrais avantages, l'a mieux servi par des défaites, qu'il n'aurait fait par des victoires. Au lieu de le rendre le seul roi de l'Europe, il le favorisa plus, en le rendant le plus puissant de tous.

Sa nation, qui, dans les pays étrangers, n'est jamais touchée que de ce qu'elle a quitté; qui, en partant de chez elle, regarde la gloire comme le souverain bien, et, dans les pays éloignés, comme un obstacle à son retour; qui indispose par ses bonnes qualités même, parce qu'elle paraît y joindre du mépris; qui peut supporter les blessures, les périls et les fatigues, et non pas la perte de ses plaisirs; qui n'aime rien tant que sa gaieté, et se console de la perte d'une bataille lorsqu'elle a chanté le général, n'aurait jamais été jusqu'au bout d'une entreprise qui ne peut manquer dans un pays sans manquer dans tous les autres, ni manquer un moment sans manquer pour toujours.

Chapitre VIII

Cas où la force défensive d'un Etat est inférieure à sa force offensive.

C'était le mot du sire de Coucy au roi Charles V, « que les Anglais ne sont jamais si faibles, ni si aisés à vaincre, que chez eux ». C'est ce qu'on disait des Romains; c'est ce qu'éprouvèrent les Carthaginois; c'est ce qui arrivera à toute puissance qui a envoyé au loin des armées, pour réunir, par la force de la discipline et du pouvoir militaire, ceux qui sont divisés chez eux par des intérêts politiques ou civils. L'Etat se trouve faible, à cause du mal qui reste toujours; et il a été encore affaibli par le remède.

La maxime du sire de Coucy est une exception à la règle générale, qui veut qu'on n'entreprenne point de guerres lointaines. Et cette exception confirme bien la règle, puisqu'elle n'a lieu que contre ceux qui ont eux-mêmes violé la règle.

Chapitre IX

De la force relative des Etats.

Toute grandeur, toute force, toute puissance est relative. Il faut bien prendre garde qu'en cherchant à augmenter la grandeur réelle, on ne diminue la grandeur relative.

Vers le milieu du règne de Louis XIV, la France fut au plus haut point de sa grandeur relative. L'Allemagne n'avait point encore les grands monarques qu'elle a eus depuis. L'Italie était dans le même cas. L'Ecosse et l'Angleterre ne formaient point un corps de monarchie. L'Aragon n'en formait pas un avec la Castille; les parties séparées de l'Espagne en étaient affaiblies, et l'affaiblissaient. La Moscovie n'était pas plus connue en Europe que la Crimée.

Chapitre X

De la faiblesse des Etats voisins.

Lorsqu'on a pour voisin un Etat qui est dans sa décadence, on doit bien se garder de hâter sa ruine; parce qu'on est, à cet égard, dans la situation la plus heureuse où l'on puisse être; n'y ayant rien de si commode pour un prince, que d'être auprès d'un autre qui reçoit pour lui tous les coups et tous les outrages de la fortune. Et il est rare que, par la conquête d'un pareil Etat, on augmente autant en puissance réelle, qu'on a perdu en puissance relative

LIVRE X

DES LOIS, DANS LE RAPPORT QU'ELLES ONT AVEC LA FORCE OFFENSIVE

CHAPITRE PREMIER

De la force offensive.

La force offensive est réglée par le droit des gens, qui est la loi politique des nations considérées dans le rapport qu'elles ont les unes avec les autres.

CHAPITRE II

De la guerre.

La vie des Etats est comme celle des hommes. Ceux-ci ont droit de tuer, dans le cas de la défense naturelle; ceux-là ont droit de faire la guerre pour leur propre conservation.

Dans le cas de la défense naturelle, j'ai droit de tuer; parce que ma vie est à moi, comme la vie de celui qui m'attaque est à lui : de même un Etat fait la guerre, parce que sa conservation est juste, comme toute autre conservation.

Entre les citoyens, le droit de la défense naturelle n'emporte point avec lui la nécessité de l'attaque. Au lieu d'attaquer, ils n'ont qu'à recourir aux tribunaux. Ils ne peuvent donc exercer le droit de cette défense, que dans les cas momentanés où l'on serait perdu si l'on attendait le secours des lois. Mais, entre les sociétés, le droit de la défense naturelle entraîne quelquefois la nécessité d'attaquer; lorsqu'un peuple voit qu'une plus longue paix en mettrait un autre en état de le détruire; et que l'attaque est, dans ce moment, le seul moyen d'empêcher cette destruction.

Il suit de là que les petites sociétés ont plus souvent le droit de faire la guerre que les grandes; parce qu'elles sont plus souvent dans le cas de craindre d'être détruites.

Le droit de la guerre dérive donc de la nécessité et du juste rigide. Si ceux qui dirigent la conscience, ou les conseils des princes, ne se tiennent pas là, tout est perdu : et, lorsqu'on se fondera sur des principes arbitraires de gloire, de bienséance, d'utilité, des flots de sang inonderont la terre.

Que l'on ne parle pas surtout de la gloire du prince : sa gloire serait son orgueil; c'est une passion, et non pas un droit légitime.

Il est vrai que la réputation de sa puissance pourrait augmenter les forces de son Etat; mais la réputation de sa justice les augmenterait tout de même.

CHAPITRE III

Du droit de conquête.

Du droit de la guerre, dérive celui de conquête, qui en est la conséquence; il en doit donc suivre l'esprit.

Lorsqu'un peuple est conquis, le droit que le conquérant a sur lui, suit quatre sortes de lois; la loi de la nature, qui fait que tout tend à la conservation des espèces; la loi de la lumière naturelle, qui veut que nous fassions à autrui ce que nous voudrions qu'on nous fît; la loi qui forme les sociétés politiques, qui sont telles, que la nature n'en a point borné la durée; enfin la loi tirée de la chose même. La conquête est une acquisition; l'esprit d'acquisition porte avec lui l'esprit de conservation et d'usage, et non pas celui de destruction.

Un Etat qui en a conquis un autre le traite d'une des quatre manières suivantes : il continue à le gouverner selon ses lois, et ne prend pour lui que l'exercice du gouvernement politique et civil; ou il lui donne un nouveau gouvernement politique et civil; ou il détruit la société, et la disperse dans d'autres; ou, enfin, il extermine tous les citoyens.

La première manière est conforme au droit des gens que nous suivons aujourd'hui; la quatrième est plus conforme au droit des gens des Romains : sur quoi je laisse à juger à quel point nous sommes devenus meilleurs. Il faut rendre ici hommage à nos temps modernes, à la raison présente, à la religion d'aujourd'hui, à notre philosophie, à nos mœurs.

Les auteurs de notre droit public, fondés sur les histoires anciennes, étant sortis des cas rigides, sont tombés dans de grandes erreurs. Ils ont donné dans l'arbitraire; ils ont supposé, dans les conquérants, un droit, je ne sais quel, de tuer : ce qui leur a fait tirer des conséquences terribles comme le principe; et établir des maximes que les conquérants eux-mêmes, lorsqu'ils ont eu le moindre sens, n'ont jamais prises. Il est clair que, lorsque la conquête est faite, le conquérant n'a plus le droit de tuer; puisqu'il n'est plus dans le cas de la défense naturelle, et de sa propre conservation.

Ce qui les a fait penser ainsi, c'est qu'ils ont cru que le conquérant avait droit de détruire la société : d'où ils ont conclu qu'il avait celui de détruire les hommes qui la composent; ce qui est une conséquence faussement tirée d'un faux principe. Car, de ce que la société serait anéantie, il ne s'ensuivrait pas que les hommes qui la forment dussent aussi être anéantis. La société est l'union des hommes, et non pas les hommes; le citoyen peut périr, et l'homme rester.

Du droit de tuer dans la conquête, les politiques ont tiré le droit de réduire en servitude : mais la conséquence est aussi mal fondée que le principe.

On n'a droit de réduire en servitude, que lorsqu'elle est nécessaire pour la conservation de la conquête. L'objet de la conquête est la conservation : la servitude n'est jamais l'objet de la conquête; mais il peut arriver qu'elle soit un moyen nécessaire pour aller à la conservation.

Dans ce cas, il est contre la nature de la chose que cette servitude soit éternelle. Il faut que le peuple esclave puisse devenir sujet. L'esclavage, dans la conquête, est une chose d'accident. Lorsque après un certain espace de temps, toutes les parties de l'Etat conquérant se sont liées avec celles de l'Etat conquis, par des coutumes, des mariages, des lois, des associations, et une certaine conformité d'esprit, la servitude doit cesser. Car les droits du conquérant ne sont fondés que sur ce que ces choses-là ne sont pas, et qu'il y a un éloignement entre les deux nations, tel que l'une ne peut pas prendre confiance en l'autre.

Ainsi, le conquérant, qui réduit le peuple en servitude, doit toujours se réserver des moyens (et ces moyens sont sans nombre) pour l'en faire sortir.

Je ne dis point ici des choses vagues. Nos pères, qui conquirent l'empire romain, en agirent ainsi. Les lois qu'ils firent dans le feu, dans l'action, dans l'impétuosité, dans l'orgueil de la victoire, ils les adoucirent : leurs lois étaient dures, ils les rendirent impartiales. Les Bourguignons, les Goths et les Lombards voulaient toujours que les Romains fussent le peuple vaincu; les lois d'Euric, de Gondebaud et de Rotharis firent du barbare et du Romain des concitoyens [a].

Charlemagne, pour dompter les Saxons, leur ôta l'ingénuité et la propriété des biens. Louis le débonnaire les affranchit [b] : il ne fit rien de mieux dans tout son règne. Le temps et la servitude avaient adouci leurs mœurs; ils lui furent toujours fidèles.

CHAPITRE IV

Quelques avantages du peuple conquis.

Au lieu de tirer du droit de conquête des conséquences si fatales, les politiques auraient mieux fait de parler des avantages que ce droit peut quelquefois apporter au peuple vaincu. Ils les auraient mieux sentis, si notre droit des gens était exactement suivi, et s'il était établi dans toute la terre.

Les Etats que l'on conquiert ne sont pas ordinairement dans la force de leur institution : la corruption s'y est introduite; les lois y ont cessé d'être exécutées; le gouvernement est devenu oppresseur. Qui peut douter qu'un Etat pareil ne gagnât, et ne tirât quelques avantages de la conquête même, si elle n'était pas destructrice ? Un gouvernement parvenu au point où il ne peut plus se réformer lui-même, que perdrait-il à être refondu ? Un conquérant

a. Voyez le code des lois des Barbares, et le livre XXVIII, ci-dessous.

b. Voyez l'auteur incertain de la vie de Louis le Débonnaire, dans le *Recueil* de Duchesne, t. II, p. 296.

qui entre chez un peuple où, par mille ruses et mille artifices, le riche s'est insensiblement pratiqué une infinité de moyens d'usurper; où le malheureux qui gémit, voyant ce qu'il croyait des abus devenir des lois, est dans l'oppression, et croit avoir tort de la sentir : un conquérant, dis-je, peut dérouter tout; et la tyrannie sourde est la première chose qui souffre la violence.

On a vu, par exemple, des Etats, opprimés par les traitants, être soulagés par le conquérant qui n'avait ni les engagements, ni les besoins qu'avait le prince légitime. Les abus se trouvaient corrigés, sans même que le conquérant les corrigeât.

Quelquefois la frugalité de la nation conquérante l'a mise en état de laisser aux vaincus le nécessaire, qui leur était ôté sous le prince légitime.

Une conquête peut détruire les préjugés nuisibles; et mettre, si j'ose parler ainsi, une nation sous un meilleur génie.

Quel bien les Espagnols ne pouvaient-ils pas faire aux Mexicains ? Ils avaient à leur donner une religion douce; ils leurs apportèrent une superstition furieuse. Ils auraient pu rendre libres les esclaves; et ils rendirent esclaves les hommes libres. Ils pouvaient les éclairer sur l'abus des sacrifices humains; au lieu de cela, ils les exterminèrent. Je n'aurais jamais fini, si je voulais raconter tous les biens qu'ils ne firent pas, et tous les maux qu'ils firent.

C'est à un conquérant à réparer une partie des maux qu'il a faits. Je définis ainsi le droit de conquête : un droit nécessaire, légitime, et malheureux, qui laisse toujours à payer une dette immense, pour s'acquitter envers la nature humaine.

Chapitre V

Gélon, roi de Syracuse.

Le plus beau traité de paix dont l'histoire ait parlé, est, je crois, celui que Gélon fit avec les Carthaginois. Il voulut qu'ils abolissent la coutume d'immoler leurs enfants [a]. Chose admirable! Après avoir défait trois

[a]. Voyez le *Recueil* de M. de Barbeyrac, art. 112.

cent mille Carthaginois, il exigeait une condition qui n'était utile qu'à eux; ou plutôt, il stipulait pour le genre humain.

Les Bactriens faisaient manger leurs pères vieux à de grands chiens : Alexandre le leur défendit[b]; et ce fut un triomphe qu'il remporta sur la superstition.

b. Strabon, liv. II.

CHAPITRE VI

D'une république qui conquiert.

Il est contre la nature de la chose, que, dans une Constitution fédérative, un Etat confédéré conquière sur l'autre, comme nous avons vu de nos jours chez les Suisses[a]. Dans les républiques fédératives mixtes, où l'association est entre des petites républiques et des petites monarchies, cela choque moins.

Il est encore contre la nature de la chose, qu'une république démocratique conquière des villes qui ne sauraient entrer dans la sphère de la démocratie. Il faut que le peuple conquis puisse jouir des privilèges de la souveraineté, comme les Romains l'établirent au commencement. On doit borner la conquête au nombre des citoyens que l'on fixera pour la démocratie.

Si une démocratie conquiert un peuple pour le gouverner comme sujet, elle exposera sa propre liberté; parce qu'elle confiera une trop grande puissance aux magistrats qu'elle enverra dans l'Etat conquis.

Dans quel danger n'eût pas été la république de Carthage, si Annibal avait pris Rome ? Que n'eût-il pas fait dans sa ville après la victoire, lui qui y causa tant de révolutions après sa défaite[b] ?

Hannon n'aurait jamais pu persuader au sénat de ne point envoyer de secours à Annibal, s'il n'avait fait parler que sa jalousie. Ce sénat, qu'Aristote nous dit avoir été si sage (chose que la prospérité de cette république nous prouve si bien), ne pouvait être déterminé que par des raisons sensées. Il aurait fallu être trop stupide pour ne

a. Pour le Tockembourg.
b. Il était à la tête d'une faction.

pas voir qu'une armée, à trois cents lieues de là, faisait des pertes nécessaires, qui devaient être réparées.

Le parti d'Hannon voulait qu'on livrât Annibal [c] aux Romains. On ne pouvait, pour lors, craindre les Romains; on craignait donc Annibal.

On ne pouvait croire, dit-on, les succès d'Annibal : mais comment en douter ? Les Carthaginois, répandus par toute la terre, ignoraient-ils ce qui se passait en Italie ? C'est parce qu'ils ne l'ignoraient pas, qu'on ne voulait pas envoyer de secours à Annibal.

Hannon devient plus ferme après Trébies, après Trasimènes, après Cannes : ce n'est point son incrédulité qui augmente, c'est sa crainte.

CHAPITRE VII

Continuation du même sujet.

Il y a encore un inconvénient aux conquêtes faites par les démocraties. Leur gouvernement est toujours odieux aux Etats assujettis. Il est monarchique par la fiction : mais, dans la vérité, il est plus dur que le monarchique, comme l'expérience de tous les temps et de tous les pays l'a fait voir.

Les peuples conquis y sont dans un état triste; ils ne jouissent ni des avantages de la république, ni de ceux de la monarchie.

Ce que j'ai dit de l'état populaire se peut appliquer à l'aristocratie.

CHAPITRE VIII

Continuation du même sujet.

Ainsi, quand une république tient quelque peuple sous sa dépendance, il faut qu'elle cherche à réparer les inconvénients qui naissent de la nature de la chose, en lui donnant un bon droit politique et de bonnes lois civiles.

c. Hannon voulait livrer Annibal aux Romains, comme Caton voulait qu'on livrât César aux Gaulois.

Une république d'Italie tenait des insulaires sous son obéissance : mais son droit politique et civil, à leur égard, était vicieux. On se souvient de cet acte[a] d'amnistie, qui porte qu'on ne les condamnerait plus à des peines afflictives *sur la conscience informée du gouverneur*. On a vu souvent des peuples demander des privilèges : ici le souverain accorde le droit de toutes les nations.

CHAPITRE IX

D'une monarchie qui conquiert autour d'elle.

Si une monarchie peut agir longtemps avant que l'agrandissement l'ait affaiblie, elle deviendra redoutable; et sa force durera tout autant qu'elle sera pressée par les monarchies voisines.

Elle ne doit donc conquérir que pendant qu'elle reste dans les limites naturelles à son gouvernement. La prudence veut qu'elle s'arrête, sitôt qu'elle passe ces limites.

Il faut, dans cette sorte de conquête, laisser les choses comme on les a trouvées; les mêmes tribunaux, les mêmes lois, les mêmes coutumes, les mêmes privilèges. Rien ne doit être changé, que l'armée et le nom du souverain.

Lorsque la monarchie a étendu ses limites par la conquête de quelques provinces voisines, il faut qu'elle les traite avec une grande douceur.

Dans une monarchie qui a travaillé longtemps à conquérir, les provinces de son ancien domaine seront ordinairement très foulées. Elles ont à souffrir les nouveaux abus et les anciens; et souvent une vaste capitale, qui engloutit tout, les a dépeuplées. Or si, après avoir conquis autour de ce domaine, on traitait les peuples vaincus comme on fait ses anciens sujets, l'Etat serait perdu : ce que les provinces conquises enverraient de tributs à la capitale ne leur reviendrait plus; les frontières seraient ruinées, et par conséquent plus faibles; les peuples en seraient mal affectionnés; la subsistance des

a. Du 18 octobre 1738, imprimé à Gênes, chez Franchelli. *Vietiamo al nostro general-governatore in detta isola di condanare in avenire solamente* ex informata conscientia *persona alcuna nazionale in pena afflittiva. Potrà ben si far arrestare ed incarcerare le persone che gli saranno sospette; salvo di renderne poi à noi sollecitamente*, art. VI.

armées, qui doivent y rester et agir, serait plus précaire.

Tel est l'état nécessaire d'une monarchie conquérante; un luxe affreux dans la capitale, la misère dans les provinces qui s'en éloignent, l'abondance aux extrémités. Il en est comme de notre planète : le feu est au centre; la verdure, à la surface; une terre aride, froide et stérile, entre les deux.

Chapitre X

D'une monarchie qui conquiert une autre monarchie.

Quelquefois une monarchie en conquiert une autre. Plus celle-ci sera petite, mieux on la contiendra par des forteresses; plus elle sera grande, mieux on la conservera par des colonies.

Chapitre XI

Des mœurs du peuple vaincu.

Dans ces conquêtes, il ne suffit pas de laisser à la nation vaincue ses lois : il est peut-être plus nécessaire de lui laisser ses mœurs; parce qu'un peuple connaît, aime et défend toujours plus ses mœurs que ses lois.

Les Français ont été chassés neuf fois de l'Italie, à cause, disent les historiens [a], de leur insolence à l'égard des femmes et des filles. C'est trop, pour une nation, d'avoir à souffrir la fierté du vainqueur, et encore son incontinence; et encore son indiscrétion sans doute plus fâcheuse, parce qu'elle multiplie à l'infini les outrages.

Chapitre XII

D'une loi de Cyrus.

Je ne regarde pas comme une bonne loi celle que fit Cyrus, pour que les Lydiens ne pussent exercer que des

a. Parcourez l'*Histoire de l'univers*, par M. Pufendorf.

professions viles, ou des professions infâmes. On va au plus pressé; on songe aux révoltes, et non pas aux invasions. Mais les invasions viendront bientôt; les deux peuples s'unissent, ils se corrompent tous les deux. J'aimerais mieux maintenir par les lois la rudesse du peuple vainqueur, qu'entretenir par elles la mollesse du peuple vaincu.

Aristodème, tyran de Cumes [a], chercha à énerver le courage de la jeunesse. Il voulut que les garçons laissassent croître leurs cheveux, comme les filles; qu'ils les ornassent de fleurs; et portassent des robes de différentes couleurs jusqu'aux talons; que, lorsqu'ils allaient chez leurs maîtres de danse et de musique, des femmes leur portassent des parasols, des parfums et des éventails; que, dans le bain, elles leur donnassent des peignes et des miroirs. Cette éducation durait jusqu'à l'âge de vingt ans. Cela ne peut convenir qu'à un petit tyran, qui expose sa souveraineté pour défendre sa vie.

Chapitre XIII

Charles XII.

Ce prince, qui ne fit usage que de ses seules forces, détermina sa chute, en formant des desseins qui ne pouvaient être exécutés que par une longue guerre; ce que son royaume ne pouvait soutenir.

Ce n'était pas un Etat qui fût dans la décadence, qu'il entreprit de renverser; mais un empire naissant. Les Moscovites se servirent de la guerre qu'il leur faisait, comme d'une école. A chaque défaite, ils s'approchaient de la victoire; et, perdant au-dehors, ils apprenaient à se défendre au-dedans.

Charles se croyait le maître du monde dans les déserts de la Pologne, où il errait, et dans lesquels la Suède était comme répandue; pendant que son principal ennemi se fortifiait contre lui, le serrait, s'établissait sur la mer Baltique, détruisait ou prenait la Livonie.

La Suède ressemblait à un fleuve, dont on coupait les eaux dans sa source, pendant qu'on les détournait dans son cours.

a. Denys d'Halicarnasse, liv. VII.

Ce ne fut point Pultova qui perdit Charles : s'il n'avait pas été détruit dans ce lieu, il l'aurait été dans un autre. Les accidents de la fortune se réparent aisément : on ne peut pas parer à des événements qui naissent continuellement de la nature des choses ?

Mais la nature ni la fortune ne furent jamais si fortes contre lui que lui-même.

Il ne se réglait point sur la disposition actuelle des choses, mais sur un certain modèle qu'il avait pris : encore le suivit-il très mal. Il n'était point Alexandre; mais il aurait été le meilleur soldat d'Alexandre.

Le projet d'Alexandre ne réussit que parce qu'il était sensé. Les mauvais succès des Perses dans les invasions qu'ils firent de la Grèce, les conquêtes d'Agésilas, et la retraite des *Dix mille* avaient fait connaître au juste la supériorité des Grecs dans leur manière de combattre, et dans le genre de leurs armes; et l'on savait bien que les Perses étaient trop grands pour se corriger.

Ils ne pouvaient plus affaiblir la Grèce par des divisions : elle était alors réunie sous un chef, qui ne pouvait avoir de meilleur moyen pour lui cacher sa servitude, que de l'éblouir par la destruction de ses ennemis éternels, et par l'espérance de la conquête de l'Asie.

Un empire cultivé par la nation du monde la plus industrieuse, et qui travaillait les terres par principe de religion, fertile et abondant en toutes choses, donnait à un ennemi toutes sortes de facilités pour y subsister.

On pouvait juger, par l'orgueil de ces rois, toujours vainement mortifiés par leurs défaites, qu'ils précipiteraient leur chute, en donnant toujours des batailles; et que la flatterie ne permettrait jamais qu'ils pussent douter de leur grandeur.

Et non seulement le projet était sage, mais il fut sagement exécuté. Alexandre, dans la rapidité de ses actions, dans le feu de ses passions mêmes, avait, si j'ose me servir de ce terme, une saillie de raison qui le conduisait; et que ceux qui ont voulu faire un roman de son histoire, et qui avaient l'esprit plus gâté que lui, n'ont pu nous dérober. Parlons-en tout à notre aise.

CHAPITRE XIV
Alexandre.

Il ne partit qu'après avoir assuré la Macédoine contre les peuples barbares qui en étaient voisins, et achevé d'accabler les Grecs : il ne se servit de cet accablement que pour l'exécution de son entreprise : il rendit impuissante la jalousie des Lacédémoniens : il attaqua les provinces maritimes : il fit suivre à son armée de terre les côtes de la mer, pour n'être point séparé de sa flotte : il se servit admirablement bien de la discipline contre le nombre : il ne manqua point de subsistances : Et, s'il est vrai que la victoire lui donna tout, il fit aussi tout pour se procurer la victoire.

Dans le commencement de son entreprise, c'est-à-dire, dans un temps où un échec pouvait le renverser, il mit peu de chose au hasard : quand la fortune le mit au-dessus des événements, la témérité fut quelquefois un de ses moyens. Lorsque avant son départ, il marche contre les Triballiens et les Illyriens, vous voyez une guerre [a] comme celle que César fit depuis dans les Gaules. Lorsqu'il est de retour dans la Grèce [b], c'est comme malgré lui qu'il prend et détruit Thèbes : campé auprès de leur ville, il attend que les Thébains veuillent faire la paix; ils précipitent eux-mêmes leur ruine. Lorsqu'il s'agit de combattre [c] les forces maritimes des Perses, c'est plutôt Parménion qui a de l'audace; c'est plutôt Alexandre qui a de la sagesse. Son industrie fut de séparer les Perses des côtes de la mer, et de les réduire à abandonner eux-mêmes leur marine, dans laquelle ils étaient supérieurs. Tyr était, par principe, attachée aux Perses, qui ne pouvaient se passer de son commerce et de sa marine; Alexandre la détruisit. Il prit l'Egypte, que Darius avait laissée dégarnie de troupes, pendant qu'il assemblait des armées innombrables dans un autre univers.

Le passage du Granique fit qu'Alexandre se rendit maître des colonies grecques; la bataille d'Iffus lui donna

a. Voyez ARRIEN, *De expedit. Alexandri*, liv. I.
b. *Ibid.*
c. *Ibid.*

Tyr et l'Egypte; la bataille d'Arbelles lui donna toute la terre.

Après la bataille d'Iffus, il laisse fuir Darius, et ne s'occupe qu'à affermir et à régler ses conquêtes : après la bataille d'Arbelles, il le suit de si près [d], qu'il ne lui laisse aucune retraite dans son empire. Darius n'entre dans ses villes et dans ses provinces, que pour en sortir : les marches d'Alexandre sont si rapides, que vous croyez voir l'empire de l'univers plutôt le prix de la course, comme dans les jeux de la Grèce, que le prix de la victoire.

C'est ainsi qu'il fit ses conquêtes : voyons comment il les conserva.

Il résista à ceux qui voulaient qu'il traitât [e] les Grecs comme maîtres, et les Perses comme esclaves : il ne songea qu'à unir les deux nations, et à faire perdre les distinctions du peuple conquérant et du peuple vaincu : il abandonna, après la conquête, tous les préjugés qui lui avaient servi à la faire : il prit les mœurs des Perses, pour ne pas désoler les Perses, en leur faisant prendre les mœurs des Grecs; c'est ce qui fit qu'il marqua tant de respect pour la femme et pour la mère de Darius, et qu'il montra tant de continence. Qu'est-ce que ce conquérant, qui est pleuré de tous les peuples qu'il a soumis ? Qu'est-ce que cet usurpateur, sur la mort duquel la famille qu'il a renversée du trône verse des larmes ? C'est un trait de cette vie dont les historiens ne nous disent pas que quelque autre conquérant puisse se vanter.

Rien n'affermit plus une conquête, que l'union qui se fait des deux peuples par les mariages. Alexandre prit des femmes de la nation qu'il avait vaincue; il voulut que ceux de sa cour [f] en prissent aussi; le reste des Macédoniens suivit cet exemple. Les Francs et les Bourguignons [g] permirent ces mariages : les Wisigoths les défendirent [h] en Espagne, et ensuite ils les permirent : les Lombards ne les permirent pas seulement, mais même les favori-

d. Voyez ARRIEN, *De expedit. Alexandri*, liv. III.

e. C'était le conseil d'Aristote. PLUTARQUE, *Œuvres morales : de la fortune d'Alexandre*.

f. Voyez ARRIEN, *De expedit. Alexandri*, liv. VII.

g. Voyez la loi des Bourguignons, tit. XII, art. 5.

h. Voyez la loi des Wisigoths, liv. III, tit. V, § 1, qui abroge la loi ancienne, qui avait plus d'égards, *y est-il dit*, à la différence des nations, que des conditions.

sèrent [i] : quand les Romains voulurent affaiblir la Macédoine, ils y établirent qu'il ne pourrait se faire d'union par mariages entre les peuples des provinces.

Alexandre, qui cherchait à unir les deux peuples, songea à faire dans la Perse un grand nombre de colonies grecques : il bâtit une infinité de villes; et il cimenta si bien toutes les parties de ce nouvel empire, qu'après sa mort, dans le trouble et la confusion des plus affreuses guerres civiles, après que les Grecs se furent, pour ainsi dire, anéantis eux-mêmes, aucune province de Perse ne se révolta.

Pour ne point épuiser la Grèce et la Macédoine, il envoya à Alexandrie une colonie de Juifs [k] : il ne lui importait quelles mœurs eussent ces peuples, pourvu qu'ils lui fussent fidèles.

Il ne laissa pas seulement aux peuples vaincus leurs mœurs; il leur laissa encore leurs lois civiles, et souvent même les rois et les gouverneurs qu'il avait trouvés. Il mettait les Macédoniens [l] à la tête des troupes, et les gens du pays à la tête du gouvernement; aimant mieux courir le risque de quelque infidélité particulière (ce qui lui arriva quelquefois), que d'une révolte générale. Il respecta les traditions anciennes, et tous les monuments de la gloire ou de la vanité des peuples. Les rois de Perse avaient détruit les temples des Grecs, des Babyloniens et des Egyptiens; il les rétablit [m] : peu de nations se soumirent à lui, sur les autels desquelles il ne fît des sacrifices : Il semblait qu'il n'eût conquis, que pour être le monarque particulier de chaque nation, et le premier citoyen de chaque ville. Les Romains conquirent tout, pour tout détruire; il voulut tout conquérir, pour tout conserver : et, quelque pays qu'il parcourût, ses premières idées, ses premiers desseins furent toujours de faire quelque chose qui pût en augmenter la prospérité et la puissance. Il en trouva les premiers moyens dans la grandeur de son génie; les seconds dans sa frugalité et son économie particulière [n]; les troisièmes dans son immense prodigalité pour les grandes choses. Sa main se

i. Voyez la loi des Lombards, liv. II, tit. VII, § 1 et 2.

k. Les rois de Syrie, abandonnant le plan des fondateurs de l'empire, voulurent obliger les Juifs à prendre les mœurs des Grecs; ce qui donna à leur Etat de terribles secousses.

l. Voyez ARRIEN, *De exped. Alex.*, liv. III, et autres.

m. *Ibid.*

n. *Ibid*, lib. VII.

fermait pour les dépenses privées; elle s'ouvrait pour les dépenses publiques. Fallait-il régler sa maison? c'était un Macédonien : Fallait-il payer les dettes des soldats, faire part de sa conquête aux Grecs, faire la fortune de chaque homme de son armée? il était Alexandre.

Il fit deux mauvaises actions; il brûla Persépolis, et tua Clitus. Il les rendit célèbres par son repentir : de sorte qu'on oublia ses actions criminelles, pour se souvenir de son respect pour la vertu; de sorte qu'elles furent considérées plutôt comme des malheurs, que comme des choses qui lui fussent propres; de sorte que la postérité trouve la beauté de son âme presque à côté de ses emportements et de ses faiblesses; de sorte qu'il fallut le plaindre, et qu'il n'était plus possible de le haïr.

Je vais le comparer à César : Quand César voulut imiter les rois d'Asie, il désespéra les Romains pour une chose de pure ostentation; quand Alexandre voulut imiter les rois d'Asie, il fit une chose qui entrait dans le plan de sa conquête.

CHAPITRE XV

Nouveaux moyens de conserver la conquête.

Lorsqu'un monarque conquiert un grand Etat, il y a une pratique admirable, également propre à modérer le despotisme et à conserver la conquête : les conquérants de la Chine l'ont mise en usage.

Pour ne point désespérer le peuple vaincu, et ne point enorgueillir le vainqueur; pour empêcher que le gouvernement ne devienne militaire, et pour contenir les deux peuples dans le devoir; la famille tartare, qui règne présentement à la Chine, a établi que chaque corps de troupes, dans les provinces, serait composé de moitié Chinois et moitié Tartares, afin que la jalousie entre les deux nations les contienne dans le devoir. Les tribunaux sont aussi moitié Chinois, moitié Tartares. Cela produit plusieurs bons effets. 1° Les deux nations se contiennent l'une l'autre. 2° Elles gardent toutes les deux la puissance militaire et civile, et l'une n'est pas anéantie par l'autre. 3° La nation conquérante peut se répandre partout, sans s'affaiblir et se perdre; elle devient capable de résister aux guerres civiles et étrangères. Institution si sensée, que c'est le défaut d'une pareille qui a perdu presque tous ceux qui ont conquis sur la terre.

CHAPITRE XVI

D'un Etat despotique qui conquiert.

Lorsque la conquête est immense, elle suppose le despotisme. Pour lors, l'armée répandue dans les provinces ne suffit pas. Il faut qu'il y ait toujours autour du prince un corps particulièrement affidé, toujours prêt à fondre sur la partie de l'empire qui pourrait s'ébranler. Cette milice doit contenir les autres, et faire trembler tous ceux à qui on a été obligé de laisser quelque autorité dans l'empire. Il y a autour de l'empereur de la Chine un gros corps de Tartares toujours prêt pour le besoin. Chez le Mogol, chez les Turcs, au Japon, il y a un corps à la solde du prince, indépendamment de ce qui est entretenu du revenu des terres. Ces forces particulières tiennent en respect les générales.

CHAPITRE XVII

Continuation du même sujet.

Nous avons dit que les Etats, que le monarque despotique conquiert, doivent être feudataires. Les historiens s'épuisent en éloges sur la générosité des conquérants qui ont rendu la couronne aux princes qu'ils avaient vaincus. Les Romains étaient donc bien généreux, qui faisaient partout des rois, pour avoir des instruments de servitude [a]. Une action pareille est un acte nécessaire. Si le conquérant garde l'Etat conquis, les gouverneurs qu'il enverra ne sauront contenir les sujets, ni lui-même ses gouverneurs. Il sera obligé de dégarnir de troupes son ancien patrimoine, pour garantir le nouveau. Tous les malheurs des deux Etats seront communs; la guerre civile de l'un sera la guerre civile de l'autre. Que si, au contraire,

a. *Ut haberent instrumenta servitutis et reges.*

le conquérant rend le trône au prince légitime, il aura un allié nécessaire, qui, avec les forces qui lui seront propres, augmentera les siennes. Nous venons de voir Schah-Nadir conquérir les trésors du Mogol, et lui laisser l'Indoustan.

LIVRE XI

DES LOIS QUI FORMENT LA LIBERTÉ POLITIQUE DANS SON RAPPORT AVEC LA CONSTITUTION

CHAPITRE PREMIER

Idée générale.

Je distingue les lois qui forment la liberté politique dans son rapport avec la Constitution, d'avec celles qui la forment dans son rapport avec le citoyen. Les premières seront le sujet de ce livre-ci; je traiterai des secondes dans le livre suivant.

CHAPITRE II

Diverses significations données au mot de liberté.

Il n'y a point de mot qui ait reçu plus de différentes significations, et qui ait frappé les esprits de tant de manières, que celui de *liberté*. Les uns l'ont pris pour la facilité de déposer celui à qui ils avaient donné un pouvoir tyrannique; les autres, pour la faculté d'élire celui à qui ils devaient obéir; d'autres, pour le droit d'être armés, et de pouvoir exercer la violence; ceux-ci, pour le privilège de n'être gouvernés que par un homme de leur nation, ou par leurs propres lois [a]. Certain peuple a longtemps pris la liberté, pour l'usage de porter une

a. *J'ai,* dit Cicéron, *copié l'édit de* Scévola, *qui permet aux Grecs de terminer entre eux leurs différends, selon leurs lois ; ce qui fait qu'ils se regardent comme des peuples libres.*

longue barbe [b]. Ceux-ci ont attaché ce nom à une forme de gouvernement, et en ont exclu les autres. Ceux qui avaient goûté du gouvernement républicain l'ont mise dans ce gouvernement; ceux qui avaient joui du gouvernement monarchique l'ont placée dans la monarchie [c]. Enfin chacun a appelé *liberté* le gouvernement qui était conforme à ses coutumes ou à ses inclinations : Et comme, dans une république, on n'a pas toujours devant les yeux, et d'une manière si présente, les instruments des maux dont on se plaint; et que même les lois paraissent y parler plus, et les exécuteurs de la loi y parler moins; on la place ordinairement dans les républiques, et on l'a exclue des monarchies. Enfin, comme, dans les démocraties, le peuple paraît à peu près faire ce qu'il veut, on a mis la liberté dans ces sortes de gouvernements; et on a confondu le pouvoir du peuple, avec la liberté du peuple.

CHAPITRE III
Ce que c'est que la liberté.

Il est vrai que, dans les démocraties, le peuple paraît faire ce qu'il veut : mais la liberté politique ne consiste point à faire ce que l'on veut. Dans un Etat, c'est-à-dire dans une société où il y a des lois, la liberté ne peut consister qu'à pouvoir faire ce que l'on doit vouloir, et à n'être point contraint de faire ce que l'on ne doit pas vouloir.

Il faut se mettre dans l'esprit ce que c'est que l'indépendance, et ce que c'est que la liberté. La liberté est le droit de faire tout ce que les lois permettent : et, si un citoyen pouvait faire ce qu'elles défendent, il n'aurait plus de liberté, parce que les autres auraient tout de même ce pouvoir.

b. Les Moscovites ne pouvaient souffrir que le czar Pierre la leur fît couper.

c. Les Cappadociens refusèrent l'état républicain, que leur offrirent les Romains.

CHAPITRE IV

Continuation du même sujet.

La démocratie et l'aristocratie ne sont point des états libres par leur nature. La liberté politique ne se trouve que dans les gouvernements modérés. Mais elle n'est pas toujours dans les Etats modérés. Elle n'y est que lorsqu'on n'abuse pas du pouvoir : mais c'est une expérience éternelle, que tout homme qui a du pouvoir est porté à en abuser; il va jusqu'à ce qu'il trouve des limites. Qui le dirait! la vertu même a besoin de limites.

Pour qu'on ne puisse abuser du pouvoir, il faut que, par la disposition des choses, le pouvoir arrête le pouvoir. Une Constitution peut être telle, que personne ne sera contraint de faire les choses auxquelles la loi ne l'oblige pas, et à ne point faire celles que la loi lui permet.

CHAPITRE V

De l'objet des Etats divers.

Quoique tous les Etats aient, en général, un même objet, qui est de se maintenir, chaque Etat en a pourtant un qui lui est particulier. L'agrandissement était l'objet de Rome; la guerre, celui de Lacédémone; la religion, celui des lois judaïques, le commerce, celui de Marseille; la tranquillité publique, celui des lois de la Chine [a]; la navigation, celui des lois des Rhodiens; la liberté naturelle, l'objet de la police des sauvages; en général, les délices du prince, celui des Etats despotiques; sa gloire et celle de l'Etat, celui des monarchies : l'indépendance de chaque particulier est l'objet des lois de Pologne; et ce qui en résulte, l'oppression de tous [b].

a. Objet naturel d'un Etat qui n'a point d'ennemis au-dehors, ou qui croit les avoir arrêtés par des barrières.
b. Inconvénient du *Liberum veto.*

Il y a aussi une nation dans le monde qui a pour objet direct de sa Constitution la liberté politique. Nous allons examiner les principes sur lesquels elle la fonde. S'ils sont bons, la liberté y paraîtra comme dans un miroir.

Pour découvrir la liberté politique dans la Constitution, il ne faut pas tant de peine. Si on peut la voir où elle est, si on l'a trouvée, pourquoi la chercher ?

Chapitre VI

De la Constitution d'Angleterre.

Il y a, dans chaque Etat, trois sortes de pouvoirs ; la puissance législative, la puissance exécutrice des choses qui dépendent du droit des gens, et la puissance exécutrice de celles qui dépendent du droit civil.

Par la première, le prince ou le magistrat fait des lois pour un temps ou pour toujours, et corrige ou abroge celles qui sont faites. Par la seconde, il fait la paix ou la guerre, envoie ou reçoit des ambassades, établit la sûreté, prévient les invasions. Par la troisième, il punit les crimes, ou juge les différends des particuliers. On appellera cette dernière la puissance de juger ; et l'autre, simplement la puissance exécutrice de l'Etat.

La liberté politique, dans un citoyen, est cette tranquillité d'esprit qui provient de l'opinion que chacun a de sa sûreté ; et, pour qu'on ait cette liberté, il faut que le gouvernement soit tel, qu'un citoyen ne puisse pas craindre un autre citoyen.

Lorsque, dans la même personne ou dans le même corps de magistrature, la puissance législative est réunie à la puissance exécutrice, il n'y a point de liberté ; parce qu'on peut craindre que le même monarque ou le même sénat ne fasse des lois tyranniques, pour les exécuter tyranniquement.

Il n'y a point encore de liberté, si la puissance de juger n'est pas séparée de la puissance législative et de l'exécutrice. Si elle était jointe à la puissance législative, le pouvoir sur la vie et la liberté des citoyens serait arbitraire ; car le juge serait législateur. Si elle était jointe à la puissance exécutrice, le juge pourrait avoir la force d'un oppresseur.

Tout serait perdu, si le même homme, ou le même corps des principaux, ou des nobles, ou du peuple, exerçaient ces trois pouvoirs : celui de faire des lois, celui d'exécuter les résolutions publiques, et celui de juger les crimes ou les différends des particuliers.

Dans la plupart des royaumes de l'Europe, le gouvernement est modéré; parce que le prince, qui a les deux premiers pouvoirs, laisse à ses sujets l'exercice du troisième. Chez les Turcs, où ces trois pouvoirs sont réunis sur la tête du sultan, il règne un affreux despotisme.

Dans les républiques d'Italie, où ces trois pouvoirs sont réunis, la liberté se trouve moins que dans nos monarchies. Aussi le gouvernement a-t-il besoin, pour se maintenir, de moyens aussi violents que le gouvernement des Turcs; témoins les inquisiteurs d'Etat [a], et le tronc où tout délateur peut, à tous les moments, jeter avec un billet son accusation.

Voyez quelle peut être la situation d'un citoyen dans ces républiques. Le même corps de magistrature a, comme exécuteur des lois, toute la puissance qu'il s'est donnée comme législateur. Il peut ravager l'Etat par ses volontés générales; et, comme il a encore la puissance de juger, il peut détruire chaque citoyen par ses volontés particulières.

Toute la puissance y est une; et, quoiqu'il n'y ait point de pompe extérieure qui découvre un prince despotique, on le sent à chaque instant.

Aussi, les princes qui ont voulu se rendre despotiques ont-ils toujours commencé par réunir en leur personne toutes les magistratures, et plusieurs rois d'Europe toutes les grandes charges de leur Etat.

Je crois bien que la pure aristocratie héréditaire des républiques d'Italie ne répond pas précisément au despotisme de l'Asie. La multitude des magistrats adoucit quelquefois la magistrature; tous les nobles ne concourent pas toujours aux mêmes desseins; on y forme divers tribunaux qui se tempèrent. Ainsi, à Venise, le *grand conseil* a la législation; le *prégady*, l'exécution; les *quaranties*, le pouvoir de juger. Mais le mal est que ces tribunaux différents sont formés par des magistrats du même corps; ce qui ne fait guère qu'une même puissance.

La puissance de juger ne doit pas être donnée à un sénat permanent, mais exercée par des personnes tirées

a. A Venise.

du corps du peuple [b], dans certains temps de l'année, de la manière prescrite par la loi, pour former un tribunal qui ne dure qu'autant que la nécessité le requiert.

De cette façon, la puissance de juger, si terrible parmi les hommes, n'étant attachée ni à un certain état, ni à une certaine profession, devient, pour ainsi dire, invisible et nulle. On n'a point continuellement des juges devant les yeux; et l'on craint la magistrature, et non pas les magistrats.

Il faut même que, dans les grandes accusations, le criminel, concurremment avec la loi, se choisisse des juges; ou, du moins, qu'il en puisse récuser un si grand nombre, que ceux qui restent soient censés être de son choix.

Les deux autres pouvoirs pourraient plutôt être donnés à des magistrats ou à des corps permanents; parce qu'ils ne s'exercent sur aucun particulier; n'étant, l'un, que la volonté générale de l'Etat; et l'autre, que l'exécution de cette volonté générale.

Mais, si les tribunaux ne doivent pas être fixes, les jugements doivent l'être à un tel point, qu'ils ne soient jamais qu'un texte précis de la loi. S'ils étaient une opinion particulière du juge, on vivrait dans la société, sans savoir précisément les engagements que l'on y contracte.

Il faut même que les juges soient de la condition de l'accusé, ou ses pairs, pour qu'il ne puisse pas se mettre dans l'esprit qu'il soit tombé entre les mains de gens portés à lui faire violence.

Si la puissance législative laisse à l'exécutrice le droit d'emprisonner des citoyens qui peuvent donner caution de leur conduite, il n'y a plus de liberté; à moins qu'ils ne soient arrêtés pour répondre, sans délai, à une accusation que la loi a rendue capitale : auquel cas ils sont réellement libres, puisqu'ils ne sont soumis qu'à la puissance de la loi.

Mais, si la puissance législative se croyait en danger par quelque conjuration secrète contre l'Etat, ou quelque intelligence avec les ennemis du dehors, elle pourrait, pour un temps court et limité, permettre à la puissance exécutrice de faire arrêter les citoyens suspects, qui ne perdraient leur liberté pour un temps, que pour la conserver pour toujours.

Et c'est le seul moyen conforme à la raison, de suppléer

b. Comme à Athènes.

à la tyrannique magistrature des *éphores*, et aux *inquisiteurs d'Etat* de Venise, qui sont aussi despotiques.

Comme, dans un Etat libre, tout homme qui est censé avoir une âme libre doit être gouverné par lui-même, il faudrait que le peuple en corps eût la puissance législative : mais, comme cela est impossible dans les grands Etats, et est sujet à beaucoup d'inconvénients dans les petits, il faut que le peuple fasse, par ses représentants, tout ce qu'il ne peut faire par lui-même.

L'on connaît beaucoup mieux les besoins de sa ville, que ceux des autres villes; et on juge mieux de la capacité de ses voisins, que de celle de ses autres compatriotes. Il ne faut donc pas que les membres du corps législatif soient tirés en général du corps de la nation; mais il convient que, dans chaque lieu principal, les habitants se choisissent un représentant.

Le grand avantage des représentants, c'est qu'ils sont capables de discuter les affaires. Le peuple n'y est point du tout propre; ce qui forme un des grands inconvénients de la démocratie.

Il n'est pas nécessaire que les représentants, qui ont reçu, de ceux qui les ont choisis, une instruction générale, en reçoivent une particulière sur chaque affaire, comme cela se pratique dans les diètes d'Allemagne. Il est vrai que, de cette manière, la parole des députés serait plus l'expression de la voix de la nation : mais cela jetterait dans des longueurs infinies, rendrait chaque député le maître de tous les autres; et, dans les occasions les plus pressantes, toute la force de la nation pourrait être arrêtée par un caprice.

Quand les députés, dit très bien M. Sidney, représentent un corps de peuple, comme en Hollande, ils doivent rendre compte à ceux qui les ont commis : c'est autre chose lorsqu'ils sont députés par des bourgs, comme en Angleterre.

Tous les citoyens, dans les divers districts, doivent avoir droit de donner leur voix pour choisir le représentant; excepté ceux qui sont dans un tel état de bassesse, qu'ils sont réputés n'avoir point de volonté propre.

Il y avait un grand vice dans la plupart des anciennes républiques : c'est que le peuple avait droit d'y prendre des résolutions actives, et qui demandent quelque exécution; chose dont il est entièrement incapable. Il ne doit entrer dans le gouvernement que pour choisir les représentants; ce qui est très à sa portée. Car, s'il y a peu de gens qui connaissent le degré précis de la capacité des hommes, chacun est pourtant capable de savoir, en général, si celui qu'il choisit est plus éclairé que la plupart des autres.

Le corps représentant ne doit pas être choisi non plus pour prendre quelque résolution active; chose qui ne serait pas bien : mais pour faire des lois, ou pour voir si l'on a bien exécuté celles qu'il a faites; chose qu'il peut très bien faire, et qu'il n'y a même que lui qui puisse bien faire.

Il y a toujours, dans un Etat, des gens distingués par la naissance, les richesses ou les honneurs : mais, s'ils étaient confondus parmi le peuple, et s'ils n'y avaient qu'une voix comme les autres, la liberté commune serait leur esclavage, et ils n'auraient aucun intérêt à la défendre; parce que la plupart des résolutions seraient contre eux. La part qu'ils ont à la législation doit donc être proportionnée aux autres avantages qu'ils ont dans l'Etat; ce qui arrivera, s'ils forment un corps qui ait droit d'arrêter les entreprises du peuple, comme le peuple a droit d'arrêter les leurs.

Ainsi, la puissance législative sera confiée et au corps des nobles, et au corps qui sera choisi pour représenter le peuple, qui auront chacun leurs assemblées et leurs délibérations à part, et des vues et des intérêts séparés.

Des trois puissances dont nous avons parlé, celle de juger est, en quelque façon, nulle. Il n'en reste que deux : et, comme elles ont besoin d'une puissance réglante pour les tempérer, la partie du corps législatif, qui est composé de nobles, est très propre à produire cet effet.

Le corps des nobles doit être héréditaire. Il l'est premièrement par sa nature; et d'ailleurs, il faut qu'il ait un très grand intérêt à conserver ses prérogatives, odieuses par elles-mêmes, et qui, dans un Etat libre, doivent toujours être en danger.

Mais, comme une puissance héréditaire pourrait être induite à suivre ses intérêts particuliers, et à oublier ceux du peuple; il faut que, dans les choses où l'on a un souverain intérêt à la corrompre, comme dans les lois qui concernent la levée de l'argent, elle n'ait de part à la législation que par sa faculté d'empêcher, et non par sa faculté de statuer.

J'appelle *faculté de statuer*, le droit d'ordonner par soi-même, ou de corriger ce qui a été ordonné par un autre. J'appelle *faculté d'empêcher*, le droit de rendre nulle une résolution prise par quelque autre; ce qui était la puissance des tribuns de Rome. Et, quoique celui qui a la faculté d'empêcher puisse avoir aussi le droit d'approuver, pour lors cette approbation n'est autre chose qu'une déclaration qu'il ne fait point d'usage de sa faculté d'empêcher, et dérive de cette faculté.

La puissance exécutrice doit être entre les mains d'un monarque; parce que cette partie du gouvernement, qui a presque toujours besoin d'une action momentanée, est mieux administrée par un que par plusieurs; au lieu que ce qui dépend de la puissance législative est souvent mieux ordonné par plusieurs que par un seul.

Que s'il n'y avait point de monarque, et que la puissance exécutrice fût confiée à un certain nombre de personnes tirées du corps législatif, il n'y aurait plus de liberté; parce que les deux puissances seraient unies, les mêmes personnes ayant quelquefois, et pouvant toujours avoir part à l'une et à l'autre.

Si le corps législatif était un temps considérable sans être assemblé, il n'y aurait plus de liberté. Car il arriverait de deux choses l'une; ou qu'il n'y aurait plus de résolution législative, et l'Etat tomberait dans l'anarchie; ou que ces résolutions seraient prises par la puissance exécutrice, et elle deviendrait absolue.

Il serait inutile que le corps législatif fût toujours assemblé. Cela serait incommode pour les représentants, et d'ailleurs occuperait trop la puissance exécutrice, qui ne penserait point à exécuter, mais à défendre ses prérogatives, et le droit qu'elle a d'exécuter.

De plus : si le corps législatif était continuellement assemblé, il pourrait arriver que l'on ne ferait que suppléer de nouveaux députés à la place de ceux qui mourraient : et, dans ce cas, si le corps législatif était une fois corrompu, le mal serait sans remède. Lorsque divers corps législatifs se succèdent les uns aux autres, le peuple, qui a mauvaise opinion du corps législatif actuel, porte, avec raison, ses espérances sur celui qui viendra après : mais, si c'était toujours le même corps, le peuple le voyant une fois corrompu, n'espérerait plus rien de ses lois; il deviendrait furieux, ou tomberait dans l'indolence.

Le corps législatif ne doit point s'assembler lui-même. Car, un corps n'est censé avoir de volontés que lorsqu'il est assemblé; et, s'il ne s'assemblait pas unanimement on ne saurait dire quelle partie serait véritablement le corps législatif, celle qui serait assemblée, ou celle qui ne le serait pas. Que s'il avait droit de se proroger lui-même, il pourrait arriver qu'il ne se prorogerait jamais ; ce qui serait dangereux dans les cas où il voudrait attenter contre la puissance exécutrice. D'ailleurs, il y a des temps plus convenables les uns que les autres, pour l'assemblée du corps législatif : il faut donc que ce soit la puissance exécutrice qui règle le temps de la tenue et de la durée de ces assemblées, par rapport aux circonstances qu'elle connaît.

Si la puissance exécutrice n'a pas le droit d'arrêter les entreprises du corps législatif, celui-ci sera despotique ; car, comme il pourra se donner tout le pouvoir qu'il peut imaginer, il anéantira toutes les autres puissances.

Mais il ne faut pas que la puissance législative ait réciproquement la faculté d'arrêter la puissance exécutrice. Car, l'exécution ayant ses limites par sa nature, il est inutile de la borner ; outre que la puissance exécutrice s'exerce toujours sur des choses momentanées. Et la puissance des tribuns de Rome était vicieuse, en ce qu'elle arrêtait non seulement la législation, mais même l'exécution : ce qui causait de grands maux.

Mais si, dans un Etat libre, la puissance législative ne doit pas avoir le droit d'arrêter la puissance exécutrice, elle a droit, et doit avoir la faculté d'examiner de quelle manière les lois qu'elle a faites ont été exécutées ; et c'est l'avantage qu'a ce gouvernement sur celui de Crète et de Lacédémone, où les *cofmes* et les *éphores* ne rendaient point compte de leur administration.

Mais, quel que soit cet examen, le corps législatif ne doit pas avoir le pouvoir de juger la personne, et par conséquent la conduite de celui qui exécute. Sa personne doit être sacrée ; parce qu'étant nécessaire à l'Etat pour que le corps législatif n'y devienne pas tyrannique, dès le moment qu'il serait accusé ou jugé, il n'y aurait plus de liberté.

Dans ce cas, l'Etat ne serait point une monarchie, mais une république non libre. Mais, comme celui qui exécute ne peut exécuter mal, sans avoir des conseillers méchants et qui haïssent les lois comme ministres, quoiqu'elles les favorisent comme hommes ; ceux-ci peuvent être recherchés et punis. Et c'est l'avantage de ce gouvernement sur celui de Gnide, où la loi ne permettant point d'appeler en jugement les *amimones* [c], même après leur administra-

c. C'étaient des magistrats que le peuple élisait tous les ans. Voyez Etienne de Byzance.

tion [d], le peuple ne pouvait jamais se faire rendre raison des injustices qu'on lui avait faites.

Quoiqu'en général la puissance de juger ne doive être unie à aucune partie de la législative, cela est sujet à trois exceptions, fondées sur l'intérêt particulier de celui qui doit être jugé.

Les grands sont toujours exposés à l'envie; et, s'ils étaient jugés par le peuple, ils pourraient être en danger, et ne jouiraient pas du privilège qu'a le moindre des citoyens dans un Etat libre, d'être jugé par ses pairs. Il faut donc que les nobles soient appelés, non pas devant les tribunaux ordinaires de la nation, mais devant cette partie du corps législatif qui est composée de nobles.

Il pourrait arriver que la loi, qui est en même temps clairvoyante et aveugle, serait, en de certains cas, trop rigoureuse. Mais les juges de la nation ne sont, comme nous avons dit, que la bouche qui prononce les paroles de la loi; des êtres inanimés qui n'en peuvent modérer ni la force, ni la rigueur. C'est donc la partie du corps législatif, que nous venons de dire être, dans une autre occasion, un tribunal nécessaire, qui l'est encore dans celle-ci; c'est à son autorité suprême à modérer la loi en faveur de la loi même, en prononçant moins rigoureusement qu'elle.

Il pourrait encore arriver que quelque citoyen, dans les affaires publiques, violerait les droits du peuple, et ferait des crimes que les magistrats établis ne sauraient ou ne voudraient pas punir. Mais, en général, la puissance législative ne peut pas juger; et elle le peut encore moins dans ce cas particulier, où elle représente la partie intéressée, qui est le peuple. Elle ne peut donc être qu'accusatrice. Mais devant qui accusera-t-elle ? Ira-t-elle s'abaisser devant les tribunaux de la loi qui lui sont inférieurs, et d'ailleurs composés de gens qui, étant peuple comme elle, seraient entraînés par l'autorité d'un si grand accusateur ? Non : il faut, pour conserver la dignité du peuple et la sûreté du particulier, que la partie législative du peuple accuse devant la partie législative des nobles; laquelle n'a, ni les mêmes intérêts qu'elle, ni les mêmes passions.

C'est l'avantage qu'a ce gouvernement sur la plupart des républiques anciennes, où il y avait cet abus, que le peuple était, en même temps, et juge et accusateur.

d. On pouvait accuser les magistrats romains après leur magistrature. Voyez, dans Denys d'Halicarnasse, liv. IX, l'affaire du tribun Genutius.

La puissance exécutrice, comme nous avons dit, doit prendre part à la législation par sa faculté d'empêcher; sans quoi, elle sera bientôt dépouillée de ses prérogatives. Mais, si la puissance législative prend part à l'exécution, la puissance exécutrice sera également perdue.

Si le monarque prenait part à la législation par la faculté de statuer, il n'y aurait plus de liberté. Mais, comme il faut pourtant qu'il ait part à la législation, pour se défendre, il faut qu'il y prenne part par la faculté d'empêcher.

Ce qui fut cause que le gouvernement changea à Rome, c'est que le sénat qui avait une partie de la puissance exécutrice, et les magistrats qui avaient l'autre, n'avaient pas, comme le peuple, la faculté d'empêcher.

Voici donc la constitution fondamentale du gouvernement dont nous parlons. Le corps législatif y étant composé de deux parties, l'une enchaînera l'autre par sa faculté mutuelle d'empêcher. Toutes les deux seront liées par la puissance exécutrice, qui le sera elle-même par la législative.

Ces trois puissances devraient former un repos ou une inaction. Mais comme, par le mouvement nécessaire des choses, elles sont contraintes d'aller, elles seront forcées d'aller de concert.

La puissance exécutrice ne faisant partie de la législative que par la faculté d'empêcher, elle ne saurait entrer dans le débat des affaires. Il n'est pas même nécessaire qu'elle propose; parce que, pouvant toujours désapprouver les résolutions, elle peut rejeter les décisions des propositions qu'elle aurait voulu qu'on n'eût pas faites.

Dans quelques républiques anciennes, où le peuple en corps avait le débat des affaires, il était naturel que la puissance exécutrice les proposât et les débattît avec lui; sans quoi, il y aurait eu, dans les résolutions, une confusion étrange.

Si la puissance exécutrice statue sur la levée des deniers publics, autrement que par son consentement, il n'y aura plus de liberté; parce qu'elle deviendra législative, dans le point le plus important de la législation.

Si la puissance législative statue, non pas d'année en année, mais pour toujours, sur la levée des deniers publics, elle court risque de perdre sa liberté; parce que la puissance exécutrice ne dépendra plus d'elle; et, quand on tient un pareil droit pour toujours, il est assez indifférent qu'on le tienne de foi ou d'un autre. Il en est de même, si elle statue, non pas d'année en année, mais pour toujours, sur les forces de terre et de mer qu'elle doit confier à la puissance exécutrice.

Pour que celui qui exécute ne puisse pas opprimer, il faut que les armées qu'on lui confie soient peuple, et aient le même esprit que le peuple, comme cela fut à Rome jusqu'au temps de Marius. Et, pour que cela soit ainsi, il n'y a que deux moyens; ou que ceux que l'on emploie dans l'armée aient assez de bien pour répondre de leur conduite aux autres citoyens, et qu'ils ne soient enrôlés que pour un an, comme il se pratiquait à Rome; ou, si on a un corps de troupes permanent, et où les soldats soient une des plus viles parties de la nation, il faut que la puissance législative puisse le casser sitôt qu'elle le désire; que les soldats habitent avec les citoyens; et qu'il n'y ait ni camp séparé, ni casernes, ni place de guerre.

L'armée étant une fois établie, elle ne doit point dépendre immédiatement du corps législatif, mais de la puissance exécutrice, et cela par la nature de la chose : son fait consistant plus en action qu'en délibération.

Il est dans la manière de penser des hommes, que l'on fasse plus de cas du courage, que de la timidité; de l'activité, que de la prudence; de la force, que des conseils. L'armée méprisera toujours un sénat, et respectera ses officiers. Elle ne fera point cas des ordres qui lui seront envoyés de la part d'un corps composé de gens qu'elle croira timides, et indignes par-là de lui commander. Ainsi, sitôt que l'armée dépendra uniquement du corps législatif, le gouvernement deviendra militaire. Et, si le contraire est jamais arrivé, c'est l'effet de quelques circonstances extraordinaires : c'est que l'armée y est toujours séparée; c'est qu'elle est composée de plusieurs corps qui dépendent chacun de leur province particulière; c'est que les villes capitales sont des places excellentes, qui se défendent par leur situation seule, et où il n'y a point de troupes.

La Hollande est encore plus en sûreté que Venise : elle submergerait les troupes révoltées, elle les ferait mourir de faim : Elles ne sont point dans les villes qui pourraient leur donner la subsistance; cette subsistance est donc précaire.

Que si, dans le cas où l'armée est gouvernée par le corps législatif, des circonstances particulières empêchent le gouvernement de devenir militaire, on tombera dans d'autres inconvénients : de deux choses l'une; ou il faudra que l'armée détruise le gouvernement, ou que le gouvernement affaiblisse l'armée.

Et cet affaiblissement aura une cause bien fatale; il naîtra de la faiblesse même du gouvernement.

Si l'on veut lire l'admirable ouvrage de Tacite sur les mœurs [e] des Germains, on verra que c'est d'eux que les Anglais ont tiré l'idée de leur gouvernement politique. Ce beau système a été trouvé dans les bois.

Comme toutes les choses humaines ont une fin, l'Etat dont nous parlons perdra sa liberté, il périra. Rome, Lacédémone et Carthage ont bien péri. Il périra, lorsque la puissance législative sera plus corrompue que l'exécutrice.

Ce n'est point à moi à examiner si les Anglais jouissent actuellement de cette liberté, ou non. Il me suffit de dire qu'elle est établie par leurs lois, et je n'en cherche pas davantage.

Je ne prétends point par là ravaler les autres gouvernements, ni dire que cette liberté politique extrême doive mortifier ceux qui n'en ont qu'une modérée. Comment dirais-je cela, moi qui crois que l'excès même de la raison n'est pas toujours désirable; et que les hommes s'accommodent presque toujours mieux des milieux, que des extrémités ?

Arrington, dans son *Oceana*, a aussi examiné quel était le plus haut point de liberté où la Constitution d'un Etat peut être portée. Mais on peut dire de lui, qu'il n'a cherché cette liberté qu'après l'avoir méconnue; et qu'il a bâti Chalcédoine, ayant le rivage de Byzance devant les yeux.

Chapitre VII

Des monarchies que nous connaissons.

Les monarchies que nous connaissons n'ont pas, comme celle dont nous venons de parler, la liberté pour leur objet direct; elles ne tendent qu'à la gloire des citoyens, de l'Etat, et du prince. Mais, de cette gloire, il

e. *De minoribus rebus principes consultant, de majoribus omnes; ita tamen ut ea quoque, quorum penes plebem arbitrium est, apud principes pertractentur.*

résulte un esprit de liberté qui, dans ces Etats, peut faire d'aussi grandes choses, et peut-être contribuer autant au bonheur que la liberté même.

Les trois pouvoirs n'y sont point distribués et fondus sur le modèle de la Constitution dont nous avons parlé; ils ont chacun une distribution particulière, selon laquelle ils approchent plus ou moins de la liberté politique : et, s'ils n'en approchaient pas, la monarchie dégénérerait en despotisme.

Chapitre VIII

Pourquoi les anciens n'avaient pas une idée bien claire de la monarchie.

Les anciens ne connaissaient point le gouvernement fondé sur un corps de noblesse, et encore moins le gouvernement fondé sur un corps législatif formé par les représentants d'une nation. Les républiques de Grèce et d'Italie étaient des villes qui avaient chacune leur gouvernement, et qui assemblaient leurs citoyens dans leurs murailles. Avant que les Romains eussent englouti toutes les républiques, il n'y avait presque point de roi nulle part, en Italie, Gaule, Espagne, Allemagne; tout cela était de petits peuples ou de petites républiques. L'Afrique même était soumise à une grande : l'Asie mineure était occupée par les colonies grecques. Il n'y avait donc point d'exemple de députés de villes, ni d'assemblées d'Etats; il fallait aller jusqu'en Perse, pour trouver le gouvernement d'un seul.

Il est vrai qu'il y avait des républiques fédératives; plusieurs villes envoyaient des députés à une assemblée. Mais je dis qu'il n'y avait point de monarchie sur ce modèle-là.

Voici comment se forma le premier plan des monarchies que nous connaissons. Les nations germaniques, qui conquirent l'empire romain, étaient, comme l'on sait, très libres. On n'a qu'à voir là-dessus Tacite sur *les mœurs des Germains*. Les conquérants se répandirent dans le pays; ils habitaient les campagnes, et peu les villes. Quand ils étaient en Germanie, toute la nation pouvait s'assembler. Lorsqu'ils furent dispersés dans la conquête, ils ne le purent plus. Il fallait pourtant que la nation délibérât sur ses affaires, comme elle avait fait avant la conquête : elle le fit par des représentants. Voilà l'origine du gouvernement gothique parmi nous. Il fut d'abord mêlé de l'aristocratie et de la monarchie. Il avait cet inconvénient, que le bas peuple y était esclave : c'était un bon gouvernement, qui avait en soi la capacité de devenir meilleur. La coutume vint d'accorder des lettres d'affranchissement; et bientôt la liberté civile du peuple, les prérogatives de la noblesse et du clergé, la puissance des rois se trouvèrent dans un tel concert, que je ne crois pas qu'il y ait eu sur la terre de gouvernement si bien tempéré que le fut celui de chaque partie de l'Europe dans le temps qu'il y subsista; et il est admirable que la corruption du gouvernement d'un peuple conquérant ait formé la meilleure espèce de gouvernement que les hommes aient pu imaginer.

Chapitre IX

Manière de penser d'Aristote.

L'embarras d'Aristote paraît visiblement, quand il traite de la monarchie [a]. Il en établit cinq espèces : il ne les distingue pas par la forme de la Constitution, mais par des choses d'accident, comme les vertus ou les vices du prince; ou par des choses étrangères, comme l'usurpation de la tyrannie, ou la succession à la tyrannie.

Aristote met au rang des monarchies, et l'empire des Perses et le royaume de Lacédémone. Mais qui ne voit que l'un était un Etat despotique, et l'autre une république?

Les anciens, qui ne connaissaient pas la distribution des trois pouvoirs dans le gouvernement d'un seul, ne pouvaient se faire une idée juste de la monarchie.

a. *Politique*, liv. III, chap. XIV.

CHAPITRE X

Manière de penser des autres politiques.

Pour tempérer le gouvernement d'un seul, Arribas [a], roi d'Epire, n'imagina qu'une république. Les Molosses, ne sachant comment borner le même pouvoir, firent deux rois [b] : par-là on affaiblissait l'Etat plus que le commandement; on voulait des rivaux, et on avait des ennemis.

Deux rois n'étaient tolérables qu'à Lacédémone; ils n'y formaient pas la Constitution, mais ils étaient une partie de la Constitution.

a. Voyez Justin, liv. XVII.
b. ARISTOTE, *Politique,* liv. V, chap. IX.

CHAPITRE XI

Des rois des temps héroïques, chez les Grecs.

Chez les Grecs, dans les temps héroïques, il s'établit une espèce de monarchie qui ne subsista pas [a]. Ceux qui avaient inventé des arts, fait la guerre pour le peuple, assemblé des hommes dispersés, ou qui leur avaient donné des terres, obtenaient le royaume pour eux, et le transmettaient à leurs enfants. Ils étaient rois, prêtres et juges. C'est une des cinq espèces de monarchies dont nous parle Aristote [b]; et c'est la seule qui puisse réveiller l'idée de la constitution monarchique. Mais le plan de cette constitution est opposé à celui de nos monarchies d'aujourd'hui.

Les trois pouvoirs y étaient distribués de manière que le peuple y avait la puissance législative [c]; et le roi, la puissance exécutrice, avec la puissance de juger : Au lieu que, dans les monarchies que nous connaissons, le prince

a. ARISTOTE, *Politique,* liv. III, chap. XIV.
b. Ibid.
c. Voyez ce que dit Plutarque, *Vie de Thésée.* Voyez aussi Thucydide, liv. I.

a la puissance exécutrice et la législative, ou du moins une partie de la législative; mais il ne juge pas.

Dans le gouvernement des rois des temps héroïques, les trois pouvoirs étaient mal distribués. Ces monarchies ne pouvaient subsister : car, dès que le peuple avait la législation, il pouvait, au moindre caprice, anéantir la royauté, comme il fit partout.

Chez un peuple libre, et qui avait le pouvoir législatif, chez un peuple renfermé dans une ville, où tout ce qu'il y a d'odieux devient plus odieux encore, le chef-d'œuvre de la législation est de savoir bien placer la puissance de juger. Mais elle ne le pouvait être plus mal que dans les mains de celui qui avait déjà la puissance exécutrice. Dès ce moment, le monarque devenait terrible. Mais en même temps, comme il n'avait pas la législation, il ne pouvait pas se défendre contre la législation; il avait trop de pouvoir, et il n'en avait pas assez.

On n'avait pas encore découvert que la vraie fonction du prince était d'établir des juges, et non pas de juger lui-même. La politique contraire rendit le gouvernement d'un seul insupportable. Tous ces rois furent chassés. Les Grecs n'imaginèrent point la vraie distribution des trois pouvoirs dans le gouvernement d'un seul; ils ne l'imaginèrent que dans le gouvernement de plusieurs, et ils appelèrent cette sorte de constitution, *police* [d].

CHAPITRE XII

Du gouvernement des rois de Rome, et comment les trois pouvoirs y furent distribués.

Le gouvernement des rois de Rome avait quelque rapport à celui des rois des temps héroïques chez les Grecs. Il tomba, comme les autres, par son vice général; quoiqu'en lui-même, et dans sa nature particulière, il fût très bon.

Pour faire connaître ce gouvernement, je distinguerai celui des cinq premiers rois, celui de Servius Tullius, et celui de Tarquin.

d. Voyez ARISTOTE, *Politique*, liv. IV, chap. VIII.

La couronne était élective : et, sous les cinq premiers rois, le sénat eut la plus grande part à l'élection.

Après la mort du roi, le sénat examinait si l'on garderait la forme du gouvernement qui était établie. S'il jugeait à propos de la garder, il nommait un magistrat [a], tiré de son corps; qui élisait un roi : le sénat devait approuver l'élection; le peuple, la confirmer; les auspices, la garantir. Si une de ces trois conditions manquait, il fallait faire une autre élection.

La constitution était monarchique, aristocratique et populaire; et telle fut l'harmonie du pouvoir, qu'on ne vit ni jalousie, ni dispute, dans les premiers règnes. Le roi commandait les armées, et avait l'intendance des sacrifices; il avait la puissance de juger les affaires civiles [b] et criminelles [c]; il convoquait le sénat; il assemblait le peuple; il lui portait de certaines affaires, et réglait les autres avec le sénat [d].

Le sénat avait une grande autorité. Les rois prenaient souvent des sénateurs pour juger avec eux; ils ne portaient point d'affaires au peuple, qu'elles n'eussent été délibérées [e] dans le sénat.

Le peuple avait le droit d'élire [f] les magistrats, de consentir aux nouvelles lois, et, lorsque le roi le permettait, celui de déclarer la guerre et de faire la paix. Il n'avait point la puissance de juger. Quand Tullus Hostilius renvoya le jugement d'Horace au peuple, il eut des raisons particulières, que l'on trouve dans Denys d'Halicarnasse [g].

La constitution changea sous [h] Servius Tullius. Le sénat n'eut point de part à son élection; il se fit proclamer par le peuple. Il se dépouilla des jugements [i] civils, et

a. Denys d'Halicarnasse, liv. II, p. 120; liv. IV, p. 242 et 243.

b. Voyez le discours de Tanaquil, dans Tite-Live, liv. I, décade I; et le règlement de Servius Tullius, dans Denys d'Halicarnasse, liv. IV, p. 229.

c. Voyez Denys d'Halicarnasse, liv. II, p. 118; et liv. III, p. 171.

d. Ce fut par un sénatus-consulte, que Tullus Hostilius envoya détruire Albe. Denys d'Halicarnasse, liv. III, p. 167 et 172.

e. *Ibid.*, liv. IV, p. 176.

f. *Ibid.*, liv. II. Il fallait pourtant qu'il ne nommât pas à toutes les charges, puisque Valérius Publicola fit la fameuse loi qui défendait à tout citoyen d'exercer aucun emploi, s'il ne l'avait obtenu par le suffrage du peuple.

g. Liv. III, p. 159.

h. Liv. IV.

i. *Il se priva de la moitié de la puissance royale*, dit Denys d'Halicarnasse, liv. IV, p. 229.

ne se réserva que les criminels; il porta directement au peuple toutes les affaires : il le soulagea des taxes, et en mit tout le fardeau sur les patriciens. Ainsi, à mesure qu'il affaiblissait la puissance royale et l'autorité du sénat, il augmentait le pouvoir du peuple [k].

Tarquin ne se fit élire ni par le sénat ni par le peuple; il regarda Servius Tullius comme un usurpateur, et prit la couronne comme un droit héréditaire; il extermina la plupart des sénateurs; il ne consulta plus ceux qui restaient, et ne les appella pas même à ses jugements [l] Sa puissance augmenta : mais ce qu'il y avait d'odieux dans cette puissance devint plus odieux encore : il usurpa le pouvoir du peuple; il fit des lois sans lui; il en fit même contre lui [m]. Il aurait réuni les trois pouvoirs dans sa personne : mais le peuple se souvint un moment qu'il était législateur, et Tarquin ne fut plus.

Chapitre XIII

Réflexions générales sur l'état de Rome, après l'expulsion des rois.

On ne peut jamais quitter les Romains : c'est ainsi qu'encore aujourd'hui, dans leur capitale, on laisse les nouveaux palais pour aller chercher des ruines; c'est ainsi que l'œil qui s'est reposé sur l'émail des prairies, aime à voir les rochers et les montagnes.

Les familles patriciennes avaient eu, de tout temps, de grandes prérogatives. Ces distinctions, grandes sous les rois, devinrent bien plus importantes après leur expulsion. Cela causa la jalousie des plébéiens, qui voulurent les abaisser. Les contestations frappaient sur la constitution, sans affaiblir le gouvernement : car, pourvu que les magistratures conservassent leur autorité, il était assez indifférent de quelle famille étaient les magistrats.

Une monarchie élective, comme était Rome, suppose nécessairement un corps aristocratique puissant qui la

k. On croyait que, s'il n'avait pas été prévenu par Tarquin, il aurait établi le gouvernement populaire. Denys d'Halicarnasse, liv. IV, p. 243.

l. Denys d'Halicarnasse, liv. IV.

m. *Ibid.*

soutienne; sans quoi, elle se change d'abord en tyrannie ou en Etat populaire. Mais un état populaire n'a pas besoin de cette distinction de familles, pour se maintenir. C'est ce qui fit que les patriciens, qui étaient des parties nécessaires de la constitution du temps des rois, en devinrent une partie superflue du temps des consuls; le peuple put les abaisser sans se détruire lui-même, et changer la Constitution sans la corrompre.

Quand Servius Tullius eut avili les patriciens, Rome dut tomber, des mains des rois, dans celles du peuple. Mais le peuple, en abaissant les patriciens, ne dut point craindre de retomber dans celles des rois.

Un Etat peut changer de deux manières; ou parce que la Constitution se corrige, ou parce qu'elle se corrompt. S'il a conservé ses principes, et que la Constitution change, c'est qu'elle se corrige : s'il a perdu ses principes, quand la Constitution vient à changer, c'est qu'elle se corrompt.

Rome, après l'expulsion des rois, devait être une démocratie. Le peuple avait déjà la puissance législative : c'était son suffrage unanime qui avait chassé les rois; et, s'il ne persistait pas dans cette volonté, les Tarquin pouvaient, à tous les instants, revenir. Prétendre qu'il eût voulu les chasser, pour tomber dans l'esclavage de quelques familles, cela n'était pas raisonnable. La situation des choses demandait donc que Rome fût une démocratie; et cependant elle ne l'était pas. Il fallut tempérer le pouvoir des principaux, et que les lois inclinassent vers la démocratie.

Souvent les Etats fleurissent plus dans le passage insensible d'une constitution à une autre, qu'ils ne le faisaient dans l'une ou l'autre de ces constitutions. C'est pour lors que tous les ressorts du gouvernement sont tendus; que tous les citoyens ont des prétentions; qu'on s'attaque, ou qu'on se caresse; et qu'il y a une noble émulation entre ceux qui défendent la constitution qui décline, et ceux qui mettent en avant celle qui prévaut.

CHAPITRE XIV

Comment la distribution des trois pouvoirs commença à changer, après l'expulsion des rois.

Quatre choses choquaient principalement la liberté de Rome. Les patriciens obtenaient seuls tous les emplois sacrés, politiques, civils et militaires; on avait attaché au consulat un pouvoir exorbitant; on faisait des outrages au peuple; enfin, on ne lui laissait presque aucune influence dans les suffrages. Ce furent ces quatre abus que le peuple corrigea.

1° Il fit établir qu'il y aurait des magistratures où les plébéiens pourraient prétendre; et il obtint, peu à peu, qu'il aurait part à toutes, excepté à celle d'*entre roi*.

2° On décomposa le consulat, et on en forma plusieurs magistratures. On créa des préteurs [a], à qui on donna la puissance de juger les affaires privées; on nomma des questeurs [b], pour faire juger les crimes publics; on établit des édiles, à qui on donna la police; on fit des trésoriers [c], qui eurent l'administration des deniers publics : enfin, par la création des censeurs, on ôta aux consuls cette partie de la puissance législative qui règle les mœurs des citoyens, et la police momentanée des divers corps de l'Etat. Les principales prérogatives qui leur restèrent furent de présider aux grands [d] états du peuple, d'assembler le sénat, et de commander les armées.

3° Les lois sacrées établirent des tribuns qui pouvaient, à tous les instants, arrêter les entreprises des patriciens; et n'empêchaient pas seulement les injures particulières, mais encore les générales.

Enfin les plébéiens augmentèrent leur influence dans les décisions publiques. Le peuple romain était divisé de trois manières, par centuries, par curies, et par tribus : et, quand il donnait son suffrage, il était assemblé et formé d'une de ces trois manières.

Dans la première, les patriciens, les principaux, les

a. Tite-Live, décade I, liv. VI.
b. *Questores parricidii*. Pomponius, leg. 2, § 23, ff. *de orig. jur.*
c. PLUTARQUE, *Vie de Publicola*.
d. *Comitiis centuriatis*.

gens riches, le sénat, ce qui était à peu près la même chose, avaient presque toute l'autorité; dans la seconde, ils en avaient moins; dans la troisième, encore moins.

La division par centuries était plutôt une division de cens et de moyens, qu'une division de personnes. Tout le peuple était partagé en cent quatre-vingt-treize centuries [e], qui avaient chacune une voix. Les patriciens et les principaux formaient les quatre-vingt-dix-huit premières centuries; le reste des citoyens était répandu dans les quatre-vingt-quinze autres. Les patriciens étaient donc, dans cette division, les maîtres des suffrages.

Dans la division par curies [f], les patriciens n'avaient pas les mêmes avantages. Ils en avaient pourtant. Il fallait consulter les auspices, dont les patriciens étaient les maîtres; on n'y pouvait faire de proposition au peuple, qui n'eût été auparavant portée au sénat, et approuvée par un sénatus-consulte. Mais, dans la division par tribus, il n'était question ni d'auspices, ni de sénatus-consulte, et les patriciens n'y étaient pas admis.

Or le peuple chercha toujours à faire par curies les assemblées qu'on avait coutume de faire par centuries, et à faire par tribus les assemblées qui se faisaient par curies; ce qui fit passer les affaires, des mains des patriciens, dans celles des plébéiens.

Ainsi, quand les plébéiens eurent obtenu le droit de juger les patriciens, ce qui commença lors de l'affaire de Coriolan [g], les plébéiens voulurent les juger assemblés par tribus [h], et non par centuries : et, lorsqu'on établit en faveur du peuple les nouvelles magistratures [i] de tribuns et d'édiles, le peuple obtint qu'il s'assemblerait par curies pour les nommer; et, quand sa puissance fut affermie, il obtint [k] qu'ils seraient nommés dans une assemblée par tribus.

e. Voyez là-dessus Tite-Live, liv. I; et Denys d'Halicarnasse, liv. IV et VII.

f. Denys d'Halicarnasse, liv. IX, p. 598.

g. Denys d'Halicarnasse, liv. VII.

h. Contre l'ancien usage, comme on le voit dans Denys d'Halicarnasse, liv. V, p. 320.

i. *Ibid*, liv. VI, p. 410 et 411.

k. *Ibid*, liv. IX, p 605.

Chapitre XV

Comment, dans l'état florissant de la république, Rome perdit tout à coup sa liberté.

Dans le feu des disputes entre les patriciens et les plébéiens, ceux-ci demandèrent que l'on donnât des lois fixes, afin que les jugements ne fussent plus l'effet d'une volonté capricieuse, ou d'un pouvoir arbitraire. Après bien des résistances, le sénat y acquiesça. Pour composer ces lois, on nomma des décemvirs. On crut qu'on devait leur accorder un grand pouvoir, parce qu'ils avaient à donner des lois à des parties qui étaient presque incompatibles. On suspendit la nomination de tous les magistrats; et, dans les comices, ils furent élus seuls administrateurs de la république. Ils se trouvèrent revêtus de la puissance consulaire et de la puissance tribunitienne. L'une leur donnait le droit d'assembler le sénat; l'autre, celui d'assembler le peuple : mais ils ne convoquèrent ni le sénat ni le peuple. Dix hommes, dans la république eurent seuls toute la puissance législative, toute la puissance exécutrice, toute la puissance des jugements. Rome se vit soumise à une tyrannie aussi cruelle que celle de Tarquin. Quand Tarquin exerçait ses vexations, Rome était indignée du pouvoir qu'il avait usurpé : quand les décemvirs exercèrent les leurs, elle fut étonnée du pouvoir qu'elle avait donné.

Mais quel était ce système de tyrannie, produit par des gens qui n'avaient obtenu le pouvoir politique et militaire que par la connaissance des affaires civiles; et qui, dans les circonstances de ces temps-là, avaient besoin au-dedans de la lâcheté des citoyens, pour qu'ils se laissassent gouverner, et de leur courage au-dehors, pour les défendre ?

Le spectacle de la mort de Virginie, immolée par son père à la pudeur et à la liberté, fit évanouir la puissance des décemvirs. Chacun se trouva libre, parce que chacun fut offensé : tout le monde devint citoyen, parce que tout le monde se trouva père. Le sénat et le peuple rentrèrent dans une liberté qui avait été confiée à des tyrans ridicules.

Le peuple romain, plus qu'un autre, s'émouvait par les spectacles. Celui du corps sanglant de Lucrèce fit finir la royauté. Le débiteur, qui parut sur la place couvert de plaies, fit changer la forme de la république. La vue de Virginie fit chasser les décemvirs. Pour faire condamner Manlius, il fallut ôter au peuple la vue du capitole. La robe sanglante de César remit Rome dans la servitude.

CHAPITRE XVI

De la puissance législative, dans la république romaine.

On n'avait point de droits à se disputer tous les décemvirs : mais, quand la liberté revint, on vit les jalousies renaître : tant qu'il resta quelques privilèges aux patriciens, les plébéiens les leur ôtèrent.

Il y aurait eu peu de mal, si les plébéiens s'étaient contentés de priver les patriciens de leurs prérogatives, et s'ils ne les avaient pas offensés dans leur qualité même de citoyens. Lorsque le peuple était assemblé par curies ou par centuries, il était composé de sénateurs, de patriciens et de plébéiens. Dans les disputes, les plébéiens gagnèrent ce point [a], que seuls, sans les patriciens et sans le sénat, ils pourraient faire des lois qu'on appela plébiscites; et les comices où on les fit s'appelèrent comices par tribus. Ainsi il y eut des cas où les patriciens [b] n'eurent point de part à la puissance législative, et [c] où ils furent soumis à la puissance législative d'un autre corps de l'Etat. Ce fut un délire de la liberté. Le peuple, pour établir la démocratie, choqua les principes mêmes de la démocratie. Il semblait qu'une puissance aussi exorbitante aurait dû anéantir l'autorité du sénat : mais Rome avait des institutions admirables. Elle en avait deux surtout; par l'une, la puissance législative du peuple était réglée; par l'autre, elle était bornée.

a. Denys d'Halicarnasse, liv. XI, p. 725.

b. Par les lois sacrées, les plébéiens purent faire des plébiscites, seuls, et sans que les patriciens fussent admis dans leur assemblée. Denys d'Halicarnasse, liv. VI, p. 410; et liv. VII, p. 430.

c. Par la loi faite après l'expulsion des décemvirs, les patriciens furent soumis aux plébiscites, quoiqu'ils n'eussent pu y donner leur voix. Tite-Live, liv. III; Denys d'Halicarnasse, liv. XI, p. 725. Et cette loi fut confirmée par celle de Publilius Philo, dictateur, l'an de Rome 416. Tite-Live, liv. VIII.

Les censeurs, et avant eux les consuls [d], formaient et créaient, pour ainsi dire, tous les cinq ans, le corps du peuple; ils exerçaient la législation sur le corps même qui avait la puissance législative. « Tiberius Gracchus, censeur, dit Cicéron, transféra les affranchis dans les tribus de la ville, non par la force de son éloquence, mais par une parole et par un geste : et, s'il ne l'eût pas fait, cette république, qu'aujourd'hui nous soutenons à peine, nous ne l'aurions plus. »

D'un autre côté, le sénat avait le pouvoir d'ôter, pour ainsi dire, la république des mains du peuple, par la création d'un dictateur, devant lequel le souverain baissait la tête, et les lois les plus populaires restaient dans le silence [e].

d. L'an 312 de Rome, les consuls faisaient encore le cens, comme il paraît par Denys d'Halicarnasse, liv. XI.

e. Comme celles qui permettaient d'appeler au peuple des ordonnances de tous les magistrats.

Chapitre XVII

De la puissance exécutrice, dans la même république.

Si le peuple fut jaloux de sa puissance législative, il le fut moins de sa puissance exécutrice. Il la laissa presque tout entière au sénat et aux consuls; et il ne se réserva guère que le droit d'élire les magistrats, et de confirmer les actes du sénat et des généraux.

Rome, dont la passion était de commander, dont l'ambition était de tout soumettre, qui avait toujours usurpé, qui usurpait encore, avait continuellement de grandes affaires; ses ennemis conjuraient contre elle, ou elle conjurait contre ses ennemis.

Obligée de se conduire, d'un côté, avec un courage héroïque, et de l'autre avec une sagesse consommée, l'état des choses demandait que le sénat eût la direction des affaires. Le peuple disputait au sénat toutes les branches de la puissance législative, parce qu'il était jaloux de sa liberté; il ne lui disputait point les branches de la puissance exécutrice, parce qu'il était jaloux de sa gloire.

La part que le sénat prenait à la puissance exécutrice

était si grande, que Polybe [a] dit que les étrangers pensaient tous que Rome était une aristocratie. Le sénat disposait des deniers publics, et donnait les revenus à ferme ; il était l'arbitre des affaires des alliés ; il décidait de la guerre et de la paix, et dirigeait à cet égard les consuls ; il fixait le nombre des troupes romaines et des troupes alliées, distribuait les provinces et les armées aux consuls ou aux préteurs ; et, l'an du commandement expiré, il pouvait leur donner un successeur ; il décernait les triomphes ; il recevait des ambassades, et en envoyait ; il nommait les rois, les récompensait, les punissait, les jugeait, leur donnait ou leur faisait perdre le titre d'alliés du peuple romain.

Les consuls faisaient la levée des troupes qu'ils devaient mener à la guerre ; ils commandaient les armées de terre ou de mer ; disposaient des alliés : ils avaient, dans les provinces, toute la puissance de la république : ils donnaient la paix aux peuples vaincus, leur en imposaient les conditions, ou les renvoyaient au sénat.

Dans les premiers temps, lorsque le peuple prenait quelque part aux affaires de la guerre et de la paix, il exerçait plutôt sa puissance législative que sa puissance exécutrice. Il ne faisait guère que confirmer ce que les rois, et, après eux, les consuls ou le sénat avaient fait. Bien loin que le peuple fût l'arbitre de la guerre, nous voyons que les consuls ou le sénat la faisaient souvent malgré l'opposition de ses tribuns. Ainsi [b] il créa lui-même les tribuns des légions, que les généraux avaient nommés jusqu'alors : et, quelque temps avant la première guerre punique, il régla qu'il aurait seul le droit de déclarer la guerre [c].

a. Liv. VI.

b. L'an de Rome 444. Tite-Live, première décade, liv. IX. *La guerre contre Persée paraissant périlleuse, un sénatus-consulte ordonna que cette loi serait suspendue; et le peuple y consentit.* Tite-Live, cinquième décade, liv. II.

c. *Il l'arracha du sénat,* dit Freinshemius, deuxième décade, liv. VI.

CHAPITRE XVIII

De la puissance de juger, dans le gouvernement de Rome.

La puissance de juger fut donnée au peuple, au sénat, aux magistrats, à de certains juges. Il faut voir comment elle fut distribuée. Je commence par les affaires civiles.

Les consuls [a] jugèrent après les rois, comme les préteurs jugèrent après les consuls. Servius Tullius s'était dépouillé du jugement des affaires civiles : les consuls ne les jugèrent pas non plus, si ce n'est dans des cas très [b] rares, que l'on appela, pour cette raison, *extraordinaires* [c]. Ils se contentèrent de nommer les juges, et de former les tribunaux qui devaient juger. Il paraît, par le discours d'Appius Claudius dans Denys d'Halicarnasse [d], que, dès l'an de Rome 259, ceci était regardé comme une coutume établie chez les Romains; et ce n'est pas la faire remonter bien haut, que de la rapporter à Servius Tullius.

Chaque année, le préteur formait une liste [e] ou tableau de ceux qu'il choisissait pour faire la fonction de juges pendant l'année de sa magistrature. On en prenait le nombre suffisant pour chaque affaire. Cela se pratique à peu près de même en Angleterre. Et ce qui était très favorable à la [f] liberté, c'est que le préteur prenait les juges du consentement [g] des parties. Le grand nombre de récu-

a. On ne peut douter que les consuls, avant la création des préteurs, n'eussent eu les jugements civils. Voyez Tite-Live, première décade, liv. II, p. 19; Denys d'Halicarnasse, livre X, p. 627; et même liv. p. 645.

b. Souvent les tribuns jugèrent seuls : rien ne les rendit plus odieux. Denys d'Halicarnasse, liv. XI, p. 709.

c. *Judicia extraordinaria.* Voyez les *Institutes,* liv. IV.

d. Liv. VI, p. 360.

e. *Album judicium.*

f. *Nos ancêtres n'ont pas voulu,* dit Cicéron, prò Cluentio, *qu'un homme, dont les parties ne seraient pas convenues, pût être juge, non seulement de la réputation d'un citoyen, mais même de la moindre affaire pécuniaire.*

g. Voyez, dans les fragments de la loi Servilienne, de la Cornélienne, et autres, de quelle manière ces lois donnaient des juges dans les crimes qu'elles se proposaient de punir. Souvent ils étaient pris par choix, quelquefois par le sort, ou enfin par le sort mêlé avec le choix.

sations que l'on peut faire aujourd'hui en Angleterre, revient à peu près à cet usage.

Ces juges ne décidaient que des questions de fait [h] : par exemple, si une somme avait été payée, ou non; si une action avait été commise, ou non. Mais, pour les questions de droit [i], comme elles demandaient une certaine capacité, elles étaient portées au tribunal des centumvirs [k].

Les rois se réservèrent le jugement des affaires criminelles, et les consuls leur succédèrent en cela. Ce fut en conséquence de cette autorité, que le consul Brutus fit mourir les enfants et tous ceux qui avaient conjuré pour les Tarquins. Ce pouvoir était exorbitant. Les consuls ayant déjà la puissance militaire, ils en portaient l'exercice même dans les affaires de la ville; et leurs procédés, dépouillés des formes de la justice, étaient des actions violentes, plutôt que des jugements.

Cela fit faire la loi Valérienne, qui permit d'appeler au peuple de toutes les ordonnances des consuls qui mettraient en péril la vie d'un citoyen. Les consuls ne purent plus prononcer une peine capitale contre un citoyen romain, que par la volonté du peuple [l].

On voit, dans la première conjuration pour le retour des Tarquins, que le consul Brutus juge les coupables; dans la seconde, on assemble le sénat et les comices pour juger [m].

Les lois qu'on appela *sacrées* donnèrent aux plébéiens des tribuns, qui formèrent un corps qui eut d'abord des prétentions immenses. On ne sait quelle fut plus grande, ou dans les plébéiens la lâche hardiesse de demander, ou dans le sénat la condescendance et la facilité d'accorder. La loi Valérienne avait permis les appels au peuple; c'est-à-dire, au peuple composé de sénateurs, de patriciens et de plébéiens. Les plébéiens établirent que ce serait devant eux que les appellations seraient portées. Bientôt on mit en question si les plébéiens pourraient juger un patricien : cela fut le sujet d'une dispute, que l'affaire de Coriolan fit naître, et qui finit avec cette affaire. Coriolan,

h. SÉNÈQUE, *De benef.*, liv. III, chap. VII, *in fine.*

i. Voyez Quintilien, liv. IV, p. 54, *in fol.*, édit. de Paris, 1541.

k. *Leg.* 2, § 24, ff. *de orig. jur.* Des magistrats, appelés décemvirs, présidaient au jugement, le tout sous la direction d'un préteur.

l. *Quoniam de capite civis romani, injussu populi romani, non erat permissum consulibus jus dicere.* Voyez Pomponius, leg. 2, § 16, ff. *de orig. jur.*

m. Denys d'Halicarnasse, liv. V, p. 322.

accusé par les tribuns devant le peuple, soutenait, contre l'esprit de la loi Valérienne, qu'étant patricien, il ne pouvait être jugé que par les consuls : les plébéiens, contre l'esprit de la même loi, prétendirent qu'il ne devait être jugé que par eux seuls ; et ils le jugèrent.

La loi des douze tables modifia ceci. Elle ordonna qu'on ne pourrait décider de la vie d'un citoyen, que dans les grands *états* du peuple [n]. Ainsi, le corps des plébéiens, ou, ce qui est la même chose, les comices par tribus ne jugèrent plus que les crimes dont la peine n'était qu'une amende pécuniaire. Il fallait une *loi* pour infliger une peine capitale : pour condamner à une peine pécuniaire, il ne fallait qu'un *plébiscite*.

Cette disposition de la loi des douze tables fut très sage. Elle forma une conciliation admirable entre le corps des plébéiens et le sénat. Car, comme la compétence des uns et des autres dépendit de la grandeur de la peine, et de la nature du crime, il fallut qu'ils se concertassent ensemble.

La loi Valérienne ôta tout ce qui restait à Rome du gouvernement qui avait du rapport à celui des rois grecs des temps héroïques. Les consuls se trouvèrent sans pouvoir pour la punition des crimes. Quoique tous les crimes soient publics, il faut pourtant distinguer ceux qui intéressent plus les citoyens entre eux, de ceux qui intéressent plus l'Etat dans le rapport qu'il a avec un citoyen. Les premiers sont appelés privés ; les seconds sont les crimes publics. Le peuple jugea lui-même les crimes publics ; et, à l'égard des privés, il nomma, pour chaque crime, par une commission particulière, un questeur, pour en faire la poursuite. C'était souvent un des magistrats, quelquefois un homme privé, que le peuple choisissait. On l'appelait *questeur du parricide*. Il en est fait mention dans la loi des douze tables [o].

Le questeur nommait ce qu'on appelait le juge de la question, qui tirait au sort les juges, formait le tribunal, et présidait sous lui au jugement [p].

Il est bon de faire remarquer ici la part que prenait le sénat dans la nomination du questeur, afin que l'on voie comment les puissances étaient, à cet égard, balancées.

n. Les comices par centuries. Aussi Manlius Capitolinus fut-il jugé dans ces comices. Tite-Live, décade première, liv. VI, p. 68.

o. Dit Pomponius, dans la loi 2, au Digeste *de orig. jur*.

p. Voyez un fragment d'Ulpien, qui en rapporte un autre de la loi Cornélienne : on le trouve dans la *Collation des lois mosaïques et romaines*, titul. 1, *de sicariis et homicidiis*.

Quelquefois le sénat faisait élire un dictateur, pour faire la fonction de questeur [q]; quelquefois il ordonnait que le peuple serait convoqué par un tribun, pour qu'il nommât un questeur [r]; enfin, le peuple nommait quelquefois un magistrat, pour faire son rapport au sénat sur un certain crime, et lui demander qu'il donnât un questeur, comme on voit dans le jugement de Lucius Scipion [s], dans Tite-Live [t].

L'an de Rome 604, quelques-unes de ces commissions furent rendues permanentes [u]. On divisa, peu à peu, toutes les matières criminelles en diverses parties, qu'on appela des *questions perpétuelles*. On créa divers préteurs, et on attribua à chacun d'eux quelqu'une de ces questions. On leur donna, pour un an, la puissance de juger les crimes qui en dépendaient; et ensuite, ils allaient gouverner leur province.

A Carthage, le sénat des cent était composé de juges qui étaient pour la vie [x]. Mais, à Rome, les préteurs étaient annuels; et les juges n'étaient pas même pour un an, puisqu'on les prenait pour chaque affaire. On a vu, dans le chapitre VI de ce livre, combien, dans de certains gouvernements, cette disposition était favorable à la liberté.

Les juges furent pris dans l'ordre des sénateurs, jusqu'au temps des Gracques. Tiberius Gracchus fit ordonner qu'on les prendrait dans celui des chevaliers : changement si considérable, que le tribun se vanta d'avoir, par une seule *rogation*, coupé les nerfs de l'ordre des sénateurs.

Il faut remarquer que les trois pouvoirs peuvent être bien distribués par rapport à la liberté de la constitution, quoiqu'ils ne le soient pas si bien dans le rapport avec la liberté du citoyen. A Rome, le peuple ayant la plus grande partie de la puissance législative, une partie de la puissance exécutrice, et une partie de la puissance de juger, c'était un grand pouvoir qu'il fallait balancer par un autre. Le sénat avait bien une partie de la puissance exécu-

q. Cela avait surtout lieu dans les crimes commis en Italie, où le sénat avait une principale inspection. Voyez Tite-Live, première décade, liv. IX, sur les conjurations de Capoue.

r. Cela fut ainsi dans la poursuite de la mort de Posthumius, l'an 340 de Rome. Voyez Tite-Live.

s. Ce jugement fut rendu l'an de Rome 567.

t. Liv. VIII.

u. CICÉRON, *in Bruto*.

x. Cela se prouve par Tite-Live, liv. XLIII, qui dit qu'Annibal rendit leur magistrature annuelle.

trice; il avait quelque branche de la puissance législative [y] : mais cela ne suffisait pas pour contrebalancer le peuple. Il fallait qu'il eût part à la puissance de juger; et il y avait part, lorsque les juges étaient choisis parmi les sénateurs. Quand les Gracques privèrent les sénateurs de la puissance de juger [z], le sénat ne put plus résister au peuple. Ils choquèrent donc la liberté de la constitution, pour favoriser la liberté du citoyen; mais celle-ci se perdit avec celle-là.

Il en résulta des maux infinis. On changea la constitution dans un temps où, dans le feu des discordes civiles, il y avait à peine une constitution. Les chevaliers ne furent plus cet ordre moyen qui unissait le peuple au sénat; et la chaîne de la constitution fut rompue.

Il y avait même des raisons particulières qui devaient empêcher de transporter les jugements aux chevaliers. La constitution de Rome était fondée sur ce principe, que ceux-là devaient être soldats, qui avaient assez de bien pour répondre de leur conduite à la république. Les chevaliers, comme les plus riches, formaient la cavalerie des légions. Lorsque leur dignité fut augmentée, ils ne voulurent plus servir dans cette milice; il fallut lever une autre cavalerie; Marius prit toute sorte de gens dans les légions, et la république fut perdue [a].

De plus : les chevaliers étaient les traitants de la république; ils étaient avides, ils semaient les malheurs dans les malheurs, et faisaient naître les besoins publics des besoins publics. Bien loin de donner à de telles gens la puissance de juger, il aurait fallu qu'ils eussent été sans cesse sous les yeux des juges. Il faut dire cela à la louange des anciennes lois françaises; elles ont stipulé, avec les gens d'affaires, avec la méfiance que l'on garde à des ennemis. Lorsqu'à Rome les jugements furent transportés aux traitants, il n'y eut plus de vertu, plus de police, plus de lois, plus de magistrature, plus de magistrats.

On trouve une peinture bien naïve de ceci, dans quelque fragment de Diodore de Sicile et de Dion. « Mutius Scévola, dit Diodore [b], voulut rappeler les

y. Les sénatus-consultes avaient force pendant un an, quoiqu'ils ne fussent pas confirmés par le peuple. Denys d'Halicarnasse, liv. IX, p. 595; et liv. XI, p. 735.

z. En l'an 630.

a. *Capite censos plerosque*, Salluste, *Guerre de Jugurtha*.

b. Fragment de cet auteur, liv. XXXVI, dans le recueil de Constantin PORPHYROGÉNÈTE, *Des vertus et des vices*.

anciennes mœurs, et vivre de son bien propre avec frugalité et intégrité. Car ses prédécesseurs ayant fait une société avec les traitants, qui avaient pour lors les jugements à Rome, ils avaient rempli la province de toutes sortes de crimes. Mais Scévola fit justice des publicains, et fit mener en prison ceux qui y traînaient les autres. »

Dion nous dit [c] que Publius Rutilius, son lieutenant, qui n'était pas moins odieux aux chevaliers, fut accusé à son retour d'avoir reçu des présents, et fut condamné à une amende. Il fit sur-le-champ cession de biens. Son innocence parut, en ce que l'on lui trouva beaucoup moins de bien qu'on ne l'accusait d'en avoir volé, et il montrait les titres de sa propriété; il ne voulut plus rester dans la ville avec de telles gens.

Les Italiens, dit encore Diodore [d], achetaient en Sicile des troupes d'esclaves pour labourer leurs champs, et avoir soin de leurs troupeaux; ils leur refusaient la nourriture. Ces malheureux étaient obligés d'aller voler sur les grands chemins, armés de lances et de massues, couverts de peaux de bêtes; de grands chiens autour d'eux. Toute la province fut dévastée, et les gens du pays ne pouvaient dire avoir en propre que ce qui était dans l'enceinte des villes. Il n'y avait ni proconsul, ni préteur, qui pût ou voulût s'opposer à ce désordre, et qui osât punir ces esclaves, parce qu'ils appartenaient aux chevaliers qui avaient à Rome les jugements [e]. Ce fut pourtant une des causes de la guerre des esclaves. Je ne dirai qu'un mot : une profession qui n'a, ni ne peut avoir d'objet que le gain; une profession qui demandait toujours, et à qui on ne demandait rien; une profession sourde et inexorable, qui appauvrissait les richesses et la misère même, ne devait point avoir à Rome les jugements.

c. Fragment de son histoire, tiré de l'*Extrait des vertus et des vices.*
d. Fragment du liv. XXXIV, dans l'*Extrait des vertus et des vices.*
e. *Penes quos Romæ tum judicia erant, atque ex equestri ordine solerent sortito judices eligi in causa prætorum et proconsulum, quibus, post administratam provinciam, dies dicta erat.*

CHAPITRE XIX
Du gouvernement des provinces romaines.

C'est ainsi que les trois pouvoirs furent distribués dans la ville : mais il s'en faut bien qu'ils le fussent de même dans les provinces. La liberté était dans le centre, et la tyrannie aux extrémités.

Pendant que Rome ne domina que dans l'Italie, les peuples furent gouvernés comme des confédérés : on suivait les lois de chaque république. Mais, lorsqu'elle conquit plus loin, que le sénat n'eut pas immédiatement l'œil sur les provinces, que les magistrats qui étaient à Rome ne purent plus gouverner l'empire, il fallut envoyer des préteurs et des proconsuls. Pour lors, cette harmonie des trois pouvoirs ne fut plus. Ceux qu'on envoyait avaient une puissance qui réunissait celle de toutes les magistratures romaines; que dis-je? celle même du sénat, celle même du peuple [a]. C'étaient des magistrats despotiques, qui convenaient beaucoup à l'éloignement des lieux où ils étaient envoyés. Ils exerçaient les trois pouvoirs; ils étaient, si j'ose me servir de ce terme, les bachas de la république.

Nous avons dit ailleurs [b] que les mêmes citoyens, dans la république, avaient, par la nature des choses, les emplois civils et militaires. Cela fait qu'une république qui conquiert ne peut guère communiquer son gouvernement, et régir l'Etat conquis selon la forme de sa constitution. En effet, le magistrat qu'elle envoie pour gouverner, ayant la puissance exécutrice, civile et militaire, il faut bien qu'il ait aussi la puissance législative; car, qui est-ce qui ferait des lois sans lui? Il faut aussi qu'il ait la puissance de juger : car, qui est-ce qui jugerait indépendamment de lui? Il faut donc que le gouverneur qu'elle envoie ait les trois pouvoirs, comme cela fut dans les provinces romaines.

Une monarchie peut plus aisément communiquer son gouvernement, parce que les officiers qu'elle envoie ont, les uns la puissance exécutrice civile, et les autres la puis-

a. Ils faisaient leurs édits en entrant dans les provinces.
b. Liv. V, chap. XIX. Voyez aussi les liv. II, III, IV et V.

sance exécutrice militaire; ce qui n'entraîne pas après soi le despotisme.

C'était un privilège d'une grande conséquence pour un citoyen romain, de ne pouvoir être jugé que par le peuple. Sans cela, il aurait été soumis, dans les provinces, au pouvoir arbitraire d'un proconsul ou d'un propréteur. La ville ne sentait point la tyrannie qui ne s'exerçait que sur les nations assujetties.

Ainsi, dans le monde romain, comme à Lacédémone, ceux qui étaient libres étaient extrêmement libres, et ceux qui étaient esclaves étaient extrêmement esclaves.

Pendant que les citoyens payaient des tributs, ils étaient levés avec une équité très grande. On suivait l'établissement de Servius Tullius, qui avait distribué tous les citoyens en six classes, selon l'ordre de leurs richesses, et fixé la part de l'impôt à proportion de celle que chacun avait dans le gouvernement. Il arrivait de là qu'on souffrait la grandeur du tribut, à cause de la grandeur du crédit; et que l'on se consolait de la petitesse du crédit, par la petitesse du tribut.

Il y avait encore une chose admirable : c'est que la division de Servius Tullius par classe étant, pour ainsi dire, le principe fondamental de la constitution; il arrivait que l'équité, dans la levée des tributs, tenait au principe fondamental du gouvernement, et ne pouvait être ôtée qu'avec lui.

Mais, pendant que la ville payait les tributs sans peine, ou n'en payait point du tout [c], les provinces étaient désolées par les chevaliers, qui étaient les traitants de la république. Nous avons parlé de leurs vexations, et toute l'histoire en est pleine.

« Toute l'Asie m'attend comme son libérateur, disait Mithridate [d]; tant ont excité de haine contre les Romains les rapines des proconculs [e], les exécutions des gens d'affaires, et les calomnies des jugements [f]. »

Voilà ce qui fit que la force des provinces n'ajouta rien à la force de la république, et ne fit au contraire que l'affaiblir. Voilà ce qui fit que les provinces regardèrent la

c. Après la conquête de la Macédoine, les tributs cessèrent à Rome.

d. Harangue tirée de Trogue Pompée, rapportée par Justin, liv. XXXVIII.

e. Voyez les *Oraisons contre Verrès*.

f. On sait que ce fut le tribunal de Varus qui fit révolter les Germains.

perte de la liberté de Rome comme l'époque de l'établissement de la leur.

CHAPITRE XX

Fin de ce livre.

Je voudrais rechercher, dans tous les gouvernements modérés que nous connaissons, quelle est la distribution des trois pouvoirs, et calculer par-là les degrés de liberté dont chacun d'eux peut jouir. Mais il ne faut pas toujours tellement épuiser un sujet, qu'on ne laisse rien à faire au lecteur. Il ne s'agit pas de faire lire, mais de faire penser.

LIVRE XII

DES LOIS QUI FORMENT LA LIBERTÉ POLITIQUE, DANS SON RAPPORT AVEC LE CITOYEN

CHAPITRE PREMIER

Idée de ce livre.

Ce n'est pas assez d'avoir traité de la liberté politique dans son rapport avec la constitution; il faut la faire voir dans le rapport qu'elle a avec le citoyen.

J'ai dit que, dans le premier cas, elle est formée par une certaine distribution des trois pouvoirs : mais, dans le second, il faut la considérer sous une autre idée. Elle consiste dans la sûreté, ou dans l'opinion que l'on a de sa sûreté.

Il pourra arriver que la constitution sera libre, et que le citoyen ne le sera point. Le citoyen pourra être libre, et la constitution ne l'être pas. Dans ces cas, la constitution sera libre de droit, et non de fait; le citoyen sera libre de fait, et non pas de droit.

Il n'y a que la disposition des lois, et même des lois fondamentales, qui forme la liberté dans son rapport avec la constitution. Mais, dans le rapport avec le citoyen; des mœurs, des manières, des exemples reçus peuvent la faire naître; et de certaines lois civiles la favoriser, comme nous allons voir dans ce livre-ci.

De plus : dans la plupart des Etats, la liberté étant plus gênée, choquée ou abattue, que leur constitution ne le demande; il est bon de parler des lois particulières qui, dans chaque constitution, peuvent aider ou choquer le principe de la liberté dont chacun d'eux peut être susceptible.

CHAPITRE II

De la liberté du citoyen.

La liberté philosophique consiste dans l'exercice de sa volonté, ou du moins (s'il faut parler dans tous les systèmes) dans l'opinion où l'on est que l'on exerce sa volonté. La liberté politique consiste dans la sûreté, ou du moins dans l'opinion que l'on a de sa sûreté.

Cette *sûreté* n'est jamais plus attaquée que dans les accusations publiques ou privées. C'est donc de la bonté des lois criminelles que dépend principalement la liberté du citoyen.

Les lois criminelles n'ont pas été perfectionnées tout d'un coup. Dans les lieux mêmes où l'on a le plus cherché la liberté, on ne l'a pas toujours trouvée. Aristote [a] nous dit qu'à Cumes, les parents de l'accusateur pouvaient être témoins. Sous les rois de Rome, la loi était si imparfaite, que Servius Tullius prononça la sentence contre les enfants d'Ancus Martius, accusé d'avoir assassiné le roi son beau-père [b]. Sous les premiers rois des Francs, Clotaire fit une loi [c], pour qu'un accusé ne pût être condamné sans être ouï; ce qui prouve une pratique contraire dans quelque cas particulier, ou chez quelque peuple barbare. Ce fut Charondas qui introduisit les jugements contre les faux témoignages [d]. Quand l'innocence des citoyens n'est pas assurée, la liberté ne l'est pas non plus.

Les connaissances que l'on a acquises dans quelques pays, et que l'on acquerra dans d'autres, sur les règles les plus sûres que l'on puisse tenir dans les jugements criminels, intéressent le genre humain plus qu'aucune chose qu'il y ait au monde.

Ce n'est que sur la pratique de ces connaissances, que la liberté peut être fondée : et, dans un Etat qui aurait là-dessus les meilleures lois possibles, un homme à qui on ferait son procès, et qui devrait être pendu le lendemain, serait plus libre qu'un bacha ne l'est en Turquie.

a. *Politique*, liv. II.
b. Tarquinius Priscus. Voyez Denys d'Halicarnasse, liv. IV.
c. De l'an 560.
d. ARISTOTE, *Politique*, liv. II, chap. XII. Il donna ses lois à Thurium, dans la quatre-vingt-quatrième olympiade.

CHAPITRE III

Continuation du même sujet.

Les lois qui font périr un homme sur la déposition d'un seul témoin, sont fatales à la liberté. La raison en exige deux; parce qu'un témoin qui affirme, et un accusé qui nie, font un partage; et il faut un tiers pour le vuider.

Les Grecs [a] et les Romains [b] exigeaient une voix de plus pour condamner. Nos lois françaises en demandent deux. Les Grecs prétendaient que leur usage avait été établi par les dieux [c]; mais c'est le nôtre.

a. Voyez ARISTIDE, *Orat. in Minervam.*
b. Denys d'Halicarnasse, sur le jugement de Coriolan, liv. VII.
c. *Minervæ calculus.*

CHAPITRE IV

Que la liberté est favorisée par la nature des peines, et leur proportion.

C'est le triomphe de la liberté, lorsque les lois criminelles tirent chaque peine de la nature particulière du crime. Tout l'arbitraire cesse; la peine ne descend point du caprice du législateur, mais de la nature de la chose; et ce n'est point l'homme qui fait violence à l'homme.

Il y a quatre sortes de crimes. Ceux de la première espèce choquent la religion; ceux de la seconde, les mœurs; ceux de la troisième, la tranquillité; ceux de la quatrième, la sûreté des citoyens. Les peines, que l'on inflige, doivent dériver de la nature de chacune de ces espèces.

Je ne mets dans la classe des crimes qui intéressent la religion, que ceux qui l'attaquent directement, comme sont tous les sacrilèges simples. Car les crimes qui en troublent l'exercice sont de la nature de ceux qui choquent la tranquillité des citoyens ou leur sûreté, et doivent être renvoyés à ces classes.

Pour que la peine des sacrilèges simples soit tirée de la nature [a] de la chose, elle doit consister dans la privation de tous les avantages que donne la religion; l'expulsion hors des temples; la privation de la société des fidèles, pour un temps ou pour toujours; la fuite de leur présence; les exécrations, les détestations, les conjurations.

Dans les choses qui troublent la tranquillité ou la sûreté de l'Etat, les actions cachées sont du ressort de la justice humaine. Mais, dans celles qui blessent la divinité, là où il n'y a point d'action publique, il n'y a point de matière de crime : tout s'y passe entre l'homme, et Dieu qui sait la mesure et le temps de ses vengeances. Que si, confondant les choses, le magistrat recherche aussi le sacrilège caché, il porte une inquisition sur un genre d'action où elle n'est point nécessaire : il détruit la liberté des citoyens, en armant contre eux le zèle des consciences timides, et celui des consciences hardies.

Le mal est venu de cette idée, qu'il faut venger la divinité. Mais il faut faire honorer la divinité, et ne la venger jamais. En effet, si l'on se conduisait par cette dernière idée, quelle serait la fin des supplices ? Si les lois des hommes ont à venger un être infini, elles se régleront sur son infinité, et non pas sur les faiblesses, sur les ignorances, sur les caprices de la nature humaine.

Un historien de Provence [b] rapporte un fait qui nous peint très bien ce que peut produire, sur des esprits faibles, cette idée de venger la divinité. Un Juif, accusé d'avoir blasphémé contre la sainte Vierge, fut condamné à être écorché. Des chevaliers masqués, le couteau à la main, montèrent sur l'échafaud, et en chassèrent l'exécuteur, pour venger eux-mêmes l'honneur de la sainte Vierge... Je ne veux point prévenir les réflexions du lecteur.

La seconde classe est des crimes qui sont contre les mœurs : telles sont la violation de la continence publique ou particulière, c'est-à-dire, de la police sur la manière dont on doit jouir des plaisirs attachés à l'usage des sens et à l'union des corps. Les peines de ces crimes doivent encore être tirées de la nature de la chose. La privation des avantages que la société a attachés à la pureté des mœurs, les amendes, la honte, la contrainte de se cacher,

a. Saint Louis fit des lois si outrées contre ceux qui juraient, que le pape se crut obligé de l'en avertir. Ce prince modéra son zèle, et adoucit les lois. Voyez ses ordonnances.

b. Le père Bougerel.

l'infamie publique, l'expulsion hors de la ville et de la société; enfin, toutes les peines qui sont de la juridiction correctionnelle suffisent pour réprimer la témérité des deux sexes. En effet, ces choses sont moins fondées sur la méchanceté, que sur l'oubli ou le mépris de soi-même.

Il n'est ici question que des crimes qui intéressent uniquement les mœurs, non de ceux qui choquent aussi la sûreté publique, tels que l'enlèvement et le viol, qui sont de la quatrième espèce.

Les crimes de la troisième classe sont ceux qui choquent la tranquillité des citoyens : Et les peines en doivent être tirées de la nature de la chose, et se rapporter à cette tranquillité; comme la privation, l'exil, les corrections, et autres peines qui ramènent les esprits inquiets, et les font rentrer dans l'ordre établi.

Je restreins les crimes contre la tranquillité aux choses qui contiennent une simple lésion de police : car celles qui, troublant la tranquillité, attaquent en même temps la sûreté, doivent être mises dans la quatrième classe.

Les peines de ces derniers crimes sont ce qu'on appelle des supplices. C'est une espèce de talion, qui fait que la société refuse la sûreté à un citoyen qui en a privé, ou qui a voulu en priver un autre. Cette peine est tirée de la nature de la chose, puisée dans la raison, et dans les sources du bien et du mal. Un citoyen mérite la mort, lorsqu'il a violé la sûreté au point qu'il a ôté la vie, ou qu'il a entrepris de l'ôter. Cette peine de mort est comme le remède de la société malade. Lorsqu'on viole la sûreté à l'égard des biens, il peut y avoir des raisons pour que la peine soit capitale : mais il vaudrait peut-être mieux, et il serait plus de la nature, que la peine des crimes contre la sûreté des biens fût punie par la perte des biens. Et cela devrait être ainsi, si les fortunes étaient communes ou égales : mais, comme ce sont ceux qui n'ont point de biens qui attaquent plus volontiers celui des autres, il a fallu que la peine corporelle suppléât à la pécuniaire.

Tout ce que je dis est puisé dans la nature, et est très favorable à la liberté du citoyen.

CHAPITRE V

De certaines accusations qui ont particulièrement besoin de modération et de prudence.

Maxime importante : il faut être très circonspect dans la poursuite de la magie et de l'hérésie. L'accusation de ces deux crimes peut extrêmement choquer la liberté, et être la source d'une infinité de tyrannies, si le législateur ne sait la borner. Car, comme elle ne porte pas directement sur les actions d'un citoyen, mais plutôt sur l'idée que l'on s'est faite de son caractère, elle devient dangereuse à proportion de l'ignorance du peuple : et, pour lors, un citoyen est toujours en danger; parce que la meilleure conduite du monde, la morale la plus pure, la pratique de tous les devoirs, ne sont pas des garants contre les soupçons de ces crimes.

Sous Manuel Comnène, le *protestator* [a] fut accusé d'avoir conspiré contre l'empereur, et de s'être servi, pour cela, de certains secrets qui rendent les hommes invisibles. Il est dit, dans la vie de cet empereur [b], que l'on surprit Aaron lisant un livre de Salomon, dont la lecture faisait paraître des légions de démons. Or, en supposant dans la magie une puissance qui arme l'enfer, et en partant de là, on regarde celui que l'on appelle un magicien comme l'homme du monde le plus propre à troubler et à renverser la société, et l'on est porté à le punir sans mesure.

L'indignation croît, lorsque l'on met, dans la magie, le pouvoir de détruire la religion. L'histoire de Constantinople [c] nous apprend que, sur une révélation qu'avait eue un évêque, qu'un miracle avait cessé à cause de la magie d'un particulier, lui et son fils furent condamnés à mort. De combien de choses prodigieuses ce crime ne dépendait-il pas ? Qu'il ne soit pas rare qu'il y ait des révélations; que l'évêque en ait eu une; qu'elle fût véritable; qu'il y eût eu un miracle; que ce miracle eût cessé; qu'il y eût de la magie; que la magie pût renverser la

a. NICETAS, *Vie de Manuel Comnène*, liv. IV.
b. *Ibid.*
c. *Histoire de l'empereur Maurice*, par THÉOPHYLACTE, chap. XI.

religion; que ce particulier fût magicien; qu'il eût fait enfin cet acte de magie.

L'empereur Théodore Lascaris attribuait sa maladie à la magie. Ceux qui en étaient accusés n'avaient d'autre ressource que de manier un fer chaud sans se brûler. Il aurait été bon, chez les Grecs, d'être magicien, pour se justifier de la magie. Tel était l'excès de leur idiotisme, qu'au crime du monde le plus incertain, ils joignaient les preuves les plus incertaines.

Sous le règne de Philippe le Long, les Juifs furent chassés de France, accusés d'avoir empoisonné les fontaines par le moyen des lépreux. Cette absurde accusation doit bien faire douter de toutes celles qui sont fondées sur la haine publique.

Je n'ai point dit ici qu'il ne fallait point punir l'hérésie; je dis qu'il faut être très circonspect à la punir.

Chapitre VI

Du crime contre nature.

A Dieu ne plaise que je veuille diminuer l'horreur que l'on a pour un crime que la religion, la morale et la politique condamnent tour à tour. Il faudrait le proscrire, quand il ne ferait que donner à un sexe les faiblesses de l'autre; et préparer à une vieillesse infâme, par une jeunesse honteuse. Ce que j'en dirai lui laissera toutes ses flétrissures, et ne portera que contre la tyrannie qui peut abuser de l'horreur même que l'on en doit avoir.

Comme la nature de ce crime est d'être caché, il est souvent arrivé que des législateurs l'ont puni sur la déposition d'un enfant. C'était ouvrir une porte bien large à la calomnie. « Justinien, *dit Procope* [a], publia une loi contre ce crime; il fit rechercher ceux qui en étaient coupables, non seulement depuis la loi, mais avant. La déposition d'un témoin, quelquefois d'un enfant, quelquefois d'un esclave, suffisait; surtout contre les riches, et contre ceux qui étaient de la faction des *verds*. »

Il est singulier que, parmi nous, trois crimes, la magie,

a. *Histoire secrète.*

l'hérésie, et le crime contre nature; dont on pourrait prouver du premier, qu'il n'existe pas; du second, qu'il est susceptible d'une infinité de distinctions, interprétations, limitations; du troisième, qu'il est très souvent obscur; aient été tous trois punis de la peine du feu.

Je dirai bien que le crime contre nature ne fera jamais, dans une société, de grands progrès, si le peuple ne s'y trouve porté d'ailleurs par quelque coutume, comme chez les Grecs, où les jeunes gens faisaient tous leurs exercices nus; comme chez nous, où l'éducation domestique est hors d'usage; comme chez les Asiatiques, où des particuliers ont un grand nombre de femmes qu'ils méprisent, tandis que les autres n'en peuvent avoir. Que l'on ne prépare point ce crime; qu'on le proscrive par une police exacte, comme toutes les violations des mœurs; et l'on verra soudain la nature, ou défendre ses droits, ou les reprendre. Douce, aimable, charmante, elle a répandu les plaisirs d'une main libérale; et, en nous comblant de délices, elle nous prépare, par des enfants qui nous font, pour ainsi dire, renaître, à des satisfactions plus grandes que ces délices mêmes.

Chapitre VII

Du crime de lèse-majesté.

Les lois de la Chine décident que quiconque manque de respect à l'empereur doit être puni de mort. Comme elles ne définissent pas ce que c'est que ce manquement de respect, tout peut fournir un prétexte pour ôter la vie à qui l'on veut, et exterminer la famille que l'on veut.

Deux personnes chargées de faire la gazette de la cour, ayant mis dans quelque fait des circonstances qui ne se trouvèrent pas vraies, on dit que, mentir dans une gazette de la cour, c'était manquer de respect à la cour; et on les fit mourir [a]. Un prince du sang ayant mis quelque note, par mégarde, sur un mémorial signé du pinceau rouge par l'empereur, on décida qu'il avait manqué de respect à l'empereur; ce qui causa, contre

a. Le Père du Halde, tome premier, p. 43.

cette famille, une des terribles persécutions dont l'histoire ait jamais parlé [b].

C'est assez que le crime de lèse-majesté soit vague, pour que le gouvernement dégénère en despotisme. Je m'étendrai davantage là-dessus dans le livre *de la composition des lois*.

b. Lettres du Père Parennin, dans les *Lettres édif.*

CHAPITRE VIII

De la mauvaise application du nom de crime de sacrilège et de lèse-majesté.

C'est encore un violent abus, de donner le nom de crime de lèse-majesté à une action qui ne l'est pas. Une loi des empereurs [a] poursuivait comme sacrilèges ceux qui mettaient en question le jugement du prince, et doutaient du mérite de ceux qu'il avait choisis pour quelque emploi [b]. Ce furent bien le cabinet et les favoris qui établirent ce crime. Une autre loi avait déclaré que ceux qui attentent contre les ministres et les officiers du prince sont criminels de lèse-majesté, comme s'ils attentaient contre le prince même [c]. Nous devons cette loi à deux princes [d] dont la faiblesse est célèbre dans l'histoire; deux princes qui furent menés par leurs ministres, comme les troupeaux sont conduits par les pasteurs; deux princes esclaves dans le palais, enfants dans le conseil, étrangers aux armées; qui ne conservèrent l'empire, que parce qu'ils le donnèrent tous les jours. Quelques-uns de ces favoris conspirèrent contre leurs empereurs. Ils firent plus : ils conspirèrent contre l'empire, ils y appelèrent les barbares : et, quand on voulut les arrêter, l'Etat était si faible, qu'il fallut violer leur loi, et s'exposer au crime de lèse-majesté pour les punir.

a. Gratien, Valentinien et Théodose. C'est la troisième, au code *de crimin. sacril.*

b. *Sacrilegii instar est dubitare an is dignus sit quem elegerit imperator, ibid.* Cette loi a servi de modèle à celle de Roger, dans les constitutions de Naples, tit. 4.

c. La loi cinquième, au code, *ad leg. maj. Jul.*

d. Arcadius et Honorius.

C'est pourtant sur cette loi que se fondait le rapporteur de monsieur de Cinq-Mars [e], lorsque, voulant prouver qu'il était coupable du crime de lèse-majesté pour avoir voulu chasser le cardinal de Richelieu des affaires, il dit : « Le crime qui touche la personne des ministres des princes est réputé, par les constitutions des empereurs, de pareil poids que celui qui touche leur personne.. Un ministre sert bien son prince et son Etat; on l'ôte à tous les deux; c'est comme si l'on privait le premier d'un bras [f], et le second d'une partie de sa puissance. » Quand la servitude elle-même viendrait sur la terre, elle ne parlerait pas autrement.

Une autre loi de Valentinien, Théodose et Arcadius [g], déclare les faux-monnayeurs coupables du crime de lèse-majesté. Mais, n'était-ce pas confondre les idées des choses ? Porter sur un autre crime le nom de lèse-majesté, n'est-ce pas diminuer l'horreur du crime de lèse-majesté ?

e. Mémoires de Montrésor, t. I.

f. Nam ipsi pars corporis nostri sunt. Même loi, au code *ad leg. Jul. maj.*

g. C'est la neuvième au code Théod., *De falsa moneta.*

CHAPITRE IX

Continuation du même sujet.

Paulin ayant mandé à l'empereur Alexandre « qu'il se préparait à poursuivre comme criminel de lèse-majesté un juge qui avait prononcé contre ses ordonnances; l'empereur lui répondit que, dans un siècle comme le sien, les crimes de lèse-majesté indirects n'avaient point de lieu [a] ».

Faustinien ayant écrit au même empereur qu'ayant juré, par la vie du prince, qu'il ne pardonnerait jamais à son esclave, il se voyait obligé de perpétuer sa colère, pour ne pas se rendre coupable du crime de lèse-majesté : « Vous avez pris de vaines terreurs [b], lui répondit l'empereur; et vous ne connaissez pas mes maximes. »

a. Etiam ex aliis causis majestatis crimina cessant meo sæculo. Leg. 1, cod. *ad leg. Jul. maj.*

b. Alienam sectæ meæ solicitudinem concepisti. Leg. 2, Cod. *ad leg. Jul. maj.*

Un sénatus-consulte [c] ordonna que celui qui avait fondu des statues de l'empereur, qui auraient été réprouvées, ne serait point coupable de lèse-majesté. Les empereurs Sévère et Antonin écrivirent à Pontius [d] que celui qui vendrait des statues de l'empereur non consacrées ne tomberait point dans le crime de lèse-majesté. Les mêmes empereurs écrivirent à Julius Cassianus que celui qui jetterait, par hasard, une pierre contre une statue de l'empereur, ne devait point être poursuivi comme criminel de lèse-majesté [e]. La loi Julie demandait ces sortes de modifications : car elle avait rendu coupable de lèse-majesté, non seulement ceux qui fondaient les statues des empereurs, mais ceux qui commettaient quelque action semblable [f]; ce qui rendait ce crime arbitraire. Quand on eut établi bien des crimes de lèse-majesté, il fallut nécessairement distinguer ces crimes. Aussi le jurisconsulte Ulpien, après avoir dit que l'accusation du crime de lèse-majesté ne s'éteignait point par la mort du coupable, ajoute-t-il, que cela ne regarde pas tous [g] les crimes de lèse-majesté établis par la loi Julie; mais seulement celui qui contient un attentat contre l'empire, ou contre la vie de l'empereur.

c. Voyez la loi 4, § 1, ff. *ad leg. Jul. maj.*
d. *Ibid.*, loi 5, § 2.
e. *Ibid.*, § 1.
f. *Aliudve quid simile admiserint*. Leg. 6, ff. *ad leg. Jul. maj.*
g. Dans la loi dernière, ff. *ad leg. Jul. de adulteriis.*

CHAPITRE X

Continuation du même sujet.

Une loi d'Angleterre, passée sous Henri VIII, déclarait coupables de haute trahison tous ceux qui prédiraient la mort du roi. Cette loi était bien vague. Le despotisme est si terrible, qu'il se tourne même contre ceux qui l'exercent. Dans la dernière maladie de ce roi, les médecins n'osèrent jamais dire qu'il fût en danger; et ils agirent, sans doute, en conséquence [a].

a. Voyez l'*Histoire de la réformation*, par M. BURNET.

Chapitre XI

Des pensées.

Un Marsias songea qu'il coupait la gorge à Denys [a]. Celui-ci le fit mourir, disant qu'il n'y aurait pas songé la nuit, s'il n'y eût pensé le jour. C'était une grande tyrannie : car, quand même il y aurait pensé, il n'avait pas attenté [b]. Les lois ne se chargent de punir que les actions extérieures.

a. PLUTARQUE, *Vie de Denys.*
b. Il faut que la pensée soit jointe à quelque sorte d'action.

Chapitre XII

Des paroles indiscrètes.

Rien ne rend encore le crime de lèse-majesté plus arbitraire, que quand des paroles indiscrètes en deviennent la matière. Les discours sont si sujets à interprétation, il y a tant de différence entre l'indiscrétion et la malice, et il y en a si peu dans les expressions qu'elles emploient, que la loi ne peut guère soumettre les paroles à une peine capitale, à moins qu'elle ne déclare expressément celles qu'elle y soumet [a].

Les paroles ne forment point un corps de délit; elles ne restent que dans l'idée. La plupart du temps, elles ne signifient point par elles-mêmes, mais par le ton dont on les dit. Souvent, en redisant les mêmes paroles, on ne rend pas le même sens : ce sens dépend de la liaison qu'elles ont avec d'autres choses. Quelquefois le silence exprime plus que tous les discours. Il n'y a rien de si équivoque que tout cela. Comment donc en faire un crime de lèse-majesté ? Partout où cette loi est établie,

a. *Si non tale sit delictum, in quod vel scriptura legis descendit, vel ad exemplum legis vindicandum est,* dit Modestinus dans la loi 7, § 3, *in fin.* ff. *ad leg. Jul. maj.*

non seulement la liberté n'est plus, mais son ombre même.

Dans le manifeste de la feue czarine donné contre la famille d'Olgourouki [b], un de ces princes est condamné à mort, pour avoir proféré des paroles indécentes qui avaient du rapport à sa personne; un autre, pour avoir malignement interprété ses sages dispositions pour l'empire, et offensé sa personne sacrée par des paroles peu respectueuses.

Je ne prétends point diminuer l'indignation que l'on doit avoir contre ceux qui veulent flétrir la gloire de leur prince : mais je dirai bien que, si l'on veut modérer le despotisme, une simple punition correctionnelle conviendra mieux, dans ces occasions, qu'une accusation de lèse-majesté toujours terrible à l'innocence même [c].

Les actions ne sont pas de tous les jours; bien des gens peuvent les remarquer : une fausse accusation sur des faits peut être aisément éclaircie. Les paroles, qui sont jointes à une action, prennent la nature de cette action. Ainsi un homme qui va dans la place publique exhorter les sujets à la révolte, devient coupable de lèse-majesté; parce que les paroles sont jointes à l'action, et y participent. Ce ne sont point les paroles que l'on punit; mais une action commise, dans laquelle on emploie les paroles. Elles ne deviennent des crimes, que lorsqu'elles préparent, qu'elles accompagnent, ou qu'elles suivent une action criminelle. On renverse tout, si l'on fait des paroles un crime capital, au lieu de les regarder comme le signe d'un crime capital.

Les empereurs Théodose, Arcadius, et Honorius, écrivirent à Ruffin, préfet du prétoire : « Si quelqu'un parle mal de notre personne ou de notre gouvernement, nous ne voulons point le punir [d] : s'il a parlé par légèreté, il faut le mépriser; si c'est par folie, il faut le plaindre; si c'est une injure, il faut lui pardonner. Ainsi, laissant les choses dans leur entier, vous nous en donnerez connaissance; afin que nous jugions des paroles par les personnes, et que nous pesions bien si nous devons les soumettre au jugement ou les négliger. »

b. En 1740.

c. *Nec lubricum linguæ ad pænam facile trahendum est.* Modestin, dans la loi 7, § 3, ff. *ad leg. Jul. maj.*

d. *Si id ex levitate processerit, contemnendum est ; si ex insania, miseratione dignissimum; si ab injuria, remittendum,* Leg. unica, Cod. *si quis imperat. maled.*

CHAPITRE XIII
Des écrits.

Les écrits contiennent quelque chose de plus permanent que les paroles : mais, lorsqu'ils ne préparent pas au crime de lèse-majesté, ils ne sont point une matière du crime de lèse-majesté.

Auguste et Tibère y attachèrent pourtant la peine de ce crime [a]; Auguste, à l'occasion de certains écrits faits contre des hommes et des femmes illustres; Tibère, à cause de ceux qu'il crut faits contre lui. Rien ne fut plus fatal à la liberté romaine. Crémutius Cordus fut accusé, parce que, dans ses annales, il avait appelé Cassius le dernier des Romains [b].

Les écrits satiriques ne sont guère connus dans les états despotiques, où l'abattement d'un côté, et l'ignorance de l'autre, ne donnent ni le talent ni la volonté d'en faire. Dans la démocratie, on ne les empêche pas, par la raison même qui, dans le gouvernement d'un seul, les fait défendre. Comme ils sont ordinairement composés contre des gens puissants, ils flattent, dans la démocratie, la malignité du peuple qui gouverne. Dans la monarchie, on les défend; mais on en fait plutôt un sujet de police, que de crime. Ils peuvent amuser la malignité générale, consoler les mécontents, diminuer l'envie contre les places, donner au peuple la patience de souffrir, et le faire rire de ses souffrances.

L'aristocratie est le gouvernement qui proscrit le plus les ouvrages satiriques. Les magistrats y sont de petits souverains, qui ne sont pas assez grands pour mépriser les injures. Si, dans la monarchie, quelque trait va contre le monarque, il est si haut, que le trait n'arrive point jusqu'à lui. Un seigneur aristocratique en est percé de part en part. Aussi les décemvirs, qui formaient une aristocratie, punirent-ils de mort les écrits satiriques [c].

a. TACITE, *Annales*, liv. I. Cela continua sous les règnes suivants. Voyez la loi unique, au Code *de famosis libellis*.
b. *Idem*, liv. IV.
c. La loi des Douze Tables.

CHAPITRE XIV

Violation de la pudeur, dans la punition des crimes.

Il y a des règles de pudeur observées chez presque toutes les nations du monde : il serait absurde de les violer dans la punition des crimes, qui doit toujours avoir pour objet le rétablissement de l'ordre.

Les orientaux, qui ont exposé des femmes à des éléphants dressés pour un abominable genre de supplice, ont-ils voulu faire violer la loi par la loi ?

Un ancien usage des Romains défendait de faire mourir les filles qui n'étaient pas nubiles. Tibère trouva l'expédient de les faire violer par le bourreau, avant de les envoyer au supplice [a] : tyran subtil et cruel, il détruisait les mœurs pour conserver les coutumes.

Lorsque la magistrature japonaise a fait exposer dans les places publiques les femmes nues, et les a obligées de marcher à la manière des bêtes, elle a fait frémir la pudeur [b] : mais, lorsqu'elle a voulu contraindre une mère... lorsqu'elle a voulu contraindre un fils... je ne puis achever; elle a fait frémir la nature même [c].

a. SUETONIUS, in *Tiberio.*
b. Recueil des voyages qui ont servi à l'établissement de la compagnie des Indes, t. V, part. II.
c. Ibid., p. 496.

CHAPITRE XV

De l'affranchissement de l'esclave, pour accuser le maître.

Auguste établit que les esclaves de ceux qui auraient conspiré contre lui seraient vendus au public, afin qu'ils pussent déposer contre leur maître [a]. On ne doit rien négliger de ce qui mène à la découverte d'un grand crime. Ainsi, dans un Etat où il y a des esclaves, il est naturel

a. Dion, dans Xiphilin.

qu'ils puissent être indicateurs : mais ils ne sauraient être témoins.

Vindex indiqua la conspiration faite en faveur de Tarquin : mais il ne fut pas témoin contre les enfants de Brutus. Il était juste de donner la liberté à celui qui avait rendu un si grand service à sa patrie : mais on ne la lui donna pas afin qu'il rendît ce service à sa patrie.

Aussi l'empereur Tacite ordonna-t-il que les esclaves ne seraient pas témoins contre leur maître, dans le crime même de lèse-majesté [b] : loi qui n'a pas été mise dans la compilation de Justinien.

b. Flavius VOPISCUS, dans sa *Vie.*

CHAPITRE XVI

Calomnie dans le crime de lèse-majesté.

Il faut rendre justice aux Césars ; ils n'imaginèrent pas les premiers les tristes lois qu'ils firent. C'est Sylla [a] qui leur apprit qu'il ne fallait point punir les calomniateurs. Bientôt on alla jusqu'à les récompenser [b].

a. Sylla fit une loi de majesté, dont il est parlé dans les *Oraisons* de Cicéron, *pro Cluentio*, art. 3 ; *in Pisonem*, art. 21 ; *deuxième contre Verrès*, art. 5 ; *épîtres familières*, liv. III, lettre II. César et Auguste les insérèrent dans les lois Julies ; d'autres y ajoutèrent.

*b. Et quo quis distinctior accusator, eo magis honores assequebatur, ac veluti sacro sanctus erat**. Tacite.

CHAPITRE XVII

De la révélation des conspirations.

« Quand ton frère, ou ton fils, ou ta fille, ou ta femme bien aimée, ou ton ami, qui est comme ton âme, te diront en secret, *Allons à d'autres dieux;* tu les lapideras : d'abord ta main sera sur lui, ensuite celle de tout le peuple. » Cette loi du Deutéronome [a] ne peut être une loi

a. Chap. XIII, vers. 6, 7, 8 et 9.

civile chez la plupart des peuples que nous connaissons, parce qu'elle y ouvrirait la porte à tous les crimes.

La loi qui ordonne dans plusieurs Etats, sous peine de la vie, de révéler les conspirations auxquelles même on n'a pas trempé, n'est guère moins dure. Lorsqu'on la porte dans le gouvernement monarchique, il est très convenable de la restreindre.

Elle n'y doit être appliquée, dans toute sa sévérité, qu'au crime de lèse-majesté au premier chef. Dans ces États, il est très important de ne point confondre les différents chefs de ce crime.

Au Japon, où les lois renversent toutes les idées de la raison humaine, le crime de non-révélation s'applique aux cas les plus ordinaires.

Une relation [b] nous parle de deux demoiselles qui furent enfermées jusqu'à la mort dans un coffre hérissé de pointes ; l'une, pour avoir eu quelque intrigue de galanterie ; l'autre, pour ne l'avoir pas révélée.

CHAPITRE XVIII

Combien il est dangereux, dans les républiques, de trop punir le crime de lèse-majesté.

Quand une république est parvenue à détruire ceux qui voulaient la renverser, il faut se hâter de mettre fin aux vengeances, aux peines, et aux récompenses même.

On ne peut faire de grandes punitions, et par conséquent de grands changements, sans mettre dans les mains de quelques citoyens un grand pouvoir. Il vaut donc mieux, dans ce cas, pardonner beaucoup, que punir beaucoup ; exiler peu, qu'exiler beaucoup ; laisser les biens, que multiplier les confiscations. Sous prétexte de la vengeance de la république, on établirait la tyrannie des vengeurs. Il n'est pas question de détruire celui qui domine, mais la domination. Il faut rentrer, le plutôt que l'on peut, dans ce train ordinaire du gouvernement où les lois protègent tout, et ne s'arment contre personne.

Les Grecs ne mirent point de bornes aux vengeances

b. *Recueil des voyages qui ont servi à l'établissement de la compagnie des Indes*, p. 423, liv. V, part. 2.

qu'ils prirent des tyrans ou de ceux qu'ils soupçonnèrent de l'être. Ils firent mourir les enfants [a], quelquefois cinq des plus proches parents [b]. Ils chassèrent une infinité de familles. Leurs républiques en furent ébranlées; l'exil ou le retour des exilés furent toujours des époques qui marquèrent le changement de la Constitution.

Les Romains furent plus sages. Lorsque Cassius fut condamné pour avoir aspiré à la tyrannie, on mit en question si l'on ferait mourir ses enfants : ils ne furent condamnés à aucune peine. « Ceux qui ont voulu, dit Denys d'Halicarnasse [c], changer cette loi à la fin de la guerre des Marses et de la guerre civile, et exclure des charges les enfants des proscrits par Sylla, sont bien criminels. »

On voit, dans les guerres de Marius et de Sylla, jusqu'à quel point les âmes, chez les Romains, s'étaient peu à peu dépravées. Des choses si funestes firent croire qu'on ne les reverrait plus. Mais, sous les triumvirs, on voulut être plus cruel, et le paraître moins : on est désolé de voir les sophismes qu'employa la cruauté. On trouve, dans Appien [d], la formule des proscriptions. Vous diriez qu'on n'y a d'autre objet que le bien de la république, tant on y parle de sang-froid, tant on y montre d'avantages, tant les moyens que l'on prend sont préférables à d'autres, tant les riches seront en sûreté, tant le bas peuple sera tranquille, tant on craint de mettre en danger la vie des citoyens, tant on veut apaiser les soldats, tant enfin on sera heureux [e].

Rome était inondée de sang, quand Lépidus triompha de l'Espagne; et, par une absurdité sans exemple, sous peine d'être proscrit [f], il ordonna de se réjouir.

a. Denys d'HALICARNASSE, *Antiquités romaines,* liv. VIII.

b. *Tyranno occiso, quinque ejus proximos cognatione magistratus necato.* CICÉRON, *De inventione,* liv. II.

c. Liv. VIII, p. 547.

d. *Des guerres civiles,* liv. IV.

e. *Quod felix faustumque sit.*

f. *Sacris et epulis dent hunc diem : qui secus faxit, inter proscriptos esto.*

Chapitre XIX

Comment on suspend l'usage de la liberté, dans la république.

Il y a, dans les Etats où l'on fait le plus de cas de la liberté, des lois qui la violent contre un seul, pour la garder à tous. Tels sont, en Angleterre, les bills appelés d'*atteindre* [a]. Ils se rapportent à ces lois d'Athènes, qui statuaient contre un particulier [b], pouvu qu'elles fussent faites par le suffrage de six mille citoyens. Ils se rapportent à ces lois qu'on faisait à Rome contre des citoyens particuliers, et qu'on appelait *privilèges* [c]. Elles ne se faisaient que dans les grands Etats du peuple. Mais, de quelque manière que le peuple les donne, Cicéron veut qu'on les abolisse, parce que la force de la loi ne consiste qu'en ce qu'elle statue sur tout le monde [d]. J'avoue pourtant que l'usage des peuples les plus libres qui aient jamais été sur la terre, me fait croire qu'il y a des cas où il faut mettre, pour un moment, un voile sur la liberté, comme l'on cache les statues des dieux.

a. Il ne suffit pas, dans les tribunaux du royaume, qu'il y ait une preuve telle que les juges soient convaincus : il faut encore que cette preuve soit formelle, c'est-à-dire, légale : et la loi demande qu'il y ait deux témoins contre l'accusé; une autre preuve ne suffirait pas. Or si un homme, présumé coupable de ce qu'on appelle haut crime, avait trouvé le moyen d'écarter les témoins, de sorte qu'il fût impossible de le faire condamner par la loi, on pourrait porter contre lui un *bill* particulier *d'atteindre;* c'est-à-dire, faire une loi singulière sur sa personne. On y procède comme pour tous les autres *bills :* il faut qu'il passe dans deux chambres, et que le roi y donne son consentement; sans quoi, il n'y a point de *bill*, c'est-à-dire, de jugement. L'accuse peut faire parler ses avocats contre le *bill;* et on peut parler dans la chambre pour le *bill.*

b. Legem de singulari aliquo ne rogato, nisi sex millibus ita visum. Ex Andocide de mysteriis : c'est l'ostracisme.

c. De privis hominibus latæ, Cicéron, *De leg.*, liv. III.

d. Scitum est jussum in omnes. Cicéron, *ibid.*

Chapitre XX

Des lois favorables à la liberté du citoyen, dans la république.

Il arrive souvent, dans les Etats populaires, que les accusations sont publiques, et qu'il est permis à tout homme d'accuser qui il veut. Cela a fait établir des lois propres à défendre l'innocence des citoyens. A Athènes, l'accusateur qui n'avait point pour lui la cinquième partie des suffrages payait une amende de mille dragmes. Eschines, qui avait accusé Ctésiphon, y fut condamné [a]. A Rome, l'injuste accusateur était noté d'infamie [b]; on lui imprimait la lettre K sur le front. On donnait des gardes à l'accusateur, pour qu'il fût hors d'état de corrompre les juges ou les témoins [c].

J'ai déjà parlé de cette loi athénienne et romaine, qui permettait à l'accusé de se retirer avant le jugement.

a. Voyez PHILOSTRATE, liv. I, *Vie des sophistes, Vie d'Eschines.* Voyez aussi Plutarque et Phocius.

b. Par la loi *Remnia*.

c. Plutarque, au traité, *comment on pourrait recevoir de l'utilité de ses ennemis.*

Chapitre XXI

De la cruauté des lois envers les débiteurs, dans la république.

Un citoyen s'est déjà donné une assez grande supériorité sur un citoyen, en lui prêtant un argent que celui-ci n'a emprunté que pour s'en défaire, et que par conséquent il n'a plus. Que sera-ce, dans une république, si les lois augmentent cette servitude encore davantage ?

A Athènes et à Rome [a], il fut d'abord permis de vendre les débiteurs qui n'étaient pas en état de payer. Solon corrigea cet usage à Athènes [b] : il ordonna que personne

a. Plusieurs vendaient leurs enfants pour payer leurs dettes. PLUTARQUE, *Vie de Solon.*

b. *Ibid.*

ne serait obligé par corps pour dettes civiles. Mais les décemvirs [c] ne réformèrent pas de même l'usage de Rome; et, quoiqu'ils eussent devant les yeux le règlement de Solon, ils ne voulurent pas le suivre. Ce n'est pas le seul endroit de la loi des douze tables où l'on voit le dessein des décemvirs de choquer l'esprit de la démocratie.

Ces lois cruelles contre les débiteurs mirent bien des fois en danger la république romaine. Un homme couvert de plaies s'échappa de la maison de son créancier, et parut dans la place [d]. Le peuple s'émut à ce spectacle. D'autres citoyens, que leurs créanciers n'osaient plus retenir, sortirent de leurs cachots. On leur fit des promesses; on y manqua: le peuple se retira sur le mont-sacré. Il n'obtint pas l'abrogation de ces lois, mais un magistrat pour le défendre. On sortait de l'anarchie, on pensa tomber dans la tyrannie. Manlius, pour se rendre populaire, allait retirer des mains des créanciers les citoyens qu'ils avaient réduits en esclavage [e]. On prévint les desseins de Manlius; mais le mal restait toujours. Des lois particulières donnèrent aux débiteurs des facilités de payer [f] : et, l'an de Rome 428, les consuls portèrent une loi [g] qui ôta aux créanciers le droit de tenir les débiteurs en servitude dans leurs maisons [h]. Un usurier nommé Papirius avait voulu corrompre la pudicité d'un jeune homme nommé Publius, qu'il tenait dans les fers. Le crime de Sextus donna à Rome la liberté politique; celui de Papirius y donna la liberté civile.

Ce fut le destin de cette ville, que des crimes nouveaux y confirmèrent la liberté que des crimes anciens lui avaient procurée. L'attentat d'Appius sur Virginie remit le peuple dans cette horreur contre les tyrans, que lui avait donné le malheur de Lucrèce. Trente-sept ans [i] après le crime de l'infâme Papirius, un crime pareil [k] fit

c. Il paraît, par l'histoire, que cet usage était établi chez les Romains, avant la loi des douze tables. Tite-Live, première Décade, liv. II.

d. Denys d'HALICARNASSE, *Antiquités romaines*, liv. VI.

e. PLUTARQUE, *Vie de Furius Camillus*.

f. Voyez, ci-dessous, le chap. XXIV, liv. XXII.

g. Cent vingt ans après la loi des douze tables. *Eo anno plebi romanæ, velut aliud initium libertatis, factum est quod necti desierunt.* Tite-Live, liv. VIII.

h. *Bona debitoris, non corpus obnoxium esset.* Ibid.

i. L'an de Rome 465.

k. Celui de Plautius, qui attenta contre la pudicité de Véturius.

que le peuple se retira sur le Janicule [l], et que la loi faite pour la sûreté des débiteurs reprit une nouvelle force.

Depuis ce temps, les créanciers furent plutôt poursuivis par les débiteurs pour avoir violé les lois faites contre les usures, que ceux-ci ne le furent pour ne les avoir pas payées.

CHAPITRE XXII

Des choses qui attaquent la liberté, dans la monarchie.

La chose du monde la plus inutile au prince a souvent affaibli la liberté dans les monarchies : les commissaires nommés quelquefois pour juger un particulier.

Le prince tire si peu d'utilité des commissaires, qu'il ne vaut pas la peine qu'il change l'ordre des choses pour cela. Il est moralement sûr qu'il a plus l'esprit de probité et de justice que ses commissaires, qui se croient toujours assez justifiés par ses ordres, par un obscur intérêt de l'Etat, par le choix qu'on a fait d'eux, et par leurs craintes même.

Sous Henri VIII, lorsqu'on faisait le procès à un pair, on le faisait juger par des commissaires tirés de la chambre des pairs : avec cette méthode, on fit mourir tous les pairs qu'on voulut.

CHAPITRE XXIII

Des espions, dans la monarchie.

Faut-il des espions dans la monarchie ? Ce n'est pas la pratique ordinaire des bons princes. Quand un homme est fidèle aux lois, il a satisfait à ce qu'il doit au prince. Il faut, au moins, qu'il ait sa maison pour asile, et le reste de sa conduite en sûreté. L'espionnage serait peut-être

Valère Maxime, liv. VI, art. IX. On ne doit point confondre ces deux événements; ce ne sont, ni les mêmes personnes, ni les mêmes temps.

l. Voyez un fragment de Denys d'HALICARNASSE, dans l'*Extrait des vertus et des vices;* l'*Epitome* de Tite-Live, liv. XI; et Freinshemius, liv. XI.

tolérable, s'il pouvait être exercé par d'honnêtes gens; mais l'infamie nécessaire de la personne peut faire juger de l'infamie de la chose. Un prince doit agir, avec ses sujets, avec candeur, avec franchise, avec confiance. Celui qui a tant d'inquiétudes, de soupçons et de craintes, est un acteur qui est embarrassé à jouer son rôle. Quand il voit qu'en général les lois sont dans leur force, et qu'elles sont respectées, il peut se juger en sûreté. L'allure générale lui répond de celle de tous les particuliers. Qu'il n'ait aucune crainte, il ne saurait croire combien on est porté à l'aimer. Eh! pourquoi ne l'aimerait-on pas ? Il est la source de presque tout le bien qui se fait; et quasi toutes les punitions sont sur le compte des lois. Il ne se montre jamais au peuple qu'avec un visage serein : sa gloire même se communique à nous, et sa puissance nous soutient. Une preuve qu'on l'aime, c'est que l'on a de la confiance en lui; et que, lorsqu'un ministre refuse, on s'imagine toujours que le prince aurait accordé. Même dans les calamités publiques, on n'accuse point sa personne; on se plaint de ce qu'il ignore, ou de ce qu'il est obsédé par des gens corrompus : *Si le prince savait*, dit le peuple. Ces paroles sont une espèce d'invocation, et une preuve de la confiance qu'on a en lui.

CHAPITRE XXIV

Des lettres anonymes.

Les Tartares sont obligés de mettre leur nom sur leurs flèches, afin que l'on connaisse la main dont elles partent. Philippe de Macédoine ayant été blessé au siège d'une ville, on trouva sur le javelot, *Aster a porté ce coup mortel à Philippe* [a]. Si ceux qui accusent un homme le faisaient en vue du bien public, ils ne l'accuseraient pas devant le prince, qui peut être aisément prévenu, mais devant les magistrats, qui ont des règles qui ne sont formidables qu'aux calomniateurs. Que s'ils ne veulent pas laisser les lois entre eux et l'accusé, c'est une preuve qu'ils ont sujet de les craindre; et la moindre peine qu'on puisse leur

a. PLUTARQUE, *Œuvres morales, collat. de quelques histoires romaines et grecques*, t. II, p. 487.

infliger, c'est de ne les point croire. On ne peut y faire d'attention que dans les cas qui ne sauraient souffrir les lenteurs de la justice ordinaire, et où il s'agit du salut du prince. Pour lors, on peut croire que celui qui accuse a fait un effort qui a délié sa langue, et l'a fait parler. Mais, dans les autres cas, il faut dire, avec l'empereur Constance : « Nous ne saurions soupçonner celui à qui il a manqué un accusateur, lorsqu'il ne lui manquait pas un ennemi [b] ».

b. Leg. VI, cod. Théod., *de famosis libell.*

Chapitre XXV

De la manière de gouverner, dans la monarchie.

L'autorité royale est un grand ressort, qui doit se mouvoir aisément et sans bruit. Les Chinois vantent un de leurs empereurs, qui gouverna, disent-ils, comme le ciel; c'est-à-dire, par son exemple.

Il y a des cas où la puissance doit agir dans toute son étendue : il y en a où elle doit agir par ses limites. Le sublime de l'administration est de bien connaître quelle est la partie du pouvoir, grande ou petite, que l'on doit employer dans les diverses circonstances.

Dans nos monarchies, toute la félicité consiste dans l'opinion que le peuple a de la douceur du gouvernement. Un ministre mal habile veut toujours vous avertir que vous êtes esclaves. Mais, si cela était, il devrait chercher à le faire ignorer. Il ne sait vous dire ou vous écrire, si ce n'est que le prince est fâché; qu'il est surpris; qu'il mettra ordre. Il y a une certaine facilité dans le commandement : il faut que le prince encourage, et que ce soient les lois qui menacent [a].

a. Nerva, dit Tacite, *augmenta la facilité de l'empire.*

CHAPITRE XXVI

Que, dans la monarchie, le prince doit être accessible.

Cela se sentira beaucoup mieux par les contrastes. « Le czar Pierre premier, dit le sieur Perry [a], a fait une nouvelle ordonnance, qui défend de lui présenter de requête, qu'après en avoir présenté deux à ses officiers. On peut, en cas de déni de justice, lui présenter la troisième : mais celui qui a tort doit perdre la vie. Personne depuis n'a adressé de requête au czar. »

CHAPITRE XXVII

Des mœurs du monarque.

Les mœurs du prince contribuent autant à la liberté que les lois : il peut, comme elles, faire des hommes des bêtes, et des bêtes faire des hommes. S'il aime les âmes libres, il aura des sujets; s'il aime les âmes basses, il aura des esclaves. Veut-il savoir le grand art de régner ? qu'il approche de lui l'honneur et la vertu, qu'il appelle le mérite personnel. Il peut même jeter quelquefois les yeux sur les talents. Qu'il ne craigne point ces rivaux qu'on appelle les hommes de mérite; il est leur égal, dès qu'il les aime. Qu'il gagne le cœur, mais qu'il ne captive point l'esprit. Qu'il se rende populaire. Il doit être flatté de l'amour du moindre de ses sujets; ce sont toujours des hommes. Le peuple demande si peu d'égards, qu'il est juste de les lui accorder : l'infinie distance qui est entre le souverain, et lui, empêche bien qu'il ne le gêne. Qu'exorable à la prière, il soit ferme contre les demandes : et qu'il sache que son peuple jouit de ses refus, et ses courtisans de ses grâces.

a. *Etat de la grande Russie,* p. 173, édit. de Paris, 1717.

CHAPITRE XXVIII

Des égards que les monarques doivent à leurs sujets.

Il faut qu'ils soient extrêmement retenus sur la raillerie. Elle flatte lorsqu'elle est modérée, parce qu'elle donne les moyens d'entrer dans la familiarité : mais une raillerie piquante leur est bien moins permise qu'au dernier de leurs sujets, parce qu'ils sont les seuls qui blessent toujours mortellement.

Encore moins doivent-ils faire à un de leurs sujets une insulte marquée : ils sont établis pour pardonner, pour punir; jamais pour insulter.

Lorsqu'ils insultent leurs sujets, ils les traitent bien plus cruellement que ne traite les siens le Turc ou le Moscovite. Quand ces derniers insultent, ils humilient, et ne déshonorent point; mais pour eux, ils humilient et déshonorent.

Tel est le préjugé des Asiatiques, qu'ils regardent un affront fait par le prince comme l'effet d'une bonté paternelle; et telle est notre manière de penser, que nous joignons, au cruel sentiment de l'affront, le désespoir de ne pouvoir nous en laver jamais.

Ils doivent être charmés d'avoir des sujets à qui l'honneur est plus cher que la vie, et n'est pas moins un motif de fidélité que de courage.

On peut se souvenir des malheurs arrivés aux princes, pour avoir insulté leurs sujets; des vengeances de Chéras, de l'eunuque Narsès, et du comte Julien; enfin, de la duchesse de Montpensier, qui, outrée contre Henri III qui avait révélé quelqu'un de ses défauts secrets, le troubla pendant toute sa vie.

CHAPITRE XXIX

Des lois civiles propres à mettre un peu de liberté dans le gouvernement despotique.

Quoique le gouvernement despotique, dans sa nature, soit partout le même; cependant, des circonstances, une opinion de religion, un préjugé, des exemples reçus, un tour d'esprit, des manières, des mœurs, peuvent y mettre des différences considérables.

Il est bon que de certaines idées s'y soient établies. Ainsi, à la Chine, le prince est regardé comme le père du peuple; et, dans les commencements de l'empire des Arabes, le prince en était le prédicateur [a].

Il convient qu'il y ait quelque livre sacré qui serve de règle, comme l'alcoran chez les Arabes, les livres de Zoroastre chez les Perses, le védam chez les Indiens, les livres classiques chez les Chinois. Le code religieux supplée au code civil, et fixe l'arbitraire.

Il n'est pas mal que, dans les cas douteux, les juges consultent les ministres de la religion [b]. Aussi, en Turquie, les cadis interrogent-ils les mollachs. Que si le cas mérite la mort, il peut être convenable que le juge particulier, s'il y en a, prenne l'avis du gouverneur; afin que le pouvoir civil et l'ecclésiastique soient encore tempérés par l'autorité politique.

a. Les Caliphes.
b. *Histoire des Tattars*, troisième partie, p. 277, dans les remarques.

Chapitre XXX

Continuation du même sujet.

C'est la fureur despotique qui a établi que la disgrâce du père entraînerait celle des enfants et des femmes. Ils sont déjà malheureux, sans être criminels : et d'ailleurs, il faut que le prince laisse, entre l'accusé et lui, des suppliants pour adoucir son courroux, ou pour éclairer sa justice.

C'est une bonne coutume des Maldives [a] que, lorsqu'un seigneur est disgracié, il va tous les jours faire sa cour au roi, jusqu'à ce qu'il rentre en grâce; sa présence désarme le courroux du prince.

Il y a des Etats despotiques [b] où l'on pense que, de

a. Voyez François Pirard.
b. Comme aujourd'hui en Perse, au rapport de M. Chardin : cet usage est bien ancien. *On mit Cavade*, dit Procope, *dans le château de l'oubli : il y a une loi qui défend de parler de ceux qui y sont enfermés, et même de prononcer leur nom.*

parler à un prince pour un disgracié, c'est manquer au respect qui lui est dû. Ces princes semblent faire tous leurs efforts pour se priver de la vertu de clémence.

Arcadius et Honorius, dans la loi [c] dont j'ai tant parlé [d], déclarent qu'ils ne feront point de grâce à ceux qui oseront les supplier pour les coupables [e]. Cette loi était bien mauvaise, puisqu'elle est mauvaise dans le despotisme même.

La coutume de Perse, qui permet à qui veut de sortir du royaume, est très bonne : Et, quoique l'usage contraire ait tiré son origine du despotisme, où l'on a regardé les sujets comme des [f] esclaves, et ceux qui sortent comme des esclaves fugitifs ; cependant, la pratique de Perse est très bonne pour le despotisme, où la crainte de la fuite, ou de la retraite des redevables, arrête ou modère les persécutions des bachas et des exacteurs.

c. La loi 5, au cod. *ad leg. Jul. maj.*

d. Au chapitre VIII de ce livre.

e. Frédéric copia cette loi dans les *Constitutions de Naples*, liv. I.

f. Dans les monarchies, il y a ordinairement une loi qui défend à ceux qui ont des emplois publics de sortir du royaume sans la permission du prince. Cette loi doit être encore établie dans les républiques. Mais, dans celles qui ont des institutions singulières, la défense doit être générale, pour qu'on n'y rapporte pas les mœurs étrangères.

LIVRE XIII

DES RAPPORTS QUE LA LEVÉE DES TRIBUTS ET LA GRANDEUR DES REVENUS PUBLICS ONT AVEC LA LIBERTÉ

CHAPITRE PREMIER

Des revenus de l'Etat.

Les revenus de l'Etat sont une portion que chaque citoyen donne de son bien, pour avoir la sûreté de l'autre, ou pour en jouir agréablement.

Pour bien fixer ces revenus, il faut avoir égard et aux nécessités de l'Etat, et aux nécessités des citoyens. Il ne faut point prendre au peuple sur ses besoins réels, pour des besoins de l'Etat imaginaires.

Les besoins imaginaires sont ce que demandent les passions et les faiblesses de ceux qui gouvernent, le charme d'un projet extraordinaire, l'envie malade d'une vaine gloire, et une certaine impuissance d'esprit contre les fantaisies. Souvent ceux qui, avec un esprit inquiet, étaient sous le prince à la tête des affaires, ont pensé que les besoins de l'Etat étaient les besoins de leurs petites âmes.

Il n'y a rien que la sagesse et la prudence doivent plus régler, que cette portion qu'on ôte, et cette portion qu'on laisse aux sujets.

Ce n'est point à ce que le peuple peut donner, qu'il faut mesurer les revenus publics; mais à ce qu'il doit donner : et, si on les mesure à ce qu'il peut donner, il faut que ce soit du moins à ce qu'il peut toujours donner.

CHAPITRE II

Que c'est mal raisonner, de dire que la grandeur des tributs soit bonne par elle-même.

On a vu, dans de certaines monarchies, que des petits pays, exempts de tributs, étaient aussi misérables que les lieux qui, tout autour, en étaient accablés. La principale raison est, que le petit Etat entouré ne peut avoir d'industrie, d'arts, ni de manufactures; parce qu'à cet égard il est gêné, de mille manières, par le grand Etat dans lequel il est enclavé. Le grand Etat qui l'entoure a l'industrie, les manufactures et les arts; et il fait des règlements qui lui en procurent tous les avantages. Le petit Etat devient donc nécessairement pauvre, quelque peu d'impôts qu'on y lève.

On a pourtant conclu, de la pauvreté de ces petits pays, que, pour que le peuple fût industrieux, il fallait des charges pesantes. On aurait mieux fait d'en conclure qu'il n'en faut pas. Ce sont tous les misérables des environs qui se retirent dans ces lieux-là, pour ne rien faire : déjà découragés par l'accablement du travail, ils font consister toute leur félicité dans leur paresse.

L'effet des richesses d'un pays, c'est de mettre de l'ambition dans tous les cœurs : l'effet de la pauvreté, est d'y faire naître le désespoir. La première s'irrite par le travail, l'autre se console par la paresse.

La nature est juste envers les hommes. Elle les récompense de leurs peines; elle les rend laborieux, parce qu'à de plus grands travaux elle attache de plus grandes récompenses. Mais, si un pouvoir arbitraire ôte les récompenses de la nature, on reprend le dégoût pour le travail, et l'inaction paraît être le seul bien.

CHAPITRE III

Des tributs, dans les pays où une partie du peuple est esclave de la glèbe.

L'esclavage de la glèbe s'établit quelquefois après une conquête. Dans ce cas, l'esclave qui cultive doit être le colon-partiaire du maître. Il n'y a qu'une société de perte et de gain qui puisse réconcilier ceux qui sont destinés à travailler, avec ceux qui sont destinés à jouir.

CHAPITRE IV

D'une république, en cas pareil.

Lorsqu'une république a réduit une nation à cultiver les terres pour elle, on n'y doit point souffrir que le citoyen puisse augmenter le tribut de l'esclave. On ne le permettait point à Lacédémone : on pensait que les Elotes [a] cultiveraient mieux les terres, lorsqu'ils sauraient que leur servitude n'augmenterait pas; on croyait que les maîtres seraient meilleurs citoyens, lorsqu'ils ne désireraient que ce qu'ils avaient coutume d'avoir.

a. Plutarque.

CHAPITRE V

D'une monarchie, en cas pareil.

Lorsque, dans une monarchie, la noblesse fait cultiver les terres à son profit par le peuple conquis, il faut encore que la redevance ne puisse augmenter [a]. De plus, il est bon que le prince se contente de son domaine et du service militaire. Mais, s'il veut lever des tributs en argent

a. C'est ce qui fit faire à Charlemagne ses belles institutions là-dessus. Voyez le livre cinquième des *Capitulaires*, art. 303.

sur les esclaves de sa noblesse, il faut que le seigneur soit garant [b] du tribut, qu'il le paie pour les esclaves, et le reprenne sur eux : Et si l'on ne suit pas cette règle, le seigneur et ceux qui lèvent les revenus du prince vexeront l'esclave tour à tour, et le reprendront l'un après l'autre, jusqu'à ce qu'il périsse de misère, ou fuie dans les bois.

CHAPITRE VI

D'un Etat despotique, en cas pareil.

Ce que je viens de dire est encore plus indispensable dans l'État despotique. Le seigneur, qui peut à tous les instants être dépouillé de ses terres et de ses esclaves, n'est pas si porté à les conserver.

Pierre premier, voulant prendre la pratique d'Allemagne et lever ses tributs en argent, fit un règlement très sage que l'on suit encore en Russie. Le gentilhomme lève la taxe sur les paysans, et la paie au czar. Si le nombre des paysans diminue, il paye tout de même; si le nombre augmente, il ne paye pas davantage : il est donc intéressé à ne point vexer ses paysans.

CHAPITRE VII

Des tributs, dans les pays où l'esclavage de la glèbe n'est point établi.

Lorsque, dans un Etat, tous les particuliers sont citoyens, que chacun y possède par son domaine ce que le prince y possède par son empire, on peut mettre des impôts sur les personnes, sur les terres, ou sur les marchandises; sur deux de ces choses, ou sur les trois ensemble.

Dans l'impôt de la personne, la proportion injuste serait celle qui suivrait exactement la proportion des

b. Cela se pratique ainsi en Allemagne.

biens. On avait divisé à Athènes [a] les citoyens en quatre classes. Ceux qui retiraient de leurs biens cinq cents mesures de fruits, liquides ou secs, payaient au public un talent; ceux qui en retiraient trois cents mesures devaient un demi-talent; ceux qui avaient deux cents mesures payaient dix mines, ou la sixième partie d'un talent; ceux de la quatrième classe ne donnaient rien. La taxe était juste, quoiqu'elle ne fût point proportionnelle : si elle ne suivait pas la proportion des biens, elle suivait la proportion des besoins. On jugea que chacun avait un *nécessaire physique* égal; que ce nécessaire physique ne devait point être taxé; que l'utile venait ensuite, et qu'il devait être taxé, mais moins que le superflu; que la grandeur de la taxe sur le superflu empêchait le superflu.

Dans la taxe sur les terres, on fait des rôles où l'on met les diverses classes des fonds. Mais il est très difficile de connaître ces différences, et encore plus de trouver des gens qui ne soient point intéressés à les méconnaître. Il y a donc là deux sortes d'injustices; l'injustice de l'homme, et l'injustice de la chose. Mais si, en général, la taxe n'est point excessive, si on laisse au peuple un nécessaire abondant, ces injustices particulières ne seront rien. Que si, au contraire, on ne laisse au peuple que ce qu'il lui faut à la rigueur pour vivre, la moindre disproportion sera de la plus grande conséquence.

Que quelques citoyens ne payent pas assez, le mal n'est pas grand; leur aisance revient toujours au public : que quelques particuliers payent trop, leur ruine se tourne contre le public. Si l'Etat proportionne sa fortune à celle des particuliers, l'aisance des particuliers fera bientôt monter sa fortune. Tout dépend du moment : L'Etat commencera-t-il par appauvrir les sujets pour s'enrichir ? ou attendra-t-il que des sujets à leur aise l'enrichissent ? Aura-t-il le premier avantage ? ou le second ? Commencera-t-il par être riche ? ou finira-t-il par l'être ?

Les droits sur les marchandises sont ceux que les peuples sentent le moins, parce qu'on ne leur fait pas une demande formelle. Ils peuvent être si sagement ménagés, que le peuple ignorera presque qu'il les paye. Pour cela, il est d'une grande conséquence que ce soit celui qui vend la marchandise qui paye le droit. Il sait bien qu'il ne paye pas pour lui; et l'acheteur, qui dans le fond paye, le confond avec le prix. Quelques auteurs

a. Pollux, liv. VIII, chap. x, art. 130.

ont dit que Néron avait ôté le droit du vingt-cinquième des esclaves qui se vendaient[b]; il n'avait pourtant fait qu'ordonner que ce serait le vendeur qui le payerait, au lieu de l'acheteur : ce règlement, qui laissait tout l'impôt, parut l'ôter.

Il y a deux royaumes en Europe où l'on a mis des impôts très forts sur les boissons : dans l'un, le brasseur seul paye le droit; dans l'autre, il est levé indifféremment sur tous les sujets qui consomment. Dans le premier, personne ne sent la rigueur de l'impôt; dans le second, il est regardé comme onéreux : dans celui-là, le citoyen ne sent que la liberté qu'il a de ne pas payer; dans celui-ci, il ne sent que la nécessité qui l'y oblige.

D'ailleurs, pour que le citoyen paye, il faut des recherches perpétuelles dans sa maison. Rien n'est plus contraire à la liberté; et ceux qui établissent ces sortes d'impôts n'ont pas le bonheur d'avoir, à cet égard, rencontré la meilleure sorte d'administration.

CHAPITRE VIII

Comment on conserve l'illusion.

Pour que le prix de la chose et le droit puissent se confondre dans la tête de celui qui paye, il faut qu'il y ait quelque rapport entre la marchandise et l'impôt; et que, sur une denrée de peu de valeur, on ne mette pas un droit excessif. Il y a des pays où le droit excède de dix-sept fois la valeur de la marchandise. Pour lors, le prince ôte l'illusion à ses sujets : ils voient qu'ils sont conduits d'une manière qui n'est pas raisonnable; ce qui leur fait sentir leur servitude au dernier point.

D'ailleurs, pour que le prince puisse lever un droit si disproportionné à la valeur de la chose, il faut qu'il vende lui-même la marchandise, et que le peuple ne puisse l'aller acheter ailleurs; ce qui est sujet à mille inconvénients.

La fraude étant, dans ce cas, très lucrative, la peine

b. *Vectigal quoque quintæ et vicesimæ venalium mancipiorum remissum specie magis quam vi ; quid cum venditor pendere juberetur in partem pretii, emptoribus accrescebat.* TACITE, *Annales*, liv. XIII.

naturelle, celle que la raison demande, qui est la confiscation de la marchandise, devient incapable de l'arrêter; d'autant plus que cette marchandise est, pour l'ordinaire, d'un prix très vil. Il faut donc avoir recours à des peines extravagantes, et pareilles à celles que l'on inflige pour les plus grands crimes. Toute la proportion des peines est ôtée. Des gens qu'on ne saurait regarder comme des hommes méchants sont punis comme des scélérats; ce qui est la chose du monde la plus contraire à l'esprit du gouvernement modéré.

J'ajoute que, plus on met le peuple en occasion de frauder le traitant, plus on enrichit celui-ci, et on appauvrit celui-là. Pour arrêter la fraude, il faut donner au traitant des moyens de vexations extraordinaires, et tout est perdu.

CHAPITRE IX

D'une mauvaise sorte d'impôt.

Nous parlerons, en passant, d'un impôt établi, dans quelques Etats, sur les diverses clauses des contrats civils. Il faut, pour se défendre du traitant, de grandes connaissances, ces choses étant sujettes à des discussions subtiles. Pour lors, le traitant, interprète des règlements du prince, exerce un pouvoir arbitraire sur les fortunes. L'expérience a fait voir qu'un impôt sur le papier sur lequel le contrat doit s'écrire, vaudrait beaucoup mieux.

CHAPITRE X

Que la grandeur des tributs dépend de la nature du gouvernement.

Les tributs doivent être très légers dans le gouvernement despotique. Sans cela, qui est-ce qui voudrait prendre la peine d'y cultiver les terres ? et de plus, comment payer de gros tributs, dans un gouvernement qui ne supplée par rien à ce que le sujet a donné ?

Dans le pouvoir étonnant du prince, et l'étrange faiblesse du peuple, il faut qu'il ne puisse y avoir d'équivoques sur rien. Les tributs doivent être si faciles à percevoir, et si clairement établis, qu'ils ne puissent être augmentés ni diminués par ceux qui les lèvent. Une portion dans les fruits de la terre, une taxe par tête, un tribut de tant pour cent sur les marchandises, sont les seuls convenables.

Il est bon, dans le gouvernement despotique, que les marchands aient une sauvegarde personnelle, et que l'usage les fasse respecter : sans cela, ils seraient trop faibles dans les discussions qu'ils pourraient avoir avec les officiers du prince.

CHAPITRE XI

Des peines fiscales.

C'est une chose particulière *aux peines fiscales*, que, contre la pratique générale, elles sont plus sévères en Europe qu'en Asie. En Europe, on confisque les marchandises, quelquefois même les vaisseaux et les voitures; en Asie, on ne fait ni l'un ni l'autre. C'est qu'en Europe, le marchand a des juges qui peuvent le garantir de l'oppression; en Asie, les juges despotiques seraient eux-mêmes les oppresseurs. Que ferait le marchand contre un bacha qui aurait résolu de confisquer ses marchandises ?

C'est la vexation qui se surmonte elle-même, et se voit contrainte à une certaine douceur. En Turquie, on ne lève qu'un seul droit d'entrée; après quoi, tout le pays est ouvert aux marchands. Les déclarations fausses n'emportent ni confiscation ni augmentation de droits. On n'ouvre [a] point, à la Chine, les ballots des gens qui ne sont pas marchands. La fraude, chez le Mogol, n'est point punie par la confiscation, mais par le doublement du droit. Les princes [b] Tartares, qui habitent des villes dans l'Asie, ne lèvent presque rien sur les marchandises qui passent. Que si, au Japon, le crime de fraude dans le commerce est un crime capital, c'est qu'on a des raisons pour défendre toute communication avec les étrangers;

a. Du Halde, t. II, p. 37.
b. *Histoire des Tattars,* troisième partie, p. 290.

et que la fraude [c] y est plutôt une contravention aux lois faites pour la sûreté de l'Etat, qu'à des lois de commerce.

c. Voulant avoir un commerce avec les étrangers, sans se communiquer avec eux, ils ont choisi deux nations : la hollandaise, pour le commerce de l'Europe; et la chinoise, pour celui de l'Asie : ils tiennent dans une espèce de prison les facteurs et les matelots, et les gênent jusqu'à faire perdre patience.

CHAPITRE XII

Rapport de la grandeur des tributs avec la liberté.

Règle générale : on peut lever des tributs plus forts, à proportion de la liberté des sujets; et l'on est forcé de les modérer, à mesure que la servitude augmente. Cela a toujours été, et cela sera toujours. C'est une règle tirée de la nature, qui ne varie point : on la trouve par tous les pays, en Angleterre, en Hollande, et dans tous les Etats où la liberté va se dégradant jusqu'en Turquie. La Suisse semble y déroger, parce qu'on n'y paye point de tributs : mais on en sait la raison particulière, et même elle confirme ce que je dis. Dans ces montagnes stériles, les vivres sont si chers, et le pays est si peuplé, qu'un Suisse paye quatre fois plus à la nature, qu'un Turc ne paye au sultan.

Un peuple dominateur, tel qu'étaient les Athéniens et les Romains, peut s'affranchir de tout impôt, parce qu'il règne sur des nations sujettes. Il ne paye pas pour lors à proportion de sa liberté; parce qu'à cet égard il n'est pas un peuple, mais un monarque.

Mais la règle générale reste toujours. Il y a, dans les Etats modérés, un dédommagement pour la pesanteur des tributs; c'est la liberté. Il y a, dans les Etats [a] despotiques, un équivalent pour la liberté; c'est la modicité des tributs.

Dans de certaines monarchies en Europe, on voit des provinces [b] qui, par la nature de leur gouvernement politique, sont dans un meilleur état que les autres. On

a. En Russie, les tributs sont médiocres : on les a augmentés depuis que le despotisme y est plus modéré. Voyez l'*Histoire des Tattars*, deuxième partie.

b. Les pays d'Etats.

s'imagine toujours qu'elles ne payent pas assez; parce que, par un effet de la bonté de leur gouvernement, elles pourraient payer davantage : et il vient toujours dans l'esprit de leur ôter ce gouvernement même qui produit ce bien qui se communique, qui se répand au loin, et dont il vaudrait bien mieux jouir.

CHAPITRE XIII

Dans quels gouvernements les tributs sont susceptibles d'augmentation.

On peut augmenter les tributs dans la plupart des républiques; parce que le citoyen, qui croit payer à lui-même, a la volonté de les payer, et en a ordinairement le pouvoir par l'effet de la nature du gouvernement.

Dans la monarchie, on peut augmenter les tributs; parce que la modération du gouvernement y peut procurer des richesses : c'est comme la récompense du prince, à cause du respect qu'il a pour les lois.

Dans l'Etat despotique, on ne peut pas les augmenter, parce qu'on ne peut pas augmenter la servitude extrême.

CHAPITRE XIV

Que la nature des tributs est relative au gouvernement.

L'impôt par tête est plus naturel à la servitude; l'impôt sur les marchandises est plus naturel à la liberté, parce qu'il se rapporte d'une manière moins directe à la personne.

Il est naturel au gouvernement despotique, que le prince ne donne point d'argent à sa milice ou aux gens de sa cour; mais qu'il leur distribue des terres, et par conséquent qu'on y lève peu de tributs. Que si le prince donne de l'argent, le tribut le plus naturel qu'il puisse lever est un tribut par tête. Ce tribut ne peut être que très modique : car, comme on n'y peut pas faire diverses classes considérables, à cause des abus qui en résulteraient, vu l'injustice et la violence du gouvernement, il faut nécessairement se régler sur le taux de ce que peuvent payer les plus misérables.

Le tribut naturel au gouvernement modéré, est l'impôt sur les marchandises. Cet impôt étant réellement payé par l'acheteur, quoique le marchand l'avance, est un prêt que le marchand a déjà fait à l'acheteur : ainsi il faut regarder le négociant, et comme le débiteur général de l'Etat, et comme le créancier de tous les particuliers. Il avance à l'Etat le droit que l'acheteur lui payera quelque jour; et il a payé, pour l'acheteur, le droit qu'il a payé pour la marchandise. On sent donc que plus le gouvernement est modéré, que plus l'esprit de liberté règne, que plus les fortunes ont de sûreté, plus il est facile au marchand d'avancer à l'Etat, et de prêter au particulier des droits considérables. En Angleterre, un marchand prête réellement à l'Etat cinquante ou soixante livres sterling à chaque tonneau de vin qu'il reçoit. Quel est le marchand qui oserait faire une chose de cette espèce dans un pays gouverné comme la Turquie ? et quand il l'oserait faire, comment le pourrait-il, avec une fortune suspecte, incertaine, ruinée ?

CHAPITRE XV
Abus de la liberté.

Ces grands avantages de la liberté ont fait que l'on a abusé de la liberté même. Parce que le gouvernement modéré a produit d'admirables effets, on a quitté cette modération : parce qu'on a tiré de grands tributs, on en a voulu tirer d'excessifs : et, méconnaissant la main de la liberté qui faisait ce présent, on s'est adressé à la servitude qui refuse tout.

La liberté a produit l'excès des tributs : mais l'effet de ces tribus excessifs est de produire, à leur tour, la servitude; et l'effet de la servitude, de produire la diminution des tributs.

Les monarques de l'Asie ne font guère d'édits que pour exempter, chaque année, de tributs quelque province de leur empire [a] : les manifestations de leur volonté sont

a. C'est l'usage des empereurs de la Chine.

des bienfaits. Mais, en Europe, les édits des princes affligent même avant qu'on les ait vus, parce qu'ils y parlent toujours de leurs besoins, et jamais des nôtres.

D'une impardonnable nonchalance que les ministres de ces pays-là tiennent du gouvernement et souvent du climat, les peuples tirent cet avantage, qu'ils ne sont point sans cesse accablés par de nouvelles demandes. Les dépenses n'y augmentent point, parce qu'on n'y fait point de projets nouveaux : et si, par hasard, on y en fait, ce sont des projets dont on voit la fin, et non des projets commencés. Ceux qui gouvernent l'Etat ne le tourmentent pas, parce qu'ils ne se tourmentent pas sans cesse eux-mêmes. Mais, pour nous, il est impossible que nous ayons jamais de règle dans nos finances, parce que nous savons toujours que nous ferons quelque chose, et jamais ce que nous ferons.

On n'appelle plus, parmi nous, un grand ministre celui qui est le sage dispensateur des revenus publics; mais celui qui est homme d'industrie, et qui trouve ce qu'on appelle des expédients.

CHAPITRE XVI

Des conquêtes des Mahométans.

Ce furent ces tributs [a] excessifs qui donnèrent lieu à cette étrange facilité que trouvèrent les Mahométans dans leurs conquêtes. Les peuples, au lieu de cette suite continuelle de vexations que l'avarice subtile des empereurs avait imaginées, se virent soumis à un tribut simple, payé aisément, reçu de même; plus heureux d'obéir à une nation barbare qu'à un gouvernement corrompu, dans lequel ils souffraient tous les inconvénients d'une liberté qu'ils n'avaient plus, avec toutes les horreurs d'une servitude présente.

a. Voyez, dans l'histoire, la grandeur, la bizarrerie, et même la folie de ces tributs. Anastase en imagina un pour respirer l'air : *ut quisque pro haustu æris penderet.*

CHAPITRE XVII

De l'augmentation des troupes.

Une maladie nouvelle s'est répandue en Europe; elle a saisi nos princes, et leur fait entretenir un nombre désordonné de troupes. Elle a ses redoublements, et elle devient nécessairement contagieuse : car, sitôt qu'un Etat augmente ce qu'il appelle ses troupes, les autres soudain augmentent les leurs; de façon qu'on ne gagne rien par là, que la ruine commune. Chaque monarque tient sur pied toutes les armées qu'il pourrait avoir, si ses peuples étaient en danger d'être exterminés; et on nomme paix cet état [a] d'effort de tous contre tous. Aussi l'Europe est-elle si ruinée, que les particuliers qui seraient dans la situation où sont les trois puissances de cette partie du monde les plus opulentes, n'auraient pas de quoi vivre. Nous sommes pauvres avec les richesses et le commerce de tout l'univers; et bientôt, à force d'avoir des soldats, nous n'aurons plus que des soldats, et nous serons comme des Tartares [b].

Les grands princes, non contents d'acheter les troupes des plus petits, cherchent de tous côtés à payer des alliances; c'est-à-dire, presque toujours à perdre leur argent.

La suite d'une telle situation est l'augmentation perpétuelle des tributs : et, ce qui prévient tous les remèdes à venir, on ne compte plus sur les revenus, mais on fait la guerre avec son capital. Il n'est pas inouï de voir des Etats hypothéquer leurs fonds pendant la paix même; et employer, pour se ruiner, des moyens qu'ils appellent extraordinaires, et qui le sont si fort que le fils de famille le plus dérangé les imagine à peine.

a. Il est vrai que c'est cet état d'effort qui maintient principalement l'équilibre, parce qu'il éreinte les grandes puissances.

b. Il ne faut, pour cela, que faire valoir la nouvelle invention des milices établies dans presque toute l'Europe, et les porter au même excès que l'on a fait les troupes réglées.

CHAPITRE XVIII

De la remise des tributs.

La maxime des grands empires d'orient de remettre les tributs aux provinces qui ont souffert, devrait bien être portée dans les Etats monarchiques. Il y en a bien où elle est établie : mais elle accable plus que si elle n'y était pas; parce que le prince n'en levant ni plus ni moins, tout l'Etat devient solidaire. Pour soulager un village qui paye mal, on charge un autre qui paye mieux; on ne rétablit point le premier, on détruit le second. Le peuple est désespéré entre la nécessité de payer de peur des exactions, et le danger de payer crainte des surcharges.

Un Etat bien gouverné doit mettre, pour le premier article de sa dépense, une somme réglée pour les cas fortuits. Il en est du public comme des particuliers, qui se ruinent lorsqu'ils dépensent exactement les revenus de leurs terres.

A l'égard de la solidité entre les habitants du même village, on a dit [a] qu'elle était raisonnable, parce qu'on pouvait supposer un complot frauduleux de leur part : mais où a-t-on pris que, sur des suppositions, il faille établir une chose injuste par elle-même et ruineuse pour l'Etat ?

CHAPITRE XIX

Qu'est-ce qui est plus convenable au prince et au peuple, de la ferme ou de la régie des tributs ?

La régie est l'administration d'un bon père de famille, qui lève lui-même, avec économie et avec ordre, ses revenus.

Par la régie, le prince est le maître de presser ou de retarder la levée des tributs, ou suivant ses besoins, ou suivant ceux de ses peuples. Par la régie, il épargne à

a. Voyez le *Traité des finances des Romains*, chap. II, imprimé à Paris, chez Briasson, 1740.

l'Etat les profits immenses des fermiers, qui l'appauvrissent d'une infinité de manières. Par la régie, il épargne au peuple le spectacle des fortunes subites qui l'affligent. Par la régie, l'argent levé passe par peu de mains; il va directement au prince, et par conséquent revient plus promptement au peuple. Par la régie, le prince épargne au peuple une infinité de mauvaises lois qu'exigent toujours de lui l'avarice importune des fermiers, qui montrent un avantage présent dans des règlements funestes pour l'avenir.

Comme celui qui a l'argent est toujours le maître de l'autre, le traitant se rend despotique sur le prince même : il n'est pas législateur, mais il le force à donner des lois.

J'avoue qu'il est quelquefois utile de commencer par donner à ferme un droit nouvellement établi. Il y a un art et des inventions pour prévenir les fraudes, que l'intérêt des fermiers leur suggère, et que les régisseurs n'auraient su imaginer : or le système de la levée étant une fois fait par le fermier, on peut avec succès établir la régie. En Angleterre, l'administration de l'*accise* et du revenu des *postes*, telle qu'elle est aujourd'hui, a été empruntée des fermiers.

Dans les républiques, les revenus de l'Etat sont presque toujours en régie. L'établissement contraire fut un grand vice du gouvernement de Rome [a]. Dans les Etats despotiques, où la régie est établie, les peuples sont infiniment plus heureux; témoin la Perse et la Chine [b]. Les plus malheureux sont ceux où le prince donne à ferme ses ports de mer et ses villes de commerce. L'histoire des monarchies est pleine des maux fait par les traitants.

Néron indigné des vexations des publicains, forma le projet impossible et magnanime d'abolir tous les impôts. Il n'imagina point la régie : il fit [c] quatre ordonnances; que les lois faites contre les publicains, qui avaient été jusque-là tenues secrètes, seraient publiées; qu'ils ne pourraient plus exiger ce qu'ils avaient négligé de demander dans l'année; qu'il y aurait un préteur établi pour

a. César fut obligé d'ôter les publicains de la province d'Asie, et d'y établir une autre sorte d'administration, comme nous l'apprenons de Dion. Et Tacite nous dit que la Macédoine et l'Achaïe, provinces qu'Auguste avait laissées au peuple romain, et qui, par conséquent, étaient gouvernées sur l'ancien plan, obtinrent d'être du nombre de celles que l'empereur gouvernait par ses officiers.

b. Voyez CHARDIN, *Voyage de Perse*, t. VI.

c. TACITE, *Annales*, liv. XIII.

juger leurs prétentions sans formalité; que les marchands ne payeraient rien pour les navires. Voilà les beaux jours de cet empereur.

Chapitre XX

Des traitants.

Tout est perdu, lorsque la profession lucrative des traitants parvient encore, par ses richesses, à être une profession honorée. Cela peut être bon dans les Etats despotiques, où souvent leur emploi est une partie des fonctions des gouverneurs eux-mêmes. Cela n'est pas bon dans la république; et une chose pareille détruisit la république romaine. Cela n'est pas meilleur dans la monarchie; rien n'est plus contraire à l'esprit de ce gouvernement. Un dégoût saisit tous les autres Etats; l'honneur y perd toute sa considération; les moyens lents et naturels de se distinguer ne touchent plus; et le gouvernement est frappé dans son principe.

On vit bien, dans les temps passés, des fortunes scandaleuses; c'était une des calamités des guerres de cinquante ans : mais, pour lors, ces richesses furent regardées comme ridicules, et nous les admirons.

Il y a un lot pour chaque profession. Le lot de ceux qui lèvent les tributs est les richesses; et les récompenses de ces richesses, sont les richesses même. La gloire et l'honneur sont pour cette noblesse qui ne connaît, qui ne voit, qui ne sent de vrai bien que l'honneur et la gloire. Le respect et la considération sont pour ces ministres et ces magistrats qui, ne trouvant que le travail après le travail, veillent nuit et jour pour le bonheur de l'empire.

TROISIÈME PARTIE

LIVRE XIV

DES LOIS, DANS LE RAPPORT QU'ELLES ONT AVEC LA NATURE DU CLIMAT

CHAPITRE PREMIER

Idée générale.

S'il est vrai que le caractère de l'esprit et les passions du cœur soient extrêmement différents dans les divers climats, les *lois* doivent être relatives et à la différence de ces passions, et à la différence de ces caractères.

CHAPITRE II

Combien les hommes sont différents dans les divers climats.

L'air froid [a] resserre les extrémités des fibres extérieures de notre corps; cela augmente leur ressort, et favorise le retour du sang des extrémités vers le cœur. Il diminue la longueur [b] de ces mêmes fibres; il augmente donc encore par là leur force. L'air chaud, au contraire, relâche les extrémités des fibres, et les allonge; il diminue donc leur force et leur ressort.

On a donc plus de vigueur dans les climats froids. L'action du cœur et la réaction des extrémités des fibres s'y font mieux, les liqueurs sont mieux en équilibre, le sang est plus déterminé vers le cœur, et réciproquement le cœur a plus de puissance. Cette force plus grande doit

a. Cela paraît même à la vue : dans le froid, on paraît plus maigre.
b. On sait qu'il raccourcit le fer.

produire bien des effets : par exemple, plus de confiance en soi-même, c'est-à-dire, plus de courage; plus de connaissance de sa supériorité, c'est-à-dire, moins de désir de la vengeance; plus d'opinion de sa sûreté, c'est-à-dire, plus de franchise, moins de soupçons, de politique et de ruses. Enfin, cela doit faire des caractères bien différents. Mettez un homme dans un lieu chaud et enfermé; il souffrira, par les raisons que je viens de dire, une défaillance de cœur très grande. Si, dans cette circonstance, on va lui proposer une action hardie, je crois qu'on l'y trouvera très peu disposé; sa faiblesse présente mettra un découragement dans son âme; il craindra tout, parce qu'il sentira qu'il ne peut rien. Les peuples des pays chauds sont timides, comme les vieillards le sont; ceux des pays froids sont courageux, comme le sont les jeunes gens. Si nous faisons attention aux dernières [c] guerres, qui sont celles que nous avons le plus sous nos yeux, et dans lesquelles nous pouvons mieux voir de certains effets légers, imperceptibles de loin, nous sentirons bien que les peuples du nord, transportés dans les pays du midi [d], n'y ont pas fait d'aussi belles actions que leurs compatriotes qui, combattant dans leur propre climat, y jouissaient de tout leur courage.

La force des fibres des peuples du nord fait que les sucs les plus grossiers sont tirés des aliments. Il en résulte deux choses : l'une, que les parties du chyle, ou de la lymphe, sont plus propres, par leur grande surface, à être appliquées sur les fibres et à les nourrir; l'autre, qu'elles sont moins propres, par leur grossièreté, à donner une certaine subtilité au suc nerveux. Ces peuples auront donc de grands corps, et peu de vivacité.

Les nerfs, qui aboutissent de tous côtés au tissu de notre peau, sont chacun un faisceau de nerfs. Ordinairement ce n'est pas tout le nerf qui est remué; c'en est une partie infiniment petite. Dans les pays chauds, où le tissu de la peau est relâché, les bouts des nerfs sont épanouis, et exposés à la plus petite action des objets les plus faibles. Dans les pays froids, le tissu de la peau est resserré, et les mammelons comprimés; les petites houpes sont, en quelque façon, paralytiques; la sensation ne passe guère au cerveau, que lorsqu'elle est extrêmement forte, et qu'elle est de tout le nerf ensemble. Mais

c. Celles pour la succession d'Espagne.
d. En Espagne, par exemple.

c'est d'un nombre infini de petites sensations que dépendent l'imagination, le goût, la sensibilité, la vivacité.

J'ai observé le tissu extérieur d'une langue de mouton, dans l'endroit où elle paraît, à la simple vue, couverte de mammelons. J'ai vu avec un microscope, sur ces mammelons, de petits poils ou une espèce de duvet; entre les mammelons, étaient des pyramides, qui formaient, par bout, comme de petits pinceaux. Il y a grande apparence que ces pyramides sont le principal organe du goût.

J'ai fait geler la moitié de cette langue; et j'ai trouvé, à la simple vue, les mammelons considérablement diminués; quelques rangs même de mammelons s'étaient enfoncés dans leur gaine : j'en ai examiné le tissu avec le microscope, je n'ai plus vu de pyramides. A mesure que la langue s'est dégelée, les mammelons, à la simple vue, ont paru se relever; et au microscope, les petites houpes ont commencé à reparaître.

Cette observation confirme ce que j'ai dit, que, dans les pays froids, les houpes nerveuses sont moins épanouies : elles s'enfoncent dans leurs gaines, où elles sont à couvert de l'action des objets extérieurs. Les sensations sont donc moins vives.

Dans les pays froids, on aura peu de sensibilité pour les plaisirs; elle sera plus grande dans les pays tempérés; dans les pays chauds, elle sera extrême. Comme on distingue les climats par les degrés de latitude, on pourrait les distinguer, pour ainsi dire, par les degrés de sensibilité. J'ai vu les opéras d'Angleterre et d'Italie; ce sont les mêmes pièces et les mêmes acteurs : mais la même musique produit des effets si différents sur les deux nations, l'une est si calme, et l'autre si transportée, que cela paraît inconcevable.

Il en sera de même de la douleur : elle est excitée en nous par le déchirement de quelque fibre de notre corps. L'auteur de la nature a établi que cette douleur serait plus forte, à mesure que le dérangement serait plus grand : or, il est évident que les grands corps et les fibres grossières des peuples du nord sont moins capables de dérangement, que les fibres délicates des peuples des pays chauds; l'âme y est donc moins sensible à la douleur. Il faut écorcher un Moscovite, pour lui donner du sentiment.

Avec cette délicatesse d'organes que l'on a dans les pays chauds, l'âme est souverainement émue par tout ce qui a du rapport à l'union des deux sexes; tout conduit à cet objet.

Dans les climats du nord, à peine le physique de l'amour a-t-il la force de se rendre bien sensible : dans les climats tempérés, l'amour, accompagné de mille accessoires, se rend agréable par des choses qui d'abord semblent être lui-même, et ne sont pas encore lui : dans les climats plus chauds, on aime l'amour pour lui-même; il est la cause unique du bonheur, il est la vie.

Dans les pays du midi, une machine délicate, faible, mais sensible, se livre à un amour qui, dans un sérail, naît et se calme sans cesse; ou bien à un amour qui, laissant les femmes dans une plus grande indépendance, est exposé à mille troubles. Dans les pays du nord, une machine saine et bien constituée, mais lourde, trouve ses plaisirs dans tout ce qui peut remettre les esprits en mouvement, la chasse, les voyages, la guerre, le vin. Vous trouverez, dans les climats du nord, des peuples qui ont peu de vices, assez de vertus, beaucoup de sincérité et de franchise. Approchez des pays du midi, vous croirez vous éloigner de la morale même; des passions plus vives multiplieront les crimes; chacun cherchera à prendre sur les autres tous les avantages qui peuvent favoriser ces mêmes passions. Dans les pays tempérés, vous verrez des peuples inconstants dans leurs manières, dans leurs vices mêmes, et dans leurs vertus : le climat n'y a pas une qualité assez déterminée pour les fixer eux-mêmes.

La chaleur du climat peut être si excessive, que le corps y sera absolument sans force. Pour lors, l'abattement passera à l'esprit même; aucune curiosité, aucune noble entreprise, aucun sentiment généreux; les inclinations y seront toutes passives; la paresse y sera le bonheur; la plupart des châtiments y seront moins difficiles à soutenir, que l'action de l'âme; et la servitude moins insupportable, que la force d'esprit qui est nécessaire pour se conduire soi-même.

Chapitre III

Contradiction dans les caractères de certains peuples du midi.

Les Indiens [a] sont naturellement sans courage; les enfants [b] même des Européens nés aux Indes perdent celui de leur climat. Mais comment accorder cela avec leurs actions atroces, leurs coutumes, leurs pénitences barbares ? Les hommes s'y soumettent à des maux incroyables, les femmes s'y brûlent elles-mêmes : voilà bien de la force pour tant de faiblesse.

La nature, qui a donné à ces peuples une faiblesse qui les rend timides, leur a donné aussi une imagination si vive, que tout les frappe à l'excès. Cette même délicatesse d'organes, qui leur fait craindre la mort, sert aussi à leur faire redouter mille choses plus que la mort. C'est la même sensibilité qui leur fait fuir tous les périls, et les leur fait tous braver.

Comme une bonne éducation est plus nécessaire aux enfants, qu'à ceux dont l'esprit est dans sa maturité; de même les peuples de ces climats ont plus besoin d'un législateur sage, que les peuples du nôtre. Plus on est aisément et fortement frappé, plus il importe de l'être d'une manière convenable, de ne recevoir pas des préjugés, et d'être conduit par la raison.

Du temps des Romains, les peuples du nord de l'Europe vivaient sans art, sans éducation, presque sans lois : et cependant, par le seul bon sens attaché aux fibres grossières de ces climats, ils se maintinrent avec une sagesse admirable contre la puissance romaine, jusqu'au moment où ils sortirent de leurs forêts pour la détruire.

a. *Cent soldats d'Europe,* dit Tavernier, *n'auraient pas grand-peine à battre mille soldats indiens.*

b. *Les Persans même qui s'établissent aux Indes prennent, à la troisième génération, la nonchalance et la lâcheté indienne.* Voyez Bernier, *Sur le Mogol,* t. I, p. 282.

CHAPITRE IV

Cause de l'immutabilité de la religion, des mœurs, des manières, des lois, dans les pays d'orient.

Si, avec cette faiblesse d'organes qui fait recevoir aux peuples d'orient les impressions du monde les plus fortes, vous joignez une certaine paresse dans l'esprit, naturellement liée avec celle du corps, qui fasse que cet esprit ne soit capable d'aucune action, d'aucun effort, d'aucune contention; vous comprendrez que l'âme, qui a une fois reçu des impressions, ne peut plus en changer. C'est ce qui fait que les lois, les mœurs [a], et les manières, même celles qui paraissent indifférentes, comme la façon de se vêtir, sont aujourd'hui en orient comme elles étaient il y a mille ans.

a. On voit, par un fragment de Nicolas de Damas, recueilli par Constantin Porphyrogénète, que la coutume était ancienne en Orient, d'envoyer étrangler un gouverneur qui déplaisait; elle était du temps des Mèdes.

CHAPITRE V

Que les mauvais législateurs sont ceux qui ont favorisé les vices du climat, et les bons sont ceux qui s'y sont opposés.

Les Indiens croient que le repos et le néant sont le fondement de toutes choses, et la fin où elles aboutissent. Ils regardent donc l'entière inaction comme l'état le plus parfait et l'objet de leurs désirs. Ils donnent au souverain être [a] le surnom d'immobile. Les Siamois croient que la félicité [b] suprême consiste à n'être point obligé d'animer une machine et de faire agir un corps.

Dans ces pays, où la chaleur excessive énerve et accable, le repos est si délicieux, et le mouvement si pénible, que

a. Panamanack. Voyez Kircher.
b. La Loubère, *Relation de Siam*, p. 446.

ce système de métaphysique paraît naturel; et [c] Foë, législateur des Indes, a suivi ce qu'il sentait, lorsqu'il a mis les hommes dans un état extrêmement passif : mais sa doctrine, née de la paresse du climat, la favorisant à son tour, a causé mille maux.

Les législateurs de la Chine furent plus sensés, lorsque, considérant les hommes, non pas dans l'Etat paisible où ils seront quelque jour, mais dans l'action propre à leur faire remplir les devoirs de la vie, ils firent leur religion, leur philosophie et leurs lois toutes pratiques. Plus les causes physiques portent les hommes au repos, plus les causes morales les en doivent éloigner.

CHAPITRE VI

De la culture des terres, dans les climats chauds.

La culture des terres est le plus grand travail des hommes. Plus le climat les porte à fuir ce travail, plus la religion et les lois doivent y exciter. Ainsi les lois des Indes, qui donnent les terres aux princes, et ôtent aux particuliers l'esprit de propriété, augmentent les mauvais effets du climat; c'est-à-dire, la paresse naturelle.

CHAPITRE VII

Du monachisme.

Le monachisme y fait les mêmes maux; il est né dans les pays chauds d'Orient, où l'on est moins porté à l'action qu'à la spéculation.

En Asie, le nombre des derviches ou moines semble augmenter avec la chaleur du climat; les Indes, où elle est excessive, en sont remplies : on trouve en Europe cette même différence.

c. Foë veut réduire le cœur au pur vide. *Nous avons des yeux et des oreilles; mais la perfection est de ne voir ni entendre : une bouche, des mains, etc. La perfection est que ces membres soient dans l'inaction.* Ceci est tiré du dialogue d'un philosophe chinois, rapporté par le P. du Halde, tome III.

Pour vaincre la paresse du climat, il faudrait que les lois cherchassent à ôter tous les moyens de vivre sans travail : mais, dans le midi de l'Europe, elles font tout le contraire; elles donnent à ceux qui veulent être oisifs des places propres à la vie spéculative, et y attachent des richesses immenses. Ces gens, qui vivent dans une abondance qui leur est à charge, donnent avec raison leur superflu au bas peuple : il a perdu la propriété des biens; ils l'en dédommagent par l'oisiveté dont ils le font jouir; et il parvient à aimer sa misère même.

Chapitre VIII

Bonne coutume de la Chine.

Les relations [a] de la Chine nous parlent de la cérémonie d'ouvrir les terres, que l'empereur fait tous les ans [b]. On a voulu exciter [c] les peuples au labourage par cet acte public et solennel.

De plus : l'empereur est informé chaque année du laboureur qui s'est le plus distingué dans sa profession; il le fait mandarin du huitième ordre.

Chez les anciens Perses [d], le huitième jour du mois nommé *chorrem-ruz*, les rois quittaient leur faste pour manger avec les laboureurs. Ces institutions sont admirables pour encourager l'agriculture.

Chapitre IX

Moyens d'encourager l'industrie.

Je ferai voir, au livre XIX, que les nations paresseuses sont ordinairement orgueilleuses. On pourrait tourner

a. Le Père Du Halde, *Histoire de la Chine*, t. II, p. 72.
b. Plusieurs rois des Indes font de même. *Relation du royaume de Siam* par La Loubère, p. 69.
c. Venty, troisième empereur de la troisième dynastie, cultiva la terre de ses propres mains; et fit travailler à la soie, dans son palais, l'impératrice et ses femmes. *Histoire de la Chine.*
d. M. Hyde, *Religion des Perses.*

l'effet contre la cause, et détruire la paresse par l'orgueil. Dans le midi de l'Europe, où les peuples sont si frappés par le point d'honneur, il serait bon de donner des prix aux laboureurs qui auraient le mieux cultivé leurs champs, ou aux ouvriers qui auraient porté plus loin leur industrie. Cette pratique réussira même par tout pays. Elle a servi de nos jours, en Irlande, à l'établissement d'une des plus importantes manufactures de toile qui soit en Europe.

CHAPITRE X

Des lois qui ont rapport à la sobriété des peuples.

Dans les pays chauds, la partie aqueuse du sang se dissipe beaucoup par la transpiration [a]; il y faut donc substituer un liquide pareil. L'eau y est d'un usage admirable : les liqueurs fortes y coaguleraient les globules [b] du sang qui restent après la dissipation de la partie aqueuse.

Dans les pays froids, la partie aqueuse du sang s'exhale peu par la transpiration; elle reste en grande abondance : on y peut donc user de liqueurs spiritueuses, sans que le sang se coagule. On y est plein d'humeurs : les liqueurs fortes, qui donnent du mouvement au sang, y peuvent être convenables.

La loi de Mahomet, qui défend de boire du vin, est donc une loi du climat d'Arabie : aussi, avant Mahomet, l'eau était-elle la boisson commune des Arabes. La loi [c] qui défendait aux Carthaginois de boire du vin était aussi une loi du climat; effectivement le climat de ces deux pays est, à peu près, le même.

Une pareille loi ne serait pas bonne dans les pays froids, où le climat semble forcer à une certaine ivrognerie de nation, bien différente de celle de la personne. L'ivro-

a. M. Bernier faisant un voyage de Lahor à Cachemir, écrivait : *Mon corps est un crible; à peine ai-je avalé une pinte d'eau, que je la vois sortir comme une rosée de tous mes membres jusqu'au bout des doigts. J'en bois dix pintes par jour, et cela ne me fait point de mal. Voyage* de Bernier, t. II, p. 261.

b. Il y a, dans le sang, des globules rouges, des parties fibreuses, des globules blancs, et de l'eau dans laquelle nage tout cela.

c. PLATON, liv. II, *Des lois;* ARISTOTE, *Du soin des affaires domestiques;* EUSÈBE, *Prép. évang.*, livre XII, chap. XVII.

gnerie se trouve établie par toute la terre, dans la proportion de la froideur et de l'humidité du climat. Passez de l'équateur jusqu'à notre pôle, vous y verrez l'ivrognerie augmenter avec les degrés de latitude. Passez du même équateur au pôle opposé, vous y trouverez l'ivrognerie aller vers le midi [d], comme de ce côté-ci elle avait été vers le nord.

Il est naturel que, là où le vin est contraire au climat, et par conséquent à la santé, l'excès en soit plus sévèrement puni, que dans les pays où l'ivrognerie a peu de mauvais effets pour la personne; où elle en a peu pour la société; où elle ne rend point les hommes furieux, mais seulement stupides. Ainsi les lois [e] qui ont puni un homme ivre, et pour la faute qu'il faisait et pour l'ivresse, n'étaient applicables qu'à l'ivrognerie de la personne, et non à l'ivrognerie de la nation. Un Allemand boit par coutume, un Espagnol par choix.

Dans les pays chauds, le relâchement des fibres produit une grande transpiration des liquides : mais les parties solides se dissipent moins. Les fibres, qui n'ont qu'une action très faible et peu de ressort, ne s'usent guère; il faut peu de suc nourricier pour les réparer : on y mange donc très peu.

Ce sont les différents besoins, dans les différents climats, qui ont formé les différentes manières de vivre; et ces différentes manières de vivre ont formé les diverses sortes de lois. Que, dans une nation, les hommes se communiquent beaucoup, il faut de certaines lois; il en faut d'autres, chez un peuple où l'on ne se communique point.

d. Cela se voit dans les Hottentots et les peuples de la pointe de Chily, qui sont plus près du sud.

e. Comme fit Pittacus, selon ARISTOTE, *Politique*, liv. II, ch. III. Il vivait dans un climat où l'ivrognerie n'est pas un vice de nation.

CHAPITRE XI

Des lois qui ont du rapport aux maladies du climat.

Hérodote [a] nous dit que les lois des Juifs sur la lèpre ont été tirées de la pratique des Egyptiens. En effet, les mêmes maladies demandaient les mêmes remèdes. Ces

a. Liv. II.

lois furent inconnues aux Grecs et aux premiers Romains, aussi bien que le mal. Le climat de l'Egypte et de la Palestine les rendit nécessaires; et la facilité qu'a cette maladie à se rendre populaire nous doit bien faire sentir la sagesse et la prévoyance de ces lois.

Nous en avons nous-mêmes éprouvé les effets. Les croisades nous avaient apporté la lèpre; les règlements sages que l'on fit l'empêchèrent de gagner la masse du peuple.

On voit, par la loi [b] des Lombards, que cette maladie était répandue en Italie avant les croisades, et mérita l'attention des législateurs. Rotharis ordonna qu'un lépreux, chassé de sa maison, et relégué dans un endroit particulier, ne pourrait disposer de ses biens; parce que, dès le moment qu'il avait été tiré de sa maison, il était censé mort. Pour empêcher toute communication avec les lépreux, on les rendait incapables des effets civils.

Je pense que cette maladie fut apportée en Italie par les conquêtes des empereurs grecs, dans les armées desquels il pouvait y avoir des milices de la Palestine ou de l'Egypte. Quoi qu'il en soit, les progrès en furent arrêtés jusqu'au temps des croisades.

On dit que les soldats de Pompée, revenant de Syrie, rapportèrent une maladie à peu près pareille à la lèpre. Aucun règlement, fait pour lors, n'est venu jusqu'à nous : mais il y a apparence qu'il y en eut, puisque ce mal fut suspendu jusqu'au temps des Lombards.

Il y a deux siècles qu'une maladie, inconnue à nos pères, passa du nouveau monde dans celui-ci, et vint attaquer la nature humaine jusque dans la source de la vie et des plaisirs. On vit la plupart des plus grandes familles du midi de l'Europe périr par un mal qui devint trop commun pour être honteux, et ne fut plus que funeste. Ce fut la soif de l'or qui perpétua cette maladie; on alla sans cesse en Amérique, et on en rapporta toujours de nouveaux levains.

Des raisons pieuses voulurent demander qu'on laissât cette punition sur le crime : mais cette calamité était entrée dans le sein du mariage, et avait déjà corrompu l'enfance même.

Comme il est de la sagesse des législateurs de veiller à la santé des citoyens, il eût été très censé d'arrêter cette communication par des lois faites sur le plan des lois mosaïques.

b. Liv. II, tit. 1, § 3; tit. 18, § 1.

La peste est un mal dont les ravages sont encore plus prompts et plus rapides. Son siège principal est en Egypte, d'où elle se répand par tout l'univers. On a fait, dans la plupart des Etats de l'Europe, de très bons règlements pour l'empêcher d'y pénétrer; et on a imaginé, de nos jours, un moyen admirable de l'arrêter : on forme une ligne de troupes autour du pays infecté, qui empêche toute communication.

Les [c] Turcs, qui n'ont à cet égard aucune police, voient les Chrétiens, dans la même ville, échapper au danger, et eux seuls périr. Ils achètent les habits des pestiférés, s'en vêtissent, et vont leur train. La doctrine d'un destin rigide, qui règle tout, fait du magistrat un spectateur tranquille : il pense que Dieu a déjà tout fait, et que lui n'a rien à faire.

c. RICAUT, *De l'empire ottoman*, p. 284.

CHAPITRE XII

Des lois contre ceux qui se tuent [a] eux-mêmes.

Nous ne voyons point, dans les histoires, que les Romains se fissent mourir sans sujet : mais les Anglais se tuent, sans qu'on puisse imaginer aucune raison qui les y détermine; ils se tuent dans le sein même du bonheur. Cette action, chez les Romains, était l'effet de l'éducation; elle tenait à leur manière de penser et à leurs coutumes : chez les Anglais, elle est l'effet d'une maladie [b]; elle tient à l'état physique de la machine, et est indépendante de toute autre cause.

Il y a apparence que c'est un défaut de filtration du suc nerveux : la machine, dont les forces motrices se trouvent à tout moment sans action, est lasse d'elle-même; l'âme ne sent point de douleur, mais une certaine difficulté de l'existence. La douleur est un mal local, qui nous porte au désir de voir cesser cette douleur; le poids

a. L'action de ceux qui se tuent eux-mêmes est contraire à la loi naturelle, et à la religion révélée.

b. Elle pourrait bien être compliquée avec le scorbut, qui, surtout dans quelques pays, rend un homme bizarre et insupportable à lui-même. *Voyage* de François Pyrard, part. II, chap. XXI.

de la vie est un mal qui n'a point de lieu particulier, et qui nous porte au désir de voir finir cette vie.

Il est clair que les lois civiles de quelques pays ont eu des raisons pour flétrir l'homicide de soi-même : mais, en Angleterre, on ne peut pas plus le punir qu'on ne punit les effets de la démence.

CHAPITRE XIII

Effets qui résultent du climat d'Angleterre.

Dans une nation à qui une maladie du climat affecte tellement l'âme, qu'elle pourrait porter le dégoût de toutes choses jusqu'à celui de la vie, on voit bien que le gouvernement qui conviendrait le mieux à des gens à qui tout serait insupportable, serait celui où ils ne pourraient pas se prendre à un seul de ce qui causerait leurs chagrins : et où les lois gouvernant plutôt que les hommes, il faudrait, pour changer l'Etat, les renverser elles-mêmes.

Que si la même nation avait encore reçu du climat un certain caractère d'impatience, qui ne lui permît pas de souffrir longtemps les mêmes choses; on voit bien que le gouvernement dont nous venons de parler serait encore le plus convenable.

Ce caractère d'impatience n'est pas grand par lui-même : mais il peut le devenir beaucoup, quand il est joint avec le courage.

Il est différent de la légèreté, qui fait que l'on entreprend sans sujet, et que l'on abandonne de même. Il approche plus de l'opiniâtreté; parce qu'il vient d'un sentiment des maux, si vif, qu'il ne s'affaiblit pas même par l'habitude de les souffrir.

Ce caractère, dans une nation libre, serait très propre à déconcerter les projets de la tyrannie [a], qui est toujours lente et faible dans ses commencements, comme elle est prompte et vive dans sa fin; qui ne montre d'abord qu'une main pour secourir, et opprime ensuite avec une infinité de bras.

a. Je prends ici ce mot pour le dessein de renverser le pouvoir établi, et surtout la démocratie. C'est la signification que lui donnaient les Grecs et les Romains.

La servitude commence toujours par le sommeil. Mais un peuple qui n'a de repos dans aucune situation, qui se tâte sans cesse, et trouve tous les endroits douloureux, ne pourrait guère s'endormir.

La politique est une lime sourde, qui use et qui parvient lentement à sa fin. Or, les hommes dont nous venons de parler ne pourraient soutenir les lenteurs, les détails, le sang-froid des négociations; ils y réussiraient souvent moins que toute autre nation; et ils perdraient, par leurs traités, ce qu'ils auraient obtenu par leurs armes.

Chapitre XIV

Autres effets du climat.

Nos pères, les anciens Germains, habitaient un climat où les passions étaient très calmes. Leurs lois ne trouvaient, dans les choses, que ce qu'elles voyaient, et n'imaginaient rien de plus. Et, comme elles jugeaient des insultes faites aux hommes par la grandeur des blessures, elles ne mettaient pas plus de raffinement dans les offenses faites aux femmes. La loi des Allemands [a] est là-dessus fort singulière. Si l'on découvre une femme à la tête, on payera une amende de six sols; autant si c'est à la jambe jusqu'au genou; le double depuis le genou. Il semble que la loi mesurait la grandeur des outrages faits à la personne des femmes, comme on mesure une figure de géométrie; elle ne punissait point le crime de l'imagination, elle punissait celui des yeux. Mais, lorsqu'une nation germanique se fut transportée en Espagne, le climat trouva bien d'autres lois. La loi des Wisigoths défendit aux médecins de saigner une femme *ingénue* qu'en présence de son père ou de sa mère, de son frère, de son fils, ou de son oncle. L'imagination des peuples s'alluma, celle des législateurs s'échauffa de même; la loi soupçonna tout, pour un peuple qui pouvait tout soupçonner.

Ces lois eurent donc une extrême attention sur les deux sexes. Mais il semble que, dans les punitions qu'elles firent, elles songèrent plus à flatter la vengeance

a. Chap. LVIII, § 1 et 2.

particulière, qu'à exercer la vengeance publique. Ainsi, dans la plupart des cas, elles réduisaient les deux coupables dans la servitude des parents ou du mari offensé. Une femme [b] ingénue, qui s'était livrée à un homme marié, était remise dans la puissance de sa femme, pour en disposer à sa volonté. Elles obligeaient les esclaves [c] de lier et de présenter au mari sa femme qu'ils surprenaient en adultère : elles permettaient à ses enfants [d] de l'accuser, et de mettre à la question ses esclaves pour la convaincre. Aussi furent-elles plus propres à raffiner à l'excès un certain point d'honneur, qu'à former une bonne police. Et il ne faut pas être étonné si le comte Julien crut qu'un outrage de cette espèce demandait la perte de sa patrie et de son roi. On ne doit pas être surpris si les Maures, avec une telle conformité de mœurs, trouvèrent tant de facilité à s'établir en Espagne, à s'y maintenir, et à retarder la chute de leur empire.

b. Loi des Wisigoths, liv. III, tit. 4, § 9.
c. *Ibid.*, liv. III, tit. 4, § 6.
d. *Ibid.*, liv. III, tit. 4, § 13.

CHAPITRE XV

De la différente confiance que les lois ont dans le peuple, selon les climats.

Le peuple japonais a un caractère si atroce, que ses législateurs et ses magistrats n'ont pu avoir aucune confiance en lui : Ils ne lui ont mis devant les yeux que des juges, des menaces et des châtiments : ils l'ont soumis, pour chaque démarche, à l'inquisition de la police. Ces lois qui, sur cinq chefs de famille, en établissent un comme magistrat sur les quatre autres; ces lois qui, pour un seul crime, punissent toute une famille ou tout un quartier; ces lois qui ne trouvent point d'innocents là où il peut y avoir un coupable, sont faites pour que tous les hommes se méfient les uns des autres, pour que chacun recherche la conduite de chacun, et qu'il en soit l'inspecteur, le témoin et le juge.

Le peuple des Indes, au contraire, est doux [a], tendre,

a. Voyez Bernier, t. II, p. 140.

compatissant. Aussi ses législateurs ont-ils eu une grande confiance en lui. Ils ont établi peu [b] de peines, et elles sont peu sévères; elles ne sont pas même rigoureusement exécutées. Ils ont donné les neveux aux oncles, les orphelins aux tuteurs, comme on les donne ailleurs à leurs pères : ils ont réglé la succession par le mérite reconnu du successeur. Il semble qu'ils ont pensé que chaque citoyen devait se reposer sur le bon naturel des autres.

Ils donnent aisément la liberté [c] à leurs esclaves; ils les marient; ils les traitent comme leurs enfants [d] : heureux climat, qui fait naître la candeur des mœurs, et produit la douceur des lois!

b. Voyez, dans le quatorzième recueil des *Lettres édifiantes*, p. 403, les principales lois ou coutumes des peuples de l'Inde de la presqu'île deçà le Gange.

c. *Lettres édifiantes*, neuvième recueil, p. 378.

d. J'avais pensé que la douceur de l'esclavage aux Indes avait fait dire à Diodore qu'il n'y avait, dans ce pays, ni maître, ni esclave : mais Diodore a attribué à toute l'Inde ce qui, selon Strabon, liv. XV, n'était propre qu'à une nation particulière.

LIVRE XV

COMMENT LES LOIS DE L'ESCLAVAGE CIVIL ONT DU RAPPORT AVEC LA NATURE DU CLIMAT

CHAPITRE PREMIER

De l'esclavage civil.

L'esclavage proprement dit est l'établissement d'un droit qui rend un homme tellement propre à un autre homme, qu'il est le maître absolu de sa vie et de ses biens. Il n'est pas bon par sa nature : il n'est utile ni au maître, ni à l'esclave; à celui-ci, parce qu'il ne peut rien faire par vertu; à celui-là, parce qu'il contracte avec ses esclaves toutes sortes de mauvaises habitudes, qu'il s'accoutume insensiblement à manquer à toutes les vertus morales, qu'il devient fier, prompt, dur, colère, voluptueux, cruel.

Dans les pays despotiques, où l'on est déjà sous l'esclavage politique, l'esclavage civil est plus tolérable qu'ailleurs. Chacun y doit être assez content d'y avoir sa subsistance et la vie. Ainsi, la condition de l'esclave n'y est guère plus à charge que la condition du sujet.

Mais, dans le gouvernement monarchique, où il est souverainement important de ne point abattre ou avilir la nature humaine, il ne faut point d'esclaves. Dans la démocratie où tout le monde est égal, et dans l'aristocratie où les lois doivent faire leurs efforts pour que tout le monde soit aussi égal que la nature du gouvernement peut le permettre, des esclaves sont contre l'esprit de la Constitution; ils ne servent qu'à donner aux citoyens une puissance et un luxe qu'ils ne doivent point avoir.

CHAPITRE II

Origine du droit de l'esclavage, chez les jurisconsultes romains.

On ne croirait jamais que c'eût été la pitié qui eût établi l'esclavage; et que, pour cela, elle s'y fût prise de trois manières [a].

Le droit des gens a voulu que les prisonniers fussent esclaves, pour qu'on ne les tuât pas. Le droit civil des Romains permit à des débiteurs, que leurs créanciers pouvaient maltraiter, de se vendre eux-mêmes : et le droit naturel a voulu que des enfants, qu'un père esclave ne pouvait plus nourrir, fussent dans l'esclavage comme leur père.

Ces raisons des jurisconsultes ne sont point sensées. Il est faux qu'il soit permis de tuer dans la guerre, autrement que dans le cas de nécessité : mais, dès qu'un homme en a fait un autre esclave, on ne peut pas dire qu'il ait été dans la nécessité de le tuer, puisqu'il ne l'a pas fait. Tout le droit que la guerre peut donner sur les captifs, est de s'assurer tellement de leur personne, qu'ils ne puissent plus nuire. Les homicides fait de sang-froid par les soldats, et après la chaleur de l'action, sont rejetés de toutes les nations [b], du monde.

2° Il n'est pas vrai qu'un homme libre puisse se vendre. La vente suppose un prix : l'esclave se vendant, tous ses biens entreraient dans la propriété du maître; le maître ne donnerait donc rien, et l'esclave ne recevrait rien. Il aurait un *pécule*, dira-t-on : mais le pécule est accessoire à la personne. S'il n'est pas permis de se tuer, parce qu'on se dérobe à sa patrie, il n'est pas plus permis de se vendre. La liberté de chaque citoyen est une partie de la liberté publique. Cette qualité, dans l'Etat populaire, est même une partie de la souveraineté. Vendre sa qualité de citoyen est un [c] acte d'une telle extravagance, qu'on ne peut pas la supposer dans un homme. Si la liberté a un prix pour celui qui l'achète, elle est sans prix pour celui

a. *Instit.* de Justinien, liv. I.

b. Si l'on ne veut citer celles qui mangent leurs prisonniers.

c. Je parle de l'esclavage pris à la rigueur, tel qu'il était chez les Romains, et qu'il est établi dans nos colonies.

qui la vend. La loi civile, qui a permis aux hommes le partage des biens, n'a pu mettre au nombre des biens une partie des hommes qui devaient faire ce partage. La loi civile, qui restitue sur les contrats qui contiennent quelque lésion, ne peut s'empêcher de restituer contre un accord qui contient la lésion la plus énorme de toutes.

La troisième manière, c'est la naissance. Celle-ci tombe avec les deux autres. Car, si un homme n'a pu se vendre, encore moins a-t-il pu vendre son fils qui n'était pas né : si un prisonnier de guerre ne peut être réduit en servitude, encore moins ses enfants.

Ce qui fait que la mort d'un criminel est une chose licite, c'est que la loi qui le punit a été faite en sa faveur. Un meurtrier, par exemple, a joui de la loi qui le condamne; elle lui a conservé la vie à tous les instants : il ne peut donc pas réclamer contre elle. Il n'en est pas de même de l'esclavage : la loi de l'esclavage n'a jamais pu lui être utile; elle est, dans tous les cas, contre lui, sans jamais être pour lui; ce qui est contraire au principe fondamental de toutes les sociétés.

On dira qu'elle a pu lui être utile, parce que le maître lui a donné la nourriture. Il faudrait donc réduire l'esclavage aux personnes incapables de gagner leur vie. Mais on ne veut pas de ces esclaves-là. Quant aux enfants, la nature, qui a donné du lait aux mères, a pourvu à leur nourriture; et le reste de leur enfance est si près de l'âge où est en eux la plus grande capacité de se rendre utiles, qu'on ne pourrait pas dire que celui qui les nourrirait, pour être leur maître, donnât rien.

L'esclavage est d'ailleurs aussi opposé au droit civil qu'au droit naturel. Quelle loi civile pourrait empêcher un esclave de fuir, lui qui n'est point dans la société, et que par conséquent aucunes lois civiles ne concernent ? Il ne peut être retenu que par une loi de famille; c'est-à-dire, par la loi du maître.

CHAPITRE III

Autre origine du droit de l'esclavage.

J'aimerais autant dire que le droit de l'esclavage vient du mépris qu'une nation conçoit pour une autre, fondé sur la différence des coutumes.

Lopès de Gama [a], dit « que les Espagnols trouvèrent, près de sainte Marthe, des paniers où les habitants avaient des denrées; c'étaient des cancres, des limaçons, des cigales, des sauterelles. Les vainqueurs en firent un crime aux vaincus ». L'auteur avoue que c'est là-dessus qu'on fonda le droit qui rendait les Américains esclaves des Espagnols; outre qu'ils fumaient du tabac, et qu'ils ne se faisaient pas la barbe à l'espagnole.

Les connaissances rendent les hommes doux; la raison porte à l'humanité : il n'y a que les préjugés qui y fassent renoncer.

a. *Biblioth. angl.*, t. XIII, deuxième partie, art. 3.

Chapitre IV

Autre origine du droit de l'esclavage.

J'aimerais autant dire que la religion donne à ceux qui la professent un droit de réduire en servitude ceux qui ne la professent pas, pour travailler plus aisément à sa propagation.

Ce fut cette manière de penser qui encouragea les destructeurs de l'Amérique dans leurs crimes [a]. C'est sur cette idée qu'ils fondèrent le droit de rendre tant de peuples esclaves; car ces brigands, qui voulaient absolument être brigands et chrétiens, étaient très dévots.

Louis XIII [b] se fit une peine extrême de la loi qui rendait esclaves les nègres de ses colonies : mais, quand on lui eut bien mis dans l'esprit que c'était la voie la plus sûre pour les convertir, il y consentit.

a. Voyez l'*Histoire de la conquête du Mexique*, par Solis; et celle du Pérou, par Garcilasso de la Vega.

b. Le Père Labat, *Nouveau voyage aux îles de l'Amérique*, t. IV, p. 114, 1722, in-12.

CHAPITRE V

De l'esclavage des nègres.

Si j'avais à soutenir le droit que nous avons eu de rendre les nègres esclaves, voici ce que je dirais :

Les peuples d'Europe ayant exterminé ceux de l'Amérique, ils ont dû mettre en esclavage ceux de l'Afrique, pour s'en servir à défricher tant de terres.

Le sucre serait trop cher, si l'on ne faisait travailler la plante qui le produit par des esclaves.

Ceux dont il s'agit sont noirs depuis les pieds jusqu'à la tête; et ils ont le nez si écrasé, qu'il est presque impossible de les plaindre.

On ne peut se mettre dans l'esprit que Dieu, qui est un être très sage, ait mis une âme, surtout une âme bonne, dans un corps tout noir.

Il est si naturel de penser que c'est la couleur qui constitue l'essence de l'humanité, que les peuples d'Asie qui sont des eunuques, privent toujours les noirs du rapport qu'ils ont avec nous d'une façon plus marquée.

On peut juger de la couleur de la peau par celle des cheveux, qui, chez les Egyptiens, les meilleurs philosophes du monde, étaient d'une si grande conséquence, qu'ils faisaient mourir tous les hommes roux qui leur tombaient entre les mains.

Une preuve que les nègres n'ont pas le sens commun, c'est qu'ils font plus de cas d'un collier de verre, que de l'or, qui, chez des nations policées, est d'une si grande conséquence.

Il est impossible que nous supposions que ces gens-là soient des hommes; parce que, si nous les supposions des hommes, on commencerait à croire que nous ne sommes pas nous-mêmes chrétiens.

De petits esprits exagèrent trop l'injustice que l'on fait aux Africains. Car, si elle était telle qu'ils le disent, ne serait-il pas venu dans la tête des princes d'Europe, qui font entre eux tant de conventions inutiles, d'en faire une générale en faveur de la miséricorde et de la pitié ?

CHAPITRE VI

Véritable origine du droit de l'esclavage.

Il est temps de chercher la vraie origine du droit de l'esclavage. Il doit être fondé sur la nature des choses : voyons s'il y a des cas où il en dérive.

Dans tout gouvernement despotique, on a une grande facilité à se vendre : l'esclavage politique y anéantit, en quelque façon, la liberté civile.

M. Perry [a] dit que les Moscovites se vendent très aisément : j'en sais bien la raison; c'est que leur liberté ne vaut rien.

A Achim, tout le monde cherche à se vendre. Quelques-uns des principaux seigneurs [b] n'ont pas moins de mille esclaves, qui sont des principaux marchands, qui ont aussi beaucoup d'esclaves sous eux; et ceux-ci beaucoup d'autres : on en hérite, et on les fait trafiquer. Dans ces Etats, les hommes libres, trop faibles contre le gouvernement, cherchent à devenir les esclaves de ceux qui tyrannisent le gouvernement.

C'est là l'origine juste, et conforme à la raison, de ce droit d'esclavage très doux que l'on trouve dans quelques pays : et il doit être doux, parce qu'il est fondé sur le choix libre qu'un homme, pour son utilité, se fait d'un maître; ce qui forme une convention réciproque entre les deux parties.

CHAPITRE VII

Autre origine du droit de l'esclavage.

Voici une autre origine du droit de l'esclavage, et même de cet esclavage cruel que l'on voit parmi les hommes.

Il y a des pays où la chaleur énerve le corps, et affaiblit

a. *Etat présent de la grande Russie*, par Jean PERRY, Paris, 1717, in-12.

b. *Nouveau voyage autour du monde*, par Guillaume DAMPIERRE, t. III, Amsterdam, 1711.

si fort le courage, que les hommes ne sont portés à un devoir pénible que par la crainte du châtiment : l'esclavage y choque donc moins la raison; et le maître y étant aussi lâche à l'égard de son prince, que son esclave l'est à son égard, l'esclavage civil y est encore accompagné de l'esclavage politique.

Aristote [a] veut prouver qu'il y a des esclaves par nature; et ce qu'il dit ne le prouve guère. Je crois que, s'il y en a de tels, ce sont ceux dont je viens de parler.

Mais, comme tous les hommes naissent égaux, il faut dire que l'esclavage est contre la nature, quoique, dans certains pays, il soit fondé sur une raison naturelle; et il faut bien distinguer ces pays d'avec ceux où les raisons naturelles mêmes les rejettent, comme les pays d'Europe où il a été si heureusement aboli.

Plutarque nous dit, dans la vie de Numa, que, du temps de Saturne, il n'y avait ni maître, ni esclave. Dans nos climats, le christianisme a ramené cet âge.

a. *Politique*, liv. I, chap. 1.

Chapitre VIII

Inutilité de l'esclavage parmi nous.

Il faut donc borner la servitude naturelle à de certains pays particuliers de la terre. Dans tous les autres, il me semble que, quelque pénibles que soient les travaux que la société y exige, on peut tout faire avec des hommes libres.

Ce qui me fait penser ainsi, c'est qu'avant que le christianisme eût aboli en Europe la servitude civile, on regardait les travaux des mines comme si pénibles, qu'on croyait qu'ils ne pouvaient être faits que par des esclaves ou par des criminels. Mais on sait qu'aujourd'hui les hommes qui y sont employés vivent heureux [a]. On a, par de petits privilèges, encouragé cette profession; on a joint, à l'augmentation du travail, celle du gain; et on est parvenu à leur faire aimer leur condition plus que toute autre qu'ils eussent pu prendre.

a. On peut se faire instruire de ce qui se passe, à cet égard, dans les mines du Hartz dans la basse-Allemagne, et dans celles de Hongrie.

Il n'y a point de travail si pénible qu'on ne puisse proportionner à la force de celui qui le fait, pourvu que ce soit la raison et non pas l'avarice qui le règle. On peut, par la commodité des machines que l'art invente ou applique, suppléer au travail forcé qu'ailleurs on fait faire aux esclaves. Les mines des Turcs, dans le bannat de Témeswar, étaient plus riches que celles de Hongrie; et elles ne produisaient pas tant, parce qu'ils n'imaginaient jamais que les bras de leurs esclaves.

Je ne sais si c'est l'esprit ou le cœur qui me dicte cet article-ci. Il n'y a peut-être pas de climat sur la terre où l'on ne pût engager au travail des hommes libres. Parce que les lois étaient mal faites, on a trouvé des hommes paresseux; parce que ces hommes étaient paresseux, on les a mis dans l'esclavage.

Chapitre IX

Des nations chez lesquelles la liberté civile est généralement établie.

On entend dire, tous les jours, qu'il serait bon que, parmi nous, il y eût des esclaves.

Mais, pour bien juger de ceci, il ne faut pas examiner s'ils seraient utiles à la petite partie riche et voluptueuse de chaque nation; sans doute qu'ils lui seraient utiles : Mais, prenant un autre point de vue, je ne crois pas qu'aucun de ceux qui la composent voulût tirer au fort, pour savoir qui devrait former la partie de la nation qui serait libre, et celle qui serait esclave. Ceux qui parlent le plus pour l'esclavage l'auraient le plus en horreur, et les hommes les plus misérables en auraient horreur de même. Le cri pour l'esclavage est donc le cri du luxe et de la volupté, et non pas celui de l'amour de la félicité publique. Qui peut douter que chaque homme, en particulier, ne fût très content d'être le maître des biens, de l'honneur et de la vie des autres; et que toutes ses passions ne se réveillassent d'abord à cette idée ? Dans ces choses, voulez-vous savoir si les désirs de chacun sont légitimes ? examinez les désirs de tous.

Chapitre X

Diverses espèces d'esclavage.

Il y a deux sortes de servitude, la réelle et la personnelle. La réelle est celle qui attache l'esclave au fonds de terre. C'est ainsi qu'étaient les esclaves chez les Germains, au rapport de Tacite [a]. Ils n'avaient point d'office dans la maison; ils rendaient à leur maître une certaine quantité de blé, de bétail ou d'étoffe : l'objet de leur esclavage n'allait pas plus loin. Cette espèce de servitude est encore établie en Hongrie, en Bohême, et dans plusieurs endroits de la basse-Allemagne.

La servitude personnelle regarde le ministère de la maison, et se rapporte plus à la personne du maître.

L'abus extrême de l'esclavage est lorsqu'il est, en même temps personnel et réel. Telle était la servitude des Ilotes chez les Lacédémoniens; ils étaient soumis à tous les travaux hors de la maison, et à toutes sortes d'insultes dans la maison : cette *ilotie* est contre la nature des choses. Les peuples simples n'ont qu'un esclavage réel [b], parce que leurs femmes et leurs enfants font les travaux domestiques. Les peuples voluptueux ont un esclavage personnel, parce que le luxe demande le service des esclaves dans la maison. Or l'*ilotie* joint, dans les mêmes personnes, l'esclavage établi chez les peuples voluptueux, et celui qui est établi chez les peuples simples.

Chapitre XI

Ce que les lois doivent faire par rapport à l'esclavage.

Mais, de quelque nature que soit l'esclavage, il faut que les lois civiles cherchent à en ôter, d'un côté les abus, et de l'autre les dangers.

a. *De moribus German.*

b. *Vous ne pourriez,* dit Tacite *(Sur les mœurs des Germains), distinguer le maître de l'esclave, par les délices de la vie.*

CHAPITRE XII

Abus de l'esclavage.

Dans les Etats mahométans [a], on est non seulement maître de la vie et des biens des femmes esclaves, mais encore de ce qu'on appelle leur vertu ou leur honneur. C'est un des malheurs de ces pays, que la plus grande partie de la nation n'y soit faite que pour servir à la volupté de l'autre. Cette servitude est récompensée par la paresse dont on fait jouir de pareils esclaves; ce qui est encore, pour l'Etat, un nouveau malheur.

C'est cette paresse qui rend les sérails d'orient [b] des lieux de délices, pour ceux même contre qui ils sont faits. Des gens qui ne craignent que le travail peuvent trouver leur bonheur dans ces lieux tranquilles. Mais on voit que par là on choque même l'esprit de l'établissement de l'esclavage.

La raison veut que le pouvoir du maître ne s'étende point au-delà des choses qui sont de son service : il faut que l'esclavage soit pour l'utilité, et non pas pour la volupté. Les lois de la pudicité sont du droit naturel, et doivent être senties par toutes les nations du monde.

Que si la loi qui conserve la pudicité des esclaves est bonne dans les Etats où le pouvoir sans bornes se joue de tout, combien le sera-t-elle dans les monarchies? combien le sera-t-elle dans les Etats républicains?

Il y a une disposition de la loi [c] des Lombards, qui paraît bonne pour tous les gouvernements. « Si un maître débauche la femme de son esclave, ceux-ci seront tous deux libres » : tempérament admirable pour prévenir et arrêter, sans trop de rigueur, l'incontinence des maîtres.

Je ne vois pas que les Romains aient eu, à cet égard, une bonne police. Ils lâchèrent la bride à l'incontinence des maîtres; ils privèrent même, en quelque façon, leurs esclaves du droit des mariages. C'était la partie de la nation la plus vile : mais, quelque vile qu'elle fût, il était bon qu'elle eût des mœurs : et de plus, en lui ôtant les mariages, on corrompait ceux des citoyens.

a. Voyez CHARDIN, *Voyage de Perse.*
b. Voyez Chardin, t. II, dans la description du marché d'Izagour.
c. Liv. I, tit. 32, § 5.

CHAPITRE XIII

Danger du grand nombre d'esclaves.

Le grand nombre d'esclaves a des effets différents dans les divers gouvernements. Il n'est point à charge dans le gouvernement despotique; l'esclavage politique établi dans le corps de l'État, fait que l'on sent peu l'esclavage civil. Ceux que l'on appelle hommes libres ne le sont guère plus que ceux qui n'y ont pas ce titre; et ceux-ci, en qualité d'eunuques, d'affranchis, ou d'esclaves, ayant en main presque toutes les affaires, la condition d'un homme libre et celle d'un esclave se touchent de fort près. Il est donc presque indifférent que peu ou beaucoup de gens y vivent dans l'esclavage.

Mais, dans les Etats modérés, il est très important qu'il n'y ait point trop d'esclaves. La liberté politique y rend précieuse la liberté civile; et celui qui est privé de cette dernière est encore privé de l'autre. Il voit une société heureuse, dont il n'est pas même partie; il trouve la sûreté établie pour les autres, et non pas pour lui; il sent que son maître a une âme qui peut s'agrandir, et que la sienne est contrainte de s'abaisser sans cesse. Rien ne met plus près de la condition des bêtes, que de voir toujours des hommes libres, et de ne l'être pas. De telles gens sont des ennemis naturels de la société; et leur nombre serait dangereux.

Il ne faut donc pas être étonné que, dans les gouvernements modérés, l'Etat ait été si troublé par la révolte des esclaves, et que cela soit arrivé si rarement [a] dans les Etats despotiques.

CHAPITRE XIV

Des esclaves armés.

Il est moins dangereux, dans la monarchie, d'armer les esclaves, que dans les républiques. Là un peuple guerrier,

a. La révolte des Mammelus était un cas particulier; c'était un corps de milice qui usurpa l'empire.

un corps de noblesse, contiendront assez ces esclaves armés. Dans la république, des hommes uniquement citoyens ne pourront guère contenir des gens qui, ayant les armes à la main, se trouveront égaux aux citoyens.

Les Goths qui conquirent l'Espagne se répandirent dans le pays, et bientôt se trouvèrent très faibles. Ils firent trois règlements considérables : ils abolirent l'ancienne coutume qui leur défendait de [a] s'allier par mariage avec les Romains; ils établirent que tous les affranchis [b] du fisc iraient à la guerre, sous peine d'être réduits en servitude; ils ordonnèrent que chaque Goth mènerait à la guerre et armerait la dixième [c] partie de ses esclaves. Ce nombre était peu considérable en comparaison de ceux qui restaient. De plus : ces esclaves menés à la guerre par leur maître ne faisaient pas un corps séparé; ils étaient dans l'armée, et restaient, pour ainsi dire, dans la famille.

a. Loi des Wisigoths, liv. III, tit. 1, § 1.
b. Ibid., liv. V, tit. 7, § 20.
c. Ibid., liv. IX, tit. 1, § 9.

Chapitre XV

Continuation du même sujet.

Quand toute la nation est guerrière, les esclaves armés sont encore moins à craindre.

Par la loi des Allemands, un esclave qui volait [a] une chose qui avait été déposée, était soumis à la peine qu'on aurait infligée à un homme libre : mais, s'il l'enlevait par [b] violence, il n'était obligé qu'à la restitution de la chose enlevée. Chez les Allemands, les actions qui avaient pour principe le courage et la force n'étaient point odieuses. Ils se servaient de leurs esclaves dans leurs guerres. Dans la plupart des républiques, on a toujours cherché à abattre le courage des esclaves : le peuple Allemand, sûr de lui-même, songeait à augmenter l'audace des siens; toujours armé, il ne craignait rien d'eux; c'étaient des instruments de ses brigandages ou de sa gloire.

a. Loi des Allemands, chap. v, § 3.
b. Ibid., chap. v, § 5, *per virtutem.*

Chapitre XVI

Précautions à prendre dans le gouvernement modéré.

L'humanité que l'on aura pour les esclaves pourra prévenir, dans l'État modéré, les dangers que l'on pourrait craindre de leur trop grand nombre. Les hommes s'accoutument à tout, et à la servitude même, pourvu que le maître ne soit pas plus dur que la servitude. Les Athéniens traitaient leurs esclaves avec une grande douceur : on ne voit point qu'ils aient troublé l'Etat à Athènes, comme ils ébranlèrent celui de Lacédémone.

On ne voit point que les premiers Romains aient eu des inquiétudes à l'occasion de leurs esclaves. Ce fut lorsqu'ils eurent perdu pour eux tous les sentiments de l'humanité, que l'on vit naître ces guerres civiles qu'on a comparées aux guerres puniques [a].

Les nations simples, et qui s'attachent elles-mêmes au travail, ont ordinairement plus de douceur pour leurs esclaves, que celles qui y ont renoncé. Les premiers Romains vivaient, travaillaient et mangeaient avec leurs esclaves : ils avaient pour eux beaucoup de douceur et d'équité : la plus grande peine qu'ils leur infligeassent était de les faire passer devant leurs voisins avec un morceau de bois fourchu sur le dos. Les mœurs suffisaient pour maintenir la fidélité des esclaves ; il ne fallait point de lois.

Mais, lorsque les Romains se furent agrandis, que leurs esclaves ne furent plus les compagnons de leur travail, mais les instruments de leur luxe et de leur orgueil ; comme il n'y avait point de mœurs, on eut besoin de lois. Il en fallut même de terribles, pour établir la sûreté de ces maîtres cruels, qui vivaient au milieu de leurs esclaves comme au milieu de leurs ennemis.

On fit le sénatus-consulte Sillanien, et d'autres lois [b] qui établirent que, lorsqu'un maître serait tué, tous les esclaves qui étaient sous le même toit, ou dans un lieu assez près de la maison pour qu'on pût entendre la voix d'un homme,

a. *La Sicile,* dit Florus, *plus cruellement dévastée par la guerre servile, que par la guerre punique,* liv. III.
b. Voyez tout le titre *de senat. consult. Sillan,* ff.

seraient sans distinction condamnés à la mort. Ceux qui, dans ce cas, réfugiaient un esclave pour le sauver étaient punis comme meurtriers [c]. Celui-là même à qui son maître aurait ordonné [d] de le tuer, et qui lui aurait obéi, aurait été coupable; celui qui ne l'aurait point empêché de se tuer lui-même aurait été puni [e]. Si un maître avait été tué dans un voyage, on faisait mourir [f] ceux qui étaient restés avec lui, et ceux qui s'étaient enfuis. Toutes ces lois avaient lieu contre ceux même dont l'innocence était prouvée. Elles avaient pour objet de donner aux esclaves, pour leur maître, un respect prodigieux. Elles n'étaient pas dépendantes du gouvernement civil, mais d'un vice ou d'une imperfection du gouvernement civil. Elles ne dérivaient point de l'équité des lois civiles, puisqu'elles étaient contraires aux principes des lois civiles. Elles étaient proprement fondées sur le principe de la guerre; à cela près que c'était dans le sein de l'Etat qu'étaient les ennemis. Le sénatus-consulte Sillanien dérivait du droit des gens, qui veut qu'une société, même imparfaite, se conserve.

C'est un malheur du gouvernement, lorsque la magistrature se voit contrainte de faire ainsi des lois cruelles. C'est parce qu'on a rendu l'obéissance difficile, que l'on est obligé d'aggraver la peine de la désobéissance, ou de soupçonner la fidélité. Un législateur prudent prévient le malheur de devenir un législateur terrible. C'est parce que les esclaves ne purent avoir, chez les Romains, de confiance dans la loi, que la loi ne put avoir de confiance en eux.

CHAPITRE XVII

Règlements à faire entre le maître et les esclaves.

Le magistrat doit veiller à ce que l'esclave ait sa nourriture et son vêtement : cela doit être réglé par la loi.

Les lois doivent avoir attention qu'ils soient soignés

c. Leg. Si quis, § 12, ff. *de senat. consult.*, *Sillan.*

d. Quand Antoine commanda à Eros de le tuer, ce n'était point lui commander de le tuer, mais de se tuer lui-même; puisque, s'il lui eût obéi, il aurait été puni comme meurtrier de son maître.

e. Leg. 1, § 22, ff. *de senat. consult. Sillan.*

f. Leg. 1, § 31, ff. *ibid.*

dans leurs maladies et dans leur vieillesse. Claude [a] ordonna que les esclaves qui auraient été abandonnés par leurs maîtres étant malades, seraient libres s'ils échappaient. Cette loi assurait leur liberté; il aurait encore fallu assurer leur vie.

Quand la loi permet au maître d'ôter la vie à son esclave, c'est un droit qu'il doit exercer comme juge, et non pas comme maître : il faut que la loi ordonne des formalités, qui ôtent le soupçon d'une action violente.

Lorsque à Rome il ne fut plus permis aux pères de faire mourir leurs enfants, les magistrats infligèrent [b] la peine que le père voulait prescrire. Un usage pareil entre le maître et les esclaves serait raisonnable dans les pays où les maîtres ont droit de vie et de mort.

La loi de Moïse était bien rude. « Si quelqu'un frappe son esclave, et qu'il meure sous sa main, il sera puni : mais, s'il survit un jour ou deux, il ne le sera pas, parce que c'est son argent. » Quel peuple, que celui où il fallait que la loi civile se relâchât de la loi naturelle!

Par une loi des Grecs [c], les esclaves trop rudement traités par leurs maîtres pouvaient demander d'être vendus à un autre. Dans les derniers temps, il y eut à Rome une pareille loi [d]. Un maître irrité contre son esclave, et un esclave irrité contre son maître, doivent être séparés.

Quand un citoyen maltraite l'esclave d'un autre, il faut que celui-ci puisse aller devant le juge. Les [e] lois de Platon et de la plupart des peuples ôtent aux esclaves la défense naturelle : il faut donc leur donner la défense civile.

A Lacédémone, les esclaves ne pouvaient avoir aucune justice contre les insultes ni contre les injures. L'excès de leur malheur était tel, qu'ils n'étaient pas seulement esclaves d'un citoyen, mais encore du public; ils appartenaient à tous et à un seul. A Rome, dans le tort fait à un esclave, on ne considérait que [f] l'intérêt du maître. On confondait, sous l'action de la loi Aquilienne, la blessure

a. Xiphilin, *in Claudio*.

b. Voyez la loi III au code *de patria potestate*, qui est de l'empereur Alexandre.

c. PLUTARQUE, *De la superstition*.

d. Voyez la constitution d'Antonin PIE, *Instit.*, liv. I, tit. 7.

e. *Des lois*, liv. IX.

f. Ce fut encore souvent l'esprit des lois des peuples qui sortirent de la Germanie, comme on le peut voir dans leurs codes.

faite à une bête, et celle faite à un esclave; on n'avait attention qu'à la diminution de leur prix. A Athènes [g], on punissait sévèrement, quelquefois même de mort, celui qui avait maltraité l'esclave d'un autre. La loi d'Athènes, avec raison, ne voulait point ajouter la perte de la sûreté à celle de la liberté.

g. DÉMOSTHÈNE, *Orat. contra Mediam*, p. 610, édition de Francfort, de l'an 1604.

CHAPITRE XVIII

Des affranchissements.

On sent bien que quand, dans le gouvernement républicain, on a beaucoup d'esclaves, il faut en affranchir beaucoup. Le mal est que, si on a trop d'esclaves, ils ne peuvent être contenus; si l'on a trop d'affranchis, ils ne peuvent pas vivre, et ils deviennent à charge à la république : outre que celle-ci peut être également en danger de la part d'un trop grand nombre d'affranchis, et de la part d'un trop grand nombres d'esclaves. Il faut donc que les lois aient l'œil sur ces deux inconvénients.

Les diverses lois et les sénatus-consultes qu'on fit à Rome pour et contre les esclaves, tantôt pour gêner, tantôt pour faciliter les affranchissements, font bien voir l'embarras où l'on se trouva à cet égard. Il y eut même des temps où l'on n'osa pas faire des lois. Lorsque, sous Néron [a], on demanda au sénat qu'il fût permis aux patrons de remettre en servitude les affranchis ingrats, l'empereur écrivit qu'il fallait juger les affaires particulières, et ne rien statuer de général.

Je ne saurais guère dire quels sont les règlements qu'une bonne république doit faire là-dessus; cela dépend trop des circonstances. Voici quelques réflexions.

Il ne faut pas faire, tout à coup et par une loi générale, un nombre considérable d'affranchissements. On sait que, chez les Volsiniens [b], les affranchis, devenus maîtres des suffrages, firent une abominable loi, qui leur donnait le droit de coucher les premiers avec les filles qui se mariaient à des ingénus.

a. TACITE, *Annales*, liv. XIII.
b. Supplément de Freinshemius, deuxième décade, liv. V.

Il y a diverses manières d'introduire insensiblement de nouveaux citoyens dans la république. Les lois peuvent favoriser le pécule, et mettre les esclaves en état d'acheter leur liberté. Elles peuvent donner un terme à la servitude, comme celles de Moïse, qui avaient borné à six ans celle des esclaves hébreux [c]. Il est aisé d'affranchir toutes les années un certain nombre d'esclaves, parmi ceux qui, par leur âge, leur santé, leur industrie, auront le moyen de vivre. On peut même guérir le mal dans sa racine : Comme le grand nombre d'esclaves est lié aux divers emplois qu'on leur donne; transporter aux ingénus une partie de ces emplois, par exemple, le commerce ou la navigation, c'est diminuer le nombre des esclaves.

Lorsqu'il y a beaucoup d'affranchis, il faut que les lois civiles fixent ce qu'ils doivent à leur patron, ou que le contrat d'affranchissement fixe ces devoirs pour elles.

On sent que leur condition doit être plus favorisée dans l'état civil que dans l'état politique; parce que, dans le gouvernement même populaire, la puissance ne doit point tomber entre les mains du bas peuple.

A Rome, où il y avait tant d'affranchis, les lois politiques furent admirables à leur égard. On leur donna peu, et on ne les exclut presque de rien. Ils eurent bien quelque part à la législation; mais ils n'influaient presque point dans les résolutions qu'on pouvait prendre. Ils pouvaient avoir part aux charges et au sacerdoce même [d]; mais ce privilège était, en quelque façon, rendu vain par les désavantages qu'ils avaient dans les élections. Ils avaient droit d'entrer dans la milice; mais, pour être soldat, il fallait un certain cens. Rien n'empêchait les affranchis [e] de s'unir par mariage avec les familles ingénues; mais il ne leur était pas permis de s'allier avec celles des sénateurs. Enfin, leurs enfants étaient ingénus, quoiqu'ils ne le fussent pas eux-mêmes.

c. Exod., chap. XXI.
d. TACITE, *Annales*, liv. III.
e. Harangue d'Auguste, dans Dion, liv. LVI.

CHAPITRE XIX

Des affranchis, et des eunuques.

Ainsi, dans le gouvernement de plusieurs, il est souvent utile que la condition des affranchis soit peu au-dessous de celle des ingénus, et que les lois travaillent à leur ôter le dégoût de leur condition. Mais, dans le gouvernement d'un seul, lorsque le luxe et le pouvoir arbitraire règnent, on n'a rien à faire à cet égard. Les affranchis se trouvent presque toujours au-dessus des hommes libres. Ils dominent à la cour du prince et dans les palais des grands : et, comme ils ont étudié les faiblesses de leur maître, et non pas ses vertus, ils le font régner, non pas par ses vertus, mais par ses faiblesses. Tels étaient à Rome les affranchis, du temps des empereurs.

Lorsque les principaux esclaves sont eunuques, quelque privilège qu'on leur accorde, on ne peut guère les regarder comme les affranchis. Car, comme ils ne peuvent avoir de famille, ils sont, par leur nature, attachés à une famille; et ce n'est que par une espèce de fiction qu'on peut les considérer comme citoyens.

Cependant, il y a des pays où on leur donne toutes les magistratures : « Au Tonquin, dit Dampierre [a], tous les mandarins civils et militaires sont eunuques [b]. » Ils n'ont point de famille; et, quoiqu'ils soient naturellement avares, le maître ou le prince profitent à la fin de leur avarice même.

Le même Dampierre [c] nous dit que, dans ce pays, les eunuques ne peuvent se passer de femmes, et qu'ils se marient. La loi qui leur permet le mariage ne peut être fondée, d'un côté, que sur la considération que l'on y a pour de pareilles gens; et de l'autre, sur le mépris qu'on y a pour les femmes.

Ainsi l'on confie à ces gens-là les magistratures, parce qu'ils n'ont point de famille : et, d'un autre côté, on leur permet de se marier, parce qu'ils ont les magistratures.

a. T. III, p. 91.

b. C'était autrefois de même à la Chine. Les deux Arabes mahométans qui y voyagèrent au IXe siècle, disent l'*eunuque*, quand ils veulent parler du gouverneur d'une ville.

c. T. III, p. 94.

C'est pour lors que les sens qui restent veulent obstinément suppléer à ceux que l'on a perdus ; et que les entreprises du désespoir sont une espèce de jouissance. Ainsi, dans Milton, cet esprit à qui il ne reste que des désirs, pénétré de sa dégradation, veut faire usage de son impuissance même.

On voit, dans l'histoire de la Chine, un grand nombre de lois pour ôter aux eunuques tous les emplois civils et militaires : mais ils reviennent toujours. Il semble que les eunuques, en orient, soient un mal nécessaire.

LIVRE XVI

COMMENT LES LOIS DE L'ESCLAVAGE DOMESTIQUE ONT DU RAPPORT AVEC LA NATURE DU CLIMAT

CHAPITRE PREMIER

De la servitude domestique.

Les esclaves sont plutôt établis pour la famille, qu'ils ne sont dans la famille. Ainsi je distinguerai leur servitude de celle où sont les femmes dans quelques pays, et que j'appellerai proprement la servitude domestique.

CHAPITRE II

Que, dans les pays du midi, il y a, dans les deux sexes, une inégalité naturelle.

Les femmes sont nubiles, dans les climats chauds, à huit, neuf et dix ans : ainsi l'enfance et le mariage y vont presque toujours ensemble [a]. Elles sont vieilles à vingt : la raison ne se trouve donc jamais chez elles avec la beauté. Quand la beauté demande l'empire, la raison le fait refuser; quand la raison pourrait l'obtenir, la beauté n'est plus. Les femmes doivent être dans la dépendance : car la raison ne peut leur procurer, dans leur vieillesse, un empire que la beauté ne leur avait pas donné dans la jeunesse même. Il est donc très simple qu'un homme,

a. Mahomet épousa Cadhisja à cinq ans, coucha avec elle à huit. Dans les pays chauds d'Arabie et des Indes, les filles y sont nubiles à huit ans, et accouchent l'année d'après. PRIDEAUX, *Vie de Mahomet*. On voit des femmes, dans les royaumes d'Alger, enfanter à neuf, dix et onze ans. LOGIER DE TASSIS, *Histoire du royaume d'Alger*, p. 61.

lorsque la religion ne s'y oppose pas, quitte sa femme pour en prendre une autre, et que la polygamie s'introduise.

Dans les pays tempérés, où les agréments des femmes se conservent mieux, où elles sont plus tard nubiles, et où elles ont des enfants dans un âge plus avancé, la vieillesse de leur mari suit, en quelque façon, la leur : et, comme elles y ont plus de raison et de connaissances quand elles se marient, ne fût-ce que parce qu'elles ont plus longtemps vécu, il a dû naturellement s'introduire une espèce d'égalité dans les deux sexes, et par conséquent la loi d'une seule femme.

Dans les pays froids, l'usage presque nécessaire des boissons fortes établit l'intempérance parmi les hommes. Les femmes, qui ont à cet égard une retenue naturelle, parce qu'elles ont toujours à se défendre, ont donc encore l'avantage de la raison sur eux.

La nature, qui a distingué les hommes par la force et par la raison, n'a mis à leur pouvoir de terme que celui de cette force et de cette raison. Elle a donné aux femmes les agréments, et a voulu que leur ascendant finît avec ces agréments : mais, dans les pays chauds, ils ne se trouvent que dans les commencements, et jamais dans le cours de leur vie.

Ainsi la loi qui ne permet qu'une femme se rapporte plus au physique du climat de l'Europe, qu'au physique du climat de l'Asie. C'est une des raisons qui a fait que le mahométisme a trouvé tant de facilité à s'établir en Asie, et tant de difficulté à s'étendre en Europe; que le christianisme s'est maintenu en Europe, et a été détruit en Asie; et qu'enfin les mahométans font tant de progrès à la Chine, et les chrétiens si peu. Les raisons humaines sont toujours subordonnées à cette cause suprême, qui fait tout ce qu'elle veut, et se sert de tout ce qu'elle veut.

Quelques raisons, particulières à Valentinien [b], lui firent permettre la polygamie dans l'empire. Cette loi, violente pour nos climats, fut ôtée [c] par Théodose, Arcadius et Honorius.

b. Voyez JORNANDES, *De regno et tempor. succes.* et les historiens ecclésiastiques.

c. Voyez la loi VII, au code *De Judæis et cœlicolis;* et la novelle 18, chap. V.

CHAPITRE III

Que la pluralité des femmes dépend beaucoup de leur entretien.

Quoique, dans les pays où la polygamie est une fois établie, le grand nombre des femmes dépende beaucoup des richesses du mari; cependant on ne peut pas dire que ce soient les richesses qui fassent établir, dans un Etat, la polygamie : la pauvreté peut faire le même effet, comme je le dirai en parlant des sauvages.

La polygamie est moins un luxe, que l'occasion d'un grand luxe, chez des nations puissantes. Dans les climats chauds, on a moins de besoins [a] : il en coûte moins pour entretenir une femme et des enfants. On y peut donc avoir un plus grand nombre de femmes.

a. A Ceylan, un homme vit pour dix sols par mois; on n'y mange que du riz et du poisson. *Recueil des voyages qui ont servi à l'établissement de la compagnie des Indes*, t. II, partie première.

CHAPITRE IV

De la polygamie. Ses diverses circonstances.

Suivant les calculs que l'on fait en divers endroits de l'Europe, il y naît plus de garçons que de filles [a] : au contraire, les relations de l'Asie [b] et de l'Afrique [c] nous disent qu'il y naît beaucoup plus de filles que de garçons. La loi d'une seule femme en Europe, et celle qui en permet plusieurs en Asie et en Afrique, ont donc un certain rapport au climat.

Dans les climats froids de l'Asie, il naît, comme en

a. M. Arbutnot trouve qu'en Angleterre le nombre des garçons excède celui des filles : on a eu tort d'en conclure que ce fût la même chose dans tous les climats.

b. Voyez Kempfer, qui nous rapporte un dénombrement de Méaco, où l'on trouve 182 072 mâles, et 223 573 femelles.

c. Voyez le *Voyage de Guinée*, de M. Smith, partie seconde, sur le pays d'Anté.

Europe, plus de garçons que de filles. C'est, disent les Lamas [d] la raison de la loi qui, chez eux, permet à une femme d'avoir plusieurs maris [e].

Mais je ne crois pas qu'il y ait beaucoup de pays où la disproportion soit assez grande, pour qu'elle exige qu'on y introduise la loi de plusieurs femmes, ou la loi de plusieurs maris. Cela veut dire seulement que la pluralité des femmes, ou même la pluralité des hommes, s'éloigne moins de la nature dans de certains pays que dans d'autres.

J'avoue que, si ce que les relations nous disent était vrai, qu'à Bantam [f] il y a dix femmes pour un homme, ce serait un cas bien particulier de la polygamie.

Dans tout ceci, je ne justifie pas les usages; mais j'en rends les raisons.

d. Du Halde, *Mémoires de la Chine*, t. IV, p. 46.

e. Albuzeïr el-hassen, un des deux mahométans Arabes qui allèrent aux Indes et à la Chine au IXe siècle, prend cet usage pour une prostitution. C'est que rien ne choquait tant les idées mahométanes.

f. *Recueil des voyages qui ont servi à l'établissement de la compagnie des Indes*, t. I.

Chapitre V

Raison d'une loi du Malabar.

Sur la côte du Malabar, dans la caste des *Naïres* [a], les hommes ne peuvent avoir qu'une femme, et une femme au contraire peut avoir plusieurs maris. Je crois qu'on peut découvrir l'origine de cette coutume. Les Naïres sont la caste des nobles, qui sont les soldats de toutes ces nations. En Europe, on empêche les soldats de se marier : dans le Malabar, où le climat exige davantage, on s'est contenté de leur rendre le mariage aussi peu embarrassant qu'il est possible : on a donné une femme à plusieurs hommes; ce qui diminue d'autant l'attachement pour une famille et les soins du ménage, et laisse à ces gens l'esprit militaire.

a. *Voyages* de François Pyrard, chap. XXVII. *Lettres édifiantes*, troisième et dixième recueil, sur le Malléami dans la côte du Malabar. Cela est regardé comme un abus de la profession militaire; et, comme dit Pyrard, une femme de la caste des Bramines n'épouserait jamais plusieurs maris.

CHAPITRE VI

De la polygamie en elle-même.

A regarder la polygamie en général, indépendamment des circonstances qui peuvent la faire un peu tolérer, elle n'est point utile au genre humain, ni à aucun des deux sexes, soit à celui qui abuse, soit à celui dont on abuse. Elle n'est pas non plus utile aux enfants; et un de ses grands inconvénients, est que le père et la mère ne peuvent avoir la même affection pour leurs enfants; un père ne peut pas aimer vingt enfants, comme une mère en aime deux. C'est bien pis, quand une femme a plusieurs maris; car, pour lors, l'amour paternel ne tient plus qu'à cette opinion, qu'un père peut croire, s'il veut, ou que les autres peuvent croire, que de certains enfants lui appartiennent.

On dit que le roi de Maroc a, dans son sérail, des femmes blanches, des femmes noires, des femmes jaunes. Le malheureux! à peine a-t-il besoin d'une couleur.

La possession de beaucoup de femmes ne prévient pas toujours les désirs [a] pour celle d'un autre; il en est de la luxure comme de l'avarice, elle augmente sa soif par l'acquisition des trésors.

Du temps de Justinien, plusieurs philosophes, gênés par le christianisme, se retirèrent en Perse auprès de Cofroës. Ce qui les frappa le plus, dit Agathias [b], ce fut que la polygamie était permise à des gens qui ne s'abstenaient pas même de l'adultère.

La pluralité des femmes, qui le dirait! mène à cet amour que la nature désavoue : c'est qu'une dissolution en entraîne toujours une autre. A la révolution qui arriva à Constantinople, lorsqu'on déposa le sultan Achmet, les relations disaient que le peuple ayant pillé la maison du chiaya, on n'y avait pas trouvé une seule femme. On dit qu'à Alger [c] on est parvenu à ce point, qu'on n'en a pas dans la plupart des sérails.

a. C'est ce qui fait que l'on cache avec tant de soin les femmes en Orient.

b. *De la vie et des actions de Justinien*, p. 403.

c. LOGIER DE TASSIS, *Histoire d'Alger*.

Chapitre VII

De l'égalité du traitement, dans le cas de la pluralité des femmes.

De la loi de la pluralité des femmes, suit celle de l'égalité du traitement. Mahomet, qui en permet quatre, veut que tout soit égal entre elles; nourriture, habits, devoir conjugal. Cette loi est aussi établie aux Maldives [a], où on peut épouser trois femmes.

La loi de Moïse [b] veut même que, si quelqu'un a marié son fils à une esclave, et qu'ensuite il épouse une femme libre, il ne lui ôte rien des vêtements, de la nourriture, et des devoirs. On pouvait donner plus à la nouvelle épouse; mais il fallait que la première n'eût pas moins.

a. *Voyages* de François Pyrard, chap. XII.
b. Exod., chap. XXI, vers. 10 et 11.

Chapitre VIII

De la séparation des femmes d'avec les hommes.

C'est une conséquence de la polygamie, que, dans les nations voluptueuses et riches, on ait un très grand nombre de femmes. Leur séparation d'avec les hommes, et leur clôture, suivent naturellement de ce grand nombre. L'ordre domestique le demande ainsi; un débiteur insolvable cherche à se mettre à couvert des poursuites de ses créanciers. Il y a de tels climats où le physique a une telle force, que la morale n'y peut presque rien. Laissez un homme avec une femme; les tentations seront des chutes, l'attaque sûre, la résistance nulle. Dans ce pays, au lieu de préceptes, il faut des verrous.

Un livre classique de la Chine regarde comme un prodige de vertu, de se trouver seul dans un appartement reculé avec une femme, sans lui faire violence [a].

a. *Trouver à l'écart un trésor dont on soit le maître; ou une belle femme seule dans un appartement reculé; entendre la voix de son ennemi qui va périr, si on ne le secourt : admirable pierre de touche.* Traduction d'un ouvrage chinois sur la morale, dans le Père du Halde, t. III, p. 151.

CHAPITRE IX

Liaison du gouvernement domestique avec le politique.

Dans une république, la condition des citoyens est bornée, égale, douce, modérée; tout s'y ressent de la liberté publique. L'empire sur les femmes n'y pourrait pas être si bien exercé; et, lorsque le climat a demandé cet empire, le gouvernement d'un seul a été le plus convenable. Voilà une des raisons qui a fait que le gouvernement populaire a toujours été difficile à établir en orient.

Au contraire, la servitude des femmes est très conforme au génie du gouvernement despotique, qui aime à abuser de tout. Aussi a-t-on vu dans tous les temps, en Asie, marcher d'un pas égal la servitude domestique et le gouvernement despotique.

Dans un gouvernement où l'on demande surtout la tranquillité, et où la subordination extrême s'appelle la paix, il faut enfermer les femmes; leurs intrigues seraient fatales au mari. Un gouvernement qui n'a pas le temps d'examiner la conduite des sujets, la tient pour suspecte, par cela seul qu'elle paraît et qu'elle se fait sentir.

Supposons un moment que la légèreté d'esprit et les indiscrétions, les goûts et les dégoûts de nos femmes, leurs passions grandes et petites, se trouvassent transportées dans un gouvernement d'orient, dans l'activité et dans cette liberté où elles sont parmi nous; quel est le père de famille qui pourrait être un moment tranquille? Partout des gens suspects, partout des ennemis; l'Etat serait ébranlé, on verrait couler des flots de sang.

CHAPITRE X

Principe de la morale de l'orient.

Dans le cas de la multiplicité des femmes, plus la famille cesse d'être une, plus les lois doivent réunir à un centre ces parties détachées; et plus les intérêts sont divers, plus il est bon que les lois les ramènent à un intérêt.

Cela se fait surtout par la clôture. Les femmes ne doivent pas seulement être séparées des hommes par la clôture de la maison; mais elles en doivent encore être séparées dans cette même clôture, en sorte qu'elles y fassent comme une famille particulière dans la famille. De là dérive, pour les femmes, toute la pratique de la morale, la pudeur, la chasteté, la retenue, le silence, la paix, la dépendance, le respect, l'amour; enfin une direction générale de sentiments à la chose du monde la meilleure par sa nature, qui est l'attachement unique à sa famille.

Les femmes ont naturellement à remplir tant de devoirs qui leur sont propres, qu'on ne peut assez les séparer de tout ce qui pourrait leur donner d'autres idées, de tout ce qu'on traite d'amusements, et de tout ce qu'on appelle des affaires.

On trouve des mœurs plus pures dans les divers Etats d'orient, à proportion que la clôture des femmes y est plus exacte. Dans les grands Etats, il y a nécessairement des grands seigneurs. Plus ils ont de grands moyens, plus ils sont en état de tenir les femmes dans une exacte clôture, et de les empêcher de rentrer dans la société. C'est pour cela que, dans les empires du Turc, de Perse, du Mogol, de la Chine et du Japon, les mœurs des femmes sont admirables.

On ne peut pas dire la même chose des Indes, que le nombre infini d'îles, et la situation du terrain, ont divisées en une infinité de petits Etats, que le grand nombre des causes que je n'ai pas le temps de rapporter ici rendent despotiques.

Là, il n'y a que des misérables qui pillent, et des misérables qui sont pillés. Ceux qu'on appelle des grands n'ont que de très petits moyens; ceux que l'on appelle des gens riches, n'ont guère que leur subsistance. La clôture des femmes n'y peut être aussi exacte; l'on n'y peut pas prendre d'aussi grandes précautions pour les contenir; la corruption de leurs mœurs y est inconcevable.

C'est là qu'on voit jusqu'à quel point les vices du climat, laissés dans une grande liberté, peuvent porter le désordre. C'est là que la nature a une force, et la pudeur une faiblesse qu'on ne peut comprendre. A Patane [a] la lubricité des femmes est si grande, que les hommes sont

a. *Recueil des voyages qui ont servi à l'établissement de la compagnie des Indes*, t. II, partie II, p. 196.

contraints de se faire de certaines garnitures pour se mettre à l'abri de leurs entreprises [b]. Selon M. Smith [c], les choses ne vont pas mieux dans les petits royaumes de Guinée. Il semble que, dans ces pays-là, les deux sexes perdent jusqu'à leurs propres lois.

Chapitre XI

De la servitude domestique, indépendante de la polygamie.

Ce n'est pas seulement la pluralité des femmes qui exige leur clôture dans de certains lieux d'orient; c'est le climat. Ceux qui liront les horreurs, les crimes, les perfidies, les noirceurs, les poisons, les assassinats, que la liberté des femmes fait faire à Goa, et dans les établissements des Portugais dans les Indes, où la religion ne permet qu'une femme; et qui les compareront à l'innocence et à la pureté des mœurs des femmes de Turquie, de Perse, du Mogol, de la Chine et du Japon, verront bien qu'il est souvent aussi nécessaire de les séparer des hommes, lorsqu'on n'en a qu'une, que quand on en a plusieurs.

C'est le climat qui doit décider de ces choses. Que servirait d'enfermer les femmes dans nos pays du nord, où leurs mœurs sont naturellement bonnes; où toutes leurs passions sont calmes, peu actives, peu raffinées; où l'amour a sur le cœur un empire si réglé, que la moindre police suffit pour les conduire ?

Il est heureux de vivre dans ces climats qui permettent qu'on se communique; où le sexe qui a le plus d'agréments semble parer la société; et où les femmes, se réser-

b. Aux Maldives, les pères marient les filles à dix et onze ans; parce que c'est un grand péché, disent-ils, de leur laisser endurer nécessité d'hommes. Voyages de François Pyrard, chap. XII. A Bantam, sitôt qu'une fille a treize ou quatorze ans, il faut la marier, si l'on ne veut qu'elle mène une vie débordée. *Recueil des voyages qui ont servi à l'établissement de la compagnie des Indes*, p. 348.

c. *Voyage de Guinée*, seconde partie, p. 192 de la traduction. *Quand les femmes*, dit-il, *rencontrent un homme, elles le saisissent, et le menacent de le dénoncer à leur mari, s'il les méprise. Elles se glissent dans le lit d'un homme, elles le réveillent; et, s'il les refuse, elles le menacent de se laisser prendre sur le fait.*

vant aux plaisirs d'un seul, servent encore à l'amusement de tous.

CHAPITRE XII
De la pudeur naturelle.

Toutes les nations se sont également accordées à attacher du mépris à l'incontinence des femmes : c'est que la nature a parlé à toutes les nations. Elle a établi la défense, elle a établi l'attaque; et, ayant mis des deux côtés des désirs, elle a placé dans l'un la témérité, et dans l'autre la honte. Elle a donné aux individus, pour se conserver, de longs espaces de temps; et ne leur a donné, pour se perpétuer, que des moments.

Il n'est donc pas vrai que l'incontinence suive les lois de la nature; elle les viole au contraire. C'est la modestie et la retenue qui suivent ces lois.

D'ailleurs, il est de la nature des êtres intelligents de sentir leurs imperfections : la nature a donc mis en nous la pudeur, c'est-à-dire, la honte de nos imperfections.

Quand donc la puissance physique de certains climats viole la loi naturelle des deux sexes et celle des êtres intelligents, c'est au législateur à faire des lois civiles qui forcent la nature du climat et rétablissent les lois primitives.

CHAPITRE XIII
De la jalousie.

Il faut bien distinguer, chez les peuples, la jalousie de passion d'avec la jalousie de coutume, de mœurs, de lois. L'une est une fièvre ardente qui dévore; l'autre, froide, mais quelquefois terrible, peut s'allier avec l'indifférence et le mépris.

L'une, qui est un abus de l'amour, tire sa naissance de l'amour même. L'autre tient uniquement aux mœurs, aux manières de la nation, aux lois du pays, à la morale, et quelquefois même à la religion [a].

a. Mahomet recommanda à ses sectateurs de garder leurs femmes; un certain iman dit, en mourant, la même chose; et Confucius n'a pas moins prêché cette doctrine.

Elle est presque toujours l'effet de la force physique du climat, et elle est le remède de cette force physique.

CHAPITRE XIV

Du gouvernement de la maison en orient.

On change si souvent de femmes en orient, qu'elles ne peuvent avoir le gouvernement domestique. On en charge donc les eunuques; on leur remet toutes les clefs, et ils ont la disposition des affaires de la maison. « En Perse, dit M. Chardin, on donne aux femmes leurs habits, comme on ferait à des enfants. » Ainsi ce soin qui semble leur convenir si bien, ce soin qui, partout ailleurs, est le premier de leurs soins, ne les regarde pas.

CHAPITRE XV

Du divorce et de la répudiation.

Il y a cette différence entre le divorce et la répudiation, que le divorce se fait par un consentement mutuel à l'occasion d'une incompatibilité mutuelle; au lieu que la répudiation se fait par la volonté et pour l'avantage d'une des deux parties, indépendamment de la volonté et de l'avantage de l'autre.

Il est quelquefois si nécessaire aux femmes de répudier, et il leur est toujours si fâcheux de le faire, que la loi est dure, qui donne ce droit aux hommes, sans le donner aux femmes. Un mari est le maître de la maison; il a mille moyens de tenir, ou de remettre ses femmes dans le devoir; et il semble que, dans ses mains, la répudiation ne soit qu'un nouvel abus de sa puissance. Mais une femme qui répudie n'exerce qu'un triste remède. C'est toujours un grand malheur pour elle d'être contrainte d'aller chercher un second mari, lorsqu'elle a perdu la plupart de ses agréments chez un autre. C'est un des avantages des charmes de la jeunesse dans les femmes, que, dans un âge avancé, un mari se porte à la bienveillance par le souvenir de ses plaisirs.

C'est donc une règle générale, que, dans tous les pays où la loi accorde aux hommes la faculté de répudier, elle doit aussi l'accorder aux femmes. Il y a plus : dans les climats où les femmes vivent sous un esclavage domestique, il semble que la loi doive permettre aux femmes la répudiation, et aux maris seulement le divorce.

Lorsque les femmes sont dans un sérail, le mari ne peut répudier pour cause d'incompatibilité de mœurs : c'est la faute du mari, si les mœurs sont incompatibles.

La répudiation pour raison de la stérilité de la femme ne saurait avoir lieu que dans le cas d'une femme unique [a] : lorsque l'on a plusieurs femmes, cette raison n'est, pour le mari, d'aucune importance.

La loi des Maldives [b] permet de reprendre une femme qu'on a répudiée. La loi du Mexique [c] défendait de se réunir, sous peine de la vie. La loi du Mexique était plus sensée que celle des Maldives; dans le temps même de la dissolution, elle songeait à l'éternité du mariage : au lieu que la loi des Maldives semble se jouer également du mariage et de la répudiation.

La loi du Mexique n'accordait que le divorce. C'était une nouvelle raison pour ne point permettre à des gens qui s'étaient volontairement séparés, de se réunir. La répudiation semble plutôt tenir à la promptitude de l'esprit, et à quelque passion de l'âme; le divorce semble être une affaire de conseil.

Le divorce a ordinairement une grande utilité politique; et, quant à l'utilité civile, il est établi pour le mari et pour la femme, et n'est pas toujours favorable aux enfants.

Chapitre XVI

De la répudiation et du divorce chez les Romains.

Romulus permit au mari de répudier sa femme, si elle avait commis un adultère, préparé du poison, ou falsifié les

a. Cela ne signifie pas que la répudiation pour raison de la stérilité soit permise dans le christianisme.

b. *Voyages* de François Pyrard. On la reprend plutôt qu'une autre; parce que, dans ce cas, il faut moins de dépenses.

c. *Histoire de la conquête*, par Solis, p. 499.

clefs. Il ne donna point aux femmes le droit de répudier leur mari. Plutarque [a] appelle cette loi, une loi très dure.

Comme la loi d'Athènes [b] donnait à la femme, aussi bien qu'au mari, la faculté de répudier; et que l'on voit que les femmes obtinrent ce droit chez les premiers Romains, nonobstant la loi de Romulus; il est clair que cette institution fut une de celles que les députés de Rome rapportèrent d'Athènes, et qu'elle fut mise dans les lois des douze tables.

Cicéron [c] dit que les causes de répudiation venaient de la loi des douze tables. On ne peut donc pas douter que cette loi n'eût augmenté le nombre des causes de répudiation établies par Romulus.

La faculté du divorce fut encore une disposition, ou du moins une conséquence de la loi des douze tables. Car, dès le moment que la femme ou le mari avait séparément le droit de répudier, à plus forte raison pouvaient-ils se quitter de concert, et par une volonté mutuelle.

La loi ne demandait point qu'on donnât des causes pour le divorce [d]. C'est que, par la nature de la chose, il faut des causes pour la répudiation, et qu'il n'en faut point pour le divorce; parce que, là où la loi établit des causes qui peuvent rompre le mariage, l'incompatibilité mutuelle est la plus forte de toutes.

Denys d'Halicarnasse [e], Valère-Maxime [f], et Aulu-Gelle [g], rapportent un fait qui ne me paraît pas vraisemblable : ils disent que, quoiqu'on eût à Rome la faculté de répudier la femme, on eut tant de respect pour les auspices, que personne, pendant cinq cent vingt ans [h], n'usa de ce droit jusqu'à Carvilius Ruga, qui répudia la sienne pour cause de stérilité. Mais il suffit de connaître la nature de l'esprit humain, pour sentir quel prodige ce serait, que la loi donnant à tout un peuple un droit pareil, personne n'en usât. Coriolan partant pour son exil,

a. *Vie de Romulus.*
b. C'était une loi de Solon.
c. *Mimam res suas sibi habere jussit, ex duodecim tabulis causam addidit. Philip. II.*
d. Justinien changea cela, novel. 117, chap. X.
e. Liv. II.
f. Liv. II, chap. IV.
g. Liv. IV, chap. III.
h. Selon Denys d'Halicarnasse et Valère-Maxime; et 523, selon Aulu-Gelle. Aussi ne mettent-ils pas les mêmes consuls.

conseilla [i] à sa femme de se marier à un homme plus heureux que lui. Nous venons de voir que la loi des douze tables, et les mœurs des Romains, étendirent beaucoup la loi de Romulus. Pourquoi ces extensions, si on n'avait jamais fait usage de la faculté de répudier ? De plus : si les citoyens eurent un tel respect pour les auspices, qu'ils ne répudièrent jamais, pourquoi les législateurs de Rome en eurent-ils moins ? Comment la loi corrompit-elle sans cesse les mœurs ?

En rapprochant deux passages de Plutarque, on verra disparaître le merveilleux du fait en question. La loi royale [k] permettait au mari de répudier dans les trois cas dont nous avons parlé. « Et elle voulait, dit Plutarque [l], que celui qui répudierait dans d'autres cas fût obligé de donner la moitié de ses biens à sa femme, et que l'autre moitié fût consacrée à Cérès. » On pouvait donc répudier dans tous les cas, en se soumettant à la peine. Personne ne le fit avant Carvilius Ruga [m], « qui, comme dit encore Plutarque [n], répudia sa femme pour cause de stérilité, deux cent trente ans après Romulus »; c'est-à-dire, qu'il la répudia soixante et onze ans avant la loi des douze tables, qui étendit le pouvoir de répudier, et les causes de répudiation.

Les auteurs que j'ai cités disent que Carvilius Ruga aimait sa femme; mais qu'à cause de sa stérilité, les censeurs lui firent faire serment qui la répudierait, afin qu'il pût donner des enfants à la république; et que cela le rendit odieux au peuple. Il faut connaître le génie du peuple romain, pour découvrir la vraie cause de la haine qu'il conçut pour Carvilius. Ce n'est point parce que Carvilius répudia sa femme, qu'il tomba dans la disgrâce du peuple : c'est une chose dont le peuple ne s'embarrassait pas. Mais Carvilius avait fait un serment aux censeurs qu'attendu la stérilité de sa femme, il la répudierait pour donner des enfants à la république. C'était un joug que le peuple voyait que les censeurs allaient mettre sur lui. Je ferai voir, dans la suite [o] de cet ouvrage, les répugnances

i. Voyez le discours de Véturie, dans Denys d'Halicarnasse, liv. VIII.

k. PLUTARQUE, *Vie de Romulus.*

l. *Id., Ibid.*

m. Effectivement, la cause de stérilité n'est point portée par la loi de Romulus. Il y a apparence qu'il ne fut point sujet à la confiscation, puisqu'il suivait l'ordre des censeurs.

n. Dans la *Comparaison de Thésée et de Romulus.*

o. Au liv. XXIII, chap. XXI.

qu'il eut toujours pour des règlements pareils. Mais d'où peut venir une telle contradiction entre ces auteurs ? Le voici : Plutarque a examiné un fait, et les autres ont raconté une merveille.

LIVRE XVII

COMMENT LES LOIS DE LA SERVITUDE POLITIQUE ONT DU RAPPORT AVEC LA NATURE DU CLIMAT

CHAPITRE PREMIER

De la servitude politique.

La servitude politique ne dépend pas moins de la nature du climat, que la civile et la domestique, comme on va le faire voir.

CHAPITRE II

Différence des peuples par rapport au courage.

Nous avons déjà dit que la grande chaleur énervait la force et le courage des hommes; et qu'il y avait, dans les climats froids, une certaine force de corps et d'esprit, qui rendait les hommes capables des actions longues, pénibles, grandes et hardies. Cela se remarque non seulement de nation à nation, mais encore dans le même pays d'une partie à une autre. Les peuples du nord de la Chine [a] sont plus courageux que ceux du midi; les peuples du midi de la Corée [b] ne le sont pas tant que ceux du nord.

Il ne faut donc pas être étonné que la lâcheté des peuples des climats chauds les ait presque toujours rendus esclaves, et que le courage des peuples des climats froids les ait maintenus libres. C'est un effet qui dérive de sa cause naturelle.

a. Le Père du Halde, t. I, p. 112.
b. Les livres chinois le disent ainsi. *Ibid.*, t. IV, p. 448.

Ceci s'est encore trouvé vrai dans l'Amérique; les empires despotiques du Mexique et du Pérou étaient vers la ligne, et presque tous les petits peuples libres étaient et sont encore vers les pôles.

CHAPITRE III

Du climat de l'Asie.

Les relations nous disent [a] « que le nord de l'Asie, ce vaste continent qui va du quarantième degré ou environ jusqu'au pôle, et des frontières de la Moscovie jusqu'à la mer orientale, est dans un climat très froid : que ce terrain immense est divisé, de l'ouest à l'est, par une chaîne de montagnes, qui laissent au nord la Sibérie, et au midi la grande Tartarie : que le climat de la Sibérie est si froid, qu'à la réserve de quelques endroits, elle ne peut être cultivée; et que, quoique les Russes aient des établissements tout le long de l'Irtis, ils n'y cultivent rien; qu'il ne vient, dans ce pays, que quelques petits sapins et arbrisseaux; que les naturels du pays sont divisés en de misérables peuplades, qui sont comme celles du Canada : Que la raison de cette froidure vient, d'un côté, de la hauteur du terrain; et de l'autre, de ce qu'à mesure que l'on va du midi au nord, les montagnes s'aplanissent; de sorte que le vent du nord souffle partout sans trouver d'obstacles : que ce vent qui rend la nouvelle Zemble inhabitable, soufflant dans la Sibérie, la rend inculte. Qu'en Europe, au contraire, les montagnes de Norvège et de Laponie sont des boulevards admirables, qui couvrent de ce vent les pays du nord : que cela fait qu'à Stockholm, qui est à cinquante-neuf degrés de latitude ou environ, le terrain produit des fruits, des grains, des plantes; et qu'autour d'Abo, qui est au soixante et unième degré, de même que vers les soixante-trois et soixante-quatre, il y a des mines d'argent, et que le terrain est assez fertile ».

Nous voyons encore, dans les relations, « que la grande Tartarie, qui est au midi de la Sibérie, est aussi très

a. Voyez les *Voyages du Nord*, t. VIII; l'*Histoire des Tattars;* et le quatrième volume de la Chine du Père du Halde.

froide; que le pays ne se cultive point; qu'on n'y trouve que des pâturages pour les troupeaux; qu'il n'y croît point d'arbres, mais quelques broussailles, comme en Irlande : Qu'il y a, auprès de la Chine et du Mogol, quelques pays où il croît une espèce de millet, mais que le blé ni le riz n'y peuvent mûrir : Qu'il n'y a guère d'endroits dans la Tartarie chinoise, aux 43, 41 et 45e degrés, où il ne gèle sept ou huit mois de l'année; de sorte qu'elle est aussi froide que l'Irlande, quoiqu'elle dût être plus chaude que le midi de la France; qu'il n'y a point de villes, excepté quatre ou cinq vers la mer orientale, et quelques-unes que les Chinois, par des raisons de politique, ont bâties près de la Chine; que, dans le reste de la grande Tartarie, il n'y en a que quelques-unes placées dans les Boucharies, Turkestan et Charisme : Que la raison de cette extrême froidure vient de la nature du terrain nitreux, plein de salpêtre, et sablonneux; et, de plus, de la hauteur du terrain. Le Père Verbist avait trouvé qu'un certain endroit, à 80 lieues au nord de la grande muraille, vers la source de Kavamhuram, excédait la hauteur du rivage de la mer près de Pékin de 3 000 pas géométriques; que cette hauteur [b] est cause que, quoique quasi toutes les grandes rivières de l'Asie aient leur source dans le pays, il manque cependant d'eau, de façon qu'il ne peut être habité, qu'auprès des rivières et des lacs ».

Ces faits posés, je raisonne ainsi : L'Asie n'a point proprement de zone tempérée; et les lieux situés dans un climat très froid y touchent immédiatement ceux qui sont dans un climat très chaud, c'est-à-dire, la Turquie, la Perse, le Mogol, la Chine, la Corée, et le Japon.

En Europe, au contraire, la zone tempérée est très étendue, quoiqu'elle soit située dans des climats très différents entre eux, n'y ayant point de rapport entre les climats d'Espagne et d'Italie, et ceux de Norvège et de Suède. Mais, comme le climat y devient insensiblement froid en allant du midi au nord, à peu près à proportion de la latitude de chaque pays; il y arrive que chaque pays est, à peu près, semblable à celui qui en est voisin; qu'il n'y a pas une notable différence et que, comme je viens de le dire, la zone tempérée y est très étendue.

De là il suit qu'en Asie, les nations sont opposées aux nations du fort au faible; les peuples guerriers, braves et actifs touchent immédiatement des peuples efféminés,

b. La Tartarie est donc comme une espèce de montagne plate.

paresseux, timides : il faut donc que l'un soit conquis, et l'autre conquérant. En Europe, au contraire, les nations sont opposées du fort au fort; celles qui se touchent ont, à peu près, le même courage. C'est la grande raison de la faiblesse de l'Asie et de la force de l'Europe, de la liberté de l'Europe et de la servitude de l'Asie; cause que je ne sache pas que l'on ait encore remarquée. C'est ce qui fait qu'en Asie il n'arrive jamais que la liberté augmente; au lieu qu'en Europe elle augmente ou diminue, selon les circonstances.

Que la noblesse moscovite ait été réduite en servitude par un de ses princes, on y verra toujours des traits d'impatience que les climats du midi ne donnent point. N'y avons-nous pas vu le gouvernement aristocratique établi pendant quelques jours ? Qu'un autre royaume du nord ait perdu ses lois; on peut s'en fier au climat, il ne les a pas perdues d'une manière irrévocable.

Chapitre IV

Conséquence de ceci.

Ce que nous venons de dire s'accorde avec les événements de l'histoire. L'Asie a été subjuguée treize fois; onze fois par les peuples du nord, deux fois par ceux du midi. Dans les temps reculés, les Scythes la conquirent trois fois; ensuite les Mèdes et les Perses chacun une; les Grecs, les Arabes, les Mogols, les Turcs, les Tartares, les Persans et les Aguans. Je ne parle que de la haute Asie; et je ne dis rien des invasions faites dans le reste du midi de cette partie du monde, qui a continuellement souffert de très grandes révolutions.

En Europe, au contraire, nous ne connaissons, depuis l'établissement des colonies grecques et phéniciennes, que quatre changements; le premier causé par les conquêtes des Romains; le second, par les inondations des barbares qui détruisirent ces mêmes Romains; le troisième, par les victoires de Charlemagne; et le dernier, par les invasions des Normands. Et, si l'on examine bien ceci, on trouvera, dans ces changements mêmes, une force générale répandue dans toutes les parties de l'Europe. On sait la difficulté que les Romains trouvèrent à conquérir en Europe, et la facilité qu'ils eurent à envahir l'Asie. On connaît les peines que les peuples du nord eurent à renverser l'empire romain, les guerres et les travaux de Charlemagne, les diverses entreprises des Normands. Les destructeurs étaient sans cesse détruits.

CHAPITRE V

Que, quand les peuples du nord de l'Asie, et ceux du nord de l'Europe ont conquis, les effets de la conquête n'étaient pas les mêmes.

Les peuples du nord de l'Europe l'ont conquise en hommes libres; les peuples du nord de l'Asie l'ont conquise en esclaves, et n'ont vaincu que pour un maître.

La raison en est, que le peuple tartare, conquérant naturel de l'Asie, est devenu esclave lui-même. Il conquiert sans cesse dans le midi de l'Asie, il forme des empires; mais la partie de la nation qui reste dans le pays se trouve soumise à un grand maître, qui, despotique dans le midi, veut encore l'être dans le nord; et, avec un pouvoir arbitraire sur les sujets conquis, le prétend encore sur les sujets conquérants. Cela se voit bien aujourd'hui dans ce vaste pays qu'on appelle la Tartarie chinoise, que l'empereur gouverne presque aussi despotiquement que la Chine même, et qu'il étend tous les jours par ses conquêtes.

On peut voir encore, dans l'histoire de la Chine, que les empereurs [a] ont envoyé des colonies chinoises dans la Tartarie. Ces Chinois sont devenus Tartares et mortels ennemis de la Chine : mais cela n'empêche pas qu'ils n'aient porté dans la Tartarie l'esprit du gouvernement chinois.

Souvent une partie de la nation tartare qui a conquis, est chassée elle-même; et elle rapporte dans ses déserts un esprit de servitude qu'elle a acquis dans le climat de l'esclavage. L'histoire de la Chine nous en fournit de grands exemples, et notre histoire ancienne aussi [b].

a. Comme Ven-ti, cinquième empereur de la cinquième dynastie.

b. Les Scythes conquirent trois fois l'Asie, et en furent trois fois chassés. Justin, liv. II.

C'est ce qui a fait que le génie de la nation tartare ou gétique a toujours été semblable à celui des empires de l'Asie. Les peuples, dans ceux-ci, sont gouvernés par le bâton; les peuples tartares, par les longs fouets. L'esprit de l'Europe a toujours été contraire à ces mœurs : et, dans tous les temps, ce que les peuples d'Asie ont appelé punition, les peuples d'Europe l'ont appelé outrage [c].

Les Tartares, détruisant l'empire grec, établirent dans les pays conquis la servitude et le despotisme : les Goths, conquérant l'empire romain, fondèrent partout la monarchie et la liberté.

Je ne sais si le fameux Rudbeck, qui, dans son Atlantique, a tant loué la Scandinavie, a parlé de cette grande prérogative qui doit mettre les nations qui l'habitent au-dessus de tous les peuples du monde; c'est qu'elles ont été la source de la liberté de l'Europe, c'est-à-dire, de presque toute celle qui est aujourd'hui parmi les hommes.

Le Goth Jornandez a appelé le nord de l'Europe la fabrique du genre humain [d]. Je l'appellerai plutôt la fabrique des instruments qui brisent les fers forgés au midi. C'est là que se forment ces nations vaillantes, qui sortent de leur pays pour détruire les tyrans et les esclaves, et apprendre aux hommes que, la nature les ayant faits égaux, la raison n'a pu les rendre dépendants que pour leur bonheur.

Chapitre VI

Nouvelle cause physique de la servitude de l'Asie et de la liberté de l'Europe.

En Asie, on a toujours vu de grands empires : en Europe, ils n'ont jamais pu subsister. C'est que l'Asie que nous connaissons a de plus grandes plaines; elle est coupée en plus grands morceaux par les mers; et, comme elle est plus au midi les sources y sont plus aisément taries, les montagnes y sont moins couvertes de neiges, et les

c. Ceci n'est point contraire à ce que je dirai au liv. XXVIII, chap. xx, sur la manière de penser des peuples germains sur le bâton. Quelque instrument que ce fût, ils regardèrent toujours comme un affront le pouvoir ou l'action arbitraire de battre.

d. Humani generis officinam.

fleuves [a] moins grossis y forment de moindres barrières.

La puissance doit donc être toujours despotique en Asie. Car, si la servitude n'y était pas extrême, il se ferait d'abord un partage que la nature du pays ne peut pas souffrir.

En Europe, le partage naturel forme plusieurs Etats d'une étendue médiocre, dans lesquels le gouvernement des lois n'est pas incompatible avec le maintien de l'Etat : au contraire, il y est si favorable, que, sans elles, cet Etat tombe dans la décadence, et devient inférieur à tous les autres.

C'est ce qui y a formé un génie de liberté, qui rend chaque partie très difficile à être subjuguée et soumise à une force étrangère, autrement que par les lois et l'utilité de son commerce.

Au contraire, il règne en Asie un esprit de servitude qui ne l'a jamais quittée; et, dans toutes les histoires de ce pays, il n'est pas possible de trouver un seul trait qui marque une âme libre : on n'y verra jamais que l'héroïsme de la servitude.

a. Les eaux se perdent ou s'évaporent, avant de se ramasser, ou après s'être ramassées.

CHAPITRE VII

De l'Afrique et de l'Amérique.

Voilà ce que je puis dire sur l'Asie et sur l'Europe. L'Afrique est dans un climat pareil à celui du midi de l'Asie, et elle est dans une même servitude. L'Amérique [a] détruite et nouvellement repeuplée par les nations de l'Europe et de l'Afrique, ne peut guère aujourd'hui montrer son propre génie : mais ce que nous savons de son ancienne histoire est très conforme à nos principes.

a. Les petits peuples barbares de l'Amérique sont appelés *Indios bravos*, par les Espagnols : bien plus difficiles à soumettre, que les grands empires du Mexique et du Pérou.

CHAPITRE VIII

De la capitale de l'empire.

Une des conséquences de ce que nous venons de dire, c'est qu'il est important à un très grand prince de bien choisir le siège de son empire. Celui qui le placera au midi courra risque de perdre le nord; et celui qui le placera au nord conservera aisément le midi. Je ne parle pas des cas particuliers : la mécanique a bien ses frottements, qui souvent changent ou arrêtent les effets de la théorie : la politique a aussi les siens.

LIVRE XVIII

DES LOIS, DANS LE RAPPORT QU'ELLES ONT AVEC LA NATURE DU TERRAIN

CHAPITRE PREMIER

Comment la nature du terrain influe sur les lois.

La bonté des terres d'un pays y établit naturellement la dépendance. Les gens de la campagne, qui y sont la principale partie du peuple, ne sont pas si jaloux de leur liberté : ils sont trop occupés, et trop pleins de leurs affaires particulières. Une campagne qui regorge de biens craint le pillage, elle craint une armée. « Qui est-ce qui forme le bon parti, disait Cicéron à Atticus [a] ? Seront-ce les gens de commerce et de la campagne ? à moins que nous n'imaginions qu'ils sont opposés à la monarchie, eux à qui tous les gouvernements sont égaux, dès lors qu'ils sont tranquilles. »

Ainsi le gouvernement d'un seul se trouve plus souvent dans les pays fertiles, et le gouvernement de plusieurs dans les pays qui ne le sont pas; ce qui est quelquefois un dédommagement.

La stérilité du terrain de l'Attique y établit le gouvernement populaire; et la fertilité de celui de Lacédémone, le gouvernement aristocratique. Car, dans ces temps-là, on ne voulait point, dans la Grèce, du gouvernement d'un seul : or le gouvernement aristocratique a plus de rapport avec le gouvernement d'un seul.

Plutarque [b] nous dit que la sédition Cilonienne ayant été apaisée à Athènes, la ville retomba dans ses anciennes dissensions, et se divisa en autant de parties qu'il y avait de forces de territoires dans le pays de l'Attique. Les gens

a. Liv. VII.
b. *Vie de Solon.*

de la montagne voulaient, à toute force, le gouvernement populaire; ceux de la plaine demandaient le gouvernement des principaux; ceux qui étaient près de la mer étaient pour un gouvernement mêlé des deux.

Chapitre II

Continuation du même sujet.

Ces pays fertiles sont des plaines, où l'on ne peut rien disputer au plus fort : on se soumet donc à lui; et, quand on lui est soumis, l'esprit de liberté n'y saurait revenir; les biens de la campagne sont un gage de la fidélité. Mais, dans les pays de montagnes, on peut conserver ce que l'on a, et l'on a peu à conserver. La liberté, c'est-à-dire le gouvernement dont on jouit, est le seul bien qui mérite qu'on le défende. Elle règne donc plus dans les pays montagneux et difficiles, que dans ceux que la nature semblait avoir plus favorisés.

Les montagnards conservent un gouvernement plus modéré, parce qu'ils ne sont pas si fort exposés à la conquête. Ils se défendent aisément, ils sont attaqués difficilement; les munitions de guerre et de bouche sont assemblées et portées contre eux avec beaucoup de dépense, le pays n'en fournit point. Il est donc plus difficile de leur faire la guerre, plus dangereux de l'entreprendre; et toutes les lois que l'on fait pour la sûreté du peuple y ont moins de lieu.

Chapitre III

Quels sont les pays les plus cultivés.

Les pays ne sont pas cultivés en raison de leur fertilité, mais en raison de leur liberté : et, si l'on divise la terre par la pensée, on sera étonné de voir, la plupart du temps, des déserts dans les parties les plus fertiles, et de grands peuples dans celles où le terrain semble refuser tout.

Il est naturel qu'un peuple quitte un mauvais pays pour

en chercher un meilleur, et non pas qu'il quitte un bon pays pour en chercher un pire. La plupart des invasions se font donc dans les pays que la nature avait faits pour être heureux : et, comme rien n'est plus près de la dévastation que l'invasion, les meilleurs pays sont le plus souvent dépeuplés, tandis que l'affreux pays du nord reste toujours habité, par la raison qu'il est presque inhabitable.

On voit, par ce que les historiens nous disent du passage des peuples de la Scandinavie sur les bords du Danube, que ce n'était point une conquête, mais seulement une transmigration dans des terres désertes.

Ces climats heureux avaient donc été dépeuplés par d'autres transmigrations, et nous ne savons pas les choses tragiques qui s'y sont passées.

« Il paraît par plusieurs monuments, dit Aristote [a], que la Sardaigne est une colonie grecque. Elle était autrefois très riche : et Aristée, dont on a tant vanté l'amour pour l'agriculture, lui donna des lois. Mais elle a bien déchu depuis; car les Carthaginois s'en étant rendus les maîtres, ils y détruisirent tout ce qui pouvait la rendre propre à la nourriture des hommes, et défendirent, sous peine de la vie, d'y cultiver la terre. » La Sardaigne n'était point rétablie du temps d'Aristote; elle ne l'est point encore aujourd'hui.

Les parties les plus tempérées de la Perse, de la Turquie, de la Moscovie et de la Pologne, n'ont pu se rétablir des dévastations des grands et des petits Tartares.

CHAPITRE IV

Nouveaux effets de la fertilité et de la stérilité du pays.

La stérilité des terres rend les hommes industrieux, sobres, endurcis au travail, courageux, propres à la guerre; il faut bien qu'ils se procurent ce que le terrain leur refuse. La fertilité d'un pays donne, avec l'aisance, la mollesse et un certain amour pour la conservation de la vie.

On a remarqué que les troupes d'Allemagne levées dans des lieux où les paysans sont riches, comme en Saxe, ne sont pas si bonnes que les autres. Les lois mili-

a. Ou celui qui a écrit le livre *De mirabilibus*.

taires pourront pourvoir à cet inconvénient, par une plus sévère discipline.

CHAPITRE V

Des peuples des îles.

Les peuples des îles sont plus portés à la liberté que les peuples du continent. Les îles sont ordinairement d'une petite étendue [a]; une partie du peuple ne peut pas être si bien employée à opprimer l'autre; la mer les sépare des grands empires, et la tyrannie ne peut pas s'y prêter la main; les conquérants sont arrêtés par la mer; les insulaires ne sont pas enveloppés dans la conquête, et ils conservent plus aisément leurs lois.

CHAPITRE VI

Des pays formés par l'industrie des hommes.

Les pays que l'industrie des hommes a rendus habitables, et qui ont besoin, pour exister, de la même industrie, appellent à eux le gouvernement modéré. Il y en a principalement trois de cette espèce; les deux belles provinces de Kiang-nan et Tche-kiang à la Chine, l'Egypte, et la Hollande.

Les anciens empereurs de la Chine n'étaient point conquérants. La première chose qu'ils firent pour s'agrandir, fut celle qui prouva le plus leur sagesse. On vit sortir de dessous les eaux les deux plus belles provinces de l'empire; elles furent faites par les hommes. C'est la fertilité inexprimable de ces deux provinces, qui a donné à l'Europe les idées de la félicité de cette vaste contrée. Mais un soin continuel et nécessaire pour garantir de la destruction une partie si considérable de l'empire, demandait plutôt les mœurs d'un peuple sage, que celles d'un peuple voluptueux; plutôt le pouvoir légitime d'un monarque, que la puissance tyrannique d'un despote. Il

a. Le Japon déroge à ceci par sa grandeur et par sa servitude.

fallait que le pouvoir y fût modéré, comme il l'était autrefois en Egypte. Il fallait que le pouvoir y fût modéré, comme il l'est en Hollande, que la nature a faite pour avoir attention sur elle-même, et non pas pour être abandonnée à la nonchalance ou au caprice.

Ainsi, malgré le climat de la Chine, où l'on est naturellement porté à l'obéissance servile, malgré les horreurs qui suivent la trop grande étendue d'un empire, les premiers législateurs de la Chine furent obligés de faire de très bonnes lois; et le gouvernement fut souvent obligé de les suivre.

CHAPITRE VII

Des ouvrages des hommes.

Les hommes, par leurs soins et par de bonnes lois, ont rendu la terre plus propre à être leur demeure. Nous voyons couler les rivières là où étaient des lacs et des marais : c'est un bien que la nature n'a point fait, mais qui est entretenu par la nature. Lorsque les Perses [a] étaient les maîtres de l'Asie, ils permettaient à ceux qui amèneraient de l'eau de fontaine en quelque lieu qui n'aurait point été encore arrosé, d'en jouir pendant cinq générations; et, comme il sort quantité de ruisseaux du mont Taurus, ils n'épargnèrent aucune dépense pour en faire venir de l'eau. Aujourd'hui, sans savoir d'où elle peut venir, on la trouve dans ses champs et dans ses jardins.

Ainsi, comme les nations destructrices font des maux qui durent plus qu'elles, il y a des nations industrieuses qui font des biens qui ne finissent pas même avec elles.

CHAPITRE VIII

Rapport général des lois.

Les lois ont un très grand rapport avec la façon dont les divers peuples se procurent la subsistance. Il faut un

a. Polybe, liv. X.

code de lois plus étendu pour un peuple qui s'attache au commerce et à la mer, que pour un peuple qui se contente de cultiver ses terres. Il en faut un plus grand pour celui-ci, que pour un peuple qui vit de ses troupeaux. Il en faut un plus grand pour ce dernier, que pour un peuple qui vit de sa chasse.

CHAPITRE IX

Du terrain de l'Amérique.

Ce qui fait qu'il y a tant de nations sauvages en Amérique, c'est que la terre y produit d'elle-même beaucoup de fruits dont on peut se nourrir. Si les femmes y cultivent autour de la cabane un morceau de terre, le *maïs* y vient d'abord. La chasse et la pêche achèvent de mettre les hommes dans l'abondance. De plus : les animaux qui paissent, comme les bœufs, les buffles, etc., y réussissent mieux que les bêtes carnassières. Celles-ci ont eu de tout temps l'empire de l'Afrique.

Je crois qu'on n'aurait point tous ces avantages en Europe, si l'on y laissait la terre inculte; il n'y viendrait guère que des forêts, des chênes et autres arbres stériles.

CHAPITRE X

Du nombre des hommes, dans le rapport avec la manière dont ils se procurent la subsistance.

Quand les nations ne cultivent pas les terres, voici dans quelle proportion le nombre des hommes s'y trouve. Comme le produit d'un terrain inculte est au produit d'un terrain cultivé; de même le nombre des sauvages, dans un pays, est au nombre des laboureurs dans un autre : et, quand le peuple qui cultive les terres cultive aussi les arts, cela suit des proportions qui demanderaient bien des détails.

Ils ne peuvent guère former une grande nation. S'ils sont pasteurs, ils ont besoin d'un grand pays, pour qu'ils puissent subsister en certain nombre : s'ils sont chasseurs, ils sont encore en plus petit nombre; et forment, pour vivre, une plus petite nation.

Leur pays est ordinairement plein de forêts; et, comme les hommes n'y ont point donné de cours aux eaux, il est rempli de marécages, où chaque troupe se cantonne et forme une petite nation.

CHAPITRE XI

Des peuples sauvages, et des peuples barbares.

Il y a cette différence entre les peuples sauvages et les peuples barbares, que les premiers sont de petites nations dispersées, qui, par quelques raisons particulières, ne peuvent pas se réunir; au lieu que les barbares sont ordinairement de petites nations qui peuvent se réunir. Les premiers sont ordinairement des peuples chasseurs; les seconds, des peuples pasteurs. Cela se voit bien dans le nord de l'Asie. Les peuples de la Sibérie ne sauraient vivre en corps, parce qu'ils ne pourraient se nourrir; les Tartares peuvent vivre en corps pendant quelque temps, parce que leurs troupeaux peuvent être rassemblés pendant quelque temps. Toutes les hordes peuvent donc se réunir; et cela se fait lorsqu'un chef en a soumis beaucoup d'autres : après quoi, il faut qu'elles fassent de deux choses l'une, qu'elles se séparent, ou qu'elles aillent faire quelque grande conquête dans quelque empire du midi.

CHAPITRE XII

Du droit des gens,
chez les peuples qui ne cultivent point les terres.

Ces peuples ne vivant pas dans un terrain limité et circonscrit, auront entre eux bien des sujets de querelle; ils se disputeront la terre inculte, comme parmi nous les citoyens se disputent les héritages. Ainsi ils trouveront de fréquentes occasions de guerre pour leurs chasses, pour leurs pêches, pour la nourriture de leurs bestiaux, pour l'enlèvement de leurs esclaves; et, n'ayant point de territoire, ils auront autant de choses à régler par le droit des gens, qu'ils en auront peu à décider par le droit civil.

Chapitre XIII

Des lois civiles, chez les peuples qui ne cultivent point les terres.

C'est le partage des terres qui grossit principalement le code civil. Chez les nations où l'on n'aura pas fait ce partage, il y aura très peu de lois civiles.

On peut appeler les institutions de ces peuples, des mœurs, plutôt que des *lois*.

Chez de pareilles nations, les vieillards, qui se souviennent des choses passées, ont une grande autorité; on n'y peut être distingué par les biens, mais par la main et par les conseils.

Ces peuples errent et se dispersent dans les pâturages ou dans les forêts. Le mariage n'y sera pas aussi assuré que parmi nous, où il est fixé par la demeure, et où la femme tient à une maison; ils peuvent donc plus aisément changer de femmes, en avoir plusieurs, et quelquefois se mêler indifféremment comme les bêtes.

Les peuples pasteurs ne peuvent se séparer de leurs troupeaux, qui font leur subsistance; ils ne sauraient non plus se séparer de leurs femmes, qui en ont soin. Tout cela doit donc marcher ensemble; d'autant plus que, vivant ordinairement dans de grandes plaines, où il y a peu de lieux forts d'assiette, leurs femmes, leurs enfants, leurs troupeaux deviendraient la proie de leurs ennemis.

Leurs lois régleront le partage du butin; et auront, comme nos lois saliques, une attention particulière sur les vols.

Chapitre XIV

De l'état politique des peuples qui ne cultivent point les terres.

Ces peuples jouissent d'une grande liberté : car, comme ils ne cultivent point les terres, ils n'y sont point attachés; ils sont errants, vagabonds; et, si un chef voulait leur ôter leur liberté, ils l'iraient d'abord chercher chez un autre, ou se retireraient dans les bois pour y vivre avec leur famille. Chez ces peuples, la liberté de l'homme est si grande, qu'elle entraîne nécessairement la liberté du citoyen.

Chapitre XV

Des peuples qui connaissent l'usage de la monnaie.

Aristipe ayant fait naufrage, nagea et aborda au rivage prochain; il vit qu'on avait tracé sur le sable des figures de géométrie : il se sentit ému de joie, jugeant qu'il était arrivé chez un peuple grec, et non pas chez un peuple barbare.

Soyez seul, et arrivez par quelque accident chez un peuple inconnu; si vous voyez une pièce de monnaie, comptez que vous êtes arrivé chez une nation policée.

La culture des terres demande l'usage de la monnaie. Cette culture suppose beaucoup d'arts et de connaissances; et l'on voit toujours marcher d'un pas égal les arts, les connaissances et les besoins. Tout cela conduit à l'établissement d'un signe de valeurs.

Les torrents et les incendies nous ont fait découvrir que les terres contenaient des métaux [a]. Quand ils en ont été une fois séparés, il a été aisé de les employer.

Chapitre XVI

Des lois civiles, chez les peuples qui ne connaissent point l'usage de la monnaie.

Quand un peuple n'a pas l'usage de la monnaie, on ne connaît guère, chez lui, que les injustices qui viennent de la violence; et les gens faibles, en s'unissant, se défendent contre la violence. Il n'y a guère là que des arrangements politiques. Mais, chez un peuple où la

a. C'est ainsi que Diodore nous dit que des bergers trouvèrent l'or des Pyrénées.

monnaie est établie, on est sujet aux injustices qui viennent de la ruse; et ces injustices peuvent être exercées de mille façons. On y est donc forcé d'avoir de bonnes lois civiles; elles naissent avec les nouveaux moyens et les diverses manières d'être méchant.

Dans les pays où il n'y a point de monnaie, le ravisseur n'enlève que des choses; et les choses ne se ressemblent jamais. Dans les pays où il y a de la monnaie, le ravisseur enlève des signes; et les signes se ressemblent toujours. Dans les premiers pays, rien ne peut être caché, parce que le ravisseur porte toujours avec lui des preuves de sa conviction : cela n'est pas de même dans les autres.

CHAPITRE XVII

Des lois politiques, chez les peuples qui n'ont point l'usage de la monnaie.

Ce qui assure le plus la liberté des peuples qui ne cultivent point les terres, c'est que la monnaie leur est inconnue. Les fruits de la chasse, de la pêche, ou des troupeaux, ne peuvent s'assembler en assez grande quantité, ni se gardez assez, pour qu'un homme se trouve en état de corrompre tous les autres : au lieu que, lorsque l'on a des signes de richesses, on peut faire un amas de ces signes, et les distribuer à qui l'on veut.

Chez les peuples qui n'ont point de monnaie, chacun a peu de besoins, et les satisfait aisément et également. L'égalité est donc forcée : aussi leurs chefs ne sont-ils point despotiques.

CHAPITRE XVIII

Force de la superstition.

Si ce que les relations nous disent est vrai, la constitution d'un peuple de la Louisiane, nommé les Natchés, déroge à ceci. Leur chef [a] dispose des biens de tous ses sujets, et les fait travailler à sa fantaisie; ils ne peuvent

a. *Lettres édif.*, vingtième recueil.

lui refuser leur tête; il est comme le grand seigneur. Lorsque l'héritier présomptif vient à naître, on lui donne tous les enfants à la mamelle, pour le servir pendant sa vie. Vous diriez que c'est le grand Sésostris. Ce chef est traité dans sa cabane avec les cérémonies qu'on ferait à un empereur du Japon ou de la Chine.

Les préjugés de la superstition sont supérieurs à tous les autres préjugés, et ses raisons à toutes les autres raisons. Ainsi, quoique les peuples sauvages ne connaissent point naturellement le despotisme, ce peuple-ci le connaît. Ils adorent le soleil : et, si leur chef n'avait pas imaginé qu'il était le frère du soleil, ils n'auraient trouvé en lui qu'un misérable comme eux.

CHAPITRE XIX

De la liberté des Arabes, et de la servitude des Tartares.

Les Arabes et les Tartares sont des peuples pasteurs. Les Arabes se trouvent dans les cas généraux dont nous avons parlé, et sont libres; au lieu que les Tartares (peuple le plus singulier de la terre) se trouvent dans l'esclavage politique [a]. J'ai déjà [b] donné quelques raisons de ce dernier fait : en voici de nouvelles.

Ils n'ont point de villes, ils n'ont point de forêts, ils ont peu de marais, leurs rivières sont presque toujours glacées, ils habitent une immense plaine, ils ont des pâturages et des troupeaux, et par conséquent des biens : mais ils n'ont aucune espèce de retraite ni de défense. Sitôt qu'un kan est vaincu, on lui coupe la tête [c]; on traite de la même manière ses enfants; et tous ses sujets appartiennent au vainqueur. On ne les condamne pas à un esclavage civil; ils seraient à charge à une nation simple, qui n'a point de terres à cultiver, et n'a besoin d'aucun service domestique. Ils augmentent donc la nation. Mais, au lieu de l'esclavage civil, on conçoit que l'esclavage politique a dû s'introduire.

a. Lorsqu'on proclame un kan, tout le peuple s'écrie : *Que sa parole lui serve de glaive.*

b. Liv. XVII, chap. v.

c. Ainsi il ne faut pas être étonné si Mirivéis, s'étant rendu maître d'Ispahan, fit tuer tous les princes du sang.

En effet, dans un pays où les diverses hordes se font continuellement la guerre, et se conquièrent sans cesse les unes les autres; dans un pays où, par la mort du chef, le corps politique de chaque horde vaincue est toujours détruit, la nation en général ne peut guère être libre; car il n'y en a pas une seule partie qui ne doive avoir été un très grand nombre de fois subjuguée.

Les peuples vaincus peuvent conserver quelque liberté, lorsque, par la force de leur situation, ils sont en état de faire des traités après leur défaite. Mais les Tartares, toujours sans défense, vaincus une fois, n'ont jamais pu faire des conditions.

J'ai dit, au chapitre II, que les habitants des plaines cultivées n'étaient guère libres : des circonstances font que les Tartares, habitant une terre inculte, sont dans le même cas.

Chapitre XX

Du droit des gens des Tartares.

Les Tartares paraissent entre eux doux et humains; et ils sont des conquérants très cruels : ils passent au fil de l'épée les habitants des villes qu'ils prennent; ils croient leur faire grâce lorsqu'ils les vendent ou les distribuent à leurs soldats. Ils ont détruit l'Asie depuis les Indes jusqu'à la Méditerranée; tout le pays qui forme l'orient de la Perse en est resté désert.

Voici ce qui me paraît avoir produit un pareil droit des gens. Ces peuples n'avaient point de villes; toutes leurs guerres se faisaient avec promptitude et avec impétuosité. Quand ils espéraient de vaincre, ils combattaient; ils augmentaient l'armée des plus forts, quand ils ne l'espéraient pas. Avec de pareilles coutumes, ils trouvaient qu'il était contre leur droit des gens, qu'une ville qui ne pouvait leur résister les arrêtât : Ils ne regardaient pas les villes comme une assemblée d'habitants, mais comme les lieux propres à se soustraire à leur puissance. Ils n'avaient aucun art pour les assiéger, et ils s'exposaient beaucoup en les assiégeant; ils vengeaient par le sang tout celui qu'ils venaient de répandre.

CHAPITRE XXI

Loi civile des Tartares.

Le père du Halde dit que, chez les Tartares, c'est toujours le dernier des mâles qui est l'héritier; par la raison qu'à mesure que les aînés sont en état de mener la vie pastorale, ils sortent de la maison avec une certaine quantité de bétail que le père leur donne, et vont former une nouvelle habitation. Le dernier des mâles, qui reste dans la maison avec son père, est donc son héritier naturel.

J'ai ouï dire qu'une pareille coutume était observée dans quelques petits districts d'Angleterre : et on la trouve encore en Bretagne, dans le duché de Rohan, où elle a lieu pour les rotures. C'est sans doute une loi pastorale venue de quelque petit peuple breton, ou portée par quelque peuple germain. On sait, par César et Tacite, que ces derniers cultivaient peu les terres.

CHAPITRE XXII

D'une loi civile des peuples germains.

J'expliquerai ici comment ce texte particulier de la loi salique que l'on appelle ordinairement la loi salique, tient aux institutions d'un peuple qui ne cultivait point les terres, ou du moins qui les cultivait peu.

La loi salique [a] veut que, lorsqu'un homme laisse des enfants, les mâles succèdent à la terre salique au préjudice des filles.

Pour savoir ce que c'était que les terres saliques, il faut chercher ce que c'était que les propriétés ou l'usage des terres chez les Francs, avant qu'ils fussent sortis de la Germanie.

M. Echard a très bien prouvé que le mot *salique* vient du mot *sala*, qui signifie maison; et qu'ainsi la terre

a. Tit. 62.

salique était la terre de la maison. J'irai plus loin; et j'examinerai ce que c'était que la maison, et la terre de la maison, chez les Germains.

« Ils n'habitent point de villes, dit Tacite [b], et ils ne peuvent souffrir que leurs maisons se touchent les unes les autres; chacun laisse autour de sa maison un petit terrain ou espace, qui est clos et fermé. » Tacite parlait exactement. Car plusieurs lois des codes [c] barbares ont des dispositions différentes contre ceux qui renversaient cette enceinte, et ceux qui pénétraient dans la maison même.

Nous savons, par Tacite et César, que les terres que les Germains cultivaient ne leur étaient données que pour un an; après quoi elles redevenaient publiques. Ils n'avaient de patrimoine que la maison, et un morceau de terre dans l'enceinte autour de la maison [d]. C'est ce patrimoine particulier qui appartenait aux mâles. En effet, pourquoi aurait-il appartenu aux filles ? Elles passaient dans une autre maison.

La terre salique était donc cette enceinte qui dépendait de la maison du Germain; c'était la seule propriété qu'il eût. Les Francs, après la conquête, acquirent de nouvelles propriétés, et on continua à les appeler des terres saliques.

Lorsque les Francs vivaient dans la Germanie, leurs biens étaient des esclaves, des troupeaux, des chevaux, des armes, etc. La maison, et la petite portion de terre qui y était jointe, étaient naturellement données aux enfants mâles qui devaient y habiter. Mais, lorsque après la conquête, les Francs eurent acquis de grandes terres, on trouva dur que les filles et leurs enfants ne pussent y avoir de part. Il s'introduisit un usage, qui permettait au père de rappeler sa fille et les enfants de sa fille. On fit taire la loi; et il fallait bien que ces sortes de rappels fussent communs, puisqu'on en fit des formules [e].

Parmi toutes ces formules, j'en trouve une singulière [f]. Un aïeul rappelle ses petits-enfants pour succéder avec

b. Nullas Germanorum populis urbes habitari fatis nœum est, ne pati quidem inter se junctas sedes; colunt discreti, ut nemus placuit. Vicos locant, non in nostrum morem connexis et cohærentibus ædificiis; suam quisque domum spatio circumdat. De morib. Germ.

c. La loi des Allemands, chap. x; la loi des Bavarois, tit. 10, § 1 et 2.

d. Cette enceinte s'appelle *curtis* dans les chartes.

e. Voyez Marculfe, liv. II, *form.* 10 et 12; l'*Appendice* de Marculfe, *form.* 49; et les *formules anciennes*, appelées de Sirmond, *form.* 22.

f. Form. 55, dans le recueil de Lindembroch.

ses fils et avec ses filles. Que devenait donc la loi salique ? Il fallait que, dans ces temps-là même, elle ne fût plus observée; ou que l'usage continuel de rappeler les filles eût fait regarder leur capacité de succéder comme le cas le plus ordinaire.

La loi salique n'ayant point pour objet une certaine préférence d'un sexe sur un autre, elle avait encore moins celui d'une perpétuité de famille, de nom, ou de transmission de terre : tout cela n'entrait point dans la tête des Germains. C'était une loi purement économique, qui donnait la maison, et la terre dépendante de la maison, aux mâles qui devaient l'habiter, et à qui, par conséquent, elle convenait le mieux.

Il n'y a qu'à transcrire ici le titre des *aleux* de la loi salique, ce texte si fameux, dont tant de gens ont parlé, et que si peu de gens ont lu :

1° « Si un homme meurt sans enfants, son père ou sa mère lui succéderont. 2° S'il n'a ni père ni mère, son frère ou sa sœur lui succéderont. 3° S'il n'a ni frère ni sœur, la sœur de sa mère lui succédera. 4° Si sa mère n'a point de sœur, la sœur de son père lui succédera. 5° Si son père n'a point de sœur, le plus proche parent par mâle lui succédera. 6° Aucune portion [g] de la terre salique ne passera aux femelles; mais elle appartiendra aux mâles, c'est-à-dire que les enfants mâles succéderont à leur père. »

Il est clair que les cinq premiers articles concernent la succession de celui qui meurt sans enfants; et le sixième, la succession de celui qui a des enfants.

Lorsqu'un homme mourait sans enfants, la loi voulait qu'un des deux sexes n'eût de préférence sur l'autre que dans de certains cas. Dans les deux premiers degrés de succession, les avantages des mâles et des femelles étaient les mêmes; dans le troisième et le quatrième, les femmes avaient la préférence; et les mâles l'avaient dans le cinquième.

Je trouve les semences de ces bizarreries dans Tacite. « Les enfants [h] des sœurs, dit-il, sont chéris de leur oncle

g. *De terra vero salica in mulierem nulla portio hereditatis transit, sed hoc virilis sexus acquirit, hoc est filii in ipsa hereditate succedunt,* Tit. 62, § 6.

h. *Sororum filiis idem apud avunculum quam apud patrem honor. Quidam sanctiorem arctioremque hunc nexum sanguinis arbitrantur, et in accipiendis obsidibus magis exigunt, tanquam ii et animum firmius et domum latius teneant.* De morib. Germ.

comme de leur propre père. Il y a des gens qui regardent ce lien comme plus étroit et même plus saint; ils le préfèrent, quand ils reçoivent des otages. » C'est pour cela que nos premiers historiens [i] nous parlent tant de l'amour des rois francs pour leur sœur et pour les enfants de leur sœur. Que si les enfants des sœurs étaient regardés dans la maison comme les enfants mêmes, il était naturel que les enfants regardassent leur tante comme leur propre mère.

La sœur de la mère était préférée à la sœur du père; cela s'explique par d'autres textes de la loi salique : Lorsqu'une femme était veuve [k], elle tombait sous la tutelle des parents de son mari; la loi préférait, pour cette tutelle, les parents par femmes aux parents par mâles. En effet, une femme qui entrait dans une famille, s'unissant avec les personnes de son sexe, elle était plus liée avec les parents par femmes, qu'avec les parents par mâle. De plus : quand un [l] homme en avait tué un autre, et qu'il n'avait pas de quoi satisfaire à la peine pécuniaire qu'il avait encourue, la loi lui permettait de céder ses biens, et les parents devaient suppléer à ce qui manquait. Après le père, la mère et le frère, c'était la sœur de la mère qui payait, comme si ce lien avait quelque chose de plus tendre : or la parenté, qui donne les charges, devait de même donner les avantages.

La loi salique voulait qu'après la sœur du père, le plus proche parent par mâle eût la succession : mais, s'il était parent au-delà du cinquième degré, il ne succédait pas. Ainsi une femme au cinquième degré aurait succédé au préjudice d'un mâle du sixième : et cela se voit dans la loi [m] des Francs Ripuaires, fidèle interprète de la loi salique dans le titre des aleux, où elle suit pas à pas le même titre de la loi salique.

Si le père laissait des enfants, la loi salique voulait que les filles fussent exclues de la succession à la terre salique, et qu'elle appartînt aux enfants mâles.

Il me sera aisé de prouver que la loi salique n'exclut

i. Voyez dans Grégoire de Tours, liv. VIII, chap. XVIII et XX; liv. IX, chap. XVI et XX, les fureurs de Gontran sur les mauvais traitements faits à Ingunde sa nièce par Leuvigilde; et comme Childebert, son frère, fit la guerre pour la venger.

k. Loi salique, tit. 47.

l. *Ibid*, tit. 61, § 1.

m. *Et deinceps usque ad quintum genuculum qui proximus suerit in hereditatem succedat*, tit. 56, § 6.

pas indistinctement les filles de la terre salique, mais dans le cas seulement où des frères les excluraient. Cela se voit dans la loi salique même, qui, après avoir dit que les femmes ne posséderaient rien de la terre salique, mais seulement les mâles, s'interprète et se restreint elle-même; « c'est-à-dire, dit-elle, que le fils succédera à l'hérédité du père ».

2° Le texte de la loi salique est éclairci par la loi des Francs Ripuaires, qui a aussi un titre [n] des aleux très conforme à celui de la loi salique.

3° Les lois de ces peuples barbares, tous originaires de la Germanie, s'interprètent les unes les autres, d'autant plus qu'elles ont toutes, à peu près, le même esprit. La loi des Saxons [o] veut que le père et la mère laissent leur hérédité à leur fils, et non pas à leur fille; mais que, s'il n'y a que des filles, elles aient toute l'hérédité.

4° Nous avons deux anciennes formules [p] qui posent le cas où, suivant la loi salique, les filles sont exclues par les mâles; c'est lorsqu'elles concourent avec leur frère.

5° Une autre formule [q] prouve que la fille succédait au préjudice du petit-fils; elle n'était donc exclue que par le fils.

6° Si les filles, par la loi salique, avaient été généralement exclues de la succession des terres, il serait impossible d'expliquer les histoires, les formules et les chartes, qui parlent continuellement des terres et des biens des femmes dans la première race.

On a eu tort de dire [r] que les terres saliques étaient des fiefs. 1° Ce titre est intitulé *des aleux*. 2° Dans les commencements, les fiefs n'étaient point héréditaires. 3° Si les terres saliques avaient été des fiefs, comment Marculfe aurait-il traité d'impie la coutume qui excluait les femmes d'y succéder, puisque les mâles mêmes ne succédaient pas aux fiefs ? 4° Les chartes que l'on cite pour prouver que les terres saliques étaient des fiefs, prouvent seulement qu'elles étaient des terres franches. 5° Les fiefs ne furent établis qu'après la conquête; et

n. Tit. 56.

o. Tit. 7, § 1. *Pater aut mater defuncti, filio, non filiæ, hereditatem relinquant.* § 4. *Qui defunctus, non filios, sed filias reliquerit, ad eas omnis hereditas pertineat.*

p. Dans Marculfe, liv. II, *form.* 12; et dans l'*Appendice* de Marculfe, *form.* 49.

q. Dans le recueil de Lindembroch, *form.* 55.

r. Du Cange, Pithou, etc.

les usages saliques existaient avant que les Francs partissent de la Germanie. 6° Ce ne fut point la loi salique qui, en bornant la succession des femmes, forma l'établissement des fiefs; mais ce fut l'établissement des fiefs qui mit des limites à la succession des femmes et aux dispositions de la loi salique.

Après ce que nous venons de dire, on ne croirait pas que la succession personnelle des mâles à la couronne de France pût venir de la loi salique. Il est pourtant indubitable qu'elle en vient. Je le prouve par les divers codes des peuples barbares. La loi salique [s] et la loi des Bourguignons [t] ne donnèrent point aux filles le droit de succéder à la terre avec leurs frères; elles ne succédèrent pas non plus à la couronne. La loi des Wisigoths [u], au contraire, admit les filles [x] à succéder aux terres avec leurs frères; les femmes furent capables de succéder à la couronne. Chez ces peuples, la disposition de la loi civile força [y] la loi politique.

Ce ne fut pas le seul cas où la loi politique, chez les Francs, céda à la loi civile. Par la disposition de la loi salique, tous les frères succédaient également à la terre; et c'était aussi la disposition de la loi des Bourguignons. Aussi, dans la monarchie des Francs et dans celle des Bourguignons, tous les frères succédèrent-ils à la couronne, à quelques violences, meurtres et usurpations près, chez les Bourguignons.

CHAPITRE XXIII

De la longue chevelure des rois francs.

Les peuples qui ne cultivent point les terres n'ont pas même l'idée du luxe. Il faut voir, dans Tacite, l'admirable

s. Tit. 62.
t. Tit. 1, § 3; tit. 14, § 1; et tit. 51.
u. Liv. IV, tit. 2, § 1.
x. Les nations germaines, *dit Tacite*, avaient des usages communs; elles en avaient aussi de particuliers.
y. La couronne, chez les Ostrogoths, passa deux fois par les femmes aux mâles; l'une, par Amalasunthe, dans la personne d'Athalaric; et l'autre, par Amalafrède, dans la personne de Théodat. Ce n'est pas que, chez eux, les femmes ne pussent régner par elles-mêmes : Amalasunthe, après la mort d'Athalaric, régna, et régna même après l'élection de Théodat, et concurremment avec lui. Voyez les lettres d'Amalasunthe et de Théodat, dans Cassiodore, liv. X.

simplicité des peuples germains : les arts ne travaillaient point à leurs ornements; ils les trouvaient dans la nature. Si la famille de leur chef devait être remarquée par quelque signe, c'était dans cette même nature qu'ils devaient le chercher : les rois des Francs, des Bourguignons, et des Wisigoths, avaient pour diadème leur longue chevelure.

CHAPITRE XXIV

Des mariages des rois francs.

J'ai dit ci-dessus que, chez les peuples qui ne cultivent point les terres, les mariages étaient beaucoup moins fixes, et qu'on y prenait ordinairement plusieurs femmes. « Les Germains étaient presque les seuls [a] de tous les barbares qui se contentassent d'une seule femme, si l'on en excepte [b], dit Tacite, quelques personnes qui, non par dissolution, mais à cause de leur noblesse, en avaient plusieurs. »

Cela explique comment les rois de la première race eurent un si grand nombre de femmes. Ces mariages étaient moins un témoignage d'incontinence, qu'un attribut de dignité : c'eût été les blesser dans un endroit bien tendre, que de leur faire perdre une telle prérogative [c]. Cela explique comment l'exemple des rois ne fut pas suivi par les sujets.

a. *Prope soli barbarorum singulis uxoribus contentisunt*. De morib. Germ.

b. *Exceptis admodum paucis qui, non libidine, sed ob nobilitatem, plurimis nuptiis ambiuntur*. Ibid.

c. Voyez la *Chronique* de Frédégaire, sur l'an 628.

CHAPITRE XXV

Childéric.

« Les mariages chez les Germains sont sévères [a], dit Tacite : les vices n'y sont point un sujet de ridicule : cor-

a. *Severa matrimonia... Nemo illic vitia ridet; nec corrumpere et corrumpi sæculum vocatur*. De moribus Germanorum.

rompre, ou être corrompu, ne s'appelle point un usage ou une manière de vivre : il y a peu d'exemples [b] dans une nation si nombreuse de la violation de la foi conjugale. »

Cela explique l'expulsion de Childéric : il choquait des mœurs rigides, que la conquête n'avait pas eu le temps de changer.

b. *Paucissima in tam numerosa gente adulteria.* Ibid.

CHAPITRE XXVI

De la majorité des rois francs.

Les peuples barbares qui ne cultivent point les terres n'ont point proprement de territoire ; et sont, comme nous avons dit, plutôt gouvernés par le droit des gens que par le droit civil. Ils sont donc presque toujours armés. Aussi Tacite dit-il « que les Germains ne faisaient aucune affaire publique ni particulière sans être armés [a] ». Ils donnaient leur avis par un signe qu'ils faisaient avec leurs armes [b]. Sitôt qu'ils pouvaient les porter, ils étaient présentés à l'assemblée [c] ; on leur mettait dans les mains un javelot [d] : dès ce moment, ils sortaient de l'enfance [e] ; ils étaient une partie de la famille, ils en devenaient une de la république.

Les aigles, disait [f] le roi des Ostrogoths, cessent de « donner la nourriture à leurs petits, sitôt que leurs plumes et leurs ongles sont formés ; ceux-ci n'ont plus besoin du secours d'autrui, quand ils vont eux-mêmes chercher une proie. Il serait indigne que nos jeunes gens qui sont dans nos armées fussent censés être dans un âge trop faible

a. *Nihil, neque publicæ, neque privatæ rei, nisi armati agunt.* TACITE, *De morib. Germ.*

b. *Si displicuit sententia, aspernantur; sin placuit, frameas concutiunt.* Ibid.

c. *Sed arma sumere non ante cuiquam moris quam civitas suffecturum probaverit.*

d. *Tum in ipso concilio, vel principum aliquis, vel pater, vel propinquus, scuto frameaque juvenem ornant.*

e. *Hæc apud illos toga, hic primus juventæ honos : ante hoc domus pars videntur, mox republicæ.*

f. Théodoric, dans Cassiodore, liv. I, lett. 38.

pour régir leur bien, et pour régler la conduite de leur vie. C'est la vertu qui fait la majorité chez les Goths ».

Childebert II avait quinze [g] ans, lorsque Gontran son oncle le déclara majeur, et capable de gouverner par lui-même. On voit, dans la loi des Ripuaires, cet âge de quinze ans, la capacité de porter les armes, et la majorité marcher ensemble. « Si un Ripuaire est mort, ou a été tué, y est-il dit [h], et qu'il ait laissé un fils, il ne pourra poursuivre, ni être poursuivi en jugement, qu'il n'ait quinze ans complets; pour lors il répondra lui-même, ou choisira un champion. » Il fallait que l'esprit fût assez formé pour se défendre dans le jugement, et que le corps le fût assez pour se défendre dans le combat. Chez les Bourguignons [i], qui avaient aussi l'usage du combat dans les actions judiciaires, la majorité était encore à quinze ans.

Agathias nous dit que les armes des Francs étaient légères; ils pouvaient donc être majeurs à quinze ans. Dans la suite, les armes devinrent pesantes; et elles l'étaient déjà beaucoup du temps de Charlemagne, comme il paraît par nos capitulaires et par nos romans. Ceux qui [k] avaient des fiefs, et qui par conséquent devaient faire le service militaire, ne furent plus majeurs qu'à vingt et un ans [l].

CHAPITRE XXVII

Continuation du même sujet.

On a vu que, chez les Germains, on n'allait point à l'assemblée avant la majorité; on était partie de la famille, et non pas de la république. Cela fit que les enfants de Clodomir, roi d'Orléans et conquérant de la Bourgogne, ne furent point déclarés rois; parce que, dans l'âge tendre où ils étaient, ils ne pouvaient pas être présentés à l'assemblée. Ils n'étaient pas rois encore, mais ils devaient

g. Il avait à peine cinq ans, dit Grégoire de Tours, liv. V, chap. I, lorsqu'il succéda à son père, en l'an 575; c'est-à-dire, qu'il avait cinq ans. Gontran le déclara majeur en l'an 585 : il avait donc quinze ans.

h. Tit. 81.

i. Tit. 87.

k. Il n'y eut point de changement pour les roturiers.

l. Saint Louis ne fut majeur qu'à cet âge. Cela changea par un édit de Charles V, de l'an 1374.

l'être lorsqu'ils seraient capables de porter les armes; et cependant Clotilde leur aïeule gouvernait l'Etat [a]. Leurs oncles Clotaire et Childebert les égorgèrent, et partagèrent leur royaume. Cet exemple fut cause que, dans la suite, les princes pupilles furent déclarés rois, d'abord après la mort de leurs pères. Ainsi le duc Gondovalde sauva Childebert II de la cruauté de Chilpéric, et le fit déclarer roi [b] à l'âge de cinq ans.

Mais, dans ce changement même, on suivit le premier esprit de la nation; de sorte que les actes ne se passaient pas même au nom des rois pupilles. Aussi y eut-il, chez les Francs, une double administration; l'une, qui regardait la personne du roi pupille; et l'autre, qui regardait le royaume : et, dans les fiefs, il y eut une différence entre la tutelle et la baillie.

a. Il paraît, par Grégoire de Tours, liv. III, qu'elle choisit deux hommes de Bourgogne, qui était une conquête de Clodomir, pour les élever au siège de Tours, qui était aussi du royaume de Clodomir.
b. Grégoire de Tours, liv. V, chap. I. *Vix lustro ætatis uno jam peracto, qui, die dominicæ natalis, regnare cœpit.*

Chapitre XXVIII

De l'adoption, chez les Germains.

Comme, chez les Germains, on devenait majeur en recevant les armes, on était adopté par le même signe. Ainsi Gontran voulant déclarer majeur son neveu Childebert, et de plus l'adopter, il lui dit : « J'ai mis [a] ce javelot dans tes mains, comme un signe que je t'ai donné mon royaume. » Et se tournant vers l'assemblée : « Vous voyez que mon fils Childebert est devenu un homme; obéissez-lui. » Théodoric, roi des Ostrogoths, voulant adopter le roi des Hérules, lui écrivit [b] : « C'est une belle chose, parmi nous, de pouvoir être adopté par les armes : car les hommes courageux sont les seuls qui méritent de devenir nos enfants. Il y a une telle force dans cet acte, que celui qui en est l'objet aimera toujours mieux mourir, que de souffrir quelque chose de honteux. Ainsi, par la coutume

a. Voyez Grégoire de Tours, liv. VII, chap. XXIII.
b. Dans Cassiodore, liv. IV, lett. 2.

des nations, et parce que vous êtes un homme, nous vous adoptons par ces boucliers, ces épées, ces chevaux que nous vous envoyons. »

CHAPITRE XXIX

Esprit sanguinaire des rois francs.

Clovis n'avait pas été le seul des princes, chez les Francs, qui eût entrepris des expéditions dans les Gaules; plusieurs de ses parents y avaient mené des tribus particulières : Et, comme il y eut de plus grands succès, et qu'il put donner des établissements considérables à ceux qui l'avaient suivi, les Francs accoururent à lui de toutes les tribus, et les autres chefs se trouvèrent trop faibles pour lui résister. Il forma le dessein d'exterminer toute sa maison, et il y réussit [a]. Il craignait, dit Grégoire de Tours [b], que les Francs ne prissent un autre chef. Ses enfants et ses successeurs suivirent cette pratique autant qu'ils purent : on vit sans cesse le frère, l'oncle, le neveu, que dis-je ? le fils, le père, conspirer contre toute sa famille. La loi séparait sans cesse la monarchie; la crainte, l'ambition et la cruauté voulaient la réunir.

a. Grégoire de Tours, liv. II.
b. Ibid.

CHAPITRE XXX

Des assemblées de la nation, chez les Francs.

On a dit, ci-dessus, que les peuples qui ne cultivent point les terres jouissaient d'une grande liberté. Les Germains furent dans ce cas. Tacite dit qu'ils ne donnaient à leurs rois ou chefs qu'un pouvoir très modéré [a] : et César [b], qu'ils n'avaient pas de magistrat commun pendant la paix; mais que, dans chaque village, les princes

a. Nec regibus libera aut infinita potestas. Cæterum neque animadvertere, neque vincire, neque verberare, Etc. De morib. Germ.
b. In pace nullus est communis magistratus; sed principes regionum atque pagorum inter suos jus dicunt. De bello Gall, liv. VI.

rendaient la justice entre les leurs. Aussi les Francs, dans la Germanie, n'avaient-ils point de roi, comme Grégoire de Tours [c] le prouve très bien.

« Les princes [d], dit Tacite, délibèrent sur les petites choses, toute la nation sur les grandes; de sorte pourtant que les affaires dont le peuple prend connaissance sont portées de même devant les princes. » Cet usage se conserva après la conquête, comme [e] on le voit dans tous les monuments.

Tacite [f] dit que les crimes capitaux pouvaient être portés devant l'assemblée. Il en fut de même après la conquête, et les grands vassaux y furent jugés.

c. Liv. II.

d. *De minoribus principes consultant, de majoribus omnes; ita tamen ut ea quorum penes plebem arbitrium est, apud principes quoque pertractentur.* De morib. Germ.

e. *Lex consensu populi fit et constitutione regis.* Capitulaires de Charles le Chauve, an. 864, art. 6.

f. *Licet apud concilium accusare et discrimen capitis intendere.* De morib. Germ.

CHAPITRE XXXI

De l'autorité du clergé, dans la première race.

Chez les peuples barbares, les prêtes ont ordinairement du pouvoir, parce qu'ils ont et l'autorité qu'ils doivent tenir de la religion, et la puissance que chez les peuples pareils donne la superstition. Aussi voyons-nous, dans Tacite, que les prêtres étaient fort accrédités chez les Germains, qu'ils mettaient la police [a] dans l'assemblée du peuple. Il n'était permis qu'à [b] eux de châtier, de lier, de frapper : ce qu'ils faisaient, non pas par un ordre du prince, ni pour infliger une peine; mais comme par une inspiration de la divinité, toujours présente à ceux qui font la guerre.

Il ne faut pas être étonné si, dès le commencement de la

a. *Silentium per sacerdotes, quibus et coercendi jus est, imperatur.* De morib. Germ.

b. *Nec regibus libera aut infinita potestas. Cæterum neque animadvertere, neque vincire, neque verberare, nisi sacerdotibus est permissum; non quasi in pœnam, nec ducis jussu, sed velut deo imperante, quem adesse bellatoribus credunt.* Ibid.

première race, on voit les évêques arbitres [c] des jugements, si on les voit paraître dans les assemblées de la nation, s'ils influent si fort dans les résolutions des rois, et si on leur donne tant de biens.

c. Voyez la constitution de Clotaire, de l'an 560, art. 6.

LIVRE XIX

DES LOIS, DANS LE RAPPORT QU'ELLES ONT AVEC LES PRINCIPES QUI FORMENT L'ESPRIT GÉNÉRAL, LES MŒURS ET LES MANIÈRES D'UNE NATION

CHAPITRE PREMIER

Du sujet de ce livre.

Cette matière est d'une grande étendue. Dans cette foule d'idées qui se présentent à mon esprit, je serai plus attentif à l'ordre des choses, qu'aux choses mêmes. Il faut que j'écarte à droite et à gauche, que je perce, et que je me fasse jour.

CHAPITRE II

Combien, pour les meilleures lois, il est nécessaire que les esprits soient préparés.

Rien ne parut plus insupportable aux Germains [a] que le tribunal de Varus. Celui que Justinien érigea [b] chez les Laziens, pour faire le procès au meurtrier de leur roi, leur parut une chose horrible et barbare. Mithridate [c] haranguant contre les Romains, leur reproche surtout les formalités [d] de leur justice. Les Parthes ne purent supporter ce roi qui, ayant été élevé à Rome, se rendit affable [e] et accessible à tout le monde. La liberté même a paru insup-

a. Ils coupaient la langue aux avocats, et disaient : *Vipère, cesse de siffler*. Tacite.
b. Agathias, liv. IV.
c. Justin, liv. XXXVIII.
d. *Calumnias litium*. Ibid.
e. *Prompti aditus, nova comitas, ignotæ Parthis virtutes, nova vitia*. Tacite.

portable à des peuples qui n'étaient pas accoutumés à en jouir. C'est ainsi qu'un air pur est quelquefois nuisible à ceux qui ont vécu dans des pays marécageux.

Un Vénitien nommé Balby, étant au [f] Pégu, fut introduit chez le roi. Quand celui-ci apprit qu'il n'y avait point de roi à Venise, il fit un si grand éclat de rire, qu'une toux le prit, et qu'il eut beaucoup de peine à parler à ses courtisans. Quel est le législateur qui pourrait proposer le gouvernement populaire à des peuples pareils ?

f. Il en a fait la description en 1596, *Recueil des voyages qui ont servi à l'établissement de la compagnie des Indes*, t. III, part. I, p. 33.

Chapitre III

De la tyrannie.

Il y a deux sortes de tyrannie; une réelle, qui consiste dans la violence du gouvernement; et une d'opinion, qui se fait sentir lorsque ceux qui gouvernent établissent des choses qui choquent la manière de penser d'une nation.

Dion dit qu'Auguste voulut se faire appeler Romulus; mais qu'ayant appris que le peuple craignait qu'il ne voulût se faire roi, il changea de dessein. Les premiers Romains ne voulaient point de roi, parce qu'ils n'en pouvaient souffrir la puissance : les Romains d'alors ne voulaient point de roi, pour n'en point souffrir les manières. Car, quoique César, les triumvirs, Auguste, fussent de véritables rois, ils avaient gardé tout l'extérieur de l'égalité, et leur vie privée contenait une espèce d'opposition avec le faste des rois d'alors : et, quand ils ne voulaient point de roi, cela signifiait qu'ils voulaient garder leurs manières, et ne pas prendre celles des peuples d'Afrique et d'orient.

Dion [a] nous dit que le peuple romain était indigné contre Auguste, à cause de certaines lois trop dures qu'il avait faites : mais que, sitôt qu'il eut fait revenir le comédien Pylade que les factions avaient chassé de la ville, le mécontentement cessa. Un peuple pareil sentait plus vivement la tyrannie lorsqu'on chassait un baladin, que lorsqu'on lui ôtait toutes ses lois.

a. Liv. LIV, p. 532.

CHAPITRE IV

Ce que c'est que l'esprit général.

Plusieurs choses gouvernent les hommes, le climat, la religion, les lois, les maximes du gouvernement, les exemples des choses passées, les mœurs, les manières, d'où il se forme un esprit général qui en résulte.

A mesure que, dans chaque nation, une de ces causes agit avec plus de force, les autres lui cèdent d'autant. La nature et le climat dominent presque seuls sur les sauvages; les manières gouvernent les Chinois; les lois tyrannisent le Japon; les mœurs donnaient autrefois le ton dans Lacédémone; les maximes du gouvernement et les mœurs anciennes le donnaient dans Rome.

CHAPITRE V

Combien il faut être attentif à ne point changer l'esprit général d'une nation.

S'il y avait dans le monde une nation qui eût une humeur sociable, une ouverture de cœur, une joie dans la vie, un goût, une facilité à communiquer ses pensées; qui fût vive, agréable, enjouée, quelquefois imprudente, souvent indiscrète; et qui eût avec cela du courage, de la générosité, de la franchise, un certain point d'honneur; il ne faudrait point chercher à gêner par des lois ses manières, pour ne point gêner ses vertus. Si, en général, le caractère est bon, qu'importe de quelques défauts qui s'y trouvent ?

On y pourrait contenir les femmes, faire des lois pour corriger leurs mœurs, et borner leur luxe: mais qui sait si on n'y perdrait pas un certain goût, qui serait la source des richesses de la nation, et une politesse qui attire chez elle les étrangers ?

C'est au législateur à suivre l'esprit de la nation, lorsqu'il n'est pas contraire aux principes du gouvernement; car nous ne faisons rien de mieux que ce que nous faisons librement, et en suivant notre génie naturel.

Qu'on donne un esprit de pédanterie à une nation naturellement gaie, l'État n'y gagnera rien, ni pour le dedans, ni pour le dehors. Laissez-lui faire les choses frivoles sérieusement, et gaiement les choses sérieuses.

CHAPITRE VI

Qu'il ne faut pas tout corriger.

Qu'on nous laisse comme nous sommes, disait un gentilhomme d'une nation qui ressemble beaucoup à celle dont nous venons de donner une idée. La nature répare tout. Elle nous a donné une vivacité capable d'offenser, et propre à nous faire manquer à tous les égards; cette même vivacité est corrigée par la politesse qu'elle nous procure, en nous inspirant du goût pour le monde, et surtout pour le commerce des femmes.

Qu'on nous laisse tels que nous sommes. Nos qualités indiscrètes, jointes à notre peu de malice, font que les lois qui gêneraient l'humeur sociable parmi nous ne seraient point convenables.

CHAPITRE VII

Des Athéniens et des Lacédémoniens.

Les Athéniens, continuait ce gentilhomme, étaient un peuple qui avait quelque rapport avec le nôtre. Il mettait de la gaieté dans les affaires; un trait de raillerie lui plaisait sur la tribune comme sur le théâtre. Cette vivacité qu'il mettait dans les conseils, il la portait dans l'exécution. Le caractère des Lacédémoniens était grave, sérieux, sec, taciturne. On n'aurait pas plus tiré parti d'un Athénien en l'ennuyant, que d'un Lacédémonien en le divertissant.

CHAPITRE VIII
Effets de l'humeur sociable.

Plus les peuples se communiquent, plus ils changent aisément de manières, parce que chacun est plus un spectacle pour un autre; on voit mieux les singularités des individus. Le climat qui fait qu'une nation aime à se communiquer fait aussi qu'elle aime à changer; et ce qui fait qu'une nation aime à changer fait aussi qu'elle se forme le goût.

La société des femmes gâte les mœurs, et forme le goût : l'envie de plaire plus que les autres établit les parures; et l'envie de plaire plus que soi-même établit les modes. Les modes sont un objet important : à force de se rendre l'esprit frivole, on augmente sans cesse les branches de son commerce [a].

a. Voyez la *Fable des abeilles.*

CHAPITRE IX
De la vanité et de l'orgueil des nations.

La vanité est un aussi bon ressort pour un gouvernement, que l'orgueil en est un dangereux. Il n'y a pour cela qu'à se représenter, d'un côté, les biens sans nombre qui résultent de la vanité; de là le luxe, l'industrie, les arts, les modes, la politesse, le goût; et, d'un autre côté, les maux infinis qui naissent de l'orgueil de certaines nations; la paresse, la pauvreté, l'abandon de tout, la destruction des nations que le hasard a fait tomber entre leurs mains, et de la leur même. La paresse [a] est l'effet de l'orgueil; le travail est une suite de la vanité : L'orgueil

a. Les peuples qui suivent le kan de Malacamber, ceux de Carnataca et de Coromandel, sont des peuples orgueilleux et paresseux; ils consomment peu, parce qu'ils sont misérables : au lieu que les Mogols et les peuples de l'Indostan s'occupent et jouissent des commodités de la vie, comme les Européens, *Recueil des voyages qui ont servi à l'établissement de la compagnie des Indes*, tome premier, p. 54.

d'un Espagnol le portera à ne pas travailler; la vanité d'un Français le portera à savoir travailler mieux que les autres.

Toute nation paresseuse est grave; car ceux qui ne travaillent pas se regardent comme souverains de ceux qui travaillent.

Examinez toutes les nations; et vous verrez que, dans la plupart, la gravité, l'orgueil et la paresse marchent du même pas.

Les peuples d'Achim [b] sont fiers et paresseux : ceux qui n'ont point d'esclaves en louent un, ne fût-ce que pour faire cent pas, et porter deux pintes de riz; ils se croiraient déshonorés s'ils le portaient eux-mêmes.

Il y a plusieurs endroits de la terre où l'on se laisse croître les ongles, pour marquer que l'on ne travaille point.

Les femmes des Indes [c] croient qu'il est honteux pour elles d'apprendre à lire : c'est l'affaire, disent-elles, des esclaves qui chantent des cantiques dans les pagodes. Dans une caste, elles ne filent point; dans une autre, elles ne font que des paniers et des nattes, elles ne doivent pas même piler le riz; dans d'autres, il ne faut pas qu'elles aillent quérir de l'eau. L'orgueil y a établi ses règles, et il les fait suivre. Il n'est pas nécessaire de dire que les qualités morales ont des effets différents, selon qu'elles sont unies à d'autres : ainsi l'orgueil, joint à une vaste ambition, à la grandeur des idées, etc., produisit chez les Romains les effets que l'on sait.

Chapitre X

Du caractère des Espagnols, et de celui des Chinois.

Les divers caractères des nations sont mêlés de vertus et de vices, de bonnes et de mauvaises qualités. Les heureux mélanges sont ceux dont il résulte de grands biens, et souvent on ne les soupçonnerait pas; il y en a dont il résulte de grands maux, et qu'on ne soupçonnerait pas non plus.

La bonne foi des Espagnols a été fameuse dans tous les

b. Voyez Dampierre, t. III.

c. *Lettres édifiantes*, douzième recueil, p. 80.

temps. Justin[a] nous parle de leur fidélité à garder les dépôts; ils ont souvent souffert la mort pour les tenir secrets. Cette fidélité qu'ils avaient autrefois, ils l'ont encore aujourd'hui. Toutes les nations qui commercent à Cadix confient leur fortune aux Espagnols; elles ne s'en sont jamais repenties. Mais cette qualité admirable, jointe à leur paresse, forme un mélange dont il résulte des effets qui leur sont pernicieux : les peuples de l'Europe font, sous leurs yeux, tout le commerce de leur monarchie.

Le caractère des Chinois forme un autre mélange, qui est en contraste avec le caractère des Espagnols. Leur vie précaire[b] fait qu'ils ont une activité prodigieuse, et un désir si excessif du gain, qu'aucune nation commerçante ne peut se fier à eux[c]. Cette infidélité reconnue leur a conservé le commerce du Japon; aucun négociant d'Europe n'a osé entreprendre de le faire sous leur nom, quelque facilité qu'il y eût eu à l'entreprendre par leurs provinces maritimes du nord.

CHAPITRE XI

Réflexion.

Je n'ai point dit ceci pour diminuer rien de la distance infinie qu'il y a entre les vices et les vertus : à Dieu ne plaise! J'ai seulement voulu faire comprendre que tous les vices politiques ne sont pas des vices moraux, et que tous les vices moraux ne sont pas des vices politiques; et ç'est ce que ne doivent point ignorer ceux qui font des lois qui choquent l'esprit général.

CHAPITRE XII

Des manières et des mœurs, dans l'Etat despotique.

C'est une maxime capitale, qu'il ne faut jamais changer les mœurs et les manières dans l'Etat despotique; rien ne

a. Liv. XLIII.
b. Par la nature du climat et du terrain.
c. Le Père du Halde, t. II.

serait plus promptement suivi d'une révolution. C'est que, dans ces Etats, il n'y a point de lois, pour ainsi dire; il n'y a que des mœurs et des manières : et, si vous renversez cela, vous renversez tout.

Les lois sont établies, les mœurs sont inspirées; celles-ci tiennent plus à l'esprit général, celles-là tiennent plus à une institution particulière : or il est aussi dangereux, et plus, de renverser l'esprit général, que de changer une institution particulière.

On se communique moins dans les pays où chacun, et comme supérieur et comme inférieur, exerce et souffre un pouvoir arbitraire, que dans ceux où la liberté règne dans toutes les conditions. On y change donc moins de manières et de mœurs; les manières plus fixes approchent plus des lois : ainsi il faut qu'un prince ou un législateur y choque moins les mœurs et les manières que dans aucun pays du monde.

Les femmes y sont ordinairement enfermées, et n'ont point de ton à donner. Dans les autres pays où elles vivent avec les hommes, l'envie qu'elles ont de plaire, et le désir que l'on a de leur plaire aussi, font que l'on change continuellement de manières. Les deux sexes se gâtent, ils perdent l'un et l'autre leur qualité distinctive et essentielle; il se met un arbitraire dans ce qui était absolu, et les manières changent tous les jours.

CHAPITRE XIII

Des manières, chez les Chinois.

Mais c'est à la Chine que les manières sont indestructibles. Outre que les femmes y sont absolument séparées des hommes, on enseigne, dans les écoles, les manières comme les mœurs. On connaît un lettré [a] à la façon aisée dont il fait la révérence. Ces choses une fois données en préceptes et par de graves docteurs, s'y fixent comme des principes de morale, et ne changent plus.

a. Dit le Père du Halde.

CHAPITRE XIV

Quels sont les moyens naturels de changer les mœurs et les manières d'une nation.

Nous avons dit que les lois étaient des institutions particulières et précises du législateur, et les mœurs et les manières des institutions de sa nation en général. De là il suit que, lorsque l'on veut changer les mœurs et les manières, il ne faut pas les changer par les lois; cela paraîtrait trop tyrannique : il vaut mieux les changer par d'autres mœurs et d'autres manières.

Ainsi, lorsqu'un prince veut faire de grands changements dans sa nation, il faut qu'il réforme par les lois ce qui est établi par les lois, et qu'il change par les manières ce qui est établi par les manières : et c'est une très mauvaise politique, de changer par les lois ce qui doit être changé par les manières.

La loi qui obligeait les Moscovites à se faire couper la barbe et les habits, et la violence de Pierre Ier, qui faisait tailler jusqu'aux genoux les longues robes de ceux qui entraient dans les villes, étaient tyranniques. Il y a des moyens pour empêcher les crimes, ce sont les peines : il il y en a pour faire changer les manières, ce sont les exemples.

La facilité et la promptitude avec laquelle cette nation s'est policée, a bien montré que ce prince avait trop mauvaise opinion d'elle; et que ces peuples n'étaient pas des bêtes, comme il le disait. Les moyens violents qu'il employa étaient inutiles; il serait arrivé tout de même à son but par la douceur.

Il éprouva lui-même la facilité de ces changements. Les femmes étaient renfermées, et en quelque façon esclaves; il les appela à la cour, il les fit habiller à l'allemande, il leur envoyait des étoffes. Ce sexe goûta d'abord une façon de vivre qui flattait si fort son goût, sa vanité et ses passions, et la fit goûter aux hommes.

Ce qui rendit le changement plus aisé, c'est que les mœurs d'alors étaient étrangères au climat, et y avaient été apportées par le mélange des nations et par les conquêtes. Pierre Ier donnant les mœurs et les manières de l'Europe à une nation d'Europe, trouva des facilités qu'il n'attendait pas lui-même. L'empire du climat est le premier de tous les empires. Il n'avait donc pas besoin de lois pour changer les mœurs et les manières de sa nation; il lui eût suffi d'inspirer d'autres mœurs et d'autres manières.

En général, les peuples sont très attachés à leurs coutumes; les leur ôter violemment, c'est les rendre malheureux : il ne faut donc pas les changer, mais les engager à les changer eux-mêmes.

Toute peine qui ne dérive pas de la nécessité est tyrannique. La loi n'est pas un pur acte de puissance; les choses indifférentes par leur nature ne sont pas de son ressort.

Chapitre XV

Influence du gouvernement domestique sur le politique.

Ce changement des mœurs des femmes influera sans doute beaucoup dans le gouvernement de Moscovie. Tout est extrêmement lié : le despotisme du prince s'unit naturellement avec la servitude des femmes; la liberté des femmes avec l'esprit de la monarchie.

Chapitre XVI

Comment quelques législateurs ont confondu les principes qui gouvernent les hommes.

Les mœurs et les manières sont des usages que les lois n'ont point établis, ou n'ont pas pu, ou n'ont pas voulu établir.

Il y a cette différence entre les lois et les mœurs, que les lois règlent plus les actions du citoyen, et que les mœurs règlent plus les actions de l'homme. Il y a cette différence entre les mœurs et les manières, que les premières regardent plus la conduite intérieure, les autres l'extérieure.

Quelquefois, dans un Etat, ces choses se confondent [a]. Lycurgue fit un même code pour les lois, les mœurs et les manières; et les législateurs de la Chine en firent de même.

Il ne faut pas être étonné si les législateurs de Lacédémone et de la Chine confondirent des lois, les mœurs et les manières : c'est que les mœurs représentent les lois, et les manières représentent les mœurs.

Les législateurs de la Chine avaient pour principal objet de faire vivre leur peuple tranquille. Ils voulurent que les hommes se respectassent beaucoup; que chacun sentît à tous les instants qu'il devait beaucoup aux autres, qu'il n'y avait point de citoyen qui ne dépendît, à quelque égard, d'un autre citoyen. Ils donnèrent donc aux règles de la civilité la plus grande étendue.

Ainsi, chez les peuples chinois, on vit les gens [b] de village observer entre eux des cérémonies comme les gens d'une condition relevée : moyen très propre à inspirer la douceur, à maintenir parmi le peuple la paix et le bon ordre, et à ôter tous les vices qui viennent d'un esprit dur. En effet, s'affranchir des règles de la civilité, n'est-ce pas chercher le moyen de mettre ses défauts plus à l'aise ?

La civilité vaut mieux, à cet égard, que la politesse. La politesse flatte les vices des autres, et la civilité nous empêche de mettre les nôtres au jour : c'est une barrière que les hommes mettent entre eux pour s'empêcher de se corrompre.

Lycurgue, dont les institutions étaient dures, n'eut point la civilité pour objet lorsqu'il forma les manières; il eut en vue cet esprit belliqueux qu'il voulait donner à son peuple. Des gens toujours corrigeants, ou toujours corrigés, qui instruisaient toujours, et étaient toujours instruits, également simples et rigides, exerçaient plutôt entre eux des vertus qu'ils n'avaient des égards.

a. Moïse fit un même code pour les lois et la religion. Les premiers Romains confondirent les coutumes anciennes avec les lois.
b. Voyez le Père du Halde.

Chapitre XVII

Propriété particulière au gouvernement de la Chine.

Les législateurs de la Chine firent plus [a] : ils confondirent la religion, les lois, les mœurs et les manières; tout cela fut la morale, tout cela fut la vertu. Les préceptes qui regardaient ces quatre points, furent ce que l'on appela les rites. Ce fut dans l'observation exacte de ces rites, que le gouvernement chinois triompha. On passa toute sa jeunesse à les apprendre, toute sa vie à les pratiquer. Les lettrés les enseignèrent, les magistrats les prêchèrent. Et, comme ils enveloppaient toutes les petites actions de la vie, lorsqu'on trouva moyen de les faire observer exactement, la Chine fut bien gouvernée.

Deux choses ont pu aisément graver les rites dans le cœur et l'esprit des Chinois; l'une, leur manière d'écrire extrêmement composée, qui a fait que, pendant une très grande partie de la vie, l'esprit a été uniquement [b] occupé de ces rites, parce qu'il a fallu apprendre à lire dans les livres, et pour les livres qui les contenaient; l'autre, que les préceptes des rites n'ayant rien de spirituel, mais simplement des règles d'une pratique commune, il est plus aisé d'en convaincre et d'en frapper les esprits, que d'une choses intellectuelle.

Les princes qui, au lieu de gouverner par les rites, gouvernèrent par la force des supplices, voulurent faire faire aux supplices ce qui n'est pas dans leur pouvoir, qui est de donner des mœurs. Les supplices retrancheront bien de la société un citoyen qui, ayant perdu ses mœurs, viole les lois : mais si tout le monde a perdu ses mœurs, les rétabliront-ils ? Les supplices arrêteront bien plusieurs conséquences du mal général, mais ils ne corrigeront pas ce mal. Aussi, quand on abandonna les principes du gouvernement chinois, quand la morale y fut perdue, l'Etat tomba-t-il dans l'anarchie, et on vit des révolutions.

a. Voyez les livres classiques, dont le Père du Halde nous a donne de si beaux morceaux.

b. C'est ce qui a établi l'émulation, la fuite de l'oisiveté, et l'estime pour le savoir.

CHAPITRE XVIII

Conséquence du chapitre précédent.

Il résulte de là que la Chine ne perd point ses lois par la conquête. Les manières, les mœurs, les lois, la religion y étant la même chose, on ne peut changer tout cela à la fois. Et, comme il faut que le vainqueur ou le vaincu changent, il a toujours fallu à la Chine que ce fût le vainqueur : car ses mœurs n'étant point ses manières, ses manières ses lois, ses lois sa religion, il a été plus aisé qu'il se pliât peu à peu au peuple vaincu, que le peuple vaincu à lui.

Il suit encore de là une chose bien triste : c'est qu'il n'est presque pas possible que le christianisme s'établisse jamais à la Chine [a]. Les vœux de virginité, les assemblées des femmes dans les églises, leur communication nécessaire avec les ministres de la religion, leur participation aux sacrements, la confession auriculaire, l'extrême-onction, le mariage d'une seule femme; tout cela renverse les mœurs et les manières du pays, et frappe encore du même coup sur la religion et sur les lois.

La religion chrétienne, par l'établissement de la charité, par un culte public, par la participation aux mêmes sacrements, semble demander que tout s'unisse : les rites des Chinois semblent ordonner que tout se sépare.

Et, comme on a vu que cette séparation [b] tient en général à l'esprit du despotisme, on trouvera, dans ceci, une des raisons qui font que le gouvernement monarchique et tout gouvernement modéré s'allient mieux [c] avec la religion chrétienne.

a. Voyez les raisons données par les magistrats chinois, dans les décrets par lesquels ils proscrivent la religion chrétienne. *Lettres édifiantes*, dix-septième recueil.

b. Voyez le liv. IV, chap. III; le liv. XIX, chap. XII.

c. Voyez ci-dessous le liv. XXIV, chap. III.

CHAPITRE XIX

Comment s'est faite cette union de la religion, des lois, des mœurs et des manières, chez les Chinois.

Les législateurs de la Chine eurent pour principal objet du gouvernement la tranquillité de l'empire. La subordination leur parut le moyen le plus propre à la maintenir. Dans cette idée, ils crurent devoir inspirer le respect pour les pères, et ils rassemblèrent toutes leurs forces pour cela. Ils établirent une infinité de rites et de cérémonies, pour les honorer pendant leur vie et après leur mort. Il était impossible de tant honorer les pères morts, sans être porté à les honorer vivants. Les cérémonies pour les pères morts avaient plus de rapport à la religion; celles pour les pères vivants avaient plus de rapports aux lois, aux mœurs et aux manières : mais ce n'était que les parties d'un même code, et ce code était très étendu.

Le respect pour les pères était nécessairement lié avec tout ce qui représentait les pères, les vieillards, les maîtres, les magistrats, l'empereur. Ce respect pour les pères supposait un retour d'amour pour les enfants; et, par conséquent, le même retour des vieillards aux jeunes gens, des magistrats à ceux qui leur étaient soumis, de l'empereur à ses sujets. Tout cela formait les rites, et ces rites l'esprit général de la nation.

On va sentir le rapport que peuvent avoir, avec la constitution fondamentale de la Chine, les choses qui paraissent les plus indifférentes. Cet empire est formé sur l'idée du gouvernement d'une famille. Si vous diminuez l'autorité paternelle, ou même si vous retranchez les cérémonies qui expriment le respect que l'on a pour elle, vous affaiblissez le respect pour les magistrats qu'on regarde comme des pères; les magistrats n'auront plus le même soin pour les peuples qu'ils doivent considérer comme des enfants; ce rapport d'amour qui est entre le prince et les sujets se perdra aussi peu à peu. Retranchez une de ces pratiques, et vous ébranlez l'Etat. Il est fort indifférent en soi que tous les matins une belle-fille se lève pour aller rendre tels et tels devoirs à sa belle-mère : mais, si l'on fait attention que ces pratiques extérieures rappellent sans cesse à un sentiment qu'il est nécessaire d'imprimer dans tous les cœurs, et qui va de tous les cœurs former l'esprit qui gouverne l'empire, l'on verra qu'il est nécessaire qu'une telle ou une telle action particulière se fasse.

Chapitre XX
Explication d'un paradoxe sur les Chinois.

Ce qu'il y a de singulier, c'est que les Chinois, dont la vie est entièrement dirigée par les rites, sont néanmoins le peuple le plus fourbe de la terre. Cela paraît surtout dans le commerce, qui n'a jamais pu leur inspirer la bonne foi qui lui est naturelle. Celui qui achète doit porter [a] sa propre balance; chaque marchand en ayant trois, une forte pour acheter, une légère pour vendre, et une juste pour ceux qui sont sur leurs gardes. Je crois pouvoir expliquer cette contradiction.

Les législateurs de la Chine ont eu deux objets : ils ont voulu que le peuple fût soumis et tranquille; et qu'il fût laborieux et industrieux. Par la nature du climat et du terrain, il a une vie précaire; on n'y est assuré de sa vie qu'à force d'industrie et de travail.

Quand tout le monde obéit, et que tout le monde travaille, l'Etat est dans une heureuse situation. C'est la nécessité, et peut-être la nature du climat, qui ont donné à tous les Chinois une avidité inconcevable pour le gain; et les lois n'ont pas songé à l'arrêter. Tout a été défendu, quand il a été question d'acquérir par violence; tout a été permis, quand il s'est agi d'obtenir par artifice ou par industrie. Ne comparons donc pas la morale des Chinois avec celle de l'Europe. Chacun à la Chine a dû être attentif à ce qui lui était utile : si le fripon a veillé à ses intérêts, celui qui est dupe devait penser aux siens. A Lacédémone, il était permis de voler; à la Chine, il est permis de tromper.

a. *Journal* de Lange, en 1721 et 1722; t. VIII des *Voyages du Nord*, p. 363.

Chapitre XXI

Comment les lois doivent être relatives aux mœurs et aux manières.

Il n'y a que des institutions singulières qui confondent ainsi des choses naturellement séparées, les lois, les mœurs et les manières : mais, quoiqu'elles soient séparées, elles ne laissent pas d'avoir entre elles de grands rapports.

On demanda à Solon si les lois qu'il avait données aux Athéniens étaient les meilleures. « Je leur ai donné, répondit-il, les meilleures de celles qu'ils pouvaient souffrir » : belle parole, qui devrait être entendue de tous les législateurs. Quand la sagesse divine dit au peuple juif, « je vous ai donné des préceptes qui ne sont pas bons », cela signifie qu'ils n'avaient qu'une bonté relative; ce qui est l'éponge de toutes les difficultés que l'on peut faire sur les lois de Moïse.

Chapitre XXII

Continuation du même sujet.

Quand un peuple a de bonnes mœurs, les lois deviennent simples. Platon [a] dit que Radamante, qui gouvernait un peuple extrêmement religieux, expédiait tous les procès avec célérité, déférant seulement le serment sur chaque chef. Mais, dit le même Platon [b], quand un peuple n'est pas religieux, on ne peut faire usage du serment que dans les occasions où celui qui jure est sans intérêt, comme un juge et des témoins.

a. *Des lois*, liv. XII.
b. *Ibid.*

CHAPITRE XXIII

Comment les lois suivent les mœurs.

Dans le temps que les mœurs des Romains étaient pures, il n'y avait point de loi particulière contre le péculat. Quand ce crime commença à paraître, il fut trouvé si infâme, que d'être condamné à restituer ce qu'on avait pris [a], fut regardé comme une grande peine; témoin le jugement de L. Scipion [b].

a. *In simplum.*
b. Tite-Live, liv. XXXVIII.

CHAPITRE XXIV

Continuation du même sujet.

Les lois qui donnent la tutelle à la mère ont plus d'attention à la conservation de la personne du pupille; celles qui la donnent au plus proche héritier ont plus d'attention à la conservation des biens. Chez les peuples dont les mœurs sont corrompues, il vaut mieux donner la tutelle à la mère. Chez ceux où les lois doivent avoir de la confiance dans les mœurs des citoyens, on donne la tutelle à l'héritier des biens, ou à la mère, et quelquefois à tous les deux.

Si l'on réfléchit sur les lois romaines, on trouvera que leur esprit est conforme à ce que je dis. Dans le temps où l'on fit la loi des douze tables, les mœurs à Rome étaient admirables. On déféra la tutelle au plus proche parent du pupille, pensant que celui-là devait avoir la charge de la tutelle, qui pouvait avoir l'avantage de la succession. On ne crut point la vie du pupille en danger, quoiqu'elle fût mise entre les mains de celui à qui sa mort devait être utile. Mais, lorsque les mœurs changèrent à Rome, on vit les législateurs changer aussi de façon de penser. Si, dans la substitution pupillaire, disent Caïus [a] et Justinien [b]

a. *Instit.*, liv. II, tit. 6, § 2; la compilation d'Ozel, à Leyde, 1658.
b. *Institut.*, liv. II, *de pupil.*, *substit.*, § 3.

le testateur craint que le substitué ne dresse des embûches au pupille, il peut laisser à découvert la substitution vulgaire [c], et mettre la pupillaire dans une partie du testament qu'on ne pourra ouvrir qu'après un certain temps. Voilà des craintes et des précautions inconnues aux premiers Romains.

c. La substitution vulgaire est : *Si un tel ne prend pas l'hérédité, je lui substitue, etc.* La pupillaire est : *Si un tel meurt avant sa puberté, je lui substitue, etc.*

Chapitre XXV

Continuation du même sujet.

La loi romaine donnait la liberté de se faire des dons avant le mariage; après le mariage, elle ne le permettait plus. Cela était fondé sur les mœurs des Romains, qui n'étaient portés au mariage que par la frugalité, la simplicité et la modestie; mais qui pouvaient se laisser séduire par les soins domestiques, les complaisances et le bonheur de toute une vie.

La loi des Wisigoths [a] voulait que l'époux ne pût donner à celle qu'il devait épouser au-delà du dixième de ses biens; et qu'il ne pût lui rien donner la première année de son mariage. Cela venait encore des mœurs du pays. Les législateurs voulaient arrêter cette jactance espagnole, uniquement portée à faire des libéralités excessives dans une action d'éclat.

Les Romains, par leurs lois, arrêtèrent quelques inconvénients de l'empire du monde le plus durable, qui est celui de la vertu : les Espagnols, par les leurs, voulaient empêcher les mauvais effets de la tyrannie du monde la plus fragile, qui est celle de la beauté.

a. Liv. III, tit. I, § 5.

CHAPITRE XXVI

Continuation du même sujet.

La loi de Théodose et de Valentinien [a] tira les causes de répudiation des anciennes mœurs [b] et des manières des Romains. Elle mit au nombre de ces causes, l'action d'un mari [c] qui châtierait sa femme d'une manière indigne d'une personne ingénue. Cette cause fut omise dans les lois suivantes [d] : c'est que les mœurs avaient changé à cet égard; les usages d'Orient avaient pris la place de ceux d'Europe. Le premier eunuque de l'impératrice femme de Justinien II la menaça, dit l'histoire, de ce châtiment dont on punit les enfants dans les écoles. Il n'y a que des mœurs établies, ou des mœurs qui cherchent à s'établir, qui puissent faire imaginer une pareille chose.

Nous avons vu comment les lois suivent les mœurs : voyons à présent comment les mœurs suivent les lois.

a. *Leg. VIII*, cod. *de repudiis.*
b. Et de la loi des douze tables. Voyez Cicéron, *seconde Philippique.*
c. *Si verberibus, quæ ingenuis aliena sunt, afficientem probaverit.*
d. Dans la *Novelle 117*, chap. XIV.

CHAPITRE XXVII

Comment les lois peuvent contribuer à former les mœurs, les manières et le caractère d'une nation.

Les coutumes d'un peuple esclave sont une partie de sa servitude : celles d'un peuple libre sont une partie de sa liberté.

J'ai parlé, au livre XI [a], d'un peuple libre; j'ai donné les principes de sa constitution : voyons les effets qui ont dû suivre, le caractère qui a pu s'en former, et les manières qui en résultent.

Je ne dis point que le climat n'ait produit, en grande

a. Chap. VI.

partie, les lois, les mœurs et les manières dans cette nation; mais je dis que les mœurs et les manières de cette nation devraient avoir un grand rapport à ses lois.

Comme il y aurait dans cet état deux pouvoirs visibles, la puissance législative et l'exécutrice; et que tout citoyen y aurait sa volonté propre, et ferait valoir à son gré son indépendance; la plupart des gens auraient plus d'affection pour une de ces puissances que pour l'autre, le grand nombre n'ayant pas ordinairement assez d'équité ni de sens pour les affectionner également toutes les deux.

Et, comme la puissance exécutrice, disposant de tous les emplois, pourrait donner de grandes espérances et jamais de craintes; tous ceux qui obtiendraient d'elle seraient portés à se tourner de son côté, et elle pourrait être attaquée par tous ceux qui n'en espéraient rien.

Toutes les passions y étant libres, la haine, l'envie, la jalousie, l'ardeur de s'enrichir et de se distinguer, paraîtraient dans toute leur étendue; et, si cela était autrement, l'Etat serait comme un homme abattu par la maladie, qui n'a point de passions, parce qu'il n'a point de forces.

La haine qui serait entre les deux partis durerait, parce qu'elle serait toujours impuissante.

Ces partis étant composés d'hommes libres, si l'un prenait trop le dessus, l'effet de la liberté serait que celui-ci serait abaissé, tandis que les citoyens, comme les mains qui secourent le corps, viendraient relever l'autre.

Comme chaque particulier toujours indépendant suivrait beaucoup ses caprices et ses fantaisies, on changerait souvent de parti; on en abandonnerait un où l'on laisserait tous ses amis, pour se lier à un autre dans lequel on trouverait tous ses ennemis; et souvent, dans cette nation, on pourrait oublier les lois de l'amitié et celles de la haine.

Le monarque serait dans le cas des particuliers; et, contre les maximes ordinaires de la prudence, il serait souvent obligé de donner sa confiance à ceux qui l'auraient le plus choqué, et de disgracier ceux qui l'auraient le mieux servi, faisant par nécessité ce que les autres princes font par choix.

On craint de voir échapper un bien que l'on sent, que l'on ne connaît guère, et qu'on peut nous déguiser; et la crainte grossit toujours les objets. Le peuple serait inquiet sur sa situation, et croirait être en danger dans les moments même les plus sûrs.

D'autant mieux que ceux qui s'opposeraient le plus

vivement à la puissance exécutrice, ne pouvant avouer les motifs intéressés de leur opposition, ils augmenteraient les terreurs du peuple, qui ne saurait jamais au juste s'il serait en danger ou non. Mais cela même contribuerait à lui faire éviter les vrais périls où il pourrait dans la suite être exposé.

Mais le corps législatif ayant la confiance du peuple, et étant plus éclairé que lui; il pourrait le faire revenir des mauvaises impressions qu'on lui aurait données, et calmer ces mouvements.

C'est le grand avantage qu'aurait ce gouvernement sur les démocraties anciennes, dans lesquelles le peuple avait une puissance immédiate; car, lorsque des orateurs l'agitaient, ces agitations avaient toujours leur effet.

Ainsi, quand les terreurs imprimées n'auraient point d'objet certain, elles ne produiraient que de vaines clameurs et des injures : et elles auraient même ce bon effet, qu'elles tendraient tous les ressorts du gouvernement, et rendraient tous les citoyens attentifs. Mais, si elles naissaient à l'occasion du renversement des lois fondamentales, elles seraient sourdes, funestes, atroces, et produiraient des catastrophes.

Bientôt on verrait un calme affreux, pendant lequel tout se réunirait contre la puissance violatrice des lois.

Si, dans le cas où les inquiétudes n'ont pas d'objet certain, quelque puissance étrangère menaçait l'Etat, et le mettait en danger de sa fortune ou de sa gloire; pour lors, les petits intérêts cédant aux plus grands, tous se réunirait en faveur de la puissance exécutrice.

Que si les disputes étaient formées à l'occasion de la violation des lois fondamentales, et qu'une puissance étrangère parût; il y aurait une révolution qui ne changerait pas la forme du gouvernement, ni sa constitution : car les révolutions que forme la liberté ne sont qu'une confirmation de la liberté.

Une nation libre peut avoir un libérateur; une nation subjuguée ne peut avoir qu'un autre oppresseur.

Car tout homme qui a assez de force pour chasser celui qui est déjà le maître absolu dans un Etat, en a assez pour le devenir lui-même.

Comme, pour jouir de la liberté, il faut que chacun puisse dire ce qu'il pense; et que, pour la conserver, il faut encore que chacun puisse dire ce qu'il pense; un citoyen, dans cet Etat, dirait et écrirait tout ce que les lois ne lui ont pas défendu expressément de dire, ou d'écrire.

Cette nation, toujours échauffée, pourrait plus aisément être conduite par ses passions que par la raison, qui ne produit jamais de grands effets sur l'esprit des hommes; et il serait facile à ceux qui la gouverneraient de lui faire faire des entreprises contre ses véritables intérêts.

Cette nation aimerait prodigieusement sa liberté, parce que cette liberté serait vraie : et il pourrait arriver que, pour la défendre, elle sacrifierait son bien, son aisance, ses intérêts; qu'elle se chargerait des impôts les plus durs et, tels que le prince le plus absolu n'oserait les faire supporter à ses sujets.

Mais, comme elle aurait une connaissance certaine de la nécessité de s'y soumettre, qu'elle paierait dans l'espérance bien fondée de ne payer plus; les charges y seraient plus pesantes que le sentiment de ces charges : au lieu qu'il y a des États où le sentiment est infiniment au-dessus du mal.

Elle aurait un crédit sûr, parce qu'elle emprunterait à elle-même, et se paierait elle-même. Il pourrait arriver qu'elle entreprendrait au-dessus de ses forces naturelles, et ferait valoir contre ses ennemis des immenses richesses de fiction, que la confiance et la nature de son gouvernement rendraient réelles.

Pour conserver sa liberté, elle emprunterait de ses sujets; et ses sujets, qui verraient que son crédit serait perdu si elle était conquise, auraient un nouveau motif de faire des efforts pour défendre sa liberté.

Si cette nation habitait une île, elle ne serait point conquérante, parce que des conquêtes séparées l'affaibliraient. Si le terrain de cette île était bon, elle le serait encore moins, parce qu'elle n'aurait pas besoin de la guerre pour s'enrichir. Et, comme aucun citoyen ne dépendrait d'un autre citoyen, chacun ferait plus de cas de sa liberté, que de la gloire de quelques citoyens, ou d'un seul.

Là, on regarderait les hommes de guerre comme des gens d'un métier qui peut être utile et souvent dangereux, comme des gens dont les services sont laborieux pour la nation même; et les qualités civiles y seraient plus considérées.

Cette nation, que la paix et la liberté rendraient aisée, affranchie des préjugés destructeurs, serait portée à devenir commerçante. Si elle avait quelqu'une de ces marchandises primitives qui servent à faire de ces choses auxquelles la main de l'ouvrier donne un grand prix, elle pourrait faire des établissements propres à se procurer la jouissance de ce don du ciel dans toute son étendue.

Si cette nation était située vers le nord, et qu'elle eût un grand nombre de denrées superflues; comme elle manquerait aussi d'un grand nombre de marchandises que son climat lui refuserait, elle ferait un commerce nécessaire, mais grand, avec les peuples du midi : et, choisissant les Etats qu'elle favoriserait d'un commerce avantageux, elle ferait des traités réciproquement utiles avec la nation qu'elle aurait choisie.

Dans un état où d'un côté l'opulence serait extrême, et de l'autre les impôts excessifs, on ne pourrait guère vivre sans industrie avec une fortune bornée. Bien des gens, sous prétexte de voyages ou de santé, s'exileraient de chez eux, et iraient chercher l'abondance dans les pays de la servitude même.

Une nation commerçante a un nombre prodigieux de petits intérêts particuliers; elle peut donc choquer et être choquée d'une infinité de manières. Celle-ci deviendrait souverainement jalouse; et elle s'affligerait plus de la prospérité des autres, qu'elle ne jouirait de la sienne.

Et ses lois, d'ailleurs douces et faciles, pourraient être si rigides à l'égard du commerce et de la navigation qu'on ferait chez elle, qu'elle semblerait ne négocier qu'avec des ennemis.

Si cette nation envoyait au loin des colonies, elle le ferait plus pour étendre son commerce que sa domination.

Comme on aime à établir ailleurs ce qu'on trouve établi chez soi, elle donnerait aux peuples de ses colonies la forme de son gouvernement propre : et ce gouvernement portant avec lui la prospérité, on verrait se former de grands peuples dans les forêts mêmes qu'elle enverrait habiter.

Il pourrait être qu'elle aurait autrefois subjugué une nation voisine, qui, par sa situation, la bonté de ses ports, la nature de ses richesses, lui donnerait de la jalousie : ainsi, quoiqu'elle lui eût donné ses propres lois, elle la tiendrait dans une grande dépendance; de façon que les citoyens y seraient libres, et que l'Etat lui-même serait esclave.

L'Etat conquis aurait un très bon gouvernement civil; mais il serait accablé par le droit des gens : et on lui imposerait des lois de nation à nation, qui seraient telles, que sa prospérité ne serait que précaire, et seulement en dépôt pour un maître.

La nation dominante habitant une grande île, et étant en possession d'un grand commerce, aurait toutes sortes de facilités pour avoir des forces de mer : et, comme la conservation de sa liberté demanderait qu'elle n'eût ni places, ni forteresses, ni armées de terre, elle aurait besoin d'une armée de mer qui la garantît des invasions; et sa marine serait supérieure à celle de toutes les autres puissances, qui, ayant besoin d'employer leurs finances pour la guerre de terre, n'en auraient plus assez pour la guerre de mer.

L'empire de la mer a toujours donné aux peuples qui l'ont possédé une fierté naturelle; parce que, se sentant capables d'insulter partout, ils croient que leur pouvoir n'a pas plus de bornes que l'océan.

Cette nation pourrait avoir une grande influence dans les affaires de ses voisins. Car, comme elle n'emploierait pas sa puissance à conquérir, on rechercherait plus son amitié, et l'on craindrait plus sa haine, que l'inconstance de son gouvernement et son agitation intérieure ne sembleraient le promettre.

Ainsi ce serait le destin de la puissance exécutrice, d'être presque toujours inquiétée au-dedans, et respectée au-dehors.

S'il arrivait que cette nation devînt en quelques occasions le centre des négociations de l'Europe, elle y porterait un peu plus de probité et de bonne foi que les autres; parce que ses ministres étant souvent obligés de justifier leur conduite devant un conseil populaire, leurs négociations ne pourraient être secrètes, et ils seraient forcés d'être, à cet égard, un peu plus honnêtes gens.

De plus : comme ils seraient, en quelque façon, garants des événements qu'une conduite détournée pourrait faire naître, le plus sûr pour eux serait de prendre le plus droit chemin.

Si les nobles avaient eu, dans de certains temps, un pouvoir immodéré dans la nation, et que le monarque eût trouvé le moyen de les abaisser en élevant le peuple; le point de l'extrême servitude aurait été entre le moment de l'abaissement des grands, et celui où le peuple aurait commencé à sentir son pouvoir.

Il pourrait être que cette nation ayant été autrefois soumise à un pouvoir arbitraire, en aurait, en plusieurs occasions, conservé le style; de manière que, sur le fonds d'un gouvernement libre, on verrait souvent la forme d'un gouvernement absolu.

A l'égard de la religion, comme dans cet Etat chaque citoyen aurait sa volonté propre, et serait par conséquent conduit par ses propres lumières, ou ses fantaisies; il arriverait, ou que chacun aurait beaucoup d'indifférence pour toutes sortes de religions de quelque espèce qu'elles fussent, moyennant quoi tout le monde serait porté à embrasser la religion dominante; ou que l'on serait zélé pour la religion en général, moyennant quoi les sectes se multiplieraient.

Il ne serait pas impossible qu'il y eût dans cette nation des gens qui n'auraient point de religion, et qui ne voudraient pas cependant souffrir qu'on les obligeât à changer celle qu'ils auraient s'ils en avaient une : car ils sentiraient d'abord que la vie et les biens ne sont pas plus à eux que leur manière de penser; et que qui peut ravir l'un, peut encore mieux ôter l'autre.

Si, parmi les différentes religions, il y en avait une à l'établissement de laquelle on eût tenté de parvenir par la voie de l'esclavage, elle y serait odieuse; parce que, comme nous jugeons des choses par les liaisons et les accessoires que nous y mettons, celle-ci ne se présenterait jamais à l'esprit avec l'idée de liberté.

Les lois contre ceux qui professeraient cette religion ne seraient point sanguinaires; car la liberté n'imagine point ces sortes de peine : mais elles seraient si réprimantes, qu'elles feraient tout le mal qui peut se faire de sang-froid.

Il pourrait arriver de mille manières, que le clergé aurait si peu de crédit, que les autres citoyens en auraient davantage. Ainsi, au lieu de se séparer, il aimerait mieux supporter les mêmes charges que les laïques, et ne faire à cet égard qu'un même corps : mais, comme il chercherait toujours à s'attirer le respect du peuple, il se distinguerait par une vie plus retirée, une conduite plus réservée, et des mœurs plus pures.

Ce clergé ne pouvant protéger la religion, ni être protégé par elle, sans force pour contraindre, chercherait à persuader : on verrait sortir de sa plume de très bons ouvrages, pour prouver la révélation et la providence du grand Être.

Il pourrait arriver qu'on éluderait ses assemblées, et qu'on ne voudrait pas lui permettre de corriger ses abus même; et que, par un délire de la liberté, on aimerait mieux laisser sa réforme imparfaite, que de souffrir qu'il fût réformateur.

Les dignités, faisant partie de la constitution fondamentale, seraient plus fixes qu'ailleurs : mais, d'un autre côté, les grands, dans ce pays de liberté, s'approcheraient plus du peuple; les rangs seraient donc plus séparés, et les personnes plus confondues.

Ceux qui gouvernent ayant une puissance qui se remonte, pour ainsi dire, et se refait tous les jours, auraient plus d'égard pour ceux qui leur sont utiles, que pour ceux qui les divertissent : ainsi on y verrait peu de courtisans, de flatteurs, de complaisants, enfin de toutes ces sortes de gens qui font payer aux grands le vide même de leur esprit.

On n'y estimerait guère les hommes par des talents ou des attributs frivoles, mais par des qualités réelles; et de ce genre il n'y en a que deux, les richesses et le mérite personnel.

Il y aurait un luxe solide, fondé, non pas sur le raffinement de la vanité, mais sur celui des besoins réels; et l'on ne chercherait guère, dans les choses, que les plaisirs que la nature y a mis.

On y jouirait d'un grand superflu, et cependant les choses frivoles y seraient proscrites : ainsi plusieurs ayant plus de biens que d'occasions de dépense, l'emploieraient d'une manière bizarre : et, dans cette nation, il y aurait plus d'esprit que de goût.

Comme on serait toujours occupé de ses intérêts, on n'aurait point cette politesse qui est fondée sur l'oisiveté; et réellement on n'en aurait pas le temps.

L'époque de la politesse des Romains est la même que celle de l'établissement du pouvoir arbitraire. Le gouvernement absolu produit l'oisiveté; et l'oisiveté fait naître la politesse.

Plus il y a de gens dans une nation qui ont besoin d'avoir des ménagements entre eux et de ne pas déplaire, plus il y a de politesse. Mais c'est plus la politesse des mœurs que celle des manières, qui doit nous distinguer des peuples barbares.

Dans une nation où tout homme à sa manière prendrait part à l'administration de l'Etat, les femmes ne devraient guère vivre avec les hommes. Elles seraient donc modestes, c'est-à-dire, timides : cette timidité ferait leur vertu; tandis que les hommes, sans galanterie, se jetteraient dans une débauche qui leur laisserait toute leur liberté et leur loisir.

Les lois n'y étant pas faites pour un particulier plus que pour un autre, chacun se regarderait comme monarque; et les hommes, dans cette nation, seraient plutôt des confédérés, que des concitoyens.

Si le climat avait donné à bien des gens un esprit inquiet et des vues étendues, dans un pays où la constitution donnerait à tout le monde une part au gouvernement et des intérêts politiques, on parlerait beaucoup de politique; on verrait des gens qui passeraient leur vie à calculer des événements, qui, vu la nature des choses et le caprice de la fortune, c'est-à-dire des hommes, ne sont guère soumis au calcul.

Dans une nation libre, il est très souvent indifférent que les particuliers raisonnent bien ou mal; il suffit qu'ils raisonnent : de là sort la liberté, qui garantit des effets de ces mêmes raisonnements.

De même : dans un gouvernement despotique, il est également pernicieux qu'on raisonne bien ou mal; il suffit qu'on raisonne, pour que le principe du gouvernement soit choqué.

Bien des gens qui ne se soucieraient de plaire à personne, s'abandonneraient à leur humeur. La plupart, avec de l'esprit, seraient tourmentés par leur esprit même : dans le dédain ou le dégoût de toutes choses, ils seraient malheureux avec tant de sujets de ne l'être pas.

Aucun citoyen ne craignant aucun citoyen, cette nation serait fière; car la fierté des rois n'est fondée que sur leur indépendance.

Les nations libres sont superbes, les autres peuvent plus aisément être vaines.

Mais ces hommes si fiers vivant beaucoup avec eux-mêmes, se trouveraient souvent au milieu de gens inconnus; ils seraient timides; et l'on verrait en eux, la plupart du temps, un mélange bizarre de mauvaise honte et de fierté.

Le caractère de la nation paraîtrait surtout dans leurs ouvrages d'esprit, dans lesquels on verrait des gens recueillis, et qui auraient pensé tout seuls.

La société nous apprend à sentir les ridicules; la retraite nous rend plus propres à sentir les vices. Leurs écrits satiriques seraient sanglants; et l'on verrait bien des Juvénales chez eux, avant d'avoir trouvé un Horace.

Dans les monarchies extrêmement absolues, les historiens trahissent la vérité, parce qu'ils n'ont pas la liberté de la dire : dans les Etats extrêmement libres, ils trahissent la vérité à cause de leur liberté même, qui produisant toujours des divisions, chacun devient aussi esclave des préjugés de sa faction, qu'il le serait d'un despote.

Leurs poètes auraient plus souvent cette rudesse originale de l'invention, qu'une certaine délicatesse que donne le goût; on y trouverait quelque chose qui approcherait plus de la force de Michel-Ange, que de la grâce de Raphaël.

TRADUCTION DES CITATIONS

p. 90 « Sa mort fut un deuil pour nous, un chagrin pour la Patrie ; pour les étrangers même et ceux qui ne le connaissaient pas, elle ne fut pas indifférente. »

p. 119 « Enfant né sans mère. » Il s'agit d'Erichthonios, un des fils de la Terre. Après sa naissance, Athéna prit soin de lui. Il aurait plus tard gouverné Athènes où il introduisit le culte d'Athéna. Il était honoré à Athènes dans le sanctuaire de l'Erechthéion, sur l'Acropole.

p. 196 « Pour éviter que les premiers citoyens ne détiennent le pouvoir suprême, Gallien interdit aux sénateurs de s'enrôler et même d'approcher l'armée. »

p. 342 « Plus l'accusateur donnait de détails, plus il avançait sa carrière et s'assurait d'une quasi-inviolabilité. »

TABLE DES MATIÈRES

Table

Chronologie 5
Introduction 9
Bibliographie 59
Note sur le texte de cette édition 64
Eloge de M. le président de Montesquieu, par M. d'Alembert 65
Analyse de L'*Esprit des lois*, par le même 91
Avertissement de l'auteur 109
Préface 113
De l'Esprit des lois 119

PREMIÈRE PARTIE

Livre Premier

DES LOIS EN GÉNÉRAL

Chap. I. Des lois, dans le rapport qu'elles ont avec les divers êtres 123
Chap. II. Des lois de la nature 125
Chap. III. Des lois positives 127

Livre II

DES LOIS QUI DÉRIVENT DIRECTEMENT DE LA NATURE DU GOUVERNEMENT

Chap. I. De la nature des trois divers gouvernements 131
Chap. II. Du gouvernement républicain, et des lois relatives à la démocratie 131

CHAP. III. Des lois relatives à la nature de l'aristocratie 136
CHAP. IV. Des lois, dans leur rapport avec la nature du gouvernement monarchique. 139
CHAP. V. Des lois relatives à la nature de l'Etat despotique 141

LIVRE III

DES PRINCIPES DES TROIS GOUVERNEMENTS

CHAP. I. Différence de la nature du gouvernement et de son principe 143
CHAP. II. Des principes des divers gouvernements 143
CHAP. III. Du principe de la démocratie. 144
CHAP. IV. Du principe de l'aristocratie 146
CHAP. V. Que la vertu n'est point le principe du gouvernement monarchique 147
CHAP. VI. Comment on supplée à la vertu dans le gouvernement monarchique 148
CHAP. VII. Du principe de la monarchie 149
CHAP. VIII. Que l'honneur n'est point le principe des Etats despotiques. 150
CHAP. IX. Du principe du gouvernement despotique. 150
CHAP. X. Différence de l'obéissance dans les gouvernements modérés, et dans les gouvernements despotiques 151
CHAP. XI. Réflexions sur tout ceci 153

LIVRE IV

QUE LES LOIS DE L'ÉDUCATION DOIVENT ÊTRE RELATIVES AUX PRINCIPES DU GOUVERNEMENT

CHAP. I. Des lois de l'éducation 155
CHAP. II. De l'éducation dans les monarchies. . . 155
CHAP. III. De l'éducation dans le gouvernement despotique. 158
CHAP. IV. Différence des effets de l'éducation chez les anciens, et parmi nous 159
CHAP. V. De l'éducation dans le gouvernement républicain 160
CHAP. VI. De quelques institutions des Grecs. . . 161

CHAP. VII. En quel cas ces institutions singulières peuvent être bonnes 163
CHAP. VIII. Explication d'un paradoxe des anciens, par rapport aux mœurs 164

LIVRE V

QUE LES LOIS QUE LE LÉGISLATEUR DONNE DOIVENT ÊTRE RELATIVES AU PRINCIPE DU GOUVERNEMENT

CHAP. I. Idée de ce livre 167
CHAP. II. Ce que c'est que la vertu dans l'état politique 167
CHAP. III. Ce que c'est que l'amour de la république dans la démocratie 168
CHAP. IV. Comment on inspire l'amour de l'égalité et de la frugalité 169
CHAP. V. Comment les lois établissent l'égalité, dans la démocratie 170
CHAP. VI. Comment les lois doivent entretenir la frugalité, dans la démocratie 173
CHAP. VII. Autres moyens de favoriser le principe de la démocratie 174
CHAP. VIII. Comment les lois doivent se rapporter au principe du gouvernement, dans l'aristocratie 177
CHAP. IX. Comment les lois sont relatives à leur principe, dans la monarchie 181
CHAP. X. De la promptitude de l'exécution, dans la monarchie 182
CHAP. XI. De l'excellence du gouvernement monarchique 183
CHAP. XII. Continuation du même sujet 184
CHAP. XIII. Idée du despotisme 185
CHAP. XIV. Comment les lois sont relatives au principe du gouvernement despotique 185
CHAP. XV. Continuation du même sujet 190
CHAP. XVI. De la communication du pouvoir . . 191
CHAP. XVII. Des présents 193
CHAP. XVIII. Des récompenses que le souverain donne 194
CHAP. XIX. Nouvelles conséquences des principes des trois gouvernements 195

Livre VI

CONSÉQUENCES DES PRINCIPES DES DIVERS GOUVERNEMENTS, PAR RAPPORT A LA SIMPLICITÉ DES LOIS CIVILES ET CRIMINELLES, LA FORME DES JUGEMENTS, ET L'ÉTABLISSEMENT DES PEINES

Chap. I. De la simplicité des lois civiles, dans les divers gouvernements 199
Chap. II. De la simplicité des lois criminelles, dans les divers gouvernements 201
Chap. III. Dans quels gouvernements, et dans quels cas on doit juger selon un texte précis de la loi 203
Chap. IV. De la manière de former les jugements . 203
Chap. V. Dans quels gouvernements le souverain peut être juge 204
Chap. VI. Que, dans la monarchie, les ministres ne doivent pas juger 207
Chap. VII. Du magistrat unique 208
Chap. VIII. Des accusations, dans les divers gouvernements 208
Chap. IX. De la sévérité des peines, dans les divers gouvernements 209
Chap. X. Des anciennes lois françaises 211
Chap. XI. Que, lorsqu'un peuple est vertueux, il faut peu de peines 211
Chap. XII. De la puissance des peines 212
Chap. XIII. Impuissance des lois japonaises . . . 213
Chap. XIV. De l'esprit du Sénat de Rome 216
Chap. XV. Des lois des Romains à l'égard des peines 216
Chap. XVI. De la juste proportion des peines avec le crime 218
Chap. XVII. De la torture ou question contre les criminels 220
Chap. XVIII. Des peines pécuniaires, et des peines corporelles 220
Chap. XIX. De la loi du talion 221
Chap. XX. De la punition des pères pour leurs enfants 221
Chap. XXI. De la clémence du prince 222

LIVRE VII

CONSÉQUENCES DES DIFFÉRENTS PRINCIPES DES TROIS GOUVERNEMENTS, PAR RAPPORT AUX LOIS SOMPTUAIRES, AU LUXE, ET A LA CONDITION DES FEMMES

CHAP. I. Du luxe 225
CHAP. II. Des lois somptuaires, dans la démocratie 227
CHAP. III. Des lois somptuaires, dans l'aristocratie 228
CHAP. IV. Des lois somptuaires, dans les monarchies 228
CHAP. V. Dans quels cas les lois somptuaires sont utiles dans une monarchie 230
CHAP. VI. Du luxe à la Chine 231
CHAP. VII. Fatale conséquence du luxe à la Chine 232
CHAP. VIII. De la continence publique 233
CHAP. IX. De la condition des femmes, dans les divers gouvernements 233
CHAP. X. Du tribunal domestique, chez les Romains 234
CHAP. XI, Comment les institutions changèrent à Rome avec le gouvernement 235
CHAP. XII. De la tutelle des femmes, chez les Romains 236
CHAP. XIII. Des peines établies par les empereurs contre les débauches des femmes 237
CHAP. XIV. Lois somptuaires chez les Romains . . 239
CHAP. XV. Des dots et des avantages nuptiaux, dans les diverses Constitutions 239
CHAP. XVI. Belle coutume des Samnites 240
CHAP. XVII. De l'administration des femmes . . . 241

LIVRE VIII

DE LA CORRUPTION DES PRINCIPES DES TROIS GOUVERNEMENTS

CHAP. I. Idée générale de ce livre 243
CHAP. II. De la corruption du principe de la démocratie 243
CHAP. III. De l'esprit d'égalité extrême 245
CHAP. IV. Cause particulière de la corruption du peuple 246

CHAP. V. De la corruption du principe de l'aristocratie 246
CHAP. VI. De la corruption du principe de la monarchie 248
CHAP. VII. Continuation du même sujet 248
CHAP. VIII. Danger de la corruption du principe du gouvernement monarchique 249
CHAP. IX. Combien la noblesse est portée à défendre le trône 250
CHAP. X. De la corruption du principe du gouvernement despotique 250
CHAP. XI. Effets naturels de la bonté et de la corruption des principes 251
CHAP. XII. Continuation du même sujet 252
CHAP. XIII. Effet du serment chez un peuple vertueux 253
CHAP. XIV. Comment le plus petit changement dans la Constitution entraîne la ruine des principes 254
CHAP. XV. Moyens très efficaces pour la conservation des trois principes 255
CHAP. XVI. Propriétés distinctives de la république 255
CHAP. XVII. Propriétés distinctives de la monarchie 256
CHAP. XVIII. Que la monarchie d'Espagne était dans un cas particulier 257
CHAP. XIX. Propriétés distinctives du gouvernement despotique 258
CHAP. XX. Conséquence des chapitres précédents . 258
CHAP. XXI. De l'empire de la Chine 258

SECONDE PARTIE

LIVRE IX

DES LOIS, DANS LE RAPPORT QU'ELLES ONT AVEC LA FORCE DÉFENSIVE

CHAP. I. Comment les républiques pourvoient à leur sûreté 265
CHAP. II. Que la constitution fédérative doit être composée d'Etats de même nature, surtout d'Etats républicains 266

CHAP. III. Autres choses requises dans la république fédérative 267
CHAP. IV. Comment les Etats despotiques pourvoient à leur sûreté. 268
CHAP. V. Comment la monarchie pourvoit à sa sûreté. 269
CHAP. VI. De la force défensive des Etats, en général 269
CHAP. VII. Réflexions 270
CHAP. VIII. Cas où la force défensive d'un Etat est inférieure à sa force offensive 271
CHAP. IX. De la force relative des Etats. 272
CHAP. X. De la faiblesse des Etats voisins. 272

LIVRE X

DES LOIS, DANS LE RAPPORT QU'ELLES ONT AVEC LA FORCE OFFENSIVE

CHAP. I. De la force offensive 273
CHAP. II. De la guerre 273
CHAP. III. Du droit de conquête. 274
CHAP. IV. Quelques avantages du peuple conquis . 276
CHAP. V. Gélon, roi de Syracuse. 277
CHAP. VI. D'une république qui conquiert . . . 278
CHAP. VII. Continuation du même sujet 279
CHAP. VIII. Continuation du même sujet. . . . 279
CHAP. IX. D'une monarchie qui conquiert autour d'elle. 280
CHAP. X. D'une monarchie qui conquiert une autre monarchie. 281
CHAP. XI. Des mœurs du peuple vaincu. 281
CHAP. XII. D'une loi de Cyrus 281
CHAP. XIII. Charles XII. 282
CHAP. XIV. Alexandre 284
CHAP. XV. Nouveaux moyens de conserver la conquête 287
CHAP. XVI. D'un Etat despotique qui conquiert . 288
CHAP. XVII. Continuation du même sujet. . . . 288

LIVRE XI

DES LOIS QUI FORMENT LA LIBERTÉ POLITIQUE, DANS SON RAPPORT AVEC LA CONSTITUTION

CHAP. I. Idée générale 291

CHAP. II. Diverses significations données au mot de liberté 291
CHAP. III. Ce que c'est que la liberté 292
CHAP. IV. Continuation du même sujet 293
CHAP. V. De l'objet des Etats divers 293
CHAP. VI. De la Constitution d'Angleterre 294
CHAP. VII. Des monarchies que nous connaissons 304
CHAP. VIII. Pourquoi les anciens n'avaient pas une idée bien claire de la monarchie 305
CHAP. IX. Manière de penser d'Aristote 306
CHAP. X. Manière de penser des autres politiques 307
CHAP. XI. Des rois des temps héroïques, chez les Grecs 307
CHAP. XII. Du gouvernement des rois de Rome, et comment les trois pouvoirs y furent distribués 308
CHAP. XIII. Réflexions générales sur l'état de Rome, après l'expulsion des rois 310
CHAP. XIV. Comment la distribution des trois pouvoirs commença à changer, après l'expulsion des rois 312
CHAP. XV. Comment, dans l'état florissant de la république, Rome perdit tout à coup sa liberté . . 314
CHAP. XVI. De la puissance législative, dans la république romaine 315
CHAP. XVII. De la puissance exécutrice, dans la même république 316
CHAP. XVIII. De la puissance de juger, dans le gouvernement de Rome 318
CHAP. XIX. Du gouvernement des provinces romaines 324
CHAP. XX. Fin de ce livre 326

LIVRE XII

DES LOIS QUI FORMENT LA LIBERTÉ POLITIQUE, DANS SON RAPPORT AVEC LE CITOYEN

CHAP. I. Idée de ce livre 327
CHAP. II. De la liberté du citoyen 328
CHAP. III. Continuation du même sujet 329
CHAP. IV. Que la liberté est favorisée par la nature des peines, et leur proportion 329

CHAP. V. De certaines accusations qui ont particulièrement besoin de modération et de prudence. . 332
CHAP. VI. Du crime contre nature 333
CHAP. VII. Du crime de lèse-majesté. 334
CHAP. VIII. De la mauvaise application du nom de crime de sacrilège et de lèse-majesté 335
CHAP. IX. Continuation du même sujet. 336
CHAP. X. Continuation du même sujet 337
CHAP. XI. Des pensées. 338
CHAP. XII. Des paroles indiscrètes. 338
CHAP. XIII. Des écrits 340
CHAP. XIV. Violation de la pudeur, dans la punition des crimes 341
CHAP. XV. De l'affranchissement de l'esclave, pour accuser le maître 341
CHAP. XVI. Calomnie dans le crime de lèse-majesté. 342
CHAP. XVII. De la révélation des conspirations. . 342
CHAP. XVIII. Combien il est dangereux, dans les républiques, de trop punir le crime de lèse-majesté. 343
CHAP. XIX. Comment on suspend l'usage de la liberté, dans la république 345
CHAP. XX. Des lois favorables à la liberté du citoyen, dans la république. 346
CHAP. XXI. De la cruauté des lois envers les débiteurs, dans la république 346
CHAP. XXII. Des choses qui attaquent la liberté, dans la monarchie. 348
CHAP. XXIII. Des espions, dans la monarchie . . 348
CHAP. XXIV. Des lettres anonymes. 349
CHAP. XXV. De la manière de gouverner, dans la monarchie. 350
CHAP. XXVI. Que, dans la monarchie, le prince doit être accessible 351
CHAP. XXVII. Des mœurs du monarque. 351
CHAP. XXVIII. Des égards que les monarques doivent à leurs sujets 352
CHAP. XXIX. Des lois civiles, propres à mettre un peu de liberté dans le gouvernement despotique . 352
CHAP. XXX. Continuation du même sujet 353

LIVRE XIII

DES RAPPORTS QUE LA LEVÉE DES TRIBUTS ET LA GRANDEUR DES REVENUS PUBLICS ONT AVEC LA LIBERTÉ

CHAP. I. Des revenus de l'Etat 355
CHAP. II. Que c'est mal raisonner, de dire que la grandeur des tributs soit bonne par elle-même . . 356
CHAP. III. Des tributs, dans les pays où une petite partie du peuple est esclave de la glèbe 357
CHAP. IV. D'une république, en cas pareil 357
CHAP. V. D'une monarchie, en cas pareil 357
CHAP. VI. D'un Etat despotique, en cas pareil . . . 358
CHAP. VII. Des tributs, dans les pays où l'esclavage de la glèbe n'est point établi 358
CHAP. VIII. Comment on conserve l'illusion . . . 360
CHAP. IX. D'une mauvaise sorte d'impôt 361
CHAP. X. Que la grandeur des tributs dépend de la nature du gouvernement 361
CHAP. XI. Des peines fiscales 362
CHAP. XII. Rapport de la grandeur des tributs avec la liberté 363
CHAP. XIII. Dans quels gouvernements les tributs sont susceptibles d'augmentation 364
CHAP. XIV. Que la nature des tributs est relative au gouvernement 364
CHAP. XV. Abus de la liberté 365
CHAP. XVI. Des conquêtes des mahométans . . . 366
CHAP. XVII. De l'augmentation des troupes . . . 367
CHAP. XVIII. De la remise des tributs 368
CHAP. XIX. Qu'est-ce qui est plus convenable au prince et au peuple, de la ferme, ou de la régie des tributs 368
CHAP. XX. Des traitants 370

TROISIÈME PARTIE

LIVRE XIV

DES LOIS, DANS LE RAPPORT QU'ELLES ONT AVEC LA NATURE DU CLIMAT

CHAP. I. Idée générale 373
CHAP. II. Combien les hommes sont différents dans les divers climats 373

CHAP. III. Contradictions dans les caractères de certains peuples du midi 377
CHAP. IV. Cause de l'immutabilité de la religion, des mœurs, des manières, des lois, dans les pays d'orient. 378
CHAP. V. Que les mauvais législateurs sont ceux qui ont favorisé les vices du climat, et les bons sont ceux qui s'y sont opposés 378
CHAP. VI. De la culture des terres, dans les climats chauds. 379
CHAP. VII. Du monachisme 379
CHAP. VIII. Bonne coutume de la Chine 380
CHAP. IX. Moyens d'encourager l'industrie . . . 380
CHAP. X. Des lois qui ont rapport à la sobriété des peuples 381
CHAP. XI. Des lois qui ont du rapport aux maladies du climat 382
CHAP. XII. Des lois contre ceux qui se tuent eux-mêmes 384
CHAP. XIII. Effets qui résultent du climat d'Angleterre. 385
CHAP. XIV. Autres effets du climat. 386
CHAP. XV. De la différente confiance que les lois ont dans le peuple, selon les climats 387

LIVRE XV

COMMENT LES LOIS DE L'ESCLAVAGE CIVIL ONT DU RAPPORT AVEC LA NATURE DU CLIMAT

CHAP. I. De l'esclavage civil. 389
CHAP. II. Origine du droit de l'esclavage, chez les jurisconsultes romains. 390
CHAP. III. Autre origine du droit de l'esclavage. . 391
CHAP. IV. Autre origine du droit de l'esclavage . . 392
CHAP. V. De l'esclavage des nègres 393
CHAP. VI. Véritable origine du droit de l'esclavage 394
CHAP. VII. Autre origine de l'esclavage. 394
CHAP. VIII. Inutilité de l'esclavage parmi nous . 395
CHAP. IX. Des nations chez lesquelles la liberté civile est généralement établie 396
CHAP. X. Diverses espèces d'esclavage 397
CHAP. XI. Ce que les lois doivent faire par rapport à l'esclavage. 397

CHAP. XII. Abus de l'esclavage 398
CHAP. XIII. Danger du grand nombre d'esclaves . 399
CHAP. XIV. Des esclaves armés 399
CHAP. XV. Continuation du même sujet 400
CHAP. XVI. Précautions à prendre dans le gouvernement modéré 401
CHAP. XVII. Règlements à faire entre le maître et les esclaves 402
CHAP. XVIII. Des affranchissements 404
CHAP. XIX. Des affranchis et des eunuques 406

LIVRE XVI

COMMENT LES LOIS DE L'ESCLAVAGE DOMESTIQUE ONT DU RAPPORT AVEC LA NATURE DU CLIMAT

CHAP. I. De la servitude domestique 409
CHAP. II. Que, dans les pays du midi, il y a, dans les deux sexes, une inégalité naturelle 409
CHAP. III. Que la pluralité des femmes dépend beaucoup de leur entretien 411
CHAP. IV. De la polygamie. Ses diverses circonstances 411
CHAP. V. Raison d'une loi du Malabar 412
CHAP. VI. De la polygamie en elle-même 413
CHAP. VII. De l'égalité du traitement, dans le cas de la pluralité des femmes 414
CHAP. VIII. De la séparation des femmes d'avec les hommes 414
CHAP. IX. Liaison du gouvernement domestique avec le politique 415
CHAP. X. Principe de la morale de l'orient 415
CHAP. XI. De la servitude domestique, indépendante de la polygamie 417
CHAP. XII. De la pudeur naturelle 418
CHAP. XIII. De la jalousie 418
CHAP. XIV. Du gouvernement de la maison, en orient 419
CHAP. XV. Du divorce et de la répudiation 419
CHAP. XVI. De la répudiation et du divorce, chez les Romains 420

LIVRE XVII

COMMENT LES LOIS DE LA SERVITUDE POLITIQUE ONT DU RAPPORT AVEC LA NATURE DU CLIMAT

CHAP. I. De la servitude politique 425
CHAP. II. Différence des peuples, par rapport au courage 425
CHAP. III. Du climat de l'Asie 426
CHAP. IV. Conséquence de ceci 428
CHAP. V. Que, quand les peuples du nord de l'Asie et ceux du nord de l'Europe ont conquis, les effets de la conquête n'étaient pas les mêmes 429
CHAP. VI. Nouvelle cause physique de la servitude de l'Asie, et de la liberté de l'Europe 430
CHAP. VII. De l'Afrique et de l'Amérique 431
CHAP. VIII. De la capitale de l'empire 432

LIVRE XVIII

DES LOIS, DANS LE RAPPORT QU'ELLES ONT AVEC LA NATURE DU TERRAIN

CHAP. I. Comment la nature du terrain influe sur les lois 433
CHAP. II. Continuation du même sujet 434
CHAP. III. Quels sont les pays les plus cultivés . . 434
CHAP. IV. Nouveaux effets de la fertilité et de la stérilité du pays 435
CHAP. V. Des peuples des îles 436
CHAP. VI. Des pays formés par l'industrie des hommes 436
CHAP. VII. Des ouvrages des hommes 437
CHAP. VIII. Rapport général des lois 437
CHAP. IX. Du terrain de l'Amérique 438
CHAP. X. Du nombre des hommes, dans le rapport avec la manière dont ils se procurent la susbistance 438
CHAP. XI. Des peuples sauvages, et des peuples barbares 439
CHAP. XII. Du droit des gens, chez les peuples qui ne cultivent point les terres 439
CHAP. XIII. Des lois civiles, chez les peuples qui ne cultivent point les terres 440
CHAP. XIV. De l'état politique des peuples qui ne cultivent point les terres 440

CHAP. XV. Des peuples qui connaissent l'usage de la monnaie 441
CHAP. XVI. Des lois civiles, chez les peuples qui ne connaissent point l'usage de la monnaie . . . 441
CHAP. XVII. Des lois politiques, chez les peuples qui n'ont point l'usage de la monnaie 442
CHAP. XVIII. Force de la superstition 442
CHAP. XIX. De la liberté des Arabes, et de la servitude des Tartares. 443
CHAP. XX. Du droit des gens des Tartares . . . 444
CHAP. XXI. Loi civile des Tartares. 445
CHAP. XXII. D'une loi civile d'un peuple germain 445
CHAP. XXIII. De la longue chevelure des rois francs 450
CHAP. XXIV. Des mariages des rois francs. . . . 451
CHAP. XXV. Childéric 451
CHAP. XXVI. De la majorité des rois francs. . . . 452
CHAP. XXVII. Continuation du même sujet . . . 453
CHAP. XXVIII. De l'adoption, chez les Germains. 454
CHAP. XXIX. Esprit sanguinaire des rois francs. . 455
CHAP. XXX. Des assemblées de la nation, chez les Francs 455
CHAP. XXXI. De l'autorité du clergé, dans la première race. 456

LIVRE XIX

DES LOIS, DANS LE RAPPORT QU'ELLES ONT AVEC LES PRINCIPES QUI FORMENT L'ESPRIT GÉNÉRAL, LES MŒURS ET LES MANIÈRES D'UNE NATION

CHAP. I. Du sujet de ce livre. 459
CHAP. II. Combien, pour les meilleures lois, il est nécessaire que les esprits soient préparés . . . 459
CHAP. III. De la tyrannie. 460
CHAP. IV. Ce que c'est que l'esprit général. . . . 461
CHAP. V. Combien il faut être attentif à ne point changer l'esprit général d'une nation. 461
CHAP. VI. Qu'il ne faut pas tout corriger. 462
CHAP. VII. Des Athéniens et des Lacédémoniens . 462
CHAP. VIII. Effets de l'humeur sociable. 463
CHAP. IX. De la vanité et de l'orgueil des nations . 463
CHAP. X. Du caractère des Espagnols, et de celui des Chinois 464

CHAP. XI. Réflexion. 465
CHAP. XII. Des manières et des mœurs, dans l'Etat despotique. 465
CHAP. XIII. Des manières, chez les Chinois . . 466
CHAP. XIV. Quels sont les moyens naturels de changer les mœurs et les manières d'une nation. . 467
CHAP. XV. Influence du gouvernement domestique sur le politique 468
CHAP. XVI. Comment quelques législateurs ont confondu les principes qui gouvernent les hommes. 468
CHAP. XVII. Propriété particulière au gouvernement de la Chine 470
CHAP. XVIII. Conséquence du chapitre précédent 471
CHAP. XIX. Comment s'est faite cette union de la religion, des lois, des mœurs et des manières, chez les Chinois 472
CHAP. XX. Explication d'un paradoxe sur les Chinois 473
CHAP. XXI. Comment les lois doivent être relatives aux mœurs et aux manières 474
CHAP. XXII. Continuation du même sujet. . . . 474
CHAP. XXIII. Comment les lois suivent les mœurs 475
CHAP. XXIV. Continuation du même sujet . . . 475
CHAP. XXV. Continuation du même sujet. . . . 476
CHAP. XXVI. Continuation du même sujet . . . 477
CHAP. XXVII. Comment les lois peuvent contribuer à former les mœurs, les manières et le caractère d'une nation. 477

Traduction des citations 487

TITRES RÉCEMMENT PARUS

AMADO (JORGE)
Mar morto (388)

ARIOSTE
Roland furieux. Textes choisis et présentés par Italo CALVINO (380)

BALZAC
La Maison du chat-qui-pelote (414). Peines de cœur d'une chatte anglaise (445)

BRONTË (EMILY)
Hurlevent-des-Monts (Wuthering Heights) (411)

CARROLL (LEWIS)
Tout Alice (312)

CARRINGTON
Le Cornet acoustique (397)

***
Code civil (Le). Textes antérieurs et version actuelle. Éd. J. Veil (318)

CONSTANT
De l'Esprit de conquête et de l'Usurpation (456)

CRÉBILLON
Les Égarements du cœur et de l'esprit (393)

DAUDET
Contes du Lundi (308)

DESCARTES
Méditations métaphysiques (328)

DIDEROT
Le Neveu de Rameau (143)

DICKENS
David Copperfield 1 (310) - 2 (311)

DOSTOIEVSKI
Récits de la maison des morts (337). L'Idiot 1 (398) - 2 (399)

DUMAS fils
La Dame aux camélias. (Roman, théâtre, opéra. *La Traviata*) (381)

***
L'Encyclopédie 1 (426) - 2 (448)

***
La Farce de Maître Pierre Pathelin (texte original et traduction en français moderne) (462)

***
Farces du Moyen Âge (412)

FLAUBERT
L'Éducation sentimentale (432). Trois Contes (452). Madame Bovary (464)

FORT (PAUL)
Ballades du beau hasard (402)

GAUTIER
Voyage en Espagne (367). Récits fantastiques (383)

***
La Genèse (traduction de *La Bible de Jérusalem*) (473)

HAMSUN
Victoria (422)

HAWTHORNE
La Lettre écarlate (382)

HOBBES
Le Citoyen (De Cive) (385)

HÖLDERLIN
Hymnes-Élégies (352)

HUGO
Les Burgraves (437). L'Art d'être grand-père (438)

HUME
Enquête sur l'entendement humain (343)

JAMES
Les Deux Visages (442)

KADARÉ
Le Pont aux trois arches (425)

KAFKA
Le Procès (400). Le Château (428)

LABÉ (LOUISE)
Œuvres complètes : Sonnets. Élégies. Débat de Folie et d'Amour (413)

LA BOÉTIE
Discours de la servitude volontaire (394)

LAGERKVIST
Âmes masquées. La Noce (424)

***
Lettres portugaises. Lettres d'une Péruvienne et autres romans d'amour par lettres (379)

***
Lettres édifiantes et curieuses de Chine (315)

LOCKE
Traité du gouvernement civil (408)

MACHIAVEL
Le Prince (317)

***
Le Mahabharata 1 (433). 2 (434)

MARGUERITE DE NAVARRE
L'Heptameron (355)

MANN
Mario et le magicien (403)

MAUPASSANT
Le Horla et autres contes d'angoisse (409). Apparition et autres contes d'angoisse (417)

MAURIAC
Un adolescent d'autrefois (387). L'Agneau (431)

MÉRIMÉE
Carmen. Les âmes du purgatoire (263). La Vénus d'Ille et autres nouvelles (368). Tamango. Mateo Falcone et autres nouvelles (392)

MIRBEAU
Le Journal d'une femme de chambre (307)